沖縄文教部／琉球政府文教局 発行 復刻版

文教時報 第16巻

第108号～第115号
／号外14～16
（1967年10月
～1969年3月）

編・解説者 藤澤健一・近藤健一郎

不二出版

『文教時報』第16巻（第108号〜第115号／号外14〜16）復刻にあたって

一、本復刻版では琉球政府文教局によって1952年６月30日に創刊され1972年４月20日刊行の127号まで継続的に刊行された『文教時報』を「通常版」として仮に総称します。復刻版各巻、および別冊収載の総目次などでは、「通常版」の表記を省略しています。

一、第16巻の復刻にあたっては下記の機関に原本提供のご協力をいただきました。記して感謝申し上げます。

　沖縄県公文書館

一、原本サイズは、第108号から第115号までＡ５判です。号外14、16はタブロイド判、号外15はＢ６変型判です。

一、復刻版本文には、表紙類を含めてすべて墨一色刷り・本文共紙で掲載し、各号に号数インデックスを付しました。なお、表紙の一部をカラー口絵として巻頭に収録しました。また、白頁は適宜割愛しました。

一、史料の中に、人権の視点からみて、不適切な語句、表現、論、あるいは現在からみて明らかな学問上の誤りがある場合でも、歴史的史料の復刻という性質上そのままとしました。

（不二出版）

◎全巻収録内容

復刻版巻数	原本号数	原本発行年月
第１巻	通牒版１〜８	１９４６年２月〜１９５０年２月
第２巻	１〜９	１９５２年６月〜１９５４年６月
第３巻	10〜17	１９５４年９月〜１９５５年９月
第４巻	18〜26	１９５５年10月〜１９５６年９月
第５巻	27〜35	１９５６年12月〜１９５７年10月
第６巻	36〜42	１９５７年11月〜１９５８年６月
第７巻	43〜51	１９５８年７月〜１９５９年２月
第８巻	52〜55	１９５９年３月〜１９５９年６月
第９巻	56〜65	１９５９年６月〜１９６０年３月
第10巻	66〜73／号外２	１９６０年４月〜１９６１年２月
第11巻	74〜79／号外４	１９６１年３月〜１９６２年６月
第12巻	80〜87／号外５〜８	１９６２年９月〜１９６４年６月
第13巻	88〜95／号外10	１９６４年６月〜１９６５年６月
第14巻	96〜101／号外11	１９６５年９月〜１９６６年７月
第15巻	102〜107／号外12、13	１９６６年８月〜１９６７年９月
第16巻	108〜115／号外14〜16	１９６７年10月〜１９６９年３月
第17巻	116〜120／号外17、18	１９６９年10月〜１９７０年11月
第18巻	121〜127／号外19	１９７１年２月〜１９７２年４月
付録	『琉球の教育』1957（推定）、1959／別冊＝『沖縄教育の概観』１〜８	１９５７年（推定）〜１９７２年
別冊	解説・総目次・索引	

〈第16巻収録内容〉

『文教時報』琉球政府文教局 発行

号数	表紙記載誌名（奥付誌名）	発行年月日
第108号	文教時報（文教時報）	1967年10月10日
第109号	文教時報（文教時報）	1967年12月10日
第110号	文教時報（文教時報）	1967年12月30日
号外第14号		1968年 2 月21日
第111号	文教時報（文教時報）	1968年 3 月 1 日
第112号	文教時報（文教時報）	1968年 6 月15日
号外第15号		1968年
号外第16号		1968年11月 1 日
第113号	文教時報（文教時報）	1968年11月 8 日
第114号	文教時報（文教時報）	1968年12月17日
第115号	文教時報（文教時報）	1969年 3 月18日

『文教時報』復刻刊行の辞

わたしたちは、沖縄現代史のあゆみをどこまで知っているだろうか。この問いを掲げつつ、第二次大戦後、米軍によって占領されていた時期（1945−1972年）、沖縄・宮古・八重山（一時期、奄美をふくむ）において、文教担当部局が刊行した『文教時報』を復刻する。

同誌は沖縄文教部、つづいて琉球政府文教局が刊行した。前者では示達事項を中心とした指導書であり、後者では教育行政にかかわる情報、教育についての調査・統計、教室での実践記録や公民館を中心とした社会教育関連記事など、盛り込まれた内容は幅広い。総じて教育広報誌といえる同誌は、発行期間の長さと継続性から、沖縄現代史を分析するうえで、もっとも基礎的な史料のひとつと目される。しかし、これまで同誌は全体像についての理解を欠いたまま、断片的に活用されるにとどまってきた。

その背景にはなにがあるのか。まず、発行が群島ごとに分割統治されていた時期から琉球政府期にいたるまで四半世紀におよび、雑誌としての性格が変容していることがある。くわえて多くの機関に分蔵されるとともに、附録類、号外や別冊など書誌的な体系が複雑に入り組みつかみにくい。このために本格的な調査が進まなかった。今回、わたしたちは所蔵関係にかかわる基礎調査をふまえ、添付書類までもふくめた全体像の把握に体系的に取り組んだ。その成果をこうして全18巻、付録１に集約して復刻刊行する。解説のほか、総目次や執筆者索引などから構成される別冊をあわせて刊行する。今回の復刻により、教育行政側からみた沖縄現代史について、それを総覧できる史料的な環境がようやく整備されることになる。

統治者として君臨した、米国側との関係、また、沖縄教職員会をはじめとした教員団体との関係、さらに「復帰」に向けた日本政府や文部省との関係、さらに離島や村落の教育環境など、同誌は変動する沖縄現代史のダイナミズムを体現するかのような史料群となっている。

沖縄の「復帰」からすでに45年にいたるいま、沖縄研究者はもとより、教育史、占領史、政治史、行政史など複数の領域において、本復刻の成果が活用され、沖縄現代史にかかわる確かな理解が深まることを念じている。物事を判断するためには、うわついた言説に依るのではなく事実経過が知られなければならない。あらためて問いたい。沖縄現代史のあゆみははたしてどこまで知られているか。

（編集委員代表　藤澤健一）

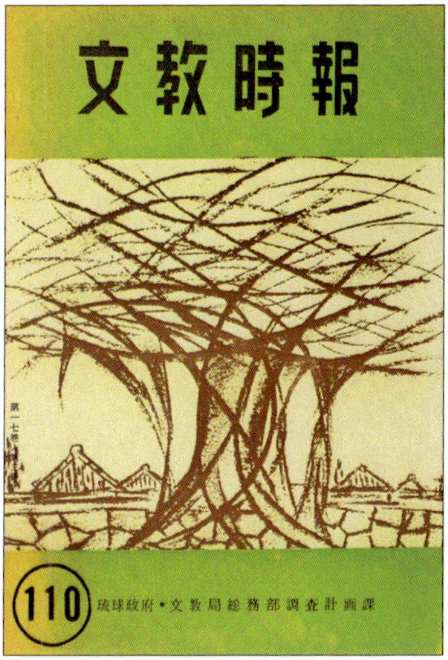

110号

113号

114号

115号

文教時報

108

108

琉球政府・文教局総務部調査計画課

沖縄文化財散歩 <10>

玉 城 城 跡

指　定・史　跡

所在地・玉城村字玉城　門原443・444番地

玉城城跡は，玉城台地に更に一段と高くなつている山全体をかこつて城となし，三方が断崖になり，殊に南がわの断崖下は自然の堀割となつていて，天然要害の地を利用してきづかれた山城である。

城の形式は，三の丸から二の丸へ，更に頂上の本丸へと次第に面積が小さくなり，その平面的な構造形式は，梯郭式の城ということができる。

この城は，戦後，軍用地としてかこわれていたようであるが，霊地であるということで軍用地からはずされたといわれているが，隣接して軍用地があるため，三の丸と二の丸の石垣が建築用石材として取りこわされ，現在はカヤ，ススキの生い茂つた原野になつている。現存するのは本丸跡の城壁のみである。本丸跡の城壁は，珊瑚石灰岩の切石積みになつていて，十米位の高さに石垣をめぐらし，城門は自然岩を掘り抜いてつくられ，一人づつしか通れない，城壁の厚みは狭いところで1,5米，広いところが6米位である。

本丸跡には「天つぎ，あまつぎの御嶽」，神名「アガル御イベ，ツレル御イベ」がまつられ，東御廻の拝所として崇敬されている。

～文化財保護委員会（新城徳祐）

文教時報

No. 108. 67/10

私立学校新興法と 私立学校新興会

高校教育課主事　古　城　源　徳

1　立法の成立過程

私立学校振興会法（以下「私振法」という。）は1966年9月30日公布されたがその施行は，公布の日から起算して2年をこえない範囲内において規則で定める日からとなつており，従つて現在未施行である。

ここで，立法成立過程とその後の改正立法等について少しふれてみたい。

私振法は，1966年第31回（定例）立法院議会幕切れ寸前の7月26日急遽，議員発議され，7月28日第1読会をもち文社委員会に付託された。文社委員会では7月29日同法案を審議し，翌7月30日（会議最終日）第2読会をもち第3読会を省略し全会一致で同日可決したのである。正に電光石火の如き立法成立である。

当初，政府としては，大きな予算を伴う立法なので政府の財政計画ともみあわせ，次期立法院（1967年）あたりに立法勧告する予定だつたようで，この僅か三日間の審議による私振法誕生は，全く寝耳に水でというか，その取扱いに困惑し，署名公布も危ぶまれていたが，私学振興の基礎となる立法であることや私学関係者の強力な促進等もあり，遂に，主席は1966年9月30日署名公布するとともに次のような談話を発表したのである。

この談話は，政府の私振法及び私学振興に対する姿勢ともいえるものだがその要旨は，「同法案第5条に規定する私立学校振興会（以下「振興会」という。)の資本金100万ドルは，本土法との均衡を欠くとともに，琉球政府の財政計画に合致せず財源の捻出も困難であること，振興会役員（会長1人，理事長1人，理事3人及び監事3人）の任命方式中私立学校の推薦権は望ましくないこと，振興会の設立事務及び特殊法人としての免税措置（所得税，法人税登録税，印紙税，自動車税，市町村税，等の免税措置）に関する規定がないこと，旧債権<（本土において1964年（昭和21年）から1951年（昭和26年）>までの振興会発足前に政府が私立学校の設置者又は都道府県に対して貸付けた戦災復旧資金，経営貸付金震災復旧貸付金，風水害復旧貸付金等であるが，その金額は，17億5千9百11万5千円）に関する規定は，沖縄には該当事項がないので不必要であること等に本立法案の問題点と不備がある。

しかし，私学振興は目下の急務であり，本立法が私学振興を目的としているし，又その基礎となること及び本立法を可決した立法院の意志は十二分参酌尊重されなければならない。従つて指摘した問題点は次期立法院に改正立法案を勧告するので，立法院の全面的理解と協力を求め署名公布する。」となつている。

この談話に沿うて，今年その改正案を勧告したわけですが，内容は全く前記主席談話で指摘された問題点を是正するためのものであつたが，同改正案は，去る8月5日の立法院で全会一致で議決された。しかし，その結果は，資本金以外は全部勧告案どおりとなり解決をみたが，資本金については，現行法どおり100万ドルとし，しかもその出資方法は，振興会設立年度に15万ドルを出資し残りを3年以内で出資することに変つた。即ち，政府に100万ドルを3年で出資する義務づけをしたのである。

これに対し主席は，その取扱いについて関係局長や与党幹部等と調整した後，今回も談話で，政府の出資金100万ドルは，やはり本土法との均衡を欠くとともに，政府の財政計画に合致しないので次年度以降にその改正案を勧告することを述べ去る9月11日同改正案を公布したのである。

ところで，冒頭でもふれたように同法附則で公布の日（1966年9月30日）から起算して2年を起えない範囲で規則で定める日から施行するとなつているので，（改正立法の施行も本法に吸収される。）一応，資本金については問題含みのままではあるが，今会計年度内で同法の施行及び振興会発足の見込みが出てきたのである。

2　振興会の資本金及び運用資金

振興会の資本金は，現行法上100万ドルとなつている，資本金は全額政府出資であるが現行法上の出資方式は，同法第5条第2項の規定により振興会成立と同時に15万ドルを払い込み，以後3箇年以内にその残余を払い込むものとするとなつている。

なお，15万ドルは，1968会計年度の予算に計上されているので，振興会は資本金15万ドルで発足することになつたわけである。さて，この100万ドルは次年度以降の改正立法で幾らになるかわからないが，政府は100万ドルはともかく，15万ドルを逐次増額する方針であることは第5条第3項第4項からうかがえる。資本金100万ドルについては，大幅な日政援助を期待しているようだが（立法院議員又は私学関係者）計画どおり実現できるか今後の大きな課題である。

次に，資本金と関連して振興会の運用資金についてふれると，本土の振興会の運用資金の大部分は政府の財政融資である。1967年度までの本土振興会の資本金（旧債権を除く。）は，140億9千万円（約3,900万ドル）に対し，財政融資は595億円（約1億6千5百万ドル）となつて，資本金の4倍を占めている。沖縄でも，振興会が発足した場合資金運用部資金からの財政融資が当然考えられなければならないだろう。

3　振興会の目的及び業務

振興会の目的は，同法第1条に規定されているとおり，私立学校の経営に関し必要な資金の貸付，私立学校教育の助成その他私立学校教育に対する援助に必要な業務を行ない，もつて私立学校教育の振興を図るとなつている。

この目的を達成するための業務は次のとおり。

(1)　学校法人に対し，その設置する私立学校の経営のため必要な資金（その施設のため必要な資金を含む。）を貸付けること。（職業に必要な技術の教授を目的とする私立各種学校で規則で定めるものを含む。）

(2)　学校法人に対し，その設置する私立学校が教育の振興のために行なう事業について助成を行なうこと。

(3)　私立学校の職員の研修，福利厚生その他私立学校教育の振興上必要と認められる事業を行う者に対し，その施設，事業等について，必要な資金を貸し付け，又は助成を行うこと。

(4)　前各号に掲げる業務に附帯する業務。

(5)　そのほか，行政主席の認可を受けて，第1条の目的を達成するため必要な業務を行なうことができる。

以上は，同法第22条で規定する業務内容であるがこれを分説すると，

(イ)　振興会の業務の対象は，「私立学校」ないしは「学校法人」である。

(ロ)　貸付ける経営資金は，短期の経営資金のほかに長期の施設設備資金をも対象とする。ただ さしあたり，資金は15万ドルしかないので短期の経営資金の融通に止まるであろう。貸付条件は，第22条の文言上は，必ずしも通常の条件よりも有利に行なわれるとは限らないが，同法第1条の目的や私立学

校法第78条等の精神から貸付の利率，期間等ある程度有利な条件であるべきである。（業務方法書で規定される。）

(ハ) 助成は，補助金の支出及び通常の条件より有利な条件で貸付金をし，その他の財産を譲渡し，若しくは，貸付けることである。（私学法第78条）資金の貸付けは第22条第1項第2号の助成に該当するというよりは，同項第1号の資金の貸付に該当するものである。（第22条第3項の助成の限度からして。）私立学校が教育の振興のため行なう事業とは，特別な教育研究，設備の購入又は充実，新しい教育方式の採用というような教育の振興上望ましい事業をいう。

(ニ) 職員の研修，福利厚生その他私立学校教育の振興上必要と認められる事業を行なう者の範囲には，文言上は学校法人，財団法人，個人と格別に制限はないが（業務方法書で定められるが，）本土では学校法人と民法34条の財団法人に限定している。

次に，研修とは，資質の向上のために行なわれ研究と修養の意義であつて広く資質の向上のため行なわれる講習会，研究会，その他の催で，福利厚生とは，私立学校教職員の共済事業その他広く解釈してよい，以上の研修，福利厚生等の事業を行う者に対する貸付又は助成は，その施設等の範囲は土地建物のほか設備を含み，更に研修事業については，その事業費例えば講習会については会場費，印刷費，講師謝礼金等を含むものと解する。

(ホ) 附帯業務とは，貸付又は助成に関連する調査，審査，査定，貸付又は助成の条件の履行の確保等に関する業務を意味する。

(ヘ) 私立学校教育の振興のため，行政主席の認可を受けてなす業務としては，振興会が自ら主体となつて，私立学校の職員の研修事業を行なうとか，福利施設を設置するとか，あるいは教職員中功労者，永年勤続者の表彰を行なう等広く私立学校教育の振興のため必要と認められる業務が考えられる。

以上業務内容を分説したが，業務の実際については業務方法書で具体的に規定されるがそれは未だ制定されていないので，貸付に係る審査基準，貸付の限度，利率及び期間，担保，借入申込書，貸付方法，助成方法等についての説明は後日に譲り度い。

なお，条文解釈は，福田繁著「私立学校経営の実態と私立学校振興会，共済会」を抜粋又は参照した。

沖縄の育英事業

～：学生生徒生活費調査に基く推論：～

琉球育英会理事長
阿波根　朝　次

はじめに

本会は，文教局調査計画課と協力して，1966年秋，大学及び高校の学生生徒の生活費調査を行つた。調査に要する経費はアジア財団からの提供を受け，資料の集計分析作業は，もつぱら調査計画課で行い，その結果が最近まとまつた。その詳細については近日中に調査報告書を刊行するが，この調査に基づいて２～３の考察を試みたい。

I　奨学金を必要とする学生生徒数の推計

この調査の対象になつた学生，生徒の人員及び調査結果の主要な数値は次にあげるとおりである。

(1)　高校の部

高校在籍者	調査人員	調査期間	平均家族数	全日制年間平均学資	家庭の平均年収
45,698人	4,072人	1966.10.1～31	6.7≒7人	168.87≒169ドル	1,919ドル

第一表　家庭収入段階別学資不足額の推計

段階番号	年収段階（区間値）(A)	分布率 (B)	累積 (C)	規準生計費 (D)	標準学費 (E)	不足額 (F)
(1)	300 $未満	0.6%	0.6%	848$ 1965年7人家族の所得税免税点（給与所得者）	169 $	169$
(2)	300～450 (375)	1.9	2.5		〃	169
(3)	450～600 (525)	4.4	6.9		〃	169
(4)	600～750 (675)	9.3	16.2		〃	169
(5)	750～900 (825)	14.8	31.0		〃	169
(6)	900～1,050 (975)	9.3	40.3		〃	151
(7)	1,050～1,200 (1,125) ※	8.3	48.6※		〃	129※
(8)	1,200～1,350 (1,275)	11.3	59.9		〃	108
(9)	1,350～1,500 (1,425)	6.6	66.5		〃	87
(10)	1,500～1,650 (1,575)	7.2	73.7		〃	67
(11)	1,650～1,800 (1,725)	4.6	78.3		〃	44
(12)	1,800～1,950 (1,875)	6.4	84.7		〃	21
(13)	1,950～2,100 (2,025)	4.4	89.1		〃	1
(14)	2,100～2,250 (2,175)	3.8	92.9		〃	0

※　学資不足額が年収の一割を超過する段階

注，1，表中の規準生計費とは1965年度における7人家族（夫婦，15才以下2人，15才以上3人）の給与所得者に対する所得税免税点である。本稿ではこれを7人家族の最低生活費と見ている。

（年収）－（規準生計費）即ち年収から最低生活費を控除した額を家族数に等分した額を家族の構成員1人1人が使用し得る余裕額と見ればこれが7人家族の家庭での1人の高校生に対する学資負担能力と考えられる。

例えば(7)段階の場合

年収（1,125ドル）－基準生計費（848ドル）＝277ドル

277ドル÷7人＝39.57ドル

7人家族のこの家庭では年額39.57ドルが1人の高校生に対する学費負担能力と考えられる。

標準学資は169ドルであるので

標準学費（169.00ドル）－学資負担能力（39.57ドル）＝129.43

以上の推論の過程を図解すれば，次の図の通りである。

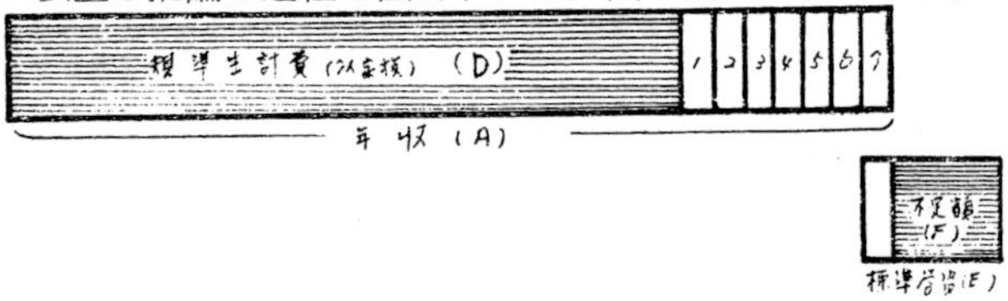

なお，規準生計費については，後段で補足説明する。

この高校生が学業を続けるには，アルバイトによるか，借財によるか，奨学金の支給を受けるしか方途がないことになる。この家庭年収1,125ドルに対して標準学資の不足額129.43ドルは一割を超過するので満足に学業を続けさせるためには年額にして129ドル以上の奨学金を支給する必要がある。

学資不足額が家庭年収の一割を超過する者の数は表により全体の48.6％もいることから高校の在籍者45,664人のうち学資不足の生徒は

$$45{,}698人 \times \frac{48.6}{100} \doteqdot 22{,}209人$$いると推計される。

この内学業成績が上位$\frac{1}{4}$にいる生徒を差し当つて奨学生の対象にすると，その人員は

22,209人÷4＝5,523人となる。

この計算は家庭の経済条件の如何にかかわらず学業成績で上位四分の一になれる素質のあるものの率は同一であるとの仮定に立っているが現実の成績はともかく素質においては貧富同一であるとの仮定の妥当性は認められると思う。

学資において後顧の憂なからしめて，その素質をあるがままに伸ばさせる事が育英事業の眼目である事からも育英事業を，ここまで拡充したいものである。

高等学校における，生徒の属する家庭の家族数段階別分布は次の通りである。

3人以上	4人	5人	6人	7人	8人	9人以上
7.7%	8.1	13.1	19.8	18.7	14.9	17.7%

（3人以上～5人）48.7%　（8人～9人以上）32.6%

（3人以上～4人）28.9%　19.8%　（5人～9人以上）51.3%

本推計において生徒の家庭の家族数を7人として計算したが7人を超える家庭は全体の32.6%であるに対して7人未満の家庭は48.7%で上下のバランスが取れないうらみがあるが平均家族数を6人に下げると上下のバランスは逆の方向に一層大きくくずれるがそれにかまわず平均家族数を6人として計算すると，6人家族の規準生計費は762＄で，これを第6段階と第7段階の家庭にあてはめて計算すると次の通りである

	年収	規準生計費				
	＄	＄	＄	＄ 人	＄	＄ ＄ ＄
(6)	975－726＝213			213÷6＝35.5		169－35.5≒134
(7)	1,125－762＝363			363÷6＝60.5		169－60.5≒109

第7段階は学資不足額が一割未満

第6段階は学資不足額一割超過となる

第6段階までの累積比率は第一表から40.3%であるこの率から奨学対象者数を前と同様な方法で算出すると

$$45{,}698人\times\frac{40.3}{100}\fallingdotseq 18{,}416$$

$$18{,}416人\div 4 \quad \fallingdotseq 4{,}604$$ となる

いずれにしても4,000～5,000人の奨学生定員が必要だということになる。

(2) 大学の部

大学在籍者	調査人員	調査期間	平均家族数	昼間部四年制年間平均学資	家庭の平均年収
5,930人	314人	1966.11.1～11.30	6.4≒6人	322ドル	1,676ドル

第二表　家庭収入段階別学資不足額の推計

段階番号	年収段階(区間値) (A)	分布率 (B)	累積 (C)	規準生計費 (D)	標準学費 (E)	不足額 (F)
(1)	300＄未満	1.0%	1.0%	＄762 1965年6人家族の所得税免税点(給与所得者)	＄322	322＄
(2)	＄300～＄450(＄375)	2.0	3.2		〃	322
(3)	450～600(525)	4.5	7.7		〃	322
(4)	600～750(675)	8.3	16.0		〃	322
(5)	750～900(825)	6.4	22.4		〃	311.5
(6)	900～1,050(975)	8.9	31.3		〃	286.5
(7)	1,050～1,200(1,125)	5.7	37.0		〃	261.5
(8)	1,200～1,350(1,275)	9.9	46.9		〃	236.5
(9)	1,350～1,500(1,425)	6.7	53.6		〃	211.5
(10)	1,500～1,650(1,575)※	7.6	61.2※		〃	186.5※
(11)	1,650～1,800(1,725)	4.8	66.0		〃	161.5
(12)	1,800～1,950(1,875)	5.1	71.1		〃	136.5
(13)	1,950～2,100(2,025)	6.1	77.2		〃	111.5
(14)	2,100～2,250(2,175)	3.5	80.7		〃	86.5

※　不足額が年収の一割を超過する段階

不足額の計算の方法は高校の場合と同一、即ち

$$\frac{(\text{家庭年収})-(\text{規準生計費})}{(\text{学生の平均家族数})}=\text{学生一人に対する家庭の学資負担能力額}$$

(標準学資)－(負担能力)＝(学資不足額)とした。

第二表中年収段階において第1段階から第10段階の家庭に属する学生は外からの援助がなければ満足に学業を継続することが困難である。これらの段階の家庭に属する学生は同表により全学生の61.2%を占め，具体的な人員は

$$5{,}930\text{人}\times\frac{61.2}{100}\fallingdotseq3{,}629\text{人}$$ となり，

この内学業成績中位以上の者を差し当っての支給対象にするとその人員は

$$3{,}629\text{人}\div2\fallingdotseq1{,}815$$ となる。

大学生の家族数の段階別分布は次の通りである。

3人以下	4人	5人	6人	7人	8人	9人以上
12.1%	12.4	12.1	17.6	15.9	12.7	16.2
36.6%			17.6%	44.8%		

家族数が6人を超える者が6人未満の者より8%も多いので平均家族数6人を以って推計の基礎としたことに無理はないと思う。

第二表中の第10段階までを奨学制の対象とする事の経済面からの妥当性の検討を試みると，

この段階の家庭は年収1,575＄，家族数6人，学資不足額年186.5＄である。

この家庭で，一人の子供を大学にやるには月額約＄15を家計の中から捻出しなければならない。その一案を示せば，

1，家族がタクシーに乗る事を止める　月三回として　＄0.90
2，家族全体で雑誌を一冊止める　0.50
3，家族で着物の新調を一枚減らす　一反＄10の月割　0.85
4，銭湯へ父母が各々隔日一回行つていたのを4日に一回に減らす $\frac{1}{2}$×13¢×30日＝1.95
5，豚肉を買う事を月一回減らす　1斤＄1.10　1.10
6，父親の晩酌を止める　一合12¢（泡盛）　12¢×30日　3.60
7，父親が煙草を止める　一個12¢　12¢×30日　3.60
以上計　＄12.50

以上の節約はかなり苦痛を伴うと思われるが，それでも後，更に＄2.50を節約しなければならない。豚肉を買うのを更に一回減らしてもなお節約総額は＄13.60で後＄1.40を節約しなければならない。

啄木は「百姓の多くは酒を止めしと言う，もつと困らば何を止めるらむ」と歌つているが，この人は酒も煙草も止めた今，後何を止めるか。

こう考えて来ると年収の一割以上の学資不足者を奨学制の対象とする事は決して甘過ぎる考え方ではないと思う。

所得税の免税点　主税庁税制部で調査

給与所得者の場合

家族数	1　人	2　人	3　人	4　人	5　人	6　人	7　人
家族構成	独身	夫婦	夫婦 13才未満1	夫婦 〃2	夫婦 2 13才未満1	夫婦 2 2	夫婦 2 3
65年度免税点	297＄	412	497	582	679	762	848
67年度同上					1,060	1,200	1,340
68年度同上	521	893	1,073	1,252	1,432	1,616	1,792

【本土の場合】

		家族数	5人	6人	7人
昭和42年度		免税点	$2,054	2,278	2,496

$1＝360円で換算

学生生活調査は1966年の秋に行われたもので66年7月以降の給与所得の源泉徴集は上記67年度の税法が適用されておるので本推計における規準生計費としては6人家族の場合1,200$を7人家族の場合は1,300$を用いる可きだつたが上記税務資料は推計作業が終つてから入手したので本推計には間に合わなかつた。又本推計に用いた規準生計費即ち免税点は64年7月から適用されたものであるが規準生計費の算定は年を追うてゆるめられて居るので生活調査の時点より逆のぼつた時点のものを用いる事は結論を却つて厳密なものにする事になるので推計のやり直しをしなかつた。

なお規準生計費の算定の方法は税制審議会で度々問題になる事だが沖縄の場合は本土の場合と少し異る

本土ではマバ方式により食糧費を計算して，これにエンゲル係数を用いて生計費を逆算しているが沖縄には公式に発表されたエンゲル係数が無いので生計費調査報告に基いているのでマバ方式とエンゲル係数に基く本土方式によるよりも免税点がからくなるが，一面実態に基く方式であるし又本推計では二年も逆のぼつた時点の規準生計費を用いてあるので，本推計方式の妥当性の範囲において，信頼性の高い結論になつていると思う。

年間の所要食糧費

次に現会計年度の琉球政府予算における各種事業の合宿の為の食糧単価は次の通りである（政府支出額のみで，※以外は日額である）

移住あつせん所	36.3¢
青年開発隊	46.7
社会教育合宿（婦人・青年）	35.7
実務学園	32.0（問題児の教護施設）
児童園	31.0（欠陥家庭の児童収容施設）
児童相談所	32.0

※本土送り出し中卒者の

合宿訓練　一食　15.6¢

（刑務所　21.0¢
少年院　26.0¢）

以上はいずれも原材費料だけで，燃料費人件費は別途予算で支出する，刑務所の21.0¢は麦四割の食糧であり数百人の団体食である等の特別事情のものであるのであまり参考にならない，之を除けば何れの場合でも原材料費だけで月約＄10要る勘定である。

この原材料費を年額にすると６人家族で720＄７人家族で840＄となる。

この資料に基いて考えると，本推計に用いた規準生計費はそれぞれの家族数に対する，最低生活費と考えてよかろう。

規準生計費の算出に用いた生計費調査は65年度の場合は全島の資料によつているが68年度は那覇市における生計調査資料を用いている。

沖縄における豚肉の消費（琉球政府統計年鑑による）

豚のと殺量（1965年）13,848,167kg

これは生体重量である枝肉の歩止りりを55%と見て

枝肉換算：$13,848,167\text{k} \times \frac{55}{100} \fallingdotseq 762$万kg

一人当り年間消費量約８kg＝13.3斤

月平均一人約1.1斤

業務用を約半分と見て	0.55斤	業務用を$\frac{1}{3}$と見て	0.73斤
６人家族で月約	3.3斤	６人家族で月約	4.3斤

先にみたように月15＄を節約する方法中の豚の購入を二斤減らす事はこの消費を半減又はそれ以下におとす事になる。

家庭平均年収が高校よりも大学が低い。

学生の家庭の年収を高校の場合と，大学の場合を比較すると高校の＄1,919に対し大学は＄1,676と高校よりも低い。

その理由として考えられる事は，

高校までは貧富を問わず沖縄内で教育を受けるが大学の場合は経済条件のよい家庭では本土，主として東京の私立大学に行く者が相当数いる。1966年育英会で調査した所によれば，在本土大学生が約4,300名いる，これ等の大部分は平均より上の家庭に属する学生だと思われるので沖縄内の大学生は高校よりも家庭の経済条件が平均的に悪くなるのは当然であろう。

なお当育英会では，毎年文部省の行う試験により優秀な学生を選抜して，文部省の手を通じて国立大学に配置していただいているが今春は，国費生170人自費生110名を送り出した国費生は配置した上に文部省から学資の支給を受けるが自費生は大学に配置してもらうだけで，学資は自費によるのである。その関係で自費生については，学資の負担に堪える事の証明資料を提出させている。

この資料により，本土各大学に配置された自費学生の家庭の年収の平均を算出すると次の通りとなる。

調査人員　118人

平均年収　$2,254

この年収は役場の証明書記載の額を用いた計算であるので諸控除を加えた後の額だが「学生生徒生活費調査」の場合

1，事業所得は収入から事業経営に直接必要な経費（仕入原価，工賃，原料費，動力費等）を控除した総利益

2，農業所得は農業経営によつて得た収入から，その経営に必要な直接経費を引いた総利益と自家消費分を消費者価格によつて計算した見積り額とを合算した額

3，勤労所得は給料賃金などあらゆる給与所得，ただし学校に在学する者については定職収入があつても所得に入れない

と定義して調査しているので前記の自費生の場合とは多少内容が違うと思うが，常識的に生活調査において学生生徒が申告した家庭年収よりは低目になつていると思われる。

自費生以外にも，之に数倍する学生が私費で，主として東京を中心とした私立大学に毎年出て行つているが，これらの学生についての生活調査はなされていないが，私大の学資は国立大の学資を大きく上まわる事から考えて自費生の家庭年収を上まわるものと思われるので是が沖縄内の大学の学生の家庭年収が高校のそれをかなり下廻つている主要な原因と思われる。

Ⅱ　奨学金の支給単価の推計

(1) 高校の部

第一表の第1段階から第7段階までの各段階毎の学資不足額の段階別分布率による加重平均を求めると次のようになる。

段階番号	分布率 (a)		不足率 (b)	a×b
(1)	0.6%	31.0	169$	169×31.0=5239$
(2)	1.9		169	
(3)	4.4		169	
(4)	9.3		169	
(5)	14.8		169	
(6)	9·3		151	151×9.3=1404.3
(7)	8.3		129	129×8.3=1070.7
累計	48.6%			7714.0$

不足額平均　7714.0$ ÷48.6=158.7 (年額)
158.7$ ÷ 12 = 13.2 (月額)

(2) 大学の部

第二表の第1段階から第10段階までの各段階毎の学資不足額の，段階別分布率による，加重平均を求めると次のようになる。

段階番号	分布率 (a)		不足額 (b)	a×b
(1)	1.0%	16.0%	322$	322$ ×16.0=5,152.00$
(2)	2.0		322	
(3)	4.5		322	
(4)	8.3		322	
(5)	6.4		311.5	311.5×6.4=1,993.60
(6)	8.9		286.5	286.5×8.9=2,549.85
(7)	5.7		261.5	261.5×5.7=1,490.55
(8)	9.9		236.5	236.5×9.9=2,341.35
(9)	6.7		211.5	211.5×6.7=1,417.05
(10)	7.6		186.5	186.5×7.6=1,417.40
累計	61.2%			16,361.80$

自宅非自宅を通ずる平均　16,361.80$ ÷61.2=267.35$ (年額)
267.35$ ÷12 = 22.30$ (月額)

この額は対象範囲を狭ばめると単価は上る。

例えば大学の場合，不足額が年収の二割を起える者に狭めると第二表の第7段階までとなり，この時の単価は年額302$となる。

Ⅲ 沖縄の奨学事業の現況と本土及び外国との比較

昭和41年度奨学生の現状と本土との比較

第一表

	大学			高校		
	在籍数	奨学生数	比率	在籍数	奨学生数	比率
本土	1,184,579人	165,106人	13.9%	4,997,343人	108,479人	2.2%
沖縄	5,930人	366人	6.2	45,644人	650人	1.4%
42年沖縄	6,895人	460人	6.7	50,532人	750人	1.5%

文部省の育英奨学拡充計画

5ヶ年計画目標

高校　一般奨学制：高校在籍の5％

大学　一般奨学制：大学生在籍の20％

外に特別貸与奨学生の新規採用

毎年　高校　42.000人（昭41現在13,200人）

大学　48,000人（　〃　20,150人）

【外国の奨学制度（日本育英会資料による）】

A　米国　連邦政府によるもの

イ，貸費　国家防衛教育法によるもの195.0百万ドル，高等教育法によるもの7,000万＄

ロ，大学の行う学生アルバイトに対する連邦政府の補助

アルバイト学生一人当り年額平均450＄の30万人分（高等教育法によるもの）

ハ，銀行の行う学資貸付に対する連邦政府の補助

親の年収15,000＄（全国家庭平均年収6,000＄）の学生に対しては在学中の利子総額を連邦政府が負担、卒業後の利子の内3％までを連邦政府負担

B　フランスの奨学制度

イ，進学者家庭に対する家族手当支給期間の延長

子供が義務教育を受けている期間家族手当がある，その額は

第二子は基本給の22%

第三子は基本給の33%

この手当が，上級学校に進学する者には成年になる20才まで継続される。

ロ，奨学金，文部省支出金525百万フラン（383億円）

受給者	949,000人	1962年
フランスの人口	4,699万人	
中等学校生	280万人	
大学生	28万人	

奨学生の在籍者に対する比率

中等学校	27.4%
技術教育コレージュ	64.7%
大学教育	21.5%

C，英国の奨学制度

奨学金受給者の在籍者に対する比率

イングランド		
オツクスフオード大学	87.8%	
ケンブリツヂ大学	85.9%	
ロンドン大学	78.4%	
その他の大学	91.8%	University Grant Comittee
ウエールズ	95.3%	「国家補助金の受入れについての大学とユニ
スコツトランド	83.5%	バーシテイカレツヂの報告」61—62学年度
全国計	87.1%	

英国の人口	5,294万人	1962年	イングランド、ウエールズ、北アイルランド、スコツトランドの合計
中等学校生	544万人		
大学生	19万人		

追記

米国の人口	18,374万人	1962年
中等学校生	1,429万人	
大学生	373万人	

以上の資料から言えることは

イ，育英事業には英才の育成と教育の機会均等の二つの意義があるが日本及び世界のすう勢は前者と並んで後者への考慮も大きく取り入れられて来ている。

ロ，沖縄の育英制度は本土よりおくれている事は勿論だが文部省の計画に比べると大変なおくれてある。

ハ，諸外国の現状から見て文部省の計画は決して過大な計画ではない。

沖縄の奨学事業について考察

以上，学生生活の実態調査に基いて，沖縄における奨学事業の拡大について差し当つての目標としての奨学生採用数及び予算単価の推計を試みた。

奨学生採用数では大学で千八百人，高校で四千内至五千人を必要とし，支給単価は大学で自宅非自宅を平均して月額22.22＄，高校で月額13.88＄を必要とするこの結論である（現在大学は非自宅月額22,33＄自宅 13.80＄平均 18.00＄高校は月額8.33ドルである）

上記の採用人員は，大学の場合在籍者の約30％，高校の場合約16％となる。この数字は沖縄の現状と比較した場合かなり高率だが文部省の計画目標，および諸外国のすう勢から見た場合，差し当つての計画目標として妥当な数字ではなかろうか。

なお，島内の大学生の家庭の経済条件は高校の場合より低く，家庭の年収平均が高校は 1,919＄であるのに大学の場合は1,676＄と243＄も低い。この事は国自費生の中の自費生の家庭の平均年収が2,254＄であり国自生以外に東京を中心とした私立大学に在学するものが 3,000人を越し，これらの学生は国立大学と都内私立大学の所要学資の比較から，自費学生の家庭の経済水準よりも平均的に高いと想像されるのでこの学生生徒生活費調査に表われた高校生と大学生との家庭条件の差は決して統計上の誤差ではないと思料されるので沖縄内の大学生の奨学生の採用人員についての目標設定には，この事を前提に置て考える必要がある。

なお又学生生徒の属する家庭の家族数が比較的多い事も注目すべき事である。

最後にこの推論の基礎となつている学生調査の集計作業に対する文教局調査計画課の皆さんの労苦，同調査の経費を援助して下さつたアジア財団の御好意と調査資料の提供の為の学校現場の方々の御尽力に対し感謝の意を表して筆をおく。

校長本土実務研修報告（2）

平良中学校
与那覇　寛　長
（配属校静岡県浜松市立西部中学校）

浜松市の概況

天竜川を渡ればそこはすでに浜松市である。南は中田島の砂丘を越えて洋々たる遠州灘に臨み，西は風光明媚な浜名湖に接し，北は広茫たる三方ケ原の丘陵地帯を抱いて引佐郡に達し東海道重要な位置にある。人口四十万，楽器や機織，オートバイ製産に活況を呈する静岡県随一の近代工業大都市である。これ等の生産総額は年1,000億円に達し，浜松市の経済を左右している。

西部中学地域の概況

西部中学は浜松市の西南岡台に位置し，当市第一の大規模校（生徒数1,500名学級数32職員数48名）で，学区の三分の二はサラリーマンの住宅街，残りの三分の一が工場地帯とそれに付随する商店街である。子弟の教育には極めて熱心で卒業生の80%が進学している。

教育目標と経営方針

本校教育の基本目標は，「教育基本法，学校教育法に則り，地域の実態に即して堅実なる教育の推進を期する。」とあり，経営方針は，(1)教育目標の実現を期するために教師としての豊かな教養を身につけ，真理と平和を希求する人間性を培い常に敬愛信を教育信条として，教育公務員として自覚をもつて職責を果たすよう心掛ける。(2)常に美くしく，明かるく強さを求めつつ清楚な校風を樹立するよう調和のとれた教育運営につとめる　となつている。

教育目標や経営方針は，単に書かれたものでなく，それが職員や生徒の生活の中に生き，血の通つたものでなければならないと思うが，本校教育活動全般に，これ等の目標や方針がにじみ出ていることを感じ取つた。欲を申せば教育目標がもつと地域に即して具体化され測定可能なものであつて欲しいと思う。

管理について

1，人事管理について

職員の出所，動静が明瞭であり，一時間の休暇をもらう時でも，管理者の許可を受けて行動している。

職員相互の言葉づかいもていねいで，礼儀正しく，秩序があり極めて明るい，なごやかな雰囲気である。沖縄と比較して特に強く感じたことは一人一人の教師が力があり，自己の職責を自覚し積極的に行動している点である。

沖縄の場合動もすると女教師は消極的で男教師によりかかる傾向があるが，本校では女教師が学年主任や教務主任を引きうけ，寧しろ男教師をリードしている。教師一人一人が自己を確立し，互いに助け合い，一人の脱落者もなく，バランスのとれた力強い教師集団を形成している点はうらやましいと思つている。

2，教育課程の管理について

(1) 基本的なものは，市で作製し，学校で地域生徒の実状に即して修正している。特に横の連絡を緊密にして作成されていることが特徴である。

(2) 指導案は週案とし，毎週土曜日に校長に提出し，検閲をうける。

(3) 月末に，その月の各教科の実施時数を，学年別に主任がまとめ，校長に提出する。

校長の教室訪問はあまり見られなかつた。一日一回は，教室訪問をしたいものである。

3，事務管理について

(1) 事務は下記の運行によつて処理されている。

受付文書

受付→校長→教頭→係

発送文書

係→教頭→校長→事務職員→発送

(2) 文書の保管

大別して給与関係，市費関係，共済関係その他福祉関係に分類され，更に細かく項目別に分類して実に整然として整理保管している。

(3) 事務の簡素化

○報告文書は，最少限度必要なものに限られている。

例，出席月報は，年度末に一回報告

昨年度の発送件数333件

○<学校関係事務必携>によつてすべての文書の様式が一定している。

4，施設，備品の管理について

(1) 水道施設が屋内にあるので，施設の管理は容易である。

(2) 物置，倉庫，戸棚等が完備され，保管は万全である。

(3) 各係が責任を以て，積極的に管理に当つている。

(4) 校舎は渡り廊下でつながれ，保清管理は行き屆いている。

運営の高率化

本校は，学校運営の高率化を目ざして努力している。

1，校務分掌について

運営機構は，指導部と管理部にわかれ各スタツフの下，一人一役のライン機構になつている。職員一人一人は，相互の連絡を保ちながら，自己の職務内容を十分理解し，責任と自覚を以つて積極的に職務を遂行している。特に私が感じたことは各スタツフがライン機構を掌握していることである。たいていの学校では，運営機構にスタツフ層を設けてあつても，実際は経営層とライン層が直結し，スタツフ層が浮いている所が多い。

2，運営委員会及び各種委員会

運営委員会の外，各種委員会は指導部に十，管理部に四あり所管事項につき審議し，職員会にかけるようになつている。大規模学校の運営としては，適切な方法であると思う。各種委員会は，その道のベテランを以つて組織され，事前にあらゆる角度から問題を検討しているので委員会の提案は権威があり，スムースに職員会に承認され無駄な時間が省かれる。

3，事務処理

集金事務は，ＰＴＡ会費，生徒会費，給食費，備品費，休育館積立金，学年

会費等をまとめて，一括納入して事務の簡素化をはかつている。

フアツクス，タイプライター，計算器等を備えつけ，事務処理も機械化されている。

4，職員朝礼

朝会は，教頭が司会し，全員起立したまま行われ西中日報に当日の連絡事項注意事項等をプリントして，全職員に配布するようなつているので，思いつきの発言もなく，コミニケーションもよく行われ，毎日五分以内に終わつている。

5，学年学級組織

学級を固定して，持ち上り制はとつていないが，学年担任は持ち上りになつている。学年の運営には，学年主任が全責任を持ち，学年相互の連絡ていけいを密にしながら当学年を掌握している。学年会は，毎週月曜日に行われ，運営委員会の決定事項の伝達，学年独自の問題につき話し合う。

学習指導

本校は，学校全体として特別な学習指導形態は取つていないが，先生方がよく教材を研究し，視聴覚教材を使つて，しかも迫力にみちた質の高い授業をしている。弱い教師は一人も居らず，全部の教師が教科に自信をもつて指導している点は心強い。教師に実力があり，教材をあらゆる角度から研究し解釈し，教材の中心を押さえて熱心に授業することが，指導形態以前の問題として重視されなければならないと思う。

本校が学習指導の面で苦心している点は，如何にして生徒の思考力を伸ばすか，如何にして主体的学習をさせるかということである。主体的学習に取つ組む第一歩として，授業の終わりに家庭学習の動機づけを行い，生徒に問題意識を持たせ，問題解決の方法を具体的に指導するように配慮されている。

特に生徒達に，各教科を通じ，＜聞く話す＞の態度を身につけさせようと努力していることは，各教室に次の掲示があることでもわかる。

1，発言するときは………手をあげる。

2，指名されたら…………はい。

3，話すときは…………………立つて。

4，見ながら話すときは…手に持つて。

5，ことばは，…………………共通語。

6，言い終りは………………ます。です。ません。ました。でした。

7，発言は……………………言い終わりまで明瞭に。

8，目は………………………聞き手の方へ。

9，声の大きさは………・・みんなにわかるように。

10，聞いたことは……………まとめて話す。

板書事項も構造化され，生徒の思考と理解を容易ならしめている。

板書事項の例（或る日の社会科の授業から）

2，日本銀行のはたらき

中央銀行―日本銀行券を発行する
┬銀行の銀行―┬一般銀行を相手
│　　　　　　└政府を相手
└金融の元締

生活指導

生活指導（しつけ）は学力向上と本校の二大努力目標である。生活目標の核は信条＜日々に吾が行いをかえりみてるのが心に恥ずかしくなく＞と言えましょう。

この信条が子ども達の生活の場に下りると

○学校を清潔にしましょう。○礼儀正しく他人に迷惑をかけないようにしましよう。○言語動作を慎しみ，規律正しく端正な態度をもつて行動しましよう。○他人に対してはすべて明朗，親切な態度で接するように心がけましよう。ということになつている。事実，本校の生徒の言語動作にはこの信条が生きている。

本校の非行生徒は，年々減少し，今年は極めて少ないという話である。本校の補導対策としては，＜未然に防止する。先手を打つ。小さい時に芽を摘みとる。＞ことを主眼にしている。本校の生徒は，生徒間に非行の兆があれば，すぐ教師に報告し，未然に防止する体制が出来ている。

非行対策の組織

中央警察に少年補導室があり，委員会所管の補導センターがある。その下に補導協議会（各学校の補導委員で構成）があり，予算152,786円で運営されている。定期会合は，毎学期一回，休暇前後に臨時会合を開き，反省情報交換，今後の対策等につき話し会う。補導にあつては，その原因を究明し，その原因を取り除くことにつとめ，根気づよく愛情をもつて補導している。

学級経営

学級は，教科を指導する場であることは言うまでもないが学校の教育目標を実践する場であり，教師と子どもの生命のふれ合う場でもある。学級経営如何が，集団としてのモラールを左右し，子供一人一人の学習態度，生活態度に大きく影響することを思えば，学級経営者の責任は重大といわなければならない。本校は学級経営を重視し，各担任ともしつかりした経営方針を打ちたてている。

学級経営等の一例

I　経営の方針

本年度の本校の努力目標である＜学力の向上＞＜躾指導＞の徹底をはかるため，次の点に重点をおいて学級経営をしていきたい。

●教師と生徒，生徒と生徒の相互理解を深め，互いの信頼の度を増し，明かるくなごやかな学級をつくり，よりよい学習の場とする。

●自他共に大切にしていく人間尊重の精神と民主的な社会生活を，仕事や学習を通してつかまえさせていきたい。一人一人が学級での自分の位置を知り，学級の一員としての意義をもち，その中で個性や能力技能を充分に活かした活動ができるよう，適切な責任分担を与え，協力を深めさせる。

II　学級の実態

① 学級編制　男子26名女子22名計48名

② 町別生徒数　省略

③ 特質　男女共に明朗で素直な温和な性質の生徒が多いが，反面覇気がなくたよりない面も感じられる。知能の面で特別に劣るものが男子2名女子2名いるが素行の面で迷惑をかけるものはいない。

④ 家庭環境　教育に対しては，非常に熱心な家庭が多い。
保護者職業　省略

III　経営の実際

① 学級の組織　生徒会組織に従い六つの専門部をおき，全員で係を分担する。

秩序部…週訓の徹底，ドリル学習の世話，出席しらべ

報道部…学級新聞発行，掲示物の管理，学校よりの伝達
図書部…学校学級図書の貸出し，学級図書管理
美化部…室内の美化，整理整頓，清掃管理
保健部…衛生，検査，給食の世話
会計部…諸経費の集金と管理
学級当番～二名ずつ交代
　　　HR，担任，各教科担任との連絡と伝達，朝夕の会の司会

② 生活指導

●努力点　礼儀をわきまえよう。自分の言動に責任を持とう。
●学級を八つの班にわけ，各々班長副班長をおき，グループ活動を活発にし，グループとしての問題をみつけさせる。
●教師としては，問題場面のあらわれた時適切な指導が適切な機会に行えるよう，平素の観察を密にし，記録をとる

③ HR指導

学級の中に起こる問題点について反省協議の場とする。
朝夕のHRを有効に利用し，HR指導，生活活動の徹底をはかる。

④ 特別教育活動

第一週学級会，第二週レクリエーション，第三週進路指導，第四週係ごとの話し合い，以上の計画に従って行い，細案は協議して決定し，よりよいものにする。

⑤ 教室経営

生徒が落ちついて学習に専心できるよう環境の整備整頓に留意し，掲示物，花など明かるく楽しい，又新鮮さを欠かないよう次のような目標をたてる。

●学習への刺戟を与え，意欲を喚起できるように心掛ける。
●自主的活動促進の場となる。

⑥ 家庭との連絡

○父母と人間的なつながりをもつよう参観日等を有効に利用していきたい。
○家庭訪問，書簡，電話連絡等できるかぎり利用する。又，近隣の生徒を通しての連絡も利用し，常に父母と連絡をもつように心がける。

職員研修

本校は，教科研修時間を校時表に位置づけ，年間を通して研修を精力的に継続している。

各教科の研究テーマは下記の通り。

国語……思考力を深めるための発問は，どのようにすればよいか。

社会……社会科の学習指導にあたつて，教材研究を深め，指導内容の精選をどのようにおこなつたらよいか。

数学……各単元の導入段階における指導（方法）はどのようにすればよいか。

理科……思考力を深める実験，観察の進め方はどうしたらよいか。

音楽……読譜力をつける指導はどのようにすればよいか。

美術……実のあがる年間指導計画の研究
　　　　鑑賞指導方法の研究

保体……保健体育の効率的な学習指導をどうすすめたらよいか。

技術……教材，教具の作製とその効果的な活用。

家庭……食生活を合理的に営むための能力を養う指導はどのようにしたらよいか。

英語……「英語基本文型集」を使用することによつて英文を書く力（思考することによつて正しい英文を作る）を伸ばすにはどのようにしたらよいか。

PTAの活動

ＰＴＡは施設，保健，厚生，補導，婦人部の各専門部にわかれ，自主的に活動している。

執行機関は理事会で各町から１名～２名計４名で構成され，会の運営に当つている。理事会は，私の勤務中三回も開かれその活動は目ざましいものがあつた。ＰＴＡ会費は生徒一人宛100円で本年度の予算は，1,820,162円でＰＴＡ会費の外に施設充実費，講堂基金，図書費，生徒会費計1,000円負担して学校への協力を惜しまない。学校では＜西中だより＞を月一回発行し，学校の活動状況を父兄にしらせ，又研修旅行等を行つて，ＰＴＡとのれんけいを密にしている。その他婦人部の講座を開き，講師を招いて婦人部の教養を高めている。

カントリメンのアメリカ旅行

総務課主事　東　江　　　優

初夏の声きく五月上旬の事である。色の浅黒い，見るからに東南アジア人にみちがえられそうな壮年紳士のグループが，高級車から降りて，空港の特別待合室の方へ案内されて行つた。アメリカへ行こうというのである。身分がお高いのであろう。米兵の一軍曹が忙しく彼等の手続をとつている。待合室の入口には貴賓室と言う門札がある。さしずめ，米軍人ならば，佐官クラス以上の上官でないと出入のできない部屋なのだ。軍空港なだけに，そこは，軍人家族と帰国兵とで混雑していた。

さて，一行はアメリカに於ける職業教育と人材開発訓練計画の実状視察をする事になつた四氏に，イスコートとして同行した筆者を加えての五名の田舎紳士グループである。アメリカ風にいえば，カントリメンなので，ていよくそう呼ぶ事にしよう。ここでは，その視察報告ではなく，彼等の側面的な道中を報告したい。

彼等は現在，アメリカ陸軍の最上級大佐の身分にある。その寿命は，はかなくも6週間目で，自動的に切れるのであつたが，その間彼等はそれらしく振舞うと，お互に格好をつけるのに大変苦労したものである。

アメリカの一軍曹に案内されて，真先に飛行機に乗りこむと，五名のカントリメンは好きな場所に席をとつた。そして150に近い，座席が一杯になると，飛行機は滑走路の方へ動き出した。轟音と共に，巨体がいきおいよく走りだした。6時55分である。シートにがたがた感じていた振動がなくなると，飛行機は空中に浮んだ。

眼に映る地上の面積が段々と広くなりそして小さくみえて行く。地表のなま温い気層をぬけでて，こうして大空に舞い上つてきてみると，騒音と塵埃にみちた地上の世間が全くいやになる。機上から見た夕陽が美々しく西空に輝いていたさまは，特に印象的だつた。大きな翼が左下方に傾くと，今抜けだしてきたばかりの空港が，手の掌大に圧縮されてみえ，そして尾翼に消えて行つた。

機上のレクリエーション

足早の夕やみに包まれていく小さな島々を後に，カントリメンを乗せたジエト機は上昇を終え，そして高度3万6千フィートの高空を一路アメリカへ向けて東進した。帰国兵等の歓喜で，機内は再び，賑やかになつた。しかし，五名のカントリメンはなぜかしずんでいる。言葉の全く違う世界への旅に，不安を感じてか，それとも，せせつこましい田舎で育つてきたための小人的なくせが出ているのであろうか？。米国陸軍大佐である事を最早忘れているようであつた。夕食が済んで，映画が上映された。シートに仕掛けてあるレシーバーを耳に当て，ダイヤルをチヤンネル1に回すと，その映画のセリフが出る。番組は，チンネル10まであつてお客の好みに応じて聴ける仕組になつている。しかし，そもそも英語のしやべれないカントリメンにとつて，この装置は，あつてなきが如く，映画をみる上で，たいして役にはたつていなかつた。それと言うのも，視線はスクリーンにありながら，一方は古典音楽，他方は英語漫談の番組を聞いていたりなど，その様態はさまざまであつたからである。その真面目な顔付きは，こつけいなだけに，筆者をして精神的なやすらぎを覚えさせたものである。

真夜中の日の出

遠まわりして行こうというわけでもないのに，西へ行くのに東へ飛んだ吾々は，奇怪な現象に遭遇した。

眠りに入つてから2，3時間は経過したであろうか。機内のざわめきに眼を覚すと夜が白々と明け，左前方の雲海には，すでに朝日がその姿を現わしていたのである。午前1時半の日の出に，カメラが忙しくそのシヤツターの音を立てている。まもなく出された朝食もなかなかのどもとを通らなかつた。

賑やかな地球の裏

ハワイ経由でトラビス空港に着いたカントリメンは，ここでも軍曹の世話になつた。用意されたアーミイセダンに乗ると，車は高速道路を疾走してサンフランシスコへ向つた。車外の景色に見いるカントリメンのマスクはフクロー時計さながらであつた。オークランドの街に入ると，かのベイブリツヂがサンフランシスコ湾上に見える。全長8.5マイルもあるこのマンモス橋を渡つてサンフランシスコに入ると，有名なマーケツトストリート近くの古びたホテルストラツトホードに旅装をといた。そして夕食がてら，散歩に出たカントリメンは，肌寒いシスコの夜街をのし歩き始めたのであつたが，見知らぬ街とあつてはそう遠くまで行けるはずもなく，誰いうとなく，いつしかホテルの前にきていたのである。ほつとした表情のカントリメンはホテル向いのCoffee Shop に入つて夕食をすますと，さつさとホテルへ引きあげていつた。

翌日から公式日程に入つたカントリメンは，人種のるつぼサンフランシスコを後に，黒人の群がる首府ワシントンDC，高層ビルの林立するニユヨーク，古びた大都会シカゴ，ビールの都ミルウオーキー，一万余の湖を擁したミネソタ州の首都セントポール，そして西部の工業都市ロスアンゼルスを経て，エデンの園ハワイにきたのである。

杞人の憂い

週末を利用して，ワシントンDCよりニユヨーク観光をする事になつた。Non-Stop Bus で4時間半のみちのりである。観光バスには五ケ国語の録音解説装置があり，英語をきく煩わしさもなく，さすがは国際都市だと感心したものである。自由の女神，国連ビル等と一応のコースが済むと，日本びいきのドイツ人のドライブするタクシーでエンパイビルに寄つた。が，霧雨に包まれた頂上からの視界は残念な事に零であつた。Gray Hound Bus Station に帰える事になつたカントリメンはストリートバスの中で大騒ぎ。バスが前の通りを右におれてくれると良かつたものを直進して行つたからで

ミルウオキー職業学校（ウイスコンシン州）

ある。今度はミネアポリス空港での事。これまでの旅行ですつかり空港の様子にも馴れたカントリメンはここでも自ら手続きをとつて，30ケ所程もある乗り場から，間違いもなくその場所に行つていた。カントリメンとは呼べない一面であつたが，今度は少々遅れてやつてきた筆者を息せき切つて探していたのである。これは飛行機への乗込み開始時刻を出発時刻と間違えたためとわかつた。

何でも花咲くハワイ

レイで迎られ，レイで送られるこの島は将にエデンの園。熱海を高級にエロ化したようなワイキキー，豊艶な肢体をさらけだして浜辺で日光浴する女性，ヤシの木陰を水着姿で跳ね回る若い男女，官能的なあのフラダンス，ムムーやアロハ着に身を包んで街路を散歩する老夫婦 etc とそのスペクタクルは，そこのランの花と共に，みな素晴しいものばかり。そこには東洋に存在する枯れススキは最早どこにもみられなかつた。

これまでの御苦労をねぎらうかのように幸運がやつてきた。農業青年学校の卒業式に招かれて，ハワイ島のワイミア部落に行つた時である。卒業式は，ビュフエイパーテイで賑やかになりだした頃に行われた。それも終りに近づき，カントリメンが一人づつ呼び出されては紹介され，そして司会者の指名する町の若い娘のレイとチークキスを受けた。これには長年の経験もさる事ながら，さすがの壮年紳士も，頬を赤らめ，目のやり場もなく突立つていた。

この様に，カントリメンにとつては想い出深い優雅なハワイであつたが，咲く花も咲かぬまま，遂にエデンの園をおわれたのであつた。

本土における教育研修所と教員研修のすがた (2)

文教局指導課指導主事　栄野元　康　昌
（研究配置先　静岡県立教育研究所）

3，研修所にて（後記）

教育研修所においての，研修の情況については前にも述べたが，小，中，高校の中堅教師を対象に2週間の宿泊研修で，所員も自負しているように相当の実績を挙げている。研修の内容は各人の事前研究報告書をもとにしてのグループ，ワークと講義が中心で，その他に研修期間中に3，4名の外部の専門家の講演，それに学校現場で，実践面で実績のある，校長，教頭，教諭等の体験講演があるが受講者からは，とても好評である。東京に近いだけに日本でも有名な講師を，気軽に招いてのたびたびの講演は沖縄では真似のできないものである。

「教育の森」を書いて有名な，毎日新聞論説委員の村松喬氏の「これが日本の教育だ」と題しての講演は今でも強く脳裏にやきついてはなれない。特に氏は自由な立場から現代日本の進学問題，入試制度を具体的な例を取り上げて，痛れつに批判する。

進学のために，本人のみならず，学校，家庭，社会の費やす，莫大なエネルギー。その結果として生れた大学生，専門課程へ進む際に3割の落第生を出している現状。又は講義するに値しない大学生の入学。そのため大学では学問の水準の維持するために自衛手段としての対策を講ずる必要が生じてくるという。これは中・高校における，教育の（努力）目標がどこか狂つているのではないかと氏は言う。

小学校から高校までの12年間○，×式のテストのくり返しで過し，（不必要な）激しい競争をしているうちに人間関係もそこなわれてくる。そして教育の場における，きびしさが冷たさに変つてきているのではないのかと懸念される，として東大の大河内先生の言葉を引用する。「今日の東大生は大学に入つてきたときには非常にくたびれている。これを大学本来の学問の場にもつていくのは非常に困難である」

次にある一流大学の学生の入学時と卒業時の成績の傾向を示す面白い資料を提示してくれたので記してみる。

（ある特定の高校から大多数の生徒が入学する大学）

入学時成績順位

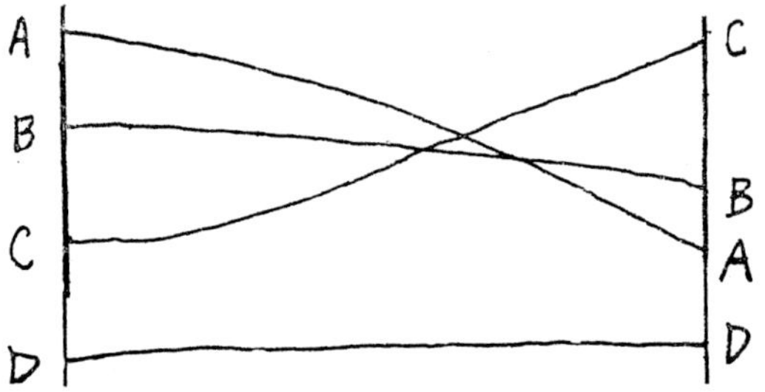

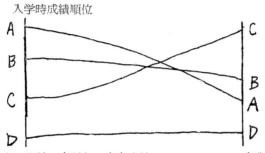

A：入試一点張りの有名高校　　　　　　　卒業時
B：それにつぐ高校
C：普通の高校
D：下位クラスの高校

高校入試の在り方，教育そのものの在り方について，とつとつと語る村松氏の話は次々とつきない。

中学校の進路指導についても，フランスの観察課程のように，それぞれ専門教育を受けた教師が指導する場合は，ともかく生徒の一生を左右する問題である進路の指導を中学の段階で自信をもつてやつていける教師が何人いるか，と生徒指導，進路指導についての教師の教育が必要だという。

最後に教育と政治についても，自民党を背後に控えた文部省と社会党総評の大軍をバツクにした日教組との対立にふれ，教育の政治からの独立を強調する。

次に現場の校長の体験講演で印象に残つているものとして，浜名郡の新居小学校長があげられる。先生は戦後ずつと，わりに恵まれていない，農山村の学校長を歴任してこられたとのことだが，先生の言葉を借りるならば，「私は文部省の学力テストが学業成績（学力）を評価する絶対的なものとは思わないが，一つの目やすにはなると思う。ところで私の校長として赴任する学校は，どこも学力テストの成績は静岡でも下位学校であつた。そこで私は，学習指導の改善ということを常にとりあげて，部下教師と共に自らも研修してきた。私の経験からすると，3ヶ年の時間を与えてくれるならば学テの成績を県の上位クラスにもつて来ることができる。そして私は歴任した4つの学校で実際にこれをなし遂げてきた。受講者の皆さんの中は，かつての私の部下が何名かおられるから，これは嘘ではない。」と笑つて話しておられた。

現在の新居小学校では「学習構造論に根ざす読解指導」をテーマに部下と共に実践を通しての研究を続けて居られるとのことで，「原理の上に立つた教育実践」の必要を説き，自分自身もここに到達するまでは色々の事をやつてきたと告白される。

最初に校長として赴任した，村櫛小学校では，自作教具を利用した算数教育。（実績が認められ，ある財団からの賞を授与され県外からも参観者が来たとのこと。）

次の村櫛中学では，理解定着に重点を置いた学習指導，毎日，毎日の授業を充実させ，補習授業を廃止して，着実に生徒の学力を向上させた。

3番目の伊佐見小学校では，構造的読解，指導をテーマに国語教育と取り組み，現在の新居小学校でも，国語教育の構造改革に全校挙げて研究しているということである。

しかし，いくら教師が指導技術の面を強調しても生徒の生活指導情操面の陶治が，おろそかにされていては学習効果は挙がるものではないという。このことに関連して，後で座談会の席で，次のような失敗談（自慢話ともとれる）を披露してくれた。

ある学校に赴任して当初，生徒の様子を見て，これは学習指導以前の問題が山積していると考え，最初に生活指導を徹底すべく，地域の父兄にも協力を依頼してやり始めた。ところが目に見える物質的な面では協力を惜しまない父兄が，なかなか，学校の意図が分つてもらえず，生徒の前でも平気でみだらな言葉を使つている。その影響で生徒も，生徒と思えない様な，みだらな話を若い教師の前でやつて，げらげら笑う始末。そこである日，父兄を交えた席で，短気を起した校長が「この宿場の雲助野郎共，昔も今もちつとも変つていない，親が親だから子供もあの態だ」とやつてしまつた。云つてから，これはしまつた，と思つたが後の祭，こんどは校長にあるまじき言葉だと逆にしめあげられ，このことが発端となつて，公然と校長の排斥運動が一部の父兄間で起つた。中に入つて，取りなしてくれる人もいたが校長は意を決して，（内心はあきらめとも挑戦とも，どつちつかずの気持で）「よし，父兄が僕に出て行けと云うなら，喜んでこの学校を去ろう。しかし僕の仕事の本当の相手は，子供である。そこで，僕が今まで歩いてきた学校で，僕がどんなことをしてきたか見てこい。そのうえで，なお，僕に出ていけというなら，その日限りで出ていこう。」と見栄を切つた。しばらく日時が経つと，排斥運動が，そのままのエネルギーで学校長への協力という形に変つて来たという。「学校を去るときには，自信をもつて，後任の校長に引継いで来ましたよ。」と述懐された。そして最後に「今日は限られた時間で受講者の皆さんに充分な話をする事ができませんでしたが，もし，国語の構造化の問題，その他の学習指導上での問題がありましたら，うちの学校のＴ教諭が受講生として皆さんと一緒に，こちらに来ていますから，彼に聞いてください。彼ならば，皆さんの要望に充分こたえられると思います。」と，誇りと自信をもつて自分の部下を紹介する校長，静かに立つて皆に無言で頭を下げるＴ教諭，二人の顔を見くらべて，私は実にたのもしい，うらやましい光景だと思い，校長の平素の学校経営の在り方をその場に見たような思いであつた。その他，東京外語大教授で政府の物価対策審議委員でもある，伊東光晴氏の「現代日本の物価対」，小笠郡新野小学校の女教頭村松多喜先生の体験講演等も印象が深かつた。

受講生は専門家の話に耳を傾け，身近な先輩達の話に，刺戟され，変化のある２週間を過ごす。このようにして前学年度１年間で，研修所の門をくぐつた現場教師は，一般研修で小，中，高校，男，女，計374名，新任教頭研修小，中校計92名，合計476名，それに３日間の事後研修生の数がこれとほぼ同数で，延べ1,000名に近い教員が１年間に全県下から集まることになる。人員が多いのでこれだけの補充教員はとうてい，配置できないという。それで大規模の学校で教員にゆとりがあり，専科教員のいる所は，ともかく，大多数の学校では，クラスを解体して，他のクラスに分散してお願いしてくるということである。

前の稿で，調査研究部の第2室の研究（理科学習指導の改善）調査については詳しく述べたが，ここに他室の研究テーマを列記して，研修所がどのようなことをしているか参考に供したい。

第一室……小学校高学年の学年共同経営方式に関する研究（山本主事外4人）

第三室　I　（生活指導調査研究）児童生徒の労働観の解明（中村享主事）中村氏のこの研究は全国教育研究所連盟（全教連）の共同研究，「現代の子どもの理解とその指導」に参加して，その一環としての研究で，その調査，研究の方法は関係者から高く評価されている。

II　特殊教育に関する研究。

所長室にも掲げられている言葉を記して研修所の項を終ることにする。「欲窮千里目，更上一層楼。」

今回は学校現場における，学校経営学習指導，同好会の研究推進の在り方などにもふれる積りでいたが，余談が多くなり，紙数がなくなつたので，学校現場のことについては，またの機会に紹介することにして筆をおきます。

<学校めぐり>

茅打バンタの景勝地にたつ

―北国小中学校―

北国小中学校長　古堅宗徳

明治23年4月に辺戸簡易小学校として字辺戸121番地に開校，昭和20年4月9日第2次大戦で校舎が破壊され，1945年11月9日辺土名教育課の指示により，宜名真初等学校として宜名真2155番地に設立された。当校住民の力によるかやぶき校舎で授業を開始したものの敷地が狭く，それに一号線にそつていて塵芥ひどく，開校間もなく両区民（宜名真，辺土）によつて学校移転の話し合いがもたれ，1950年12月26日現在敷地に移転することを校区民大会で決定した。

終戦間もない当時，校舎便所校門給水施設等地元民にとつては実に莫大な負担でありましたが，ＰＴＡ会員の教育に対する深い理解により，落成の暁の喜びと感激はひとしほのものがありました。

また本校の敷地は，沖縄絶景茅打バンタの景勝地にあり，学校週辺は広々とした美田に囲まれ，与論島太平洋東支那海に伊平屋伊是名と眼下に見わたせる見はらしのよいところにある。この沖縄一の絶景の地で教育できる私達は栄誉であり，教育を受ける児童も幸福である。

△ 当山先生に学ぶ

戦後時にすたれたといわれる道徳，然し生ける人の魂をふるいおこす歴史が当校区に燦然として輝いている。

先生の教育愛，正義感と義俠心 倒れてもなおやまない気概心，私達教育者に一段と反省を求め奮起を促している。

その人は人も知る当山正堅先生その人である。

今日宜名真辺戸部落区民並に辺戸上原土地改良組合，当山先生頌徳碑建設委員会の御好意によつてわれわれの先輩当山正堅先生の頌徳碑が沖縄の最北端茅打バンタの景勝地に建立されている。古語に「立徳実行之を不朽という」と申してありますが，この言葉は恰も先生のために言われてあるように思うのです。

先生は至誠至信の人で事をなすに至誠をもつてなされ事を処するに強い信念を持つて，憶する処なく之を成し就げた方でありました。

先生は大正元年今帰仁校から辺戸小学校長に抜擢されました。当時の宜名真は辺戸上原に肥沃な農耕地を持ちながら，いわゆる戻る道に通行を阻ばまれ，耕作が意にまかせず，その上作物は天災と病害虫に見まわれ，毎年の如く凶作つづきで，そてつを常食としたのでありました。ために民心も頽廃し土地も荒廃を極め，郷里をすて他に移住する者も多く，子弟の教育も顧みるいとまもない位でありました。この窮状を救うために生命がけで戻る道開さくの難工事を成し就げたのであります。かくて区民はその恩沢に浴すること極めて大きく，更に先生の御精神を受け継いで，農業の国，デンマークを辺戸上原に建設することを両区民が心がけ今日の発展をきたしたのであります。

△ 私のモツトー

学校経営の原動力は和であると私は信じている。

教育の本質は愛敬信だと私は信ずるこの三つをプラスするところに和が生まれ育つと思っている。

愛の人……愛はすべての根本である

涙の人……教えるとしみじみ泣ける人。

修養を忘れぬ人……最後は言葉ではない人格がものをいう。

実行第一の人……教え子と共に行ずる人。

△ 誇りをもて

純朴さと実直さは当校児童生徒のよ

いところである。

然し一面外の学校と比較して，当校児童生徒が，ひつこみじあんで人前ではつきり自分の意見をのべるのににがてで，これでは，社会へ出てから困ると思つている。

沖縄一の景勝地に生まれ合わせた事を誇りにし「成せば成る」の精神を堅持し，努力とねばり強さを高めて他校に負けぬという気概心の育成につとめたい。

そのためには次の事項に留意してやつていきたい。

1，建全な隣組の育成（現在組織されつつある。）

2，活発なる児童生徒会活動の育成

3，読書発表会，童話会の開催

4，放送教育の強化（今年中に実施したい）

△ **今後解決すべき問題**

1，便所の改築

現在使用中の便所は1952年自力によつて建築されたものですが，その設計構造がわるく，便の流れがいたつてわるく，使用上極めて非衛生的であります。早急に改築する心要がある。

2，給水施設の整備

現施設は1960年度補助により辺戸上原の水田用の用水路を水源として設置された。施設後政府道路一号線の変更によつて水路に対し濁水の流入がはなはだしく，梅雨の時期はほとんどミルク給食を中止せねばならぬ状態にあります。名護保健所の水質検査の結果も大腸菌が多く，保健所管内で水質として最下位として指摘されています。現在のところ水量も少く困つています。

今後特別教室，体育館，完全給食等を考慮し，配水管の増設をはからねばならぬので，浄水タンクを上流の方に移し浄水タンクも大きく造りたい。

九州各県対抗高校陸上競技大会から

指導主事　比　嘉　敏　夫

沖縄高等学校体育連盟創立15周年記念事業として九州各県対抗高校陸上競技大会が，８月27日午前９時30分より奥武山陸上競技場で開催された。九州７県から270名の大選手団を迎え，25,000人の大観衆の見守るなかで最高のムードのうちに終つた。男女29種目に熱戦を展開した結果，男子110ｍ障害で熊本の茂田幸高選手が14秒4の日本タイ記録を出したほか，100ｍでは福岡の伴泰一選手が飯島秀雄選手の持つ日本高校記録10秒５に0.2秒迫る10秒７，女子100mでも松下さゆり選手（宮崎）が12秒0の記録を出した。しかしこのほかの種目は32度の暑さと８m前後の強風が吹きまくる悪コンディションに見舞われ全般に記録は伸び悩み，注目の女子走り幅とびの山下博子選手（福岡）は６m02，同走り高とびの在伯直子選手（鹿児島）も１m50を出したにとどまつた。得点争いでは予想どおり福岡が圧倒的な強味を見せ，順当に総合優勝した。29種目のうち福岡は実に13種目に優勝し，とくに男子は19種目中11種目にトップを独占した。

この日，沖縄勢は予想以上に，よくやつた。まず男子では，三段とび，走り幅とび両種目に３位に入賞した糸満高校の大城哲夫選手や，全国的にもトップレベルにある九州長距離界のえりぬき連中にまじつて1,500mで３位，5,000mで５位になつた中農高校久高明選手，このほか200mHの曽根博次選手（興南），400mの大浜博昭選手（八重山高），800mの玉城宏和選手（読谷）等が７種目に入賞し，男女合わせて10種目に沖縄高校新記録を出したのはあつぱれであつた。一方女子は大会前０点を心配されていたがよく活躍し，団体で15.5点をあげ堂々６位に入賞，とくにその原動力となつた，女子盤投げで２位になつた金城二枝選手（前原高），100m12秒６，200m26秒８と追い風参考ながらそれぞれ沖縄高校新記録をマークして入賞し，400MRでもアンカーとして力走した前原高校の安座間麗子選手や，走り幅とびの内里徳子選手(久米島)，やり技げの照屋絹代選手（中央）など，この沖縄勢の活躍があつたからこそ大会もいつそう盛りあがりがあつたといえよう。体力がない，根性が足らないといわれている沖縄選手団は自己記録を更新しての活躍なので大きな収穫があつたといえましよう。

大会全般を通じて沖縄の選手は，体力も技倆も九州勢に比べて今一歩劣る感じがするのは残念である。今年15才を迎え青年の仲間入りをした沖縄高等学校体育連盟もこの大会の立派な成果と，その反省を生かしますます飛躍するよう今後の努力と選手の奮起を期待したい。

団体成績

	1位	2位	3位	4位	5位	6位	7位	8位
男　子	福　岡 96点	熊　本 72	大　分 53	宮　崎 43	長　崎 41	佐　賀 34	鹿児島 33	沖　縄 27
女　子	福　岡 44.5	宮　崎 38	大　分 37	鹿児島 33	熊　本 21.5	沖　縄 15.5	長　崎 11	佐　賀 9.5
総　合	福　岡 140.5	熊　本 93.5	大　分 90	宮　崎 81	鹿児島 66	長　崎 52	佐　賀 43.5	沖　縄 42.5

九州各県対抗高校陸上競技大会

一九六七年八月二七日
（奥武山陸上競技場）

国旗並大会旗入場

沖縄選手団入場

赤嶺文教局長
主席代理で祝辞を述べる

選手代表宣誓（沖縄曽根博次選手）

沖縄高体連15周年を記念して功労者の表彰が行なわれた。九州高体連会長永井茂雄氏より表彰状を受ける新屋敷文太郎沖縄高体連会長

八〇〇メートルゴール　一位でテープを切るのは
福岡の前田貞雄選手

空中の芸術：バーをクリアーする一瞬

槍投の力強いフォーム

走幅跳び六・〇二メートルを跳び一位
本大会のホープ山下博子選手（福岡）の

不振の沖縄勢のなかで気をはいた大城
哲夫選手は走幅跳、三段跳で三位入賞

文教局指導主事　徳　山　三　雄

質問事項

指導主事が学校を訪問するとなると，どの学校でも，授業研究が計画されたり，盛りたくさんの質問事項が用意される。学校によつては，指導案や質問事項をプリントして，前もつて届けてくれることもあるが，学校を訪問してはじめて手渡されることが多い。こんな場合に限つて，質問の量も多く，問題点のタブりも多い。

質問事項が多いということは，現場の教師が，それだけ問題意識をもち，また悩みをもつていることのあらわれであると解されるが，限られた時間内で，より効果をあげるためには，「どれがもつとも切実な問題であるか」等の観点から，量的，質的に或程度精選する必要を感ずるがどうだろうか。

ところで，いちがいに質問事項といつても，内容その他の点でかなりのちがいがみられる。内容の上から分類を試みると，おおよそつぎのように考えることができる。

㈠　抽象的，ら列的，概念的な質問。
これは一般的な理論や方法の理解，ヒントを得ることをねらいとしたもであると解される。具体的な問題提起はあまりみれらない。

㈡　実践的，経験的なものからの質問
実践の過程や結果から問題が出される。すなわち，実践で得たことをもとにして，それを論証し，改善のてだてを見出そうとするものである。従つて，問題の所在も明確で具体的かつ，その追求も主体的になされる

㈢　情報聴取，意見交換的な質問
これは，他校や他府具の実践例，動向などの情報を得て，自分たちのやつていることを確かめ，改善をはかることを意図するものである。

以上，三つに分けて考えてみたが，分類のしかたもいろいろあろう。

ともあれ，質問そのものは，その内容や形式その他にちがいはあつても，問題解決のために，教育活動の向上のために出されたという本質にかわりはない。そして，教師の求めているものは，高遠な理論ではなくて「日々の教壇実践をいかにするか」ということであることは，もつとも確かなことである。「学校を訪問して，校長や教師の教育活動を指導し，援助する」ことを任務とする者のひとりとして，たえず現場との密着を心がけていきたい。

<教育関係法令用語シリーズ>3

児童生徒に対する懲戒

総務課法規係長　祖　慶　良　得

はじめに

今年の5月に開催された第8回全沖縄小中学校長研究大会において，児童生徒に対する懲戒がテーマとしてとりあげられ，その後においても種々の研究会においてこれがテーマとされている。また，沖縄の学校教育法における児童生徒に対する懲戒に関する規定については，本土法と若干の相違があり同法施行規則における取扱いには大きな差異を生じている。このような関係から学校教育における懲戒規定の運用については気を配らなければならない点があるので，ここでとりあげて考察してみることにした。

1　懲戒の意義

学校教育法（1958年立法第3号）第12条は，「校長及び教員は，教育上必要があると認めるときは，生徒及び児童に懲戒を加えることができると規定している。この懲戒権の行使について，本土学校教育法第11条には，「監督庁の定めるところにより」とあるが，沖縄の場合は上記第12条に「政府立学校においては，中央委員会の定めるところにより，公立学校及び私立学校においては，設置者が中央委員会の認可を得て規定した規則に従い」と規定され，立法上の差異がある。そして，本土においては監督庁である文部大臣は同法施行規則第13条で懲戒について定め，同条第2項は懲戒の種類として退学，停学及び訓告の処分があることを明示し，それ以外に事実行為としての懲戒があることを暗示している。それに比し沖縄の場合は，監督庁が一方的に施行規則段階で規制する方法をとらず，設置者（管理者）の規則に委ねている。

政府立学校について例をとれば，中教委は，政府立学校学生生徒児童懲戒規則（1958年中教委規則第43号）を定め，これにより懲戒の種類及び具体的な行使の手続を定めている。この規則の内容を瞥見すると，第1条の目的が学生生徒及び児童の非行を予防し，又は反省させることになつており，懲戒の種類として，譴責，謹慎，停学及び退学をあげてあるが，事実行為としての懲戒を暗示するような規定はない。この規則では，目的や種類についての問題があるようである。また，法が体罰を禁止している趣旨は，事実行為としての懲戒があることを示すものと解されるが，中教委規則によれば，それがいかなる配慮の下に行なわれるべきか明らかでない。

ここで懲戒とはどういうことかについてみると，親権者，少年院長，学校の教員などのように子女の保護，教育監護の責任のある特定の者が，その職責を果す必要上加える一定の制裁であると解され，通常二種類の意味の懲戒があると理解されている。第一は，校長及び教員の教育者としての教育を行なう職務に伴うものとして事実行為としての懲戒をあげ，第二は，学校の設置者の立場に立つた学校管理権の発動としての法的効果を伴う懲戒をあげる。これは，営造物の利用関係又は特別権力関係としてとらえられるものである。

2 体罰の禁止

イギリスの学校など，なお体罰の行なわれているところもあるが，わが国では，明治12年の教育令以来，一時期を除き，体罰が禁止されている。そのことは，学校教育法第12条に明文の規定があるので，理論的に説明する必要もない。体罰の定義については，なぐる，けるの類は勿論，長時間にわたり立たせたり端座させたりすることも含まれると解されているが，具体的に何が体罰にあたるかについては，個々の事例について判断しなければならない。すでに行政実例もあるので，それが参考になる（「生徒に対する体罰禁止に関する教師の心得」昭24，8，2法務府発表）

3 義務教育との関係

義務教育を受ける権利は保障しなければならないので，懲戒として義務教育から廃除することは禁じられる。上述の中教委規則においても義務教育の学校においては退学処分になし得ない旨の明文の規定があるが，停学をついては，本土法施行規則第13条第4項のような禁止条項がない。逆に第6条によつて有期又は無期の停学を課しうるよう規定されている。この規定は，学校教育法第27条等の性行不良に対する出席停止の規定とも関連し懲戒処分としての停学は義務教育学校においては，実際には行なわれていないと思われるが，それにしても，このような明文があることは，問題を残すことになる。

なお，教育区にあつては懲戒規則を定めていないところが多いようで，この点についても考慮されるべきである。

学校基本調査結果表（1966学年度）その3

専攻科目別免許

区分		総数	一級普通												
			計	国語	社会	数学	理科	音楽	美術	保体	技術	家庭	英語	農業	工業
中学校	全琉	3,035	2,040	313	451	166	227	79	83	113	107	130	289	29	1
	公立	3,001	2,014	310	447	163	223	78	82	111	105	129	286	28	1
	北部	508	307	43	87	21	32	4	8	11	19	26	42	5	
	中部	803	558	85	114	48	69	18	26	38	30	35	78	3	
	那覇	777	596	90	112	58	65	30	28	41	22	42	89	7	1
	南部	422	303	55	67	22	37	14	15	14	13	12	46	4	
	宮古	255	151	23	39	8	14	5	3	5	12	7	24	5	
	八重山	236	99	14	28	6	6	7	2	2	9	7	7	4	
	松島	25	24	3	4	3	3	1	1	2	2	1	3		
	政府立	5													
	私立	4	2				1							1	
高等学校	全琉	1,950	621	82	98	66	95	4	3	30		37	89	58	15
	政府立全日	1,538	560	73	89	60	85	2	3	27		36	80	52	14
	政府立定時	183	43	4	5	5	7	2		3			7	6	1
	私立全日	215	17	5	4	1	2					1	2		
	私立定時	14	1				1								

状別教員数（その1）

商業	水産	職指	養護	職業	二級普通 計	国語	社会	数学	理科	音楽	美術	保体	技術	家庭	英語	農業
		12	21	19	960	139	120	131	87	54	18	57	134	88	125	2
		12	20	19	955	136	118	131	87	54	18	57	134	88	125	2
		2	2	5	190	32	26	28	16	12	2	7	29	14	23	1
		4	4	6	240	40	26	38	21	19	3	15	30	15	29	1
		3	5	3	177	19	12	25	17	9	7	21	28	14	24	
		1	3		118	8	16	21	12	5	3	6	15	15	17	
			2	4	101	12	20	10	8	6		7	14	15	9	
		2	4	1	129	25	18	9	13	3	3	1	18	15	23	
			1		1	1										
					3	1	2									
					1	1										
35	8				1,209	140	124	106	122	22	18	128		86	146	67
31	7		1		928	107	84	83	90	22	15	111		77	108	61
3					133	16	17	9	12			9		1	12	5
1	1				143	17	22	14	18		2	8		8	26	1
					5		1		2		1					

専攻科目別免許状

区分		二級普通							仮免									
		工業	商業	水産	商船	水実	書道	職指	計	国語	社会	数学	理科	音楽	美術	保体	家庭	英語
中学校	全琉		2					3	20	2	2		6	3	1	3		3
	公立		2					3	19	2	2		5	3	1	3		3
	北部								7	1	1		2			2		1
	中部							3	2				1		1			
	那覇								2									2
	南部		1						1					1				
	宮古								1							1		
	八重山		1						6	1	1		2	2				
	松島																	
	政府立								1				1					
	私立																	
高等学校	全琉	116	116	11	2	4	1		43	7	1	5	3			7	1	4
	政府立全日	94	59	11	2	4			18			1	1			3		2
	政府立定時	15	32						5			1	1			1		
	私立全日	2	24				1		16	5	1	2	1			3		2
	私立定時		1						4	2		1					1	

別 教 員 数（その2）

				臨								免					
工業	商業	水産	工実	計	国語	社会	数学	理科	音楽	美術	保体	技術	英語	農業	工業	商業	家庭
				15	1	2	4	2		1	3	2					
				13	1	1	3	2		1	3	2					
				4			1	2			1						
				3			1					2					
				2		1					1						
				2	1						1						
				2			1			1							
				1			1										
				1		1											
8	4	2	1	77	2	5	9	9	2	1	17		6	4	20	1	1
7	1	2	1	32		1	3	4			3		5	2	12	1	1
	2			2		1					1						
1	1			39	2	3	5	5	2	1	11		1	2	7		
				4			1				2				1		

1967年10月5日印刷
1967年10月10日発行

文　教　時　報　（第108号）

非　売　品

発行所　琉球政府文教局総務部調査計画課
印刷所　セントラル印刷所　電話 099－2273番

日本政府教育援助額の推移

（単位：ドル）　注　○印は日本政府直接支出　△印は南援経由

	項目名	（昭27）	（〃28）	（〃29）	（〃30）	（〃31）	（〃32）	（〃33）	（〃34）	FY61（昭35）	FY62（〃36）	FY63（〃37）	FY64（〃38）	FY65（〃39）	FY66（〃40）	FY67（〃41）	FY68（〃42）
1	○教員本土研修	6,000	6.000	6,000	6,000	6.000	6,314	6.661	6.661	13,417	15,964	16,683	19,206	20,233	35,469	35,469	51,053
2	○琉大教員本土研修											1,586	1,725	1,725	8,975	11,600	11,256
3	青年婦人本土研修											2,403	2,403	2,403	2,500	2,853	2,852
4	○国費奨学計画		10,317	15,450	22,497	29,567	38,614	44,241	46,778	46.725	67.788	76,808	115,875	190,800	189,753	231,192	317,642
5	○教育指導員派けん								31,406	49,089		39,583	31,650	36,056	36,100	36,100	36,100
6	○現職教員再教育講師派けん										22,853	22,853	22,863	25,200	25,200	25,200	25,200
7	○琉球大学教授派けん										947	947	947	947	2,081	7,728	8.083
8	○文化財技術指導												753	875	1,500	1,761	5,555
9	体育関係全国大会参加														5.556	5,556	5,556
10	○農業近代化指導員派けん及び研修生														6,856	6,567	4,458
11	育英奨学事業										55,556	55,556	70,056	90,089	123,700	152.100	180.556
12	義務教育諸学校教科書												100.506	177,022	258,972	508,136	745,667
13	学校備品														345,117	291,225	249,953
14	特殊学校施設設備														85,028	16，学校施設統合	
15	学校図書館図書														82,319	65,728	65,728
16	学校施設															1,264,911	1,241,428
17	○琉大医学部設置調査															23,317	27,705
18	義務教育諸学校教職員給与															5,288,153	8,218,667
19	○文化財展開催															14,725	
20	水産高校専攻科設置援助											（実習船）232,222（南援）	29,283	24,311			
21	農業教育近代化施設・設備														49,789		
22	幼稚園設備														3,733		
23	琉球大学図書館図書														20,000		20,000
24	青年の家整備														74,600		
25	△公民館図書												41,647	42,533	42.200	42,200	42.200
26	△準要保護児童への学用品贈与											51,350	62,433	87,953	70,000	68,530	72,211
27	△遺児育英奨学資金							1,380	1,380	1,350	1,350	1,350	1,350	1,350	1,000	1,000	1,500
28	△水泳プール建設																64,308
29	教育研修センター建設																104,822
30	沖縄学生文化センター建設																27,778
31	青少年浜松会館建設																21,281
32	学校施設（災害）																340,703
計		(1) 6,000	(2) 16,317	(3) 21,450	(2) 28,497	(2) 35,567	(3) 44,928	(3) 52,285	(4) 86,225	(4) 10,581	(8) 164,453	(11) 501,261	(14) 500,687	(14) 641,497	(22) 1,470,448	(21) 8,084,053	(22) 11,892,257

文教時報

109

109

琉球政府・文教局総務部調査計画課

沖縄文化財散歩 <11>

伊　祖　城　跡

指　定　　史　跡

所在地　浦添村字伊祖後原863～867

伊祖城跡は，浦添村字伊祖部落の東北丘陵上に更に一段と高くなつている台地で，遠くから見ると丘の上に船が乗りあげられたかつこうになつている。この城は，天孫氏につながる英祖王父祖代々の居城で山城形式をなし，英祖王もここで生れ後に義本王の跡をついで浦添城に移つた。

城の前に昔の貿易港であつた牧港をひかえ，周辺に肥沃な耕地がひろがり，ケラマ群島や残波岬を望む雄大な景観をもつている。

城壁は，東北の城門の下から本丸の附近までは切石積みの石垣がきづかれているが，その外は野ヅラ積みで，昔のままに残つている。

本丸跡に昭和10年1月5日の建立になる伊祖神社の神殿を造営して城内の各拝所が合祀され，その右後方に昔の井戸あとがある。

本丸北方の最も高いところは，見張所のあつたところで，ここに「旗立て」といつて岩石に穴があけられたのがあつたようだが，今次大戦のとき，日本軍の高射砲陣地構築のために破かいされたという。

伊祖城跡は規模の小さい城ではあるが，天孫氏系の城として，城壁が二通りの積み方がなされ，城壁構築の変せんを研究するのに貴重なものである。

（文化財保護委員会　新城徳祐）

文教時報

No. 109. 67/12

教育研修センターの建設意義

教育研修センターが，いよいよ近く首里の龍潭池畔に着工される運びになつた。教育界多年の懸案であつただけにその実現をみることはよろこびにたえない。

戦後の沖縄教育は，戦争で多くの中堅教師を失なつたうえに新学制の施行によつて教員の大幅な需要に迫まられた。このために無試験検定や臨時の養成機関によつて速成された未経験の教員を多く採用することになつた。

そこで教員の再教育ということが重要な課題となり，大学講師による認定講習や教育指導員による研修が始められた。

以来十余年この制度によつて沖縄の全教師が新学制に即応する指導力と資質の向上が図られ，沖縄教育の進展に大きく寄与するとともに教育の本土との一体感を深めた成果は高く評価されているところである。

しかし，この制度のもつ意義と大きな成果はそれとして，受講者側にとつては常に受身の立場にあることは否めない。沖縄自体でもつと主体性のある研修態勢が必要であるとの要請がなされるようになつた。

文教局としては，早くから教育研究機関の必要を痛感し，差当り1960年暮に理科教育センターを設置し，1962年には教育研究課を新たに設けて将来これと理科センターを統合して独立の教育研究所を設置すべく計画をしたが，本土の情況等を検討し，「研究」と「研修」の機能をもつ教育研修センターが適当であるとしてその設置に努力した。

幸い本土政府の援助によつて今回漸くその実現をみることができたので今後は文字どおりここを研修及び研究のセンターとして活用し従来の方法に根本的な改善を加え主体的な研修態勢を確立したい所存である。大方のご支援とご協力を願つてやまない。

このセンターの設置については文部省をはじめ本土政府の積極的なご援助と，政府のワーナー教育局長並びに国立教育研究所の平塚益徳所長の並々ならぬご尽力とご協力があつたことをご報告申しあげて心からなる感謝の意を表する次第である。

（指導部長　知　念　　　繁）

<巻　頭　言>

教育研修センター設立にあたつて

文教局指導部教育研究課

1経過

沖縄には，教員の資質向上のための教育研究，研修の中心施設がなかつたために，その必要性がさけばれるようになり，文教局では，数年来教育研修施設の設置計画をたてて本土政府ならびに琉球政府に要請し続けてきたのである。一方，本土においても数年前から地方の教育研究所，とくに，都道府県立の教育研究所のあり方に批判が加えられ，研修を主体にした総合的な教育研修センターの必要性が痛感されるようになり，文部省では，各都道府県教育委員会に対して教育研修センター設置のために補助金を交付し，その設置促進に力を入れるようになつたのである。

今回，沖縄教育界多年の要望である教育研修センターの建設費が，本土政府の援助をえて琉球政府予算に計上され，いよいよ11月に着工の運びとなつたことはまことによろこばしいことである。建設費＄327,204のうち，本土政府援助額は，＄104,822で琉球政府負担額は，＄211,202となつている。

2構想

教育研修センターの設置目的，および事業については，昭和42年5月2日文部省初等中等教育局から出された「都道府県教育研修センター設置要領」に基づき，施設設備については沖縄の事情に即して次のように計画立案されている。

⑴目的

教育研修センターは，小学校，中学校および高等学校等の教職員の現職教員の中心施設とし，教職員の研修および教育研究団体の教育研究を振興し，教職員の資質の向上を図ることによつて沖縄教育の進展に寄与することを目的とする。

⑵性格

教育研修センターは，文教局の付属機関とし，これに関する規則は中央教育委員会において定める。

⑶事業

- 小学校，中学校および高等学校等の教職員の資質の向上を図るため現職教育の事業を行なう。
- 教育研究団体の研究活動の助成を図るための研究内容の指導助言，研究会場の提供等の援助を行なう。
- 学校教育に関する基礎的調査研究，教育図書その他の資料の収集とその成果の利用。
- 教育相談，進路相談，進路情報の収集提供等のサービスを行なう。
- 研修センターの目的を達成するに必要と認める事業を行なう。

⑷組織

所長（1）

庶務部（部長1）

庶務課（8）

人事，文書，公印保管その他庶務

事業課（5）

予算，経理，施設，物品の管理及び利用。事業，事業の企画調整，広報等

第1研修部（部長1）

第1研修課（8）

理科，技術家庭以外の教科に関する教育内容，計画，学習指導法，教育測定，評価等に関する調査研究および研修

第2研修課（6）

教育行財政，学校管理，学校経営学校事務，教育環境，道徳教育，特別教育活動，学校行事等，特殊教育，へき地教育，視聴覚教育，図書館教育等に関する調査研究および研修

第2研修部（部長1）

理科研修課（10）

理科に関する教育内容，計画学習指導，教育測定，評価等に関する調査研究および研修

技術家庭研修課（7）

技術家庭に関する教育内容，計画，学習指導法，教育測定評価等

に関する調査研究および研修

相談部（部長1）

教育相談進路指導室（5）

教育相談に関する研修および性格，行動，学業等に関する診断治療ならびに諸検査。進路指導に関する研修および進路相談，職業適性検査ならびに進路情報の収集，提供

（嘱託医4）

図書資料室（3）

教育関係図書，教科書，教育資料の収集および活用

所員総計57人の予定であるが，1969年度は技術家庭研修課が第1次計画にふくまれてないために総員50人になる予定である。

(5)建物

㋑所在地

那覇市首里当蔵通（旧博物館所在地，元沖縄師範学校校庭跡）

㋺構造

鉄筋コンクリート造，地下1階地上5階

第1期工事（1968年完成予定）

地下　地上1，2，3階

第2期工事

地上4，5階，屋上施設

㋩延面積

4,339,541㎡（1,315,012坪）

第1期工事（1968年完成予定）

2,851,911㎡（864,215坪）

第2期工事

1,487.63㎡（450,791坪）

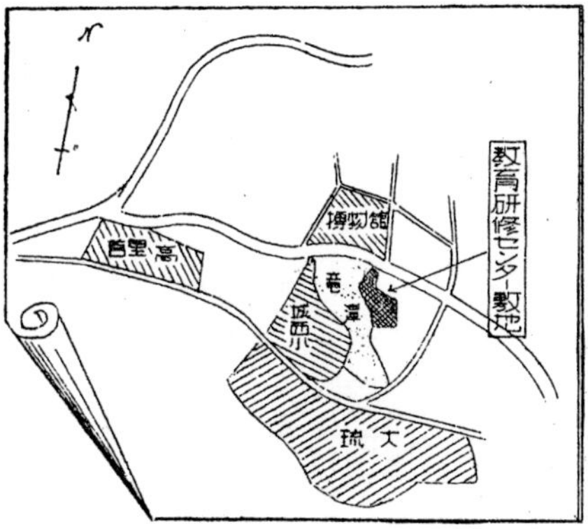

敷地面積165,635㎡（486.56坪）

㊂平面図

第１期工事

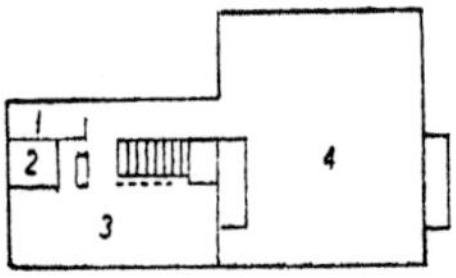

地下１階　226,159㎡（68,533坪）

1.　地学工作室
2.　エレベーターピット
3.　電　気　室
4.　機　械　室

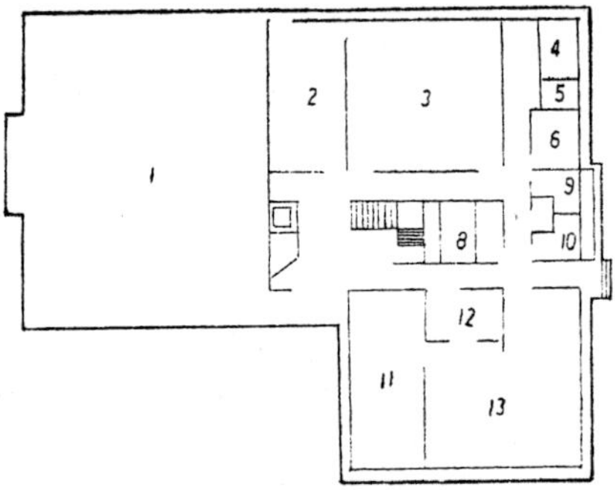

１階　873.512㎡（264.70坪）

1.　パーキングスペース
2.　生物準備室・研究室
3.　生物実験室
4.　宿　直　室
5.　男子シヤワー室
6.　印　刷　室
7.　ホ　ー　ル
8.　用務員室
9.　男子便所
10　女子便所
11　閲　覧　室
12　事務室（図書資料室）
13　図書資料室・書庫及教科書センター

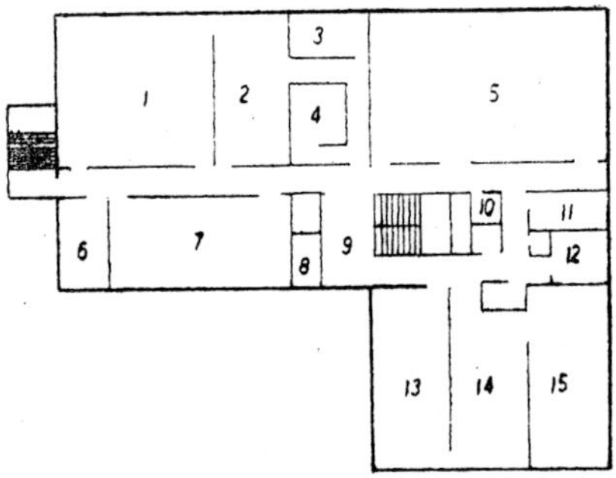

２階　876,120㎡（265.49坪）

1　化学実験室
2　化学準備室・研究室
3　薬　品　庫
4　暗　　　室
5　教育相談・進路指導室
6　天　秤　室
7　研　修　室
8　ロツカー室
9　ホ　ー　ル
10　女子シヤワー室
11　女子便所
12　男子便所
13　事　務　室
14　所長室　応接室
15　研　究　室

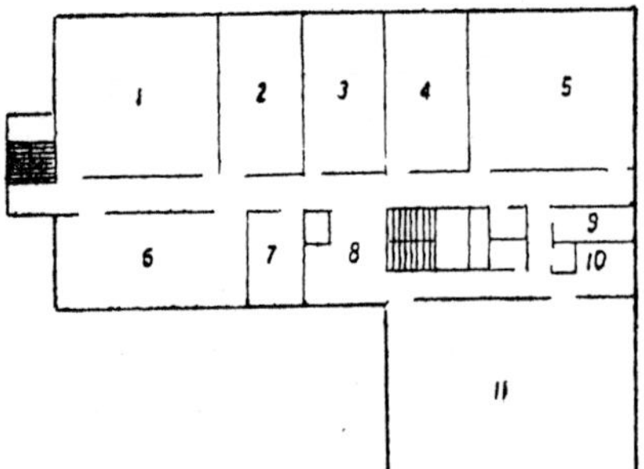

３階　876,120㎡（265.49坪）

1　物理実験室
2　物理準備室・研究室
3　研　究　室
4　地学準備室・研究室
5　地学実験室
6　研　修　室
7　講　師　室
8　ホ　ー　ル
9　女子便所
10　男子便所
11　講　　　堂

第2期工事

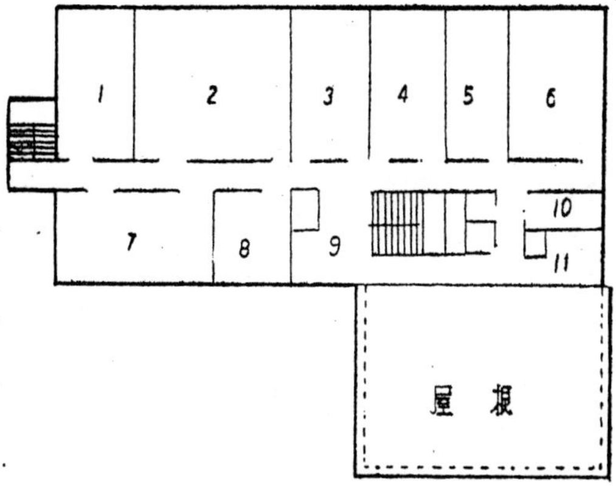

4階　679,290㎡（205.49坪）

1　厨　　房
2　食　　堂
3　会 議 室
4　研 究 室
5　視聴覚室
6　研 修 室
7　研 修 室
8　研 究 室
9　ホ ー ル
10　女子便所
11　男 便 所

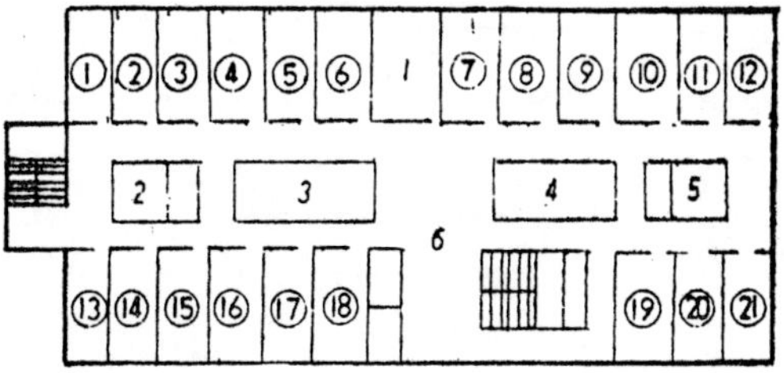

5階　679,290㎡（205.48坪）

①～㉑　宿泊室
1　小会議室
2　浴　　室
3　男子便所
4　女子便所
5　浴　　室
6　ホ ー ル

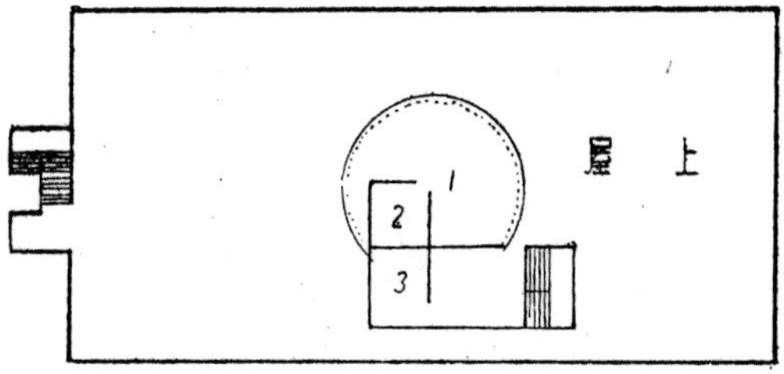

屋根　129,050㎡（39,106坪）

1　クーリングタワー
2　水　　槽
3　エレベーター機械室

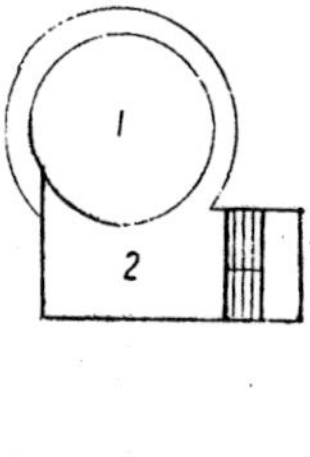

塔屋

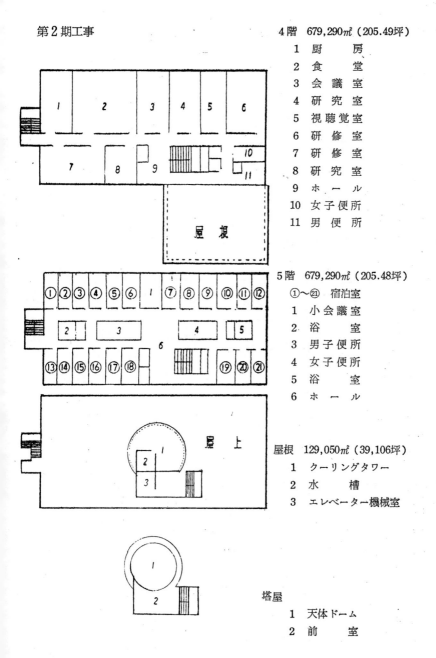

1　天体ドーム
2　前　　室

※技術家庭科の施設設備は第3次計画で完成の予定である。

㈹運営

教育研修センターの運営および事業の実施にあたつては，文教局中教委，大学その他の教育関係者で構成する運営委員会を設け円滑な運営を図る。

㈬ 発足の時期

1968年4月に文教局指導部教育研究課と理科教育研修センターが合併して発足する予定である。

しかし，施設の完成は，1968年12月の予定であるので本格的な運営は建物完成後の1969年以降となる予定である。

3むすび

第一期工事の完成は，1968年12月の予定になるので1969年の当初には竜潭池畔の緑の中に近代的なすばらしい「沖縄教育研修センター」が威容をほこつて建つことであろう。教育研修センターが完成すれば，前記事業が遂行されるので沖縄教育に大いに寄与することになろうが，特殊事情下にある沖縄にとつてとくに期待される点は次のことが予想される。

1 教職員の現職教育の中心的施設ができる。

2 教員研修が総合的計画のもとに効率的に行なわれ，指導者養成も容易となる。

3 近年における教育技術の急速な進歩におくれがちであつた沖縄の現職教育が，教育研修センターの最新の施設を利用することによつて器具器材を駆使する実験実習の研修が容易になり，科学技術教育の充実が図られる。

4 宿泊研修の便宜が得られることによつて，より充実した研修の効果が期待される。

5 研修や研究の機会にめぐまれない離島へき地の教師にとつて教育研修センターの施設設備の利用効果は大きい。

6 本土派遣指導員の常時駐留による研修によつて，より充実した研修が可能となり，本土教育との一体化も促進される。

7 各研究諸団体等に研究会場を提供することによつて研究活動のうえで便宜が与えられる。

以上の効果によつて沖縄の教師の資質が向上し，本土教育との一体化に近づき，児童生徒の学力向上が大きく期待されよう。

校長本土実務研修報告 (3)

～ もくじ ～

普天間高等学校
佐久本 興 吉
（配置校。愛知県立千種高等学校）

1 沖縄について

戦後の沖縄は学校基本法にうたわれているように吾々は日本人を教育しているとの信念の下に日々子弟の教育に精進している。鹿児島県から西南に約400海里，八重山郡の与那国島まで約600海里離れ，大小50有余の島嶼でできて，かつては沖縄県といつたが，第二次世界大戦の結果，施政権は分離され自由に本土への渡航さえかなわぬ現在，物心両面からなる本土の皆さんの御厚情に対して深く感謝申上げる次第である。

小学校の児童総数15万人余，中学校の生徒総数８万人余，高等学校の生徒総数４万人余，大学の学生総数1.5万人余に対し教育関係者はひとしく責任と意欲を燃している。

戦後沖縄の教育は「よい校舎，よい施設，よい待遇」という三件を目標にし，それに日米両政府の援助が拡大されて，すべてにおいて次第によくなつてきたが，児童，生徒の学力等でまだまだ道が遠い感がする。

高校の生徒１人当り公教育費は，全国は¥60,156沖縄は¥36,956で，今後の課題として財政の裏付けが最も急務である。

琉球政府の教育予算は（1967年度）

琉球政府	$	14,413,646（47.4%）	総額 $ 30,402,308（¥10,944,830,880）政府予算に対して34.4%
日本援助	〃	7,578,662（24.9%）	
米国援助	〃	8,410,000（27.7%）	

沖縄の教育を進展向上せしめる方策として文教局は，

1，教育指導者の養成

学校経営者の研修
教員の研修
管外研修…教員，指導主事，校長の研修，大学での研修

2，本土との学力の格差の是正

学習指導法の改善
実験学校の設定

3，生徒指導の充実

健全育成，矯正指導，心理治療等

次に沖縄教育費予算支出構成（1967年度総額$27,992,903～文化財，琉大関係を除く）は，

教職員の給与	$17,682,978	63.2%
学校建設費	〃 4,626,834	16.5
その他の資本的支出	〃 2,028,226	7.3
その他の消費的支出	〃 3,654,865	13.0

沖縄教育費総予算$27,992,903の中で学校教育費$26,527,490（94%）

幼稚園0.3%　小学校41%　中学校28.7%　特殊学校1.7%　高校22%その他各種学校，社会教育費，教育行政費，育英事業費で6.3%，特に義務教育諸学校に要する経費が71.4%となつている。

教職員給与の平均を比較してみると（本俸のみ）

種別	沖縄（1966.1）	本土（昭和41）
小校	$ 110.08	$ 128.86 （¥46,390）
中〃	100.48	122.11 （ 43,960）
高〃	102.46	135.78 （ 48.880）

高校は（1966.5）

生徒数 45,744人
学校数 34校
教員数 1,952人

高校教職員の給与は本土高校教職員と比較して$33.32（¥11.995）も低い。

校舎施設については（1966.6），高校校舎基準面積201,061㎡に対し不足面積73,009㎡で生徒（高校）一人当り本土（1965）の保有面積は5.10㎡沖縄は3.43㎡，である。

中学から高校への進学率は本土70.7%（現在72%以上）合格率94.8%，沖縄は52.6%の進学

率に対して合格率69.2%である。

2 学校経営の基本的なあり方

愛知県科学教育センターで得た資料と経営学の立場から学校経営を反省しつゝながめてみる。

学校経営は企業経営と異つていることはいうまでもないことであるが，企業経営は人員と資金，材料の組合せによつてもつとも価値ある方法で操作して利潤を獲得することで，要するに最後の目的は利潤の大い少ないの方法そのものにある。しかし学校経営においては指導と管理を十分に行い，教育の目的を果たして社会の人々の信頼に応えるところにある。企業経営は利潤の追求であり，学校経営は信頼に応えることであつて，教育者が専門職であり，社会人として有能な人格者を育成するものであることを常に自覚していなけばならないと思う。

特に指導は教育者の人格，識見によるもの，誠に重要なもので，生徒のうちからの自然の発達を見守りながらより高い，より優れたものに導くことにある。生徒の自発的創造発展をせしむべくして，決して強制し，型にはめることなく，人格が円満で調和的で態度行動が終始誠実，明朗濶達，積極的，建設的，親切で協力的な人を育成するよう心掛けねばならない。

学校経営（学校経営の実践，五十嵐清正他著参考）は学校の教育活動の性能を高め効果を上げるために行なういろいろな組織，それを構成する諸条件を整備，充実させながら，これを教育目的達成に向つて統制していく活動であるから，具体的には学校のおかれている地域社会の実態にそうて要求を意識し，理念的には国家，社会の生存を確保し，理想を実現する意図がなければならない。運営上

(1)円滑に趣旨を徹底せしめるには全関係職員をできるだけ参加させる。生徒は勿論，その父兄，地域の関係者にも知つてもらうようにする。

(2)人を生かす点から職員は若いうちにいろいろな分担や係を経験させ，一人一役にとめて仕事の過重を避ける。

(3)責任をもつて自由に遂行させまたそれに応ずる権威を与える。

校長はその基本的な態度として学校は法規や教育行政のために営まれるものではなく，国民全体に対して直接責任をもつて運営されなければならないという教育基本法の精神を重んずることである。法令に準拠しつゝも法の奴隷となることなく，自主的に学校教育活動を創造してゆくことが肝要であるといわねばならない。

校長の職務としては

(1)教育目標，経営方針，教職員の組織，職員会議等の計画

(2)教職員の異動や職務に関する人事管理

(3)教務，庶務，会計等の事務管理

(4)教職員に対する指導助言

(5)地域社会に対して理解と協力を求める渉外連絡

(6)校長の自己研修等

以上のうちで教職員の人事管理は学校経営でもつとも重要なことで，個々人の性格，実力，資格，健康は勿論，年令構成上（新規，中堅，老錬者の均衡）の問題，学歴の問題，地域の問題等をよく考慮して異動，任免について注意すべきである。そして権力的な監督よりも指導助言的監督をすることはいうまでもない。

事務管理には教務，庶務会計事務があるが，学校教育法に「校長は校務を掌り，所属職員を監督す」とある。事務の整理，教員の負担の公平，事務処理の能率化について研究し，学校経営体制の近代化を図り，事務職員を学校規模に応じて配置して，教員の本務への支障をきたさないように努力することである。次にクープマンの民主的校長について挙げて見ると，

校長として日常心しなければならないことは独裁的でなく，教職員の意見を尊重し，その才能をよく生かして民主的な学校経営に当らなければならないということである。

(1)教職員の能力を役立てる方法

(2)日常さ細なことにとらわれない

(3)職員の建設的な考えはこれをとつて激励して事に当らせる。

(4)教職員の集団に関することはそれに委せる。

(5)個人的，職務上のことも友情的な助言者になる。

(6)職員を前面に出してＰＲする。

(7)多くの職員が責任をもち，指導的役割をとる機会を与えるよう尽力する。

3 経営学的考察（倉成英典，「学校経営の経営学的考察」参考)

学校経営においては教師を学校組織の中に位置づけられた有機的な組織人としてまとまりのある教育活動を考えねばこれからの教育は成り立たないであろう。もちろん教師対生徒の人間的な触れ合いによることが大であるが，いかに優秀な教師も彼個人の教育方針で自由に勝手に指導できるわけでなく，学校としての教師集団の中において，校長，教頭，

同僚教師との諸関係を構成しつゝ自己の力量を発揮していかねばならない。これは管理職の立場から経営上の大きな課題である。それで現代の教師は組織の中でどういう欲求を持つているのであろうか。

(1)組織の中で価値のある教師として認められたい。

(2)教育活動に従事するという誇りを持ちたい。

(3)校長からも同僚からも常に公正な取扱いを受けたい。

(4)学校経営の中に積極的に自分の意見を取り入れられたい。

(5)教師生活に喜びと安定感を持ちたい。

管理者としてはそれぞれの個性を持つ個人にどのような人間性意志決定をさせ，どのような態度と行動をとらせるかが重要な事柄であり，組職中に機械化され，埋没されていく人間性を恢復し，人間と人間の結びつきを考え，絶えず人間的条件を改善していかねばならない。

人間関係改善のための方策は，その学校の独自性を検討して，まず学校の経営診断を行なうことである。校長対教師の信頼関係，モラールの現状，校務分掌中におけるミドルの果している役割，歴史的背景などである。方法としては

(1)コミュニケーションの積極化（情報交換，苦情処理，人事相談，懇談）。

(2)経営参加の体制を整える（提案の推奨，権限の分譲，各種委員会への公正な配置，職員会議等での発言の尊重など）ことが考えられる。要するに教師全員を自発的に学校の活動に参与させ，高いモラールによつて，経営方針の実現に努力するように導きながら同時に教師集団への帰属意識と，相互の連帯感を高めることに努めなければならない。

4 職員会議と人格形成

教育行政的立場からは学校運営の適正円滑を図るため，校長が主宰，教員および事務職員で組織し，必要と認めたときその他の職員を加えることができる。学校運営に対する重要な事項について協議し，校長の職務執行を助ける。その経過内容は職員会議録に記載しなければならないとある。

しかし学校は教育という特殊的性格からくる内容や人間関係のあることで，校長は命令条列における上位者としての立場であり，他面に職員グループのリーダーとしての立場も必要である。即ち校長という一個のパーソナリティの中に融合されて，職員会議の議題の内容に応じてAとなり，Bとなつて適切にリードし，教育し，監督指導しなければならない。

なお職員会議は校長を含めての職員相互間のコミユニケーションの場であること，決して一方交通でなく，相互交通であること，人間的な思想，感情，意志の交流が行なわれる話合いの場にすることである。また学校全体としてのものゝ観方，考え方を培つてくれる場でもある。スタツフ意識で考える連帯意識をけん固にする機会である。

校長，教頭，職員にはいろいろのタイプがある。常に自己を反省修行して，校長としては民主的指導型，教頭は補佐型，職員は積極型になるように心掛けねばならないと思う。

校長のタイプ…官僚独裁型，放任個人型，●民主的指導型

教頭のタイプ…校長進従型，対立型，職員型，●補佐型

職員のタイプ…消極的無関心型，保身進従型，独善型，●積極型

5 学校予算について（伊藤和衛，学校運営照参）

学校の予算は学校経営の基盤をなすものであり，校長が教育目標を達成するための教育計画は収入，支出の計画をふまえてできることはいうまでもない。しかし公費だけで学校予算は賄い得ないことは事実であつて現状では私費がどの学校でも多少の差はあれ注ぎ込まれている。これは国，県，市の一般予算中の教育費の占める割合が他を圧する程の多額であるにもかゝわらず止むを得ない状態である。特に戦災のため校舎は30%しか残つていないで7000万平方米(子供一人当り一平方米)の校舎建築やら人件費の変動，定数の標準の方へと国は教育費がかゝつている。高校への進学率が72%，殆んど義務教育を終えたら高校へ進む，それに高校教育の多様化等も頭の痛いことである。公費だけで実際賄い得たら理想的である。これを三角形で表して見ると，

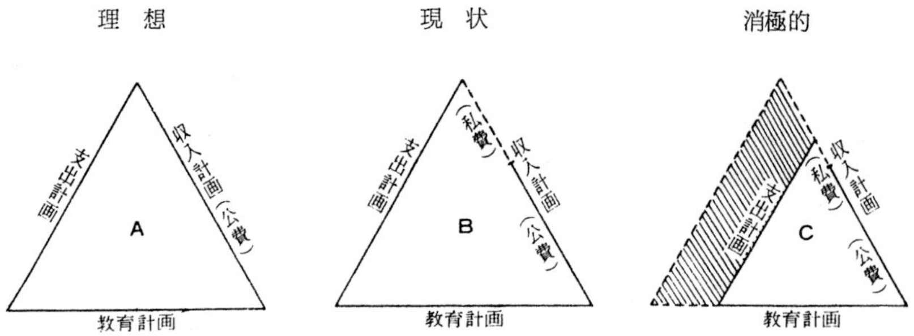

教育計画	教育計画	教育計画
支出計画を公費のみで賄う。	支出計画の公費不足分を私費予算で補い、父兄にしわよせする	教育計画は父兄負担を遠慮して縮少。または無理して教育計画を目標達成（斜線）のため拡大する。

いずれの学校においてもB図かC図かであり，C図は地域の現状と父兄の負担力を考慮して経営を消極的に持続しているに過ぎない。また平常通りに積極的にやるとしたら職員や生徒に大きな無理がくるのは当然といわねばならない。まあ現状では父兄の理解のもとにB図が適切であるともいえる。

学校管理といえばこれまで人的，物的管理，そして運営管理などいうて静態的にとらえたものであつた。また学校財政も主として物的管理に包含せしめて論じられてきたのである。しかし学校は日々動いている。この動いている相に即して経営学の立場からとらえるのが肝要ではないかと思う。そこに合理的，科学的，近代性があるのではなかろうか，学校予算はあらゆる面について動いている。人的面にも物的面にも，また綜合としての運営の面にも裏づけとなつて動いている。管理者は計画→実施→評価ないし計画→組織→統制というマネージメント，サイクル（管理の循環）としてとらえることでなければならない。

次に公費，私費の負担関係の統計を挙げることにする。

公費，父兄負担年間1人当り学校教育費との比率（文部省統計より）

種別	公費（比%）	父兄負担学校教育費(比%)	合計（比%）
小学校	¥ 29,153 (73.6)	¥ 10,476 (26.4)	¥ 39,629 (100)
中学校	31,153 (69.1)	13,959 (30.9)	45,112 (〃)
高校(全日)	60,156 (61.9)	37,077 (38.1)	97,233 (〃)
〃(定時)	46,262 (66.8)	23,026 (33.2)	69,288 (〃)

※（文部省）父兄が負担する教育費37.4%～38.3%（家庭教育費は含まれず）

保護者の年収と負担の教育費(文部省 33.4.1～34.3.31)

種別	家庭の年収平均	学校教育費		家庭教育費	
		実額	収入に対する比率	実額	収入に対する比率
小学校	¥ 438,629	¥ 8,021	1.83 %	¥ 4,561	1.04 %
中学校	397,473	9,476	2.38	3,138	0.79
高校(全日)	434,147	28,893	6.66	4,358	1.00

学 校 教 育 費 (文部省 33.4.1〜34.3.31)

種 別	負担者の最高と比率				負担者の最低と比率	
小学校	無職	3.81%	単純労働者	3.31%	管理経営者	1.45%
中学校	〃	5.18	〃	4.01	〃	1.82
高校(全日)	漁水産従事者	8.89	〃	8.55	〃	4.38

高校公費，父兄年間1人当り学校教育との比率(全日)

種 別	公 費	(比%)	父兄負担教育費	(比%)	計
全 国	¥ 60,156	61.9%	¥ 37,077	38.1%	¥ 97,233
愛 知	58,402	67.0	28,800 (千種高校)	33.0	87,202
沖 縄	36,958($103)	78.8	9,947($27.63) (普天間高校)	21.2	46,905 ($130.63)

6 研 修 日 誌

10/8(土)晴，体育の日，午前10時30分発CAT機で大阪空港経由，東京空港午後2時着，琉球政府東京事務所の島袋渉外官の出迎えを受けて研修校長15名全員「うずら荘」に宿泊する。

10/9(日)晴，文学博士松田武夫先生宅訪問，論文「書の一考察」を見て戴く，帰途明治神宮参拝。

10/10(晴)，書籍購入のため神田行き，晩，文教商事，東京事務所長の招宴。

10/11(火)晴，国立教育研究所4階で校長，指導主事に対して諸手続，担当主事，北根康志氏，午前11時より第二回内地派遣沖縄研究教員受入式，司会，庶務係長大平嘉一郎氏。

財務課長，岩田俊一氏のお話，

特別教室は足りないが，しつかりやつて欲しいとの激励を受ける。

視学官，厚沢就次郎氏のお話，

暴飲暴食をつゝしみ，健康に留意せよ，よく研究してもらいたい。

国際文化課長，三角哲生氏のお話，

沖縄の教育の格差について，

紫沼氏，特殊教育課長，寒川氏，島袋栄徳氏のお話(お礼の言葉)

派遣教員団代表挨拶

（校長団15名）佐久本（指導主事団10名）栄野元，

25名の派遣教員自己紹介

昼食，解散

午後は総理府特連局に代表挨拶，琉球政府東京事務所長への挨拶，文教商事への挨拶帰宅

晩は福井(東大附属高校教諭)，川城(仝　)両氏よりの招宴あり，商業教育関係による。

10/12（水)晴，校長，主事に対して午前10時から文部省映写室でオリエンテーションが行なわれた。

高橋地方課長のお話，

高校職員に対する公務員制度，地方教育委員会制度，地方教育公務員法，教育委員会の改正，勤務条件の改善，組合らしい組合，専従職員（700人に１人の割合）の件，43年12月14日から専従職員は無給休暇ではなく３年間の休職になる。

石川中等教育課長のお話，

1，高校入試の件。

72%以上が高校へ進学。

実施教科は各県に任かす。

短時間のペーパーテストによつては実験実習が伴わない。

調査書を同等またはそれ以上に重視する。（問題点）内申書自体の信頼性，他との比較，しかしベビーブームは過ぎたから進学問題は楽になる。

2，教育課程の改訂について，

小学校は46年度から，中学校は47年度から改訂する(後期中等教育と連関の上)。

ねらい

A，調和と統一のある教育課程，

B内容を精選して行く。

C生徒の個性，能力に合うようにする。

※必修教科の問題点

国語科は古典力，書写力が弱い。

数学教育の現代化。社会科は歴史教育の力が劣る。日本人として，外国語は必修にしたらどうか，英語の学力差，体育科は基礎体力の問題。

3，後期中等教育の拡充整備について，

学科の多様化…新しい職業がでてきているからこれに相応するように（各種学校でや

つているものをとり上げて見たら）。

定時制と通信制の併用でやつたら，（文部省はモデル校５校程予定）勤労青年学級等の単位を検討して行く。

しかし後期中等教育は如何なることでも普通教育を重視する。

小池職業教育課長補佐のお話，

産振法（昭和27年制定），現在のものは新教育課程により，省令で昭和40年に定めてある。国が基準を定め国の負担。39年予算，41年から施設々備に補助している。基準に対して41年度は36%，設備は31.4%の達成率である。

農，工，商，水36学科に対する基準は

農業科設備	78億３千万円	旧　2,600㎡
工業科機械	８千600万円	
商　業　科	２千400万円	４～６学級

平年度の予算は地方の実状に即応するように42年度は79億円になる予定，産業科は主に機械を，中央でまとめて共同実習場にもつていく。

衛生看護科は女子の進学が増えたので新しくした。

新設学科の技術者養成は来年度で終わる。

農業高校の拡充整備，寄宿舎教育をとり入れる。５千万円程度の補助

中学校の技術家庭科に２億４千万円

高校教育の多様化，全国高校長協会では30%位しか現在の教科をこなし得ない。また社会行政の面からも現在の教育を検討しなければならないと報告。

（例）（沖縄視察中，北農の資料から今年の卒業生（221人）中

自　営	就　職	進　学	其　他
45人	112人	13人	51人
20.4%	50.7%	5.9%	2.3%

教育効率を上げるためには中学における進路指導を考慮する。高校入試を考える。こゝで多様化を認識させること。

新教科として…お茶科，煙草科，柑橘科，醸造科，熔接科，印刷科，製靴科，衛生看護科など，

普通科にも考える必要がある。現在…普通科：職業科の比は６：４たが寧ろ逆にしたい

寒川特殊教育課長，江守教科書検定教育課長補佐，鈴木教科書管理課長補佐のお話，

印刷物によつて説明。

大谷内初等教育課長補佐のお話,

小学校…児童総数900万人，25,688校（その中23%は僻地，児童数6%），

600校は5学級以下，就学猶予17,000人

もうろう，養護300校，58,000人

教職員35万人，約半数は女子

人事委員勧告の給与¥24,800（$68.89）

完全給食83.8%　1食¥37

施設々備は国庫補助金

児童1人の教育費　¥13,070

岩田初中教育局財務課長のお話,

戦災のための70%，7000万平方米の校舎建築，人件費の変動，定数の標準の方へ，日本の経済は発展をして，西ドイツと肩を並べているが，とり残されたのが僻地である。

文化的にも人事の交流，経済拡張のひずみの面に文教行政の課題があり，教員の待遇の面と同様である。

1，幼稚園教育を学校教育の体系の中に入れて考える。63%を収容，年次計画で実現を計る。

2，教職員の資質の向上

3，高校教育の多様化

単位の修得制限

勤労青年の教育を拡充

4，社会開発

5，僻地教育の充実

6，低所得層の負担軽減。

10/12（木）晴，文部省財務課，担当主事北根氏の案内で国立劇場，国立科学博物館参観，解散。

10/14（金）晴，東京都立第一商業高校参観，名門校だけあつてよく経営されている。文部省へ行く。

10/15（土）晴，曇，東京都立新宿高校参観，一学級53.4名の生徒を収容しているが，職員も生徒も学力充実のため努力されている。新宿御苑の日本庭園を鑑賞する。

10/16 (日)曇，国立競技場で五種競技中の1500mの競技見物。

10/17 (月)晴，東京駅発12時5分のこだま号で14時46分名古屋駅着，県教育委員会へ行き，係主事松田氏の案内で愛知県議員会館へ宿泊。

10/18 (火)晴，松田氏代理の案内で愛知県科学教育センターへ行つて所長へ挨拶，教育課長酒向健氏から各職員への紹介と指示を受ける。

10/19 (水)晴，県教育委員会管理部へ行き財政資料を入手し，部課長主事より県教育財政についてお話を聞く。

10/20 (木)晴，科学教育センターへ行く，酒向課長よりセンターの組織と研修についてのお話を聞く，仝氏の案内で愛知県立明和高校参観，音楽，美術，書道室，家庭科室の施設々備がよく整い，特に音楽課程を設けて情操陶冶に力を入れ，特活に関心を払われてクラブルームで自主的に個性をのばし，学園が明朗である。校長鶴賀伊奈夫氏の学校経営のあり方に敬服をした。

10/21 (金)晴，科学教育センターで資料蒐集。

10/22 (土)晴，配属校千種高校へ登校，辻村泰夫校長より職員へ紹介，放課後生徒全員へ紹介，家庭科準備室を研修のため当てがわれる。学校は小高い丘に建ち，一望さえぎるものもなく，見晴らしがよく，新装の三階建校舎は千種原--の景観である。

10/23 (日)) 晴，広小路，栄町の繁華街見学，商品陳列法も東京の銀座を思い出す。道路の幅員100mとあるのには近代都市として感心させられた。

10/24 (月)曇，晴，放課後生徒の学習，素行等の職員会あり，学期4.5回 もたれるとのこと生徒指導上診断も早い方がよく，適切な指導法が生まれてくると思う。

職員の研修意欲は旺感で実地授業がひん繁であり，研修の各科委員会，校務委 員 会 も毎週もつている。職員各自が責任を自覚し，組織の一員として学校が民主的に運営されている。

校長のお話…職員組織としては学校運営の推進者となるべき教員はどんなことがあつても確保する。新進気鋭のものを採用して指導助言の下に教育に当らせる。

校長補佐のお話…教育課程は過度期の取扱いをしたゝめに各学年異つているが，現一年からは順調に進むことができる。（教育課程について研究）。

課外補習授業については，

1年…国，美，数より2科目，1教科週1時間宛の3回

2年…国，美，数より2科目，1教科週2時間宛の4回

3年…国，英，理，社の週4回

毎日始業前8時～8時50分

費用は学習諸費毎月￥200より補習手当，消耗品に当てる。

書記は採用していない。

愛知県の学級編制基準は単式1学級47人（平均37人），

高校は現在（2年，3年）…普，商，家55人

その他実業高校は44人

1年は53人～42人

高校数は私立，本校79校，分校15校計94校

非常講師手当，講師，クラブ講師5人分くまれている。

10/26（水)雨，教育財政の研究をする。文化祭の練習，生徒はよく動き，職員も適切に助言を与え，ほんとに教育が徹底していることに感じ入つた。特に生徒は場所を問わず会釈をするよい躾をしている。男生徒の髪は円刈で男女生徒の服装が正しく，よく秩序が守られている。

10/27（木)雨，曇，辻村校長，岳藤校長補佐と講演，ディスカツションなど日程について話し合う。午後は保護者会

学年単位，学級毎にしばしば行なわれているとのこと，学校は家庭との連けいによく意を用いている，一ケ年を五期に分け通知表は父兄に渡す。

10/28（金)雨，曇，午後は保護者会（二日目），生徒は文化祭の練習，図書館係の職員との沖縄についての懇談。

10/29（土)曇，晴，兼子主事の案内で校舎，施設を見せてもらつた。

校舎三階建二棟，27教室（2H.Rは洋裁室使用）

管理室…用務，購買，ロツカー，宿直，事務，校長，会議，医務，職員室

特別教室…作法，洋礼，化学，仝準備，武道場（1000名収容，主として剣柔道に用いる），器具（更衣），倉庫，物理，仝準備，音楽，美術，図書館閲覧室，司書室，社会，仝標本，調理，仝準備仝試食，洋裁，仝準備，和裁，洗濯，生徒会，指導，放送，新聞雑誌閲覧室

校舎が新しく，消防体制が完備している。

参考になつたもの…用務員，洋礼，放送，音楽，社会教室等

職員は…校長，校長補佐，教諭43人，事務長，事務5人，用務員2人　校医4人，講師

18人，

生徒数は…	1年477人	(男307 (女170	(学級生徒数) 53人当	(学級数) 9学級
	2年496人	(332 (164	54人～56人	9
	3年472人	(312 (160	51人～55	9
	計 1,445人	(男951 (女494		27学級

職員の担当時数…18時間～15時間定例会議を加えて25時間～20時間

非常勤講師によつて職員の担当時数は軽減されている。

非常勤講師手当￥1,833,000 (＄5,092)

高校入試の教科は全教科を行なう。

10/30 (日)晴，名古屋市内観光，熱田神宮参拝。

10/31 (月)晴　授業3時限後文化祭準備と練習，校務は教務と事務に大別して，教務を総務教務，図書館，生徒課，進路課，保健厚生課に分けてある。総務課で留意すべきのは18の委員会と学年担任会，職員会があつて，委員会制度によつてよく討議されて職員会へ提案される。運営もスムースになり，職員は責任をもつとゝもに権威が移譲されて学校経営の向上が期待できると思う。

11/1 (火)晴，千種高校創立記念式，文化祭第一日目，記念式後，沖縄宮古災害救援金受渡式があつて私が代つて受取り，琉球新報社を通じて送る積りである。

音楽室で約1時間半にわたつて沖縄についての講演 (聴講者生徒200名位，職員10名) をする。展示会，合唱，器楽の発表等多彩にわたる学校行事であるがよく精選されたもので，生徒も真剣で特に地学室は愛知県の地質を知る点で参考になつた。また生徒の儀式の態度も立派であつた。

11/2 (水)晴，8時半より体育大会開催，演技種目21，父兄200人位午後3時に終る。4日頃に後仕末が完了。全校生徒を9ブロックに分けて応援合戦をしている。これは参考になつた。

11/3 (木)晴，文化の日，(文化祭3日目) 名古屋工業大学々長，佐藤知雄先生の講演 (武道場において) 9時半より，「我が人生を語る」文化祭の最終日，文化の日の休時で見物人も多く押寄せ，バザーも大賑いだつた。終了後全職員の慰労会が催され，招宴を受ける。

11/4 (晴，曇，) 千種高校が代休をとつたので，県立旭丘高校，全愛知商業高校を参観する県立旭丘高校について，愛知県の名門校だけあつて落着きがあり，運動場は生徒が多く出て活気がある。校舎内外の清掃が行き届き，佐藤十人校長の人柄がしのばれて頭のさがる思いがした。

1，特別に受験のための講座はない

放課後は運動ばかりさせている。生徒は質がよく，自覚している。

2，特活，クラブ活動に教育の主眼を置いている。

3，クラブハウスは参考になつた。

4，教員の担当時数は平均18時間。

5，学級の生徒数は1年53人，2年54人～55人3年54人～55人である。

6，非常勤講師が全日16人，定時16人，分校13人となつている。

7，諸行事は厳選し，正規の援業時数の確保に努める。

8，通信制課程がある（愛知県で旭丘高校のみ）

9，41年度の進学者が731で，東大66人，京大48人，国立，公立計503人，私立228人 が合格している。

10，生徒1人当り経費（年額）￥14,580

11，美術は立派なアトリエをとつている。

12，入試は率によつて男女別に採用している。

県立愛知商業高校について，

1，電子計算器（ＰＴＡ負担￥10,000,000）を備えて生徒に実習させている。

2，事務機械の科目をおいてある。

3，体育館2000名収容（2階），1階はロツカールーム，と体育部の殆んどのクラブと球技場，雨天の時でも運動が出来る。建物は4階建。羨ましい限りである。

4．25m 9コースのプールも見事である。

5，図書館もよく，開架式で閲覧室は120名収容し，書籍数15.000冊。

6，視聴覚教室も120名収容ができる。

7，卒業生の進路は銀行105人，商事105人，製造工業148人計513人，進学76人殆んど私大に行く

8，生徒数1,785人，男478人，女1,307人

11/5（土)晴，県立松蔭高校訪問 （校長伊藤英夫氏），生徒20名位， 職員45名と会議室で沖縄について講演と質疑応答をなす。図書館教育が徹底し，次年度の全国図書館研究会指定校に推薦されている。司書教諭，助手もいる。図書約2万冊，開架式，書庫はない。愛

知県の学校図書館は殆んど開架式である。二階の三教室分を当て，別に視聴覚教室をとつて施設も申し分がない。

生徒は素朴で1898名，35学級，運動場も十分である（学校長の話）。長髪を許している。が，あまり問題は起らない。

進学の補習授業は四月から行なつている。教諭は優秀なものを集めている。講師12名，年令構成もよい。

11/6（日)晴，「学校経営の実践，五十嵐清止他著」の研究と抜粋をする。

11/7（月)晴，教育計画と教育予算につての研究，国語科豊島先生との話合い。三年の実力テスト（第一日）。

11/8（火)晴，三年実力テスト(第二日)，一・二年遠足。生徒はよく勉強しているようだ。テストの時はカバンを全員廊下におかせている。

生徒会について研究調査をする。

11/9（水)晴，生徒の学習態度がよく，学校全体少しの物音もなく，校長が出張中でも職員は自覚して毎日の授業と管理がなされている。

11/10（木)晴，生徒会則の研究，午後4時より全職員へ沖縄について講演，午後6時終了。

11/11（金)晴，沖縄文学と歌について国語科職員へ講義をする。

11/12（土)晴，府立東山工業高校参観，校長留守で，校長補佐，宮崎利一氏のお話と案内で生徒の学習状態を見せて貰つた。

工業の近代化に応ずるために新設された学校であるとのこと。機械，電気，電子工学，自動制御，設備工業科の5科をおき，職員数113名（内定時14名），生徒数1291名（全日30学級女生徒1名），243名（定時8学級）。

生徒は全員円刈り，生徒は自覚してサツカー等をして運動をしている。学校は清潔で，清掃が行き届き，校舎と新しく，教材は生徒職員で製作して，5割程度の予算ですまし，共用すべきものは各科で使用している。

普通科の教師も趣味で工業関係の研究をして，免許状がなくても一かどの専門になつているとのこと，施設がよくても人の問題で，職員は各自覚をして（晩の8時頃まで残つて研究），スクラムを組んで経営の一組織の中に入つていると，ほんとに近代学校経営はかくあるべきものだと感じた。

産振法による達成率は70%程度だが基準の改正では50%位，助手が10名いる。生徒2人宛受付案内を一日実践をさせて社会に出ての客の応待を修得させている試みはよいと思つた。進学者は１割位だが特別に補習授業はしていない。そのかわり実力テストを何回と行なつているとのことである。

11/13（日)曇，雨，終日レポートの整理をする。

11/14（月)雨，曇，武道場で全校生徒にわかれの挨拶，引続き名工大学長，佐藤知雄先生の録音テープの譲渡（生徒会長より）。数名の職員（若い職員グループ）との話し合いをもつ。

11/15（火)晴，レポートの整理。

11/16（気)曇，レポートの整理。

11/17（木)雨，レポートの整理。

11/18（金)晴，県教育委員会，科学教育センターへ帰えりの挨拶をする。

11/19（土)，午前11時全職員へ研修終了の挨拶をし，学校の依頼で色紙，条幅の揮毫をして，生徒新聞部，生徒会役員と最後の話合いをして，午後２時校長，職員の見送りで学校を去る。能研テスト（第一日目）

11/20（日)晴，帰東準備

11/21（月)午前11時52分発こだま号で東京へ立つ「うずら荘」へ宿泊，

11/22（火)晴，文部省への報告会，国立教育会館５階で，午前10時10分より，

司会，庶務係長，大平嘉一郎氏

初中教育補佐の開会の挨拶，

本土の教育には政治が入つているから沖縄とよく比較して戴きたい。

財務課長，岩田氏のお話，

貴重な研修を生かして，沖縄の教育につくして欲しい。

三角国際文化課長のお話，

研修報告

昼食，岩田氏のお話と植樹について。

島袋渉外官のお話，

文部省，各関係局課長，特連局課長への代表挨拶廻り（島袋氏の案内で），東京文教商事へ集まる。（文教商事の招宴）

11/23（水)晴，勤労感謝の日，宿泊所「うずら荘」より世田谷区羽根木町１の14の15近藤方に移つて１日休養をとる。

11/24（木)晴，都立日比谷高校参観，（校長，田中喜一郎氏）教頭，森田実蔵氏の案内で各

施設を見せて貰つた。視聴覚教育の徹底（特に社会科教室外数教室に暗幕を準体）。図書館は相変らずフルに利用，哲学書を多く読んでいる。蔵書1万7千冊，毎月7000冊の書籍が読まれている。開架式，教室は教科組織である。大学受験の補習講座は行なつていないテストは（三年のみ）年4回程行ない，クラブ活動，体育面を重視している（ラグビーは東京代表として出場）。毎日の授業を徹底させて，15年前の経営から脱出している。学校群の入試採用は来年度から実施の予定である。

11/25（金)晴，雨，香喰町，横山町の卸問屋街見学三越呉服店での買物をする。

11/26（土)曇，晴，学校評価の研究，渋谷東横デパートの見学。

11/27（日)晴，新宿区西落合の松田武夫先生の宅訪問，帰郷準備。

11/28（月)晴，午前10時45分の日航機で東京国際空港を立つ。大阪空港着11時39分，那覇着2時15分。

7感 じ た 点

今度文部省のご配慮によつて第二回内地派遣沖縄研究教員（学校長）の一員として，愛知県立千種高校に配属され親しく学校経営について研修の機会を与えて戴きましたことに対して厚くお礼を申上げる次第でございます。この貴重な体験をもとにして沖縄教育の向上のために精進努力する所存であります。

配属校の千種高校はその立地条件としては登下校の交通機関および道路の名整備を除いては静かで，見はらしがよく教育の場として申分のない環境である。

辻村校長の学校経営は学校が創設されて僅か4ケ年の歳月しか立たないが，53人の優秀な職員が一体となり，人的精神的条件が整い，校舎施設は十分とはいえないが1445名の生徒がよく学校の教育方針によつて学習をしている。管理と指導によく心をくばり，生徒は礼儀正しく，学校の秩序を維持し，ＰＴＡも全幅の信頼を寄せて協力をしていることは校長の人格のしからしめることであつて他に見られない模範校であると感じました。

この52日間の研修（県立千種高校外愛知県立の五，六について）を通して勿論各学校にはそれ特自の経営方針がありますが，沖縄の高校教育と比べ感じた点を述べます。

1，（千種高校）

(イ)生徒の学習成積，素行面についての職員会（毎学期4，5回開催）は生徒指導の上から是非とり入れたい。

(ロ)委員会方式（18委員会，外に学年担任会等）による学校経営，特に職員研修の各科委員会，校務委員会を毎週もつていろことは参考になつた。

(ハ)非常勤講師手当，クラブ講師手当５人分組まれている。愛知県は高校教師の担当時間数は殆んど15時間～18時間である。この講師によつて担当時間数の軽減を図つているが，平均20時間（多いのは24時間）の沖縄の高校教師は過労である。研修の時間も十分に与れて教育に専念させるにはこの講師制度を実現させたい。

(ニ)生徒指導の面で会釈をする躾，男生徒の短髪，男女生徒の服装が正しく，よく秩序が守られ，落書も少ない。

(ホ)ＰＴＡの会合が数多くもたれている（学年，学級毎に）。１ケ年を５期に分けて，通知表はＰＴＡのとき父兄に渡すことは学校，家庭の連繋の面で効果があると思う。

2，何れの高校でも会議室，視聴覚教室，体育館，武道場，プール，ロツカールーム，クラブハウス，更衣室，器楽練習室，防火施設が充分整備されているが，沖縄の高校は皆無の状態である。

3，事務職員は管理補佐の事務長がいて主事，主事補を加えて，どの高校でも 6,7名いる。教員の事務量が大分軽減され，特に校長の渉外連絡も事務職員が担当しているので校長も職務に専念できる。

4，いずれの高校でも沖縄についての認識が乏しいようである。この研修中に沖縄の歴史，地理，地質，産物，文化をＰＲすることができてよかつたと思う。

また殆んど職員全員のグループと話合いをもち，学校の現状，若い職員が学校に望むものなどを聞かせてもらつて今後の学校経営に大いに参考になつた。

5　学校長の研修としては一校に留まるよりは二校を指定して研修をさせた方が よ い と思う。それは学校経営の比較診断ができ，視野を広め，配属校の気苦労を少くするためにも効果があると思う。今度の一校指定の場合は，そこにくぎづけされて，時に他校を参観するにしても深く中に立入つて研究することは不可能であつた。

6，愛知県科学教育センターで，大きな収獲を得たことを思い沖縄の教職員の研修の場として今の理科センターをもつと拡充整備し，大きく科学教育センターにして全琉の優秀な教育指導者をもつて経営管理に当らせることが急務であると思います。

この科学教育センターでは毎日幾組かの研究発表なり，研修会がもたれている。私は尚影王の歌を思い出しました。

世界やくら闇か醒むる人もをらぬ，やがて開暁鐘の鳴ゆるらん。
（おぞむ）　（鳴ゆるやすが）

最 後 に

今回の研修で私は本土の高校と沖縄の高校教育とに如何なる差異があるかを親しく調査することであり，特に教科指導において学力の格差が生じている原因を確認することであつた。生徒定員職員定数，産振法の問題を主として，配属校では次の点に留意し，診断することによつて沖縄高校教育の向上進展を期する積りであつた。

即ち財政面の分析と普通学校評価の基準とされている諸点に留意した積りである。

基礎資料としては学校要覧（在学生，卒業生，地域社会，学校経営，教育方針及び特質）。

1，教育課程　2，教科指導　3，生徒指導　4，教職員　5，施設　6，管理
7，生徒活動　8，図書館活動　9，成果

をもとにして調べ，研修をした。

結論としては，

1，学力向上の対策として授業時間を確保，基礎学力をつけることに生徒，職員が真剣にとりくんでいる。

2，生徒指導においては組織が整い，計画と実施に万全を期している。

3　教職員の担任時間の軽減のために多数の講師がいること，なお事務職員の多いことも教職員の事務量が減つて教育に専念できる。資格と年令の適切な条件。

4，学校経営に必要な施設がなされている。

5，管理と組織が整い，特に物的管理では用務員の配置と失業対策のための用務員がいること。

6，生徒活動には職員が生徒とゝもに（沖縄では職員が余りに生徒の自主性にとらわれている）楽しくやつている。

7，図書館活動（組織，資料，設備，経費，司書教諭，利用，視聴覚教育の徹底）が充分になされている。

8，成果は各角度から総合して沖縄高校教育の足りない点が余りに多かつた。

＜学校めぐり＞　2

水　を　求　め　て

──来 間 小 中 学 校──

宮古・来間小中学校長
下　地　朝　祥

(一) 地域社会の概況

わたしたちの来間島は，宮古島下地町字与那覇の浜から南の方約２kmの海上にあり，周囲約８kmの孤島である。島の北海岸は断崖絶壁で海抜40mもある。部落は船着場から１５０段もある階段を上つたところにあり，密集している。人口約530人，戸数９２戸，純農業部落で，部落の両方に50屯の含密糖製造工場がある。来間島は水不足の島で，どの家にも大きな貯水タンクがあるけれども，夏の干ばつになるとそれこそ大変である。水源地は海抜40mの断崖絶壁の下に唯一つあるだけで，しかもその水量が極めて少ないといわれている。

そういうわけで，現在，島の人々は何はさておいてもこの水問題を一日も早く解決しなければならないとその面の方々に訴え続けている。

なお島には文化的施設がない。ただ，学校，公民館，診療所（現在医師はいない），電話（1965年架設）があるだけである。電灯は個人経営の発電所から，夜の７時から11時までしかつかないという状態である。近いうちにいよいよ宮古，八重山でもテレビが見られるというのに，私たちの来間島だけがとり残されそうで，島の人々はこれまた早急に電気問題を解決しなければならないと話し合つている。

(二) 地域の特性

来間の方々は一般におとなしく，とても人間がよい。協力的でよく働き親切で礼儀正しく、同情心も深い。

部落では特別な貧困者はいない。犯罪や盗難は殆んどなく，人々は信仰心が厚く，先祖代々ゆずつてきた祭事を部落をあげておごそかに行なつている。父母の教育熱は高く，殆んどの子供が高校へ進学している。（毎年中学3年生全員が高校へ受験し，一昨年は全員合格，毎年75％を下らない合格率である）なお子供らはいつでもどこでもどこでも標準語をつかつている。（ぎこちない点もあるが）このように，たいへんよいところが多いが，短所がないわけではない。それは時間的観念がやゝ薄いということと，文化生活に縁遠い，経済力が豊かでないことなどである。

（三）学校の規模

学校は小中併置校で部落の北端にあり，校地面積1,219坪，普通教室7，管理室1，学級数小学校4，中学校3生徒数は小学校91人，中学校49人，計140人，職員数は11人となつている。

（四）学校の努力してきている点

学校では次のことがらについて努力している。

①望ましい学校，望ましい学級，望ましい教師，望しまい児童生徒の在り方②楽しい学校，楽しい学級生活ができるような人間関係，雰囲気づくり，③学校環境の整備，④施設，設備の充実，⑤生活指導，⑥長所をみつけてほめる教育，⑦ものに気づく指導，⑧自発学習，⑨学校や社会のきまりを守る⑩正しいことば，きれいな言葉づかいの指導，⑪学力向上への努力，⑫教育隣組の指導，親のあるべき姿はどうあらねばならないか。あるべき姿（望ましい姿）づくりに精進し，そして，教師は教うるに倦まず，児童生徒は学ぶに厭わず父兄は協力を惜まずの体制づくりに努力している。

（五）わたしたちの悩み

離島へき地の悩みとしていろいろあるが，まず①複式学級を抱えているということ。——現在,小学校1，2年生と3，4年生が複式になつていて，教育効果の面から大変支障をきたしている。②職員組織としごとの量の問題。——職員数が少ないので各教科の免許所持者で指導がなされない。その上，1人の先生で3～4教科にわたつて指導しなければならないこともあつて，負担過重である。③研修の機会に恵まれない。④文化施設が少ないのでやゝもすると中央からとりのこされる。心配がある。⑤診療所はあるけれども，現在医者がいないため急病患者がでた場合たいへん困る。せめて学校にでも養護教諭がおればよいのだがと考えている。⑥本島との交通が不便である。――海がしけてとても船がだせないときがあつたり，浜で2，3時間も船を待つたりすることがある。⑦水が少ないので思い切つて水をつかうことができない。⑧旅費補助額が少なすぎる。

今年の教育懇談会の日程

教育懇談会は今年で4年目をむかえるが，その趣旨等については，まだ十分に理解されていないむきもあるのでかんたんに紹介し，今年度の日程や会場校を掲げておきます。

1，趣　旨

(1)沖縄教育の現状を理解し，文教政策がどのように実施され，将来どのような政策が計画されているかについて，管理，指導，財政等にわたり説明を行ない，文教政策の現場への浸透を図る。

(2)教育現場の教職員が，文教政策をどのように理解し，また，どのような政策的措置を望んでいるかを，この懇談会をとおして理解し，今後の文教政策に反映させていく。

2，日時および会場校

午後2；00～3；00　学校参観

〃　3；00～4；00　文教行政について

〃　4；00～5；00　話し合い、意見要望等について

（予定）

月　日	曜日	会場校
11月16日	木	玉城中校
17日	金	上田小校
28日	火	羽地小校
29日	水	西原小校
30日	木	与勝中校
12月5日	火	具志頭小校
8日	金	南原小校
12日	火	粟国小，中校
1月17日	水	大岳小校
18日	木	仲里中校
22日	月	下地小校
24日	水	多良間小校
25日	木	〃　中校
29日	月	石垣小校
1月30日	火	石垣第二中校
31日	水	名蔵小，中校
2月6日	火	高江洲中校
7日	水	兼次小，中校
8日	木	平安座小、中校
14日	水	喜如嘉小，中校

<教育関係法令用語シリーズ> 4

職　務　令　命

総務課法規係長　祖　慶　良　得

1　序

地方教育区職員の服務関係については，身分法である公務員法が制定されていない現在においては，各教育区に共通の統一的な定めがない。教育区独自の服務規程を定めてあるところもあるが，その場合にも事務局職員を対象にしたのが大部分で，学校職員に適用されるのはないというのが現状ではないかと思われる。このような実情の下では教員の服務の問題は学校長や区教委の当局にとつて最も厄介なものの一つであろうと思われる。公立学校の職員にあつては，その権利である給与や福祉面については，特に法令の規定がなくても，政府公務員の例に準じ，事実上同様の利益が与えられてきたが，それと表裏をなす義務の面については教育区公務員法もない現在，どのような取扱いをすべきか，関係者にとつては頭のいたい問題であろう。職務命令は，服務関係でも最も具体的な職務遂行に関連する問題なので，このような現状をもとにして考察してみたい。

2　職務命令の意義，根拠

政府立学校の職員に適用される琉球政府公務員法は，その40条1項に「職員は，その職務を遂行するに当つて，法令及び当該機関の定める規程に従い且つ，上司の職務上の命令に忠実に従わなければならない。」と定めている。ここにいう「上司の職務上の命令」が通常職務命令と呼ばれているものである。職務命令は，上級機関対下級機関という機関の関係でとらえれば訓令となる。

公務の執行者である職員として法令等に従つてその職務を遂行して，またその場合に，上司の職務上の命令に従うことは，公正な行政の運営及び秩序の維持を確保するために当然なことである。したがつて，この規定があつてはじめて職務命令に従う義務（法令等に従う義務とあわせて従順の義務という）というのが生ずるものではない。むしろこの規定の存在意義はすべての公務員に公平に適用される準則としてこれを掲げ，また同条２項の規定にもあるように職務以外の命令に従う義務のないことを確認することで，これを掲げておくことが便宜でもあるからであるとされている。政府や公共団体は，その公務員に対しては，個々具体的な立法や条例（規則）の規定の根拠がなくても，必要な命令を行なうことができる。そういう約束で公務員が採用されているのである。服務の宣誓が行なわれるのも，そういう約束のあらわれである。行政法学的にその根拠をいえば，公共団体等に，公務員として任用されることに同意してその特別権力関係の中に入れば，公法上の関係が生じ，その公権力の下に支配されることで，これは，ことの性質上，本人も同意して(任用には同意が必要である)，服務の義務を負うことになつたのである。職務命令に従う義務が要求されるのは，公共団体等が統一的意思の下に行政目的を遂行するためには，行政組織を構成する職員の職が階層的に上級下級の関係に区分された機能を与えられており，これらの職員の職の機能が命令服従の関係を構成しながら行政組織及び行政機能の統一性を確保する必要があるからである。

3　要件・効果等

職務命令が適法有効に成立するためには，権限ある職務上の上司から発せられたものでなければならない。この場合の権限ある上司というのは，職務に関し職員を指揮監督する立場にある者で，身分上の上司とは必ずしも一致しない。次に職務命令は職員の職務に関するものでなければならない。学校の場合，ＰＴＡの事務など問題とされるが，これは校務ではないが，校長の仕事として事実上処理すべき事務であると考えられるものがあり，法的には厳密な一線を画すべきものである。また職務命令は，法律上の不能を命ずるものであつてはならないとされるが，それは当然のことである。職務命令は，文書又は口頭によつても発することができる。

職員は上司の職務命令に対して形式的に審査することはできるが，実質的審査権を有しない。犯罪行為を命ずる場合のように違法性が明白で，かつ重大である場合は当然に無効として問題はないが，一たん上司の発した職務命令は，一応有効の推定を受け，部下職員を拘束する。受命者が自己の判断で上司の職務命令が違法だとしてこれに服従しないことができるとすれば，行政機構の組織として一体として行政目的を達成することができなくなるからである。ただし上司に対して意見を述べることができるのは勿論である。

文教局指導主事　上　原　源　松

へき地の学校を訪ねて

石垣港から，海上を西へ30kmほどいくと、西表の島陰に小さな由布島がある。

去る5月26日、八重山連合区の西島本主事と私は、この島の由布小学校を訪ねる機会にめぐまれた。

てまわしのよい富村致有校長の世話で，午前9時石垣出港の春風丸（7トン）に乗船することができた。

初夏の太陽を体いつぱいにうけながら，海風にあたるのは久し振りである悠長な船頭の四方山話しに耳を傾けること2時間，やがて由布島が見える。

島の沖合い約200mの所で，ハシケに乗り移つたが，引潮のため100m程先で立往生してしまつた。しかたなく，わたしたちは素足になり，カバンを手に浅瀬を歩いた。浜辺では一足先に西表島を経てきた同僚の国吉主事や，富村校長らが迎えてくれた。アダンの間を通り抜けて，しばらく行くと由布小学校につく。

わたしたちの訪問目的は，この学校の「複式学級における学習指導の研究」（文教局指定）の指導助言である。

職員3名児童18名，三学年複式という条件下にあつて，どのように学習指導がなされているか。ということの興味と不安の交錯するなかで，宮里ヒロ子先生（1～3年）と池城安伸先生（4～6年）の社会科の授業をみせてもらつた。それは，児童の発表力の育成や自発的学習などを重視した質の高い授業で，教師の研究の姿勢があらわれているように思えた。このような状態から，わたしの不安は一掃され，やがてそれは，この教師たちへの信頼と期待の心に変つていた。

すべての点に恵まれない四級へき地にあつて，教育者としての信念に燃えその情熱を子どもたちに注ぎ，学校長を中心として，前記テーマによる研究を続けているこの事実を，わたしは高く評価したい。そして，この熱意に応えるだけの手伝いができないことを残念に思うとともに，へき地教育振興法の目的を再確認し，教育行政の目をもつとへき地へ向けるべきだということを痛感したのである。

一夜をこの島で明かしたわたしたちは，再び訪ねる日を約して，島の子らのたくましい成長を念じながら石垣へと向つた。

単位費用の積算基礎（1968年度）

1 小学校

A 標準施設
①児童数 864人
②学級数 18学級（1学級当り児童数48人）
③教職員数 23人
④雇用人 5人（用務員2人，給食従事員3人）
⑤校舎延面積

B 単位費用
学校数 $ 1,290.50
学級数 284.383
児童数 3.95

C 経費明細表

学校経費（消費的経費）

経費区分	経費	積算内訳	
給与費	852	使丁1人給料 $ 50.60×12＝$607.20	607.20
		期末手当 $ 50.60× $\frac{382}{100}$ ＝$193.29	193.29
		負担金 年金 $ 607.20× $\frac{63.02}{1000}$ ＝$38.27	51.08
		負担金 医療 （$607.20＋193.29）× $\frac{16}{1000}$ ＝12.81	
非常勤職員報酬	100	内科医及び歯科医各1人手当額$50×2＝$100.00	100.00
通信運搬費	120	郵便，電報料，電話料等 $10×12月＝$120.00	120.00
備品費	134	校用備品	134.00
計	1,206		

学級，児童経費（消費的経費）

経費区分	経費	積算内訳	
給与費	3,490	事務補助員給料 $55.60×12月＝$667.20	667.20
		給食従事員給料 $50.60×12月×3人＝$1,821.60	1,821.60
		期末手当 （$55.60＋50.60×3）× $\frac{382}{100}$ ＝$792.27	792.27
		負担金 年金（$667.20＋1,821.60）× $\frac{63.02}{100}$ ＝$156.84	209.34
		負担金 医療（$667.20＋1,821.60＋792.27）× $\frac{16}{1000}$ ＝$52.50	
その他の庁費	1,711	建物維持修繕費 $0.51×2,640㎡＝1,346.40	1,346.40
		運動場修理費 $0.05×7,300㎡＝365.00	365.00
需要費	1,123	事務用及び教材用消耗品費	313.00
		薪代 燃料費	200.00
		印刷製本費	200.00
		光熱水費	260.00
		備品修繕費	150.00
原材料費	160	薬品及び実験材料購入費	160.00
備品購入費	650	教材用図書及び備品	650.00
負担金及び交付金	429	要保護 準要保護児童関係費	382.45
		学用品給与費 $ 3.80×0.07＝$229.82	
		給食費 $ 1.05×864×0.07×200日＝$127.00	
		治療費 $ 1.00×864×0.07×0.36＝$21.77	
		学校安全会共済掛金	
		準要保護児童 $ 0.06×864人×0.07＝$3.60	
		要保護児童 $ 0.01×864×0.03＝ $0.26	
		安全会共済掛金	46.80
		一般児童 $0.06×778人＝$46.80	
賃金	306	$2.55×120日＝306.00	306.00
旅費	460	旅費 $20×23人＝460.00	460.00
歳出計 a	8,329		

歳入	政府補助	$ 535	要保護・準要保護児童関係経費補助 $229.82＋($127.00＋$21.77)×½＋($3.60＋$0.26)×¼ 旅費補助　$460.00×½	$305.17 230.00
	雑入	23	学校安全会共済掛金徴収金　46.68×½	23.34
歳入計b		558		
差引一般財源充当額(a－b)		7,771		

学校経費及び学校児童経費(投資的経費)

経費区分	経費	(種類)	(単価)	(数量)	(価格)	年数	(償却費)
設備費	$ 1,504	児童用机 椅子	$ 5.00	864	$ 4,320.00	8年	$486.00
		黒板(大)	20.00	22	440.00	〃	49.50
		黒板(小)	5.00	5	25.00	〃	2.81
		音楽室腰掛	2.50	48	120.00	〃	13.50
		理科実験台	40.00	5	200.00	〃	22.50
		理科実験椅子	2.00	48	96.00	〃	10.80
		事務用机，椅子	25.00	22	550.00	〃	61.88
		両袖机，椅子	40.00	1	40.00	〃	4.50
		教卓，教壇	25.00	22	550.00	〃	61.88
		下駄箱	40.00	19	760.00	〃	85.50
		戸棚	40.00	10	400.00	〃	45.00
		オルガン	95.00	1	95.00	10年	10 69
		放送施設	550.00	1式	550.00	〃	49.50
		体育設備	440.00	〃	440.00	〃	39.60
		衛生設備	330.00	〃	330.00	〃	29.70
		給食設備	1,000.00	〃	1,000.00	〃	90.00
		理科設備	1,900.00	〃	1,900.00	〃	171.00
		学校図書館設備	2,300.00	〃	2,300.00	〃	207.00
		テレビ	150.00	1	150.00	5年	27.00
		ピアノ	600.00	1	600.00	15年	36.00
歳出計a	1,504						1,504.36

歳入	政府補助	659	理科設備費補助　$171.00×¾＝$128.25	128.25
			給食設備費補助　90.00×½＝$ 45.00	45.00
			児童用机，椅子	486.00
歳入計b		659		
差引一般財源充当額(a－b)		845		

単位費用

学校数　$1,206.00＋$845.00×0.1＝$1.290.50

学級数　($7,771.00＋$845.00×0.9)＜×0.6＝$5.118.90　$5,118.90÷18＝$284.383

児童数　　×0.4＝$3,412.60　3,412.60÷864＝$3.95

2 中 学 校

A　標準施設
①　生　徒　数　　　７０５人
②　学　級　数　　　15学級（１学級当り生徒数47人）
③　教 職 員 数　　　２５人
④　雇　用　人　　　３人（用務員２人　給食従事員１人）
⑤　校舎延面積　　　2.986㎡

B　単位費用
学　校　数　　　$1,322.70
学　級　数　　　303.132
生　徒　数　　　4.30

C　経費明細表

学 校 経 費（消費的経費）

経費区分	経費	積算内訳	
給与費	$ 852	使丁１人給料　$50.60×12月＝$607.20	$607.20
		期末手当　$50.60\times\frac{382}{100}=193.29$	193.29
		負担金　年金　$607.20\times\frac{63.02}{1000}=38.27$	51.08
		医療　$(607.20+193.29\times)\frac{16}{1000}=12.81$	
非常勤職員報酬	100	内科医及び歯科医各1人手当年額　$50×2人＝100.00	100.00
通信，運搬費	120	郵便，電報料，電話料等　$10×12＝120.00	120.00
備品費	152	校用備品	152.00
計	1,224		

学級，生徒経費（消費的経費）

給与費	1,787	事務補助員給料　$55.60×12＝667.20	$667.20
		給食従事員給料　50.60×12＝607.20	607.20
		期末手当　$(55.60+50.60\times)\frac{382}{100}=405.68$	405.68
		負担金　年金　$(667.20+607.20)\times\frac{63.02}{1000}=80.31$	107.19
		医療　$(667.20+607.20+405.68)\times\frac{10}{0016}=26.88$	
その他の庁費	1,985	建物維持修繕費$0.51×2,986㎡＝1522.86	1,522.86
		運動場修理費　$0.05×9,250㎡＝462.00	462.00
需要費	1,106	事務用及び教材用消耗品費	316.00
		薪代，燃料費	170.00
		印刷製本費	260.00
		光熱水費	180.00
		備品修繕費	180.00
原材料費	530	薬品及び実験用材料購入費	530.00
備品購入費	950	教材用図書及び備品費	950.00
負担金及び交付金	454	要保護，準要保護生徒関係費	416.22
		学用品給与費　$5.91×705人×0.07＝$291.66	
		給食費　(1.05×705×0.07×200日＝$103.64	
		治療費　$1.00×705×0.07×0.36＝17.77	
		学校安全会共済掛金	
		準要保護生徒　$0.06×705人×0.07＝2.94	
		要保護生徒　$0.01×705×0.03＝$0.21	
		安全会共済掛金	
		一般生徒　$0.06×635人＝$38.10	38.10
旅費	500	旅費	
計	7,312		

歳入	政府補助	$ 603	要保護，準要保護生徒関係経費補助 $353.16 $291.66+($103.64+$17.77)×½+($2.94+$0.21)×¼ 旅費補助 $500.00×½ 250.00
	雑入	19	学校安全会共済掛金徴収金 $38.10×½ 19.05
歳入計		622	
差引一般財源充当額 (a—b)		6.690	

学校経費及び学級生徒経費（投資的経費）

経費区分	経費	（種類）	（単価）	（数量）	（価格）	年数	（償却費）
設備費	1,687	生徒用机，椅子	$ 5.00	705	3,525.00	8年	396.56
		黒板（大）	20.00	21	420.00	〃	47.25
		黒板（小）	5.00	15	75.00	〃	8.44
		音楽室腰掛	3.00	47	141.00	〃	15.86
		理科実験台	40.00	6	240.00	〃	27.00
		理科実験椅子	2.50	47	117.50	〃	13.22
		事務用机 椅子	25.00	24	600.00	〃	67.50
		両袖机，椅子	40.00	1	40.00	〃	4.50
		教卓，教壇	25.00	20	500.00	〃	56.25
		下駄箱	40.00	16	640.00	〃	72.00
		戸棚（大）	40.00	12	480.00	〃	54.00
		戸棚（小）	25.00	5	125.00	〃	14.06
		大テーブル	35.00	3	105.00	〃	11.81
		放送施設	550.00	1式	550.00	10年	49.50
		体育設備	600.00	〃	600.00	〃	54.00
		衛生設備	330.00	〃	330.00	〃	29.70
		給食設備	1,000.00	〃	1,000.00	〃	90.00
		理科設備	2,500.00	〃	2,500.00	〃	225.00
		技術家庭設備	2,000.00	〃	2,000.00	〃	180.00
		ピアノ	600.00	1	600.00	15年	36.00
		学校図書館設備	2,300.00	1式	2,300.00	10年	207.00
		テレビ	150.00	1	150.00	5年	27.00
歳出計 a	1,687						

（積算内容）

歳入	政府補助	700	理科設備補助	$225.00×¾	$ 168.75
			産業教育設備補助	180.00×½	90.00
			給食設備補助	90.00×½	45.00
			生徒用机，椅子		396.56
歳入計		700			
差引一般財源充当額 (a—b)		987			

単位費用

学校数 $1,224.00+$987.00×0.1=$1,322.70

学級数 ($6,690.00+$987.00×0.9) ×0.6=$4.546.98 $4,546.98÷15=$303,132

生徒数 ($6,690.00+$987.00×0.9) ×0.4=$3,031.32 $3,031.32÷705=$ 4.30

3　その他の教育費

A　標　準　施　設
- ①　教育委員会　　教育委員５人　会計係１人　書記１人　用人１人
- ②　公民館数　　10館
- ③　幼　稚　園　　教員４人　４学級160人
- ④　人　　　口　　15,00人

B　単　位　費　用　人口１人当り97.1セント

C　経　費　明　細　表

1　教育委員会

経費区分	経費	積算内容	
	ドル	報　酬	$ 1,950
給与費	6,743	委員長　$35×12月×１人＝$420	
		委　員　30×12×４人＝1,440	
		監査委員　$３×15×２人＝$90	
		職員給料	
		会計係　$117.21×12＝$1406.52	2,899.32
		書　記　73.80×12＝885.60	
		用　人　50.60×12＝607.20	
		期末手当($117.21＋73.80＋50.60)×＝$\frac{100}{382}$ $922.95	922.95
		超勤手当　($76.84＋$48.38)×60＝$75.13	75.13
		負担金	245.08
		退職年金　$2,899.32×$\frac{63.02}{1000}$＝$182.72	
		医療保険　($2,899.32＋998.08×$\frac{10}{1000}$＝$62.36	
		退職給与金　$56.20×２人×５年＝$562.00	562.00
		有給休暇買上　¢29.48×150時×２人＝$88.44	88.44
			60.00
人当庁費	60	$30×２＝$60	
旅費	330	費用弁償　$2.00×24回×５＝$240.00	330.00
		連合区会議　$5.00×６回　＝$ 30.00	
		職員旅費　$30.00×２人＝$60.00	
報償費	100	審判謝礼　賞賜金　$2.00×50人＝$100.00	100.00
賃金	38	$2.55×15人＝$38.25	38.00
需用費	409	消耗品費　$129.00	409.00
		印刷製本費　$200.00	
		修繕費　$ 20.00	
		光熱水費　$ 60.00	
通信運搬費	120	郵便，電報，電話料　$10.00×12＝$120.00	120.00
借料及び損料	60	$ 5.00×12＝$ 60.00	60.00
備品購入費	35	事務局用備品　$ 35.00	35.00
原材料費	275	薬品費(未就学児童及び生徒健康管理，結核予防)	275.00
分損金補助及び交付金	3,200	連合区負損金　$0.21×15,000＝$3,150	3,200.00
		その他　$50.00	
歳出計	11,370		

2　社会教育費

	ドル					$
旅費	90	講師旅費				90.00
報償費	120	各種行事講師謝礼，体育指導員謝礼				120.00
賃金	51	人夫賃	$2.55×15人＝$51.00			51.00
需用費	439	消耗品費	$90.00	食糧費	$ 53.00	439.00
		光熱水費	36.00	印刷製本費	190.00	
		燃料費	20.00	修繕費	50.00	

経費区分	経費	積算内容	
通信運搬費	36	郵便，電報　電話料　$3.00×12＝$12.00	$ 36.00
借料及び損料	120	$10.00×12＝$120.00	120.00
備品購入費	24	$2.00×12＝$24.00	24.00
負担金、補助及び交付金	210	青年会，婦人会等育成費補助、青年学級，婦人学級運営費補助	210.00
公民館施設費	400	$40.00×10館＝$400.00	
	1,490		

3　幼稚園

給与費	4,968	教員給料　$73.80×12月×4人＝$3,542.40	3,542.40
		期末手当　$73.80×4人×$\frac{382}{100}$＝$1,127.66	1,127.66
		負担金	
		退職年金　$3,542.40×$\frac{63.02}{1000}$＝$223.24	297.96
		医療保険($3,542.40＋1,127.66)×$\frac{16}{1000}$＝$74.72	
その他の庁費	265	建物維持修繕費　$0.51×520㎡＝$265.20	265.20
非常勤職員報酬	50	校医手当　年額　$50.00	50.00
旅費	80	$20.00×4＝$80.00	80.00
需用費	192	消耗品費　$120.00	192.00
		燃料費　36.00	
		光熱水費　36.00	
通信運搬費	24	$2.00×12月＝$24.00	24.00
備品購入費	100	備品費　$100.00	100.00
原材料費	16	薬品　$0.10×160人	16.00
設備費	153	机椅子　$4.00×160＝$640.00	
		事務用机椅子　25.00×4＝$100.00	
		戸棚　40.00×4＝$160.00	
		黒板　20.00×4＝$ 80.00	
		オルガン　95.00×4＝$380.00　小計 1,360.00	
		$1,360.00×0.9÷8年＝$153.00	153.00
歳出計 a	5,848		
歳入　政府補助	1,871	給料補助金　$3,542.40×$\frac{50}{100}$＝$1,7771.20	
		備品補助金　$100.00	
歳入　使用料及び手数料	2,272	保育料　$1.10×16人×12月＝$2,112.00	
		入園料　$1.00×160人＝$160.00	
歳出計 b	4,143		
差引一般財源充当額 (a－b)	1,705		

単位費用

$11,370＋$1,490＋$1,705＝$14,565

$14,565÷15,000＝$0.971

(2) 学校基本調査結果表

(一) 教育区別公立小・中学校の児童生徒数学校数

（1967．5．1学校基本調査）

教育区	小学校 学校数	小学校 学級数	小学校 児童数	中学校 学校数	中学校 学級数	中学校 生徒数	教育区	小学校 学校数	小学校 学校数	小学校 児童数	中学校 学校数	中学校 学級数	中学校 生徒数
公立	237	3,755	144,589	151	1,879	79,177	西原	2	37	1,565	1	20	908
国頭	9	58	1,595	7	28	943	浦添	4	115	4,870	2	57	2,469
大宜味	4	30	880	4	17	564	那覇	22	791	33,431	11	409	18,560
東	3	18	563	3	11	311	具志川	2	26	891	1	12	475
羽地	4	40	1,342	2	21	866	仲里	5	47	1,640	3	22	914
屋我地	1	13	464	1	7	279	北大東	1	6	173	1	3	85
今帰仁	5	61	2,187	4	30	1,220	南大東	1	13	511	1	9	305
上本部	3	25	758	1	11	475	豊見城	3	49	1,876	1	22	997
本部	8	71	2,582	7	43	1,512	糸満	7	153	5,679	4	75	3,151
屋部	3	19	662	1	10	415	東風平	1	38	1,573	1	20	867
名護	4	75	2,959	2	37	1,653	具志頭	2	32	1,201	1	15	634
久志	5	33	1,025	5	18	529	玉城	3	45	1,636	1	21	904
宜野座	3	21	599	1	9	362	知念	2	29	1,003	2	15	589
金武	3	39	1,241	1	17	706	佐敷	1	31	1,294	1	17	715
伊江	2	36	1,479	1	16	723	与那原	1	33	1,320	1	18	819
伊平屋	4	20	613	2	9	322	大里	2	34	1,158	1	15	624
伊是名	2	24	957	1	11	463	南風原	1	37	1,582	1	20	862
恩納	5	41	1,338	5	21	765	渡嘉敷	2	8	195	2	5	103
石川	3	60	2,320	1	32	1,429	座間味	3	15	279	3	8	157
美里	4	85	3,341	2	40	1,794	粟国	1	12	366	1	6	190
与那城	5	74	2,696	4	51	2,354	渡名喜	1	7	232	1	3	131
勝連	5	62	2,353	2	8	270	平良	10	142	5,374	7	69	2,837
具志川	7	142	5,585	3	71	3,163	城辺	4	75	2,833	4	35	1,436
コザ	6	181	7,770	3	99	4,300	下地	2	25	902	2	13	486
読谷	4	87	3,395	2	41	1,858	上野	1	20	814	1	11	419
嘉手納	2	53	2,323	1	27	1,216	伊良部	2	49	2,117	2	21	923
北谷	2	45	1,783	1	20	768	多良間	2	15	479	1	6	202
北中城	1	25	1,090	1	14	625	石垣	17	191	6,739	9	93	3,787
中城	4	44	1,753	1	22	968	竹富	14	53	1,291	11	27	687
普天間	4	124	5,156	2	62	2,731	与那国	3	21	756	2	9	357

（注）与勝中学校（学級数36，生徒数1,763人）は与那城区教育委員会に含む。

担当教科と免許

1中学校（本務者）　その1

区分		担当教員数	総時数	一普 人員	一普 時間数	二普 人員	二普 時間数	仮 人員	仮 時間数	臨免 人員	臨免 時間数	教科臨免 人員	教科臨免 時間数
国語	全琉	507	9,060	277	5,746	112	2,178	1	6	2	23	115	1,107
	公立	499	8,968	275	5,706	109	2,148	1	6	1	18	113	1,090
	北部	101	1,449	38	645	22	452					41	352
	中部	121	2,466	80	1,727	31	621					10	118
	那覇	112	2,454	86	1,984	16	364					10	106
	南部	71	1,231	45	937	7	133					19	161
	宮古	45	736	16	279	12	241			1	18	16	198
	八重山	49	632	10	134	21	337	1	6			17	155
	松島	3	60	2	40	1	20						
	政府立	4	20			2	10			1	5	1	5
	私立	1	12									1	12
社会	全琉	467	7,916	354	6,578	75	1,055			2	10	36	273
	公立	461	7,840	351	6,526	73	1,037			1	4	36	273
	北部	83	1,265	63	1,039	16	197					4	29
	中部	113	2,168	92	1,869	15	263					6	36
	那覇	102	2,130	88	1,933	7	147					7	50
	南部	71	1,074	59	913	8	123					4	38
	宮古	45	652	27	466	14	153			1	4	3	29
	八重山	47	551	22	306	13	154					12	91
	松島	3	52	3	52								
	政府立	2	18			2	18			1	6		
	私立	1	6										
数学	全琉	515	8,553	155	3,235	136	2,677	2	28	5	69	217	2,544
	公立	508	8,465	152	3,175	136	2,677	1	23	4	61	215	2,529
	北部	106	1,401	19	350	29	485			2	19	56	547
	中部	123	2,337	46	983	38	821			1	21	38	512
	那覇	116	2,320	53	1,162	28	620					35	538
	南部	70	1,114	20	398	20	401					30	315
	宮古	46	697	10	203	10	180	1	23			25	291
	八重山	47	596	4	79	11	170			1	21	31	326
	松島	3	60	3	60								
	政府立	3	18					1	5	1	8	1	5
	私立	1	10									1	10

状との関係（1966学年度　その4）

1中学校（本務者）　その2

区分		担当教員数	総時数	一普 人員	一普 時間数	二普 人員	二普 時間数	仮 人員	仮 時間数	臨免 人員	臨免 時間数	教科臨免 人員	教科臨免 時間数
理科	全琉	409	7,243	214	4,393	73	1,424	4	53	2	32	116	1,341
	公立	403	7,173	210	4,339	72	1,418	3	43	2	32	116	1,341
	北部	78	1,171	30	529	13	245			2	32	33	365
	中部	95	1,964	66	1,454	17	324	1	24			11	162
	那覇	91	1,972	61	1,352	16	358					14	262
	南部	58	975	36	718	9	167					13	90
	宮古	37	600	13	244	7	156					17	200
	八重山	44	491	4	42	10	168	2	19			28	262
	松島	3	48	3	48								
	政府立	2	16			1	6	1	10				
	私立	1	6	1	6								
音楽	全琉	186	2,943	79	1,486	53	1,023	3	32	1	4	50	398
	公立	184	2,915	78	1,462	53	1,023	3	32			50	398
	北部	30	408	5	65	12	226					13	117
	中部	42	803	18	361	19	392					5	50
	那覇	43	860	28	587	9	204					6	69
	南部	25	380	14	253	5	80	1	16			5	31
	宮古	21	248	7	100	6	79					8	69
	八重山	23	216	6	96	2	42	2	16			13	62
	松島	1	24	1	24								
	政府立	1	4							1	4		
	私立												
保健体育	全琉	484	5,665	115	2,372	60	1,029	2	21	9	62	298	2,181
	公立	479	5,621	113	2,336	60	1,029	2	21	9	62	295	2,173
	北部	104	896	10	192	10	112	1	12	2	12	81	568
	中部	106	1,548	37	792	15	303					54	453
	那覇	80	1,515	44	898	21	433					15	184
	南部	74	809	14	315	6	88					54	406
	宮古	57	465	6	97	7	81	1	9	7	50	36	228
	八重山	58	388	2	42	1	12					55	334
	松島	2	36	2	36								
	政府立	1	4									1	4
	私立	2	4									2	4

1中学校（本務者）　その3

区分		担当教員数	総時数	一普 人員	一普 時間数	二普 人員	二普 時間数	仮 人員	仮 時間数	臨免 人員	臨免 時間数	教科臨免 人員	教科臨免 時間数
美術	全琉	234	2,910	79	1,668	21	392	3	42	1	13	130	795
	公立	231	2,882	78	1,644	21	392	3	42	1	13	128	791
	北部	54	442	7	141	4	87					43	214
	中部	48	786	26	535	4	74	1	24			17	153
	那覇	44	853	28	642	7	164					9	47
	南部	28	362	12	260	4	35					12	67
	宮古	25	238	3	42			2	18			20	178
	八重山	32	201	2	24	2	32			1	13	27	132
	松島	1	24	1	24								
	政府立	1	2									1	2
	私立	1	2									1	2
技術家庭	全琉	501	7,214	203	3,427	190	2,990	1	2	2	26	105	769
	公立	493	7,168	200	3,391	190	2,990			1	24	102	763
	北部	104	1,321	46	657	38	510			1	24	19	130
	中部	111	1,862	54	928	37	703					20	231
	那覇	90	1,701	51	989	35	691					4	21
	南部	72	1,072	22	438	31	507					19	127
	宮古	55	670	14	211	27	344					14	115
	八重山	61	542	13	168	22	235					26	139
	松島	3	36	3	36								
	政府立	3	6					1	2	1	2	1	2
	私立	2	4									2	4
英語	全琉	450	8,451	252	5,448	112	2,118	2	24	2	15	82	846
	公立	441	8,370	249	5,392	112	2,118	1	20	1	9	78	831
	北部	80	1,382	36	772	21	400					23	210
	中部	111	2,305	73	1,685	27	524					11	96
	那覇	105	2,288	75	1,691	22	446	1	20			7	131
	南部	61	1,136	39	776	14	275					8	85
	宮古	41	666	19	354	9	162			1	9	12	141
	八重山	43	593	7	114	19	311					17	168
	松島	3	56	3	56								
	政府立	3	15					1	4	1	6	1	5
	私立	3	10									3	10

1中学校（本務者）　その4

区分		担当教員数	総時数	一普		二普		仮		臨免		教科臨免	
				人員	時間数	人員	時間数	人員	時間数	人員	時間数	人員	時間数
職業	全琉	81	657	37	441	13	115					31	101
	公立	79	651	37	441	13	115					29	95
	北部	14	51	4	25	2	9					8	17
	中部	19	208	12	157	3	28					4	23
	那覇	15	244	10	179	4	62					1	3
	南部	6	37	1	12							5	25
	宮古	14	77	9	59	4	16					1	2
	八重山	11	34	1	9							10	25
	松島												
	政府立												
	私立	2	6									2	6

2中学校（兼務者）

区分	担当教員数	総時数	一普		二普		仮		臨免		教科臨免	
			人員	時間数	人員	時間数	人員	時間数	人員	時間数	人員	時間数
国語	12	102	2	21	2	17			1	5	7	59
社会	6	28	1	10					1	4		
数学	9	67	2	22					1	10	6	35
理科	9	79	1	16					1	8	7	55
音楽	46	218			5	21	1	10	5	27	35	160
保健体育	13	53			1	3			3	10	9	40
美術	23	99			1	2			2	9	20	88
技術家庭	21	100	1	6	5	21			3	5	12	68
職業	1	2									1	2
英語	5	33									5	33

【注】私立なし

3 高等学校（本務者） その1

区分		担当教員数	総時数	一普		二普		仮		臨免		教科臨免	
				人員	時間数	人員	時間数	人員	時間数	人員	時間数	人員	時間数
国語	全琉	227	4,023	74	1,296	137	2,522	10	173			6	32
	政府立全日	173	3,245	67	1,212	105	2,027					1	6
	政府立定時	25	266	4	39	16	201					5	26
	私立全日	27	496	3	45	16	294	8	157				
	私立定時	2	16					2	16				
社会	全琉	225	3,881	89	1,576	121	2,153	1	21	5	92	9	39
	政府立全日	169	3,091	82	1,484	83	1,572			1	18	3	17
	政府立定時	29	295	5	55	17	209			1	9	6	22
	私立全日	26	480	2	37	20	357	1	21	3	65		
	私立定時	1	15			1	15						
数学	全琉	241	3,871	60	1,016	113	2,060	5	73	10	163	53	559
	政府立全日	182	3,110	54	962	88	1,645	1	20	4	64	35	419
	政府立定時	31	257	5	35	11	128	1	7	1	2	13	85
	私立全日	25	187	1	19	14	287	2	38	5	97	3	46
	私立定時	3	17					1	8			2	9
社会	全琉	232	3,635	80	1,319	121	1,905	3	42	10	171	18	198
	政府立全日	176	2,950	70	1,221	84	1,442	1	18	5	77	16	192
	政府立定時	27	218	8	62	16	147	1	3			2	6
	私立全日	26	452	2	36	18	301	1	21	5	94		
	私立定時	3	15			3	15						
保健体育	全琉	192	3,197	26	450	128	2,297	7	127	10	143	21	180
	政府立全日	141	2,610	25	441	107	2,017	3	57	1	20	5	75
	政府立定時	27	200	1	9	13	148	1	16			12	27
	私立全日	22	377			8	132	3	54	7	113	4	78
	私立定時	2	10							2	10		
音楽	全琉	28	392	3	41	22	315			2	31	1	5
	政府立全日	23	348	2	35	21	313						
	政府立定時	3	13	1	6	1	2					1	5
	私立全日	2	31							2	31		

3 高等学校（本務者） その2

区	分	担当教員数	総時数	一普 人員	一普 時間数	二普 人員	二普 時間数	仮 人員	仮 時間数	臨免 人員	臨免 時間数	教科臨免 人員	教科臨免 時間数
家庭	全琉	125	2,112	37	623	82	1,453	1	5	1	16	4	15
	政府立全日	111	1,896	36	603	72	1,271			1	16	2	6
	政府立定時	4	37			2	28					2	9
	私立全日	9	174	1	20	8	154						
	私立定時	1	5					1	5				
商業	全琉	170	2,705	38	590	117	1,980	4	65	1	18	10	52
	政府立全日	93	1,532	32	509	55	977	1	18	1	18	4	10
	政府立定時	49	649	4	46	38	554	2	27			5	22
	私立全日	28	524	2	35	24	449	1	20			1	20
英語	全琉	250	4,460	87	1,601	141	2,575	4	78	8	151	10	55
	政府立全日	188	3,599	79	1,510	100	1,954	2	39	14	77	3	19
	政府立定時	28	273	7	86	14	151					7	39
	私立全日	33	571	1	5	27	470	2	39	3	57		
	私立定時	1	17							1	17		
美術	全琉	27	253	2	31	16	236	1	14	1	25	7	47
	政府立全日	19	281	2	31	14	216					3	34
	政府立定時	4	13									4	13
	私立全日	3	56			1	17	1	14	1	25		
	私立定時	1	3			1	3						
書道	全琉	11	74	1	2	1	24			1	4	8	44
	政府立全日	7	43									7	43
	政府立定時	3	7	1	2					1	4	1	1
	私立全日	1	24			1	24						
農業	全琉	116	1,782	54	797	59	943			2	38	1	4
	政府立全日	105	1,670	48	740	55	892			2	38		
	政府立定時	11	112	6	57	4	51					1	4
水産	政府立全日	51	815	11	160	36	592	3	46			1	17
工業	全琉	134	2,466	13	245	92	1,652	8	171	18	365	3	33
	政府立全日	109	2,040	12	229	76	1,404	7	150	11	224	3	33
	政府立定時	16	246	1	16	15	230						
	私立全日	9	180			1	18	1	21	7	141		
養護	政府立全日	1	4	1	4								

4 高等学校（兼務者）

区分		担当教員数	総時数	一普		二普		仮		臨免		教科臨免	
				人員	時間数	人員	時間数	人員	時間数	人員	時間数	人員	時間数
国語	全琉	11	67	2	13	8	35			1	19		
	政府立全日	1	10	1	10								
	政府立定時	8	32	1	3	7	29						
	私立全日	2	25			1	6			1	19		
社会	政府立定時	5	14	2	4	3	10						
数学	全琉	12	68	1	9	4	13			1	10	6	36
	政府立全日	4	17	1	9	1	3					2	5
	政府立定時	6	18			3	10					3	8
	私立全日	2	33							1	10	1	23
理科	全琉	9	58			7	46			2	12		
	政府立定時	5	15			5	15						
	私立全日	4	43			2	31			2	12		
音楽	全琉	12	65	1	3	9	35	1	13	1	14		
	政府立全日	4	42			2	15	1	13	1	14		
	政府立定時	6	8	1	3	5	5						
	私立全日	2	15			2	15						
美術	全琉	3	12			3	12						
	政府立全日	1	6			1	6						
	政府立定時	2	6			2	6						
保健体育	全琉	16	49	2	7	13	40					1	2
	政府立定時	15	39	2	7	12	30					1	2
	私立全日	1	10			1	10						
家庭	政府立定時	17	39	2	4	15	35						
書道	政府立定時	1	1									1	1
農業	政府立定時	5	14	1	3	4	11						
工業	全琉	17	40	2	8	14	30	1	2				
	政府立全日	9	22	1	4	7	16	1	2				
	政府立定時	8	18	1	4	7	14						
商業	政府立定時	9	32	3	10	6	22						
英語	全琉	11	47	2	6	8	31			1	10		
	政府立定時	10	37	2	6	8	31			1	10		
	私立全日	1	10										

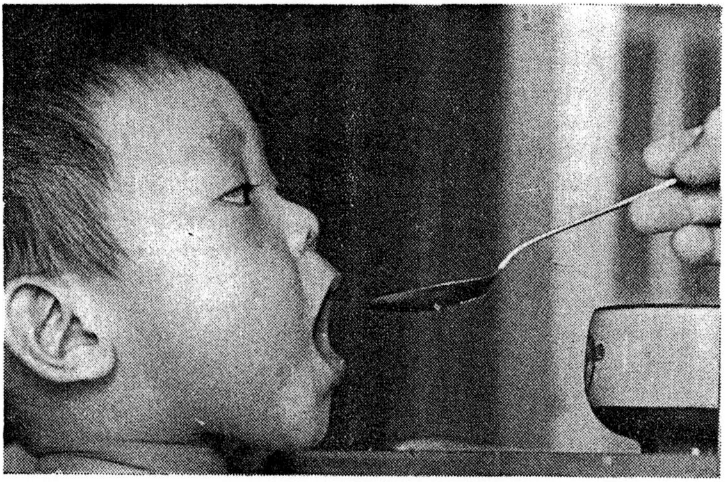

育つ

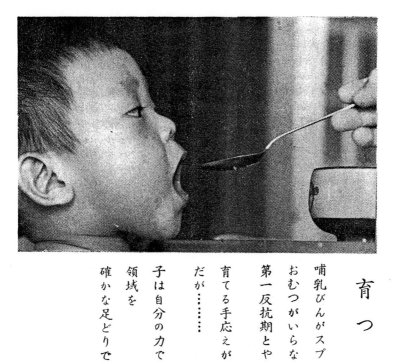

哺乳びんがスプーンにかわり
おむつがいらなくなり
第一反抗期とやらがやつてくると
育てる手応えが確かなものとなる
だが……
子は自分の力で生きる
領域を
確かな足どりで拡げていくのだ

写真文
豊島貞夫

1967年12月1日印刷
1967年12月10日発行

文　教　時　報　（第109号）
非　売　品

発行所　琉球政府文教局総務部調査計画課
印刷所　セントラル印刷所　電話 099--2273番

年度別教育予算及び財源別内訳の推移

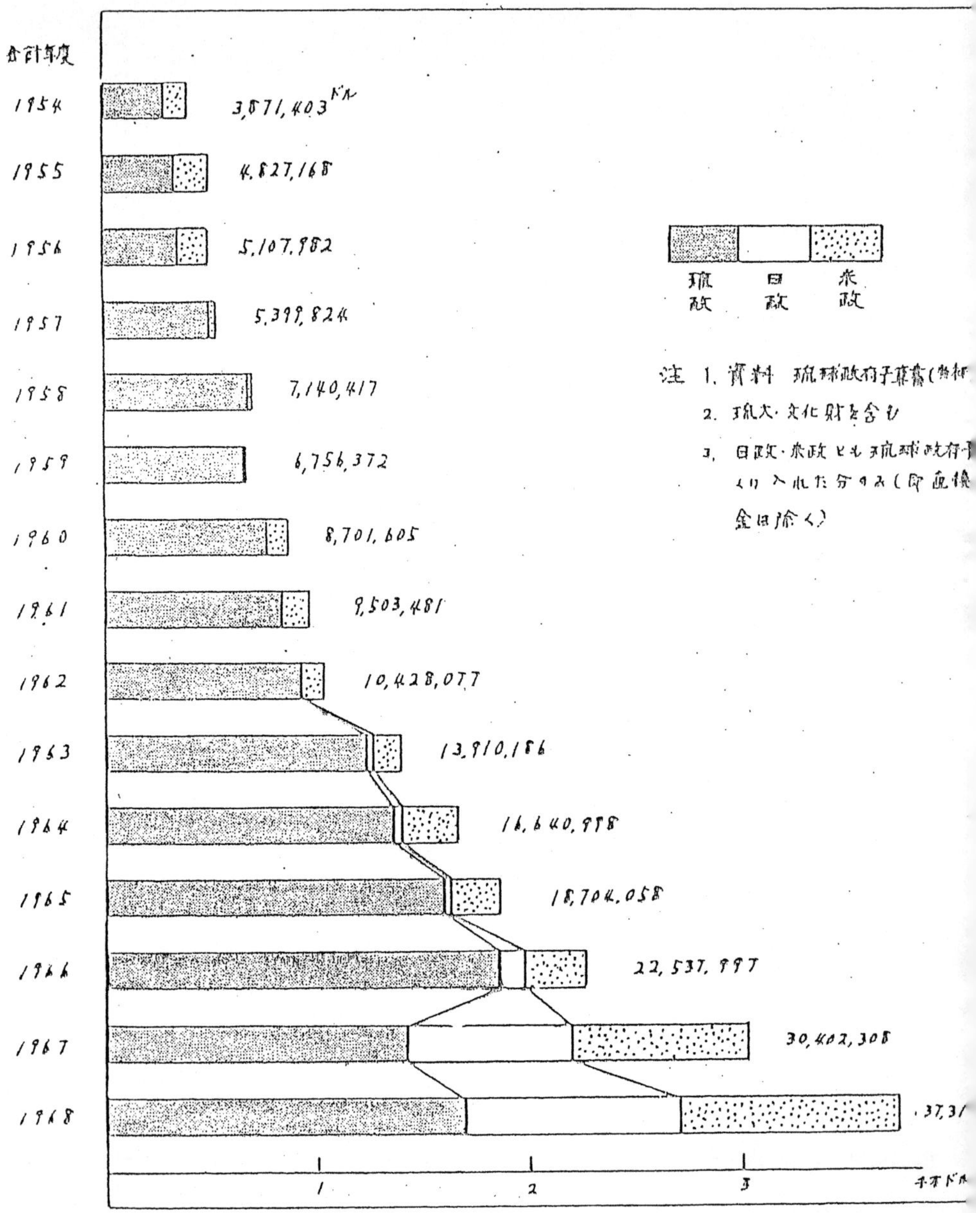

文教時報

110

10

琉球政府・文教局総務部調査計画課

文教時報

No. 110. 67/12

1967年を省みて

今年もあと旬日を残すのみとなつた。職場でも，家庭でも何かしら気の引締る思いがし，街行く人々の足どりも師走独特のあわただしさを感じさせる今日此頃である。考えてみると今年の教育界は誠に波らん万丈の明け暮れであつた。

教育十大ニュースのトップに掲げてある教公二法問題は主義・主張のよしあしは別として，教育行政側と現場との間に少なからぬ溝をつくつたことにおいて，沖縄教育にとつては大きなマイナスであつたことは否めない事実であろう。

しかしながら，この問題も年内に一応のかたがつき，ここに再び新しい年を迎えようとしているが，教育関係者はこの際お互いにこれまでの事を真剣に反省し，「禍を転じて福となす」の心構えで再スタートすべきではなかろうか

ときもとき，佐藤首相訪米による日米共同声明にみるとおり，住民の願望である即時復帰の期待ははずされたが，復帰に対する明るい見通しも立つてきており，復帰に至るまでに沖縄教育がなすべき「本土との較差是正」の至上課題も，沖縄問題懇談会の答申に基づき，逐次本土との一体化をすすめることにより解決していくべく，内外に一体化気運が高まりつつある昨今である。このようにみるとき，1967年は沖縄教育にとつて未来への輝やかしい発展の前の一種の変曲点であつたかも知れない。

ともあれ，教育は現場と行政者側が呼吸を合せて，不離一体となつて諸問題を解決していくところにのみ前進が期待されることをお互によく肝に銘じ，今後は局，教育委員会，学校現場が互いに連けいを一層密にして，共同で一つ一つ大きな山を乗りこえてすすみたいものである。

（前　田　　　功）

1967年度

教育関係
十大ニュース

教公二法問題で教育界大いに荒れる。

教育一体化策で大浜座長，中教委に説明

沖大スト長びく

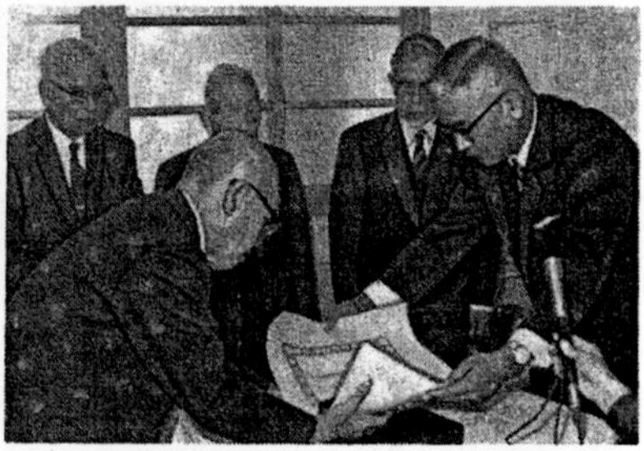

生存者叙勲教育関係者初の叙勲

幼稚園教育振興法公布される。

（解説 50 ページ）

高校入試改善策うち出される

九州高校陸上競技大会

高松宮杯受賞

琉大夜間部開設

全国高校弁論沖縄大会

次期立法勧告予定の教育関係法案の解説

高校教育課
保健体育課

〔はじめに〕

これまで文教施策の基本をなしてきたのは，教育諸条件の質的向上であり，特に本土と沖縄の教育一体化が叫ばれている昨今，沖縄の教育諸条件の本土との較差を是正することは今後とも引き続いて努力をしていかなければならない大きな課題であります。こうした教育諸条件の整備はそれが物的条件であれ，質的条件であろうとも，教育行政を実際に規定する根拠法規の整備を急ぐ必要があります。教育関係法の整備充実は沖縄の教育諸条件の充実と本土較差の是正を目標とすることはもとより，あるいは教育行政の円滑な運営のための立法，或は改正が含まれてくるわけですが文教当局としては，このような趣旨に基づいて順次教育関係法の立法または改正勧告をしていく予定であります。今回は，さしあたり次期立法勧告予定の法案13件のうち去る11月の定例中教委会議で勧告を可決した7件について関係課に解説をお願いし，その内容のあらましをご紹介いたします。

1 政府立高等学校教職員定数の基準に関する立法（案）

〔勧告理由〕

政府立高等学校教職員定数及び政府立教育諸学校高等部教職員定数は，これまで学校教育法，高等学校設置基準その他の諸法規に基づいて適用されてきたが，1958年以来高等学校の実態も変化し，かつ教育内容や教育方法の改善も行なわれ，現行諸法規では必ずしもこれに即応しない面があること，1963年度から教育課程が全面的に改定され，その新教育課程を運用するために必要な教職員定数を確保しなければならないこと並びに1968年をピークとして高等学校生徒が急増していることから，政府としてその受け入れ体制を整備する必要があること。更に公立学校の教職員の定数については義務教育諸学校の学級編制及び教職員定数の基準に関する立法の制定により1968年の4月までには本土並に確保されることになる。従つて政府立高等学校教職員定数及び政府立特殊教育諸学校高等部教職員定数についても同様の措置がなされるべきである。

以上の4つの理由から，これに対する措置を講ずる必要があり，よつてこの立法を早期に制定する必要がある。

〔主な内容〕

政府立高等学校の教職員定数の算定は，従来から，行政機関職員定員法（1955年立法第53号）により，行政府全体の枠の中でなされてきているが，学校教育の特殊性から別枠に算定基準を設け，これにより算定した教職員数を確保することによつて学校運営の円滑を図る必要があるとの見地に立つて，本法の立法化をこゝ2，3年来推進してきたが，他局の容れるところならず，流産に終つてきた。

しかし，中教委としては，本土一体化の線に沿つて，本土都道府県並の教職員配置を実現化するためには，本法の立法化は必須不可欠の要件であると考え，本年もその立法化を取り上げることになつたのである。

本法の内容を簡単に説明すると教職員を校長，教諭，養護教諭等，実習助手，事務職員に分け，各条項を設けて，それぞれの定数の算定方法を明らかにする。算定方法は，学校別，課程別に計算可能な方法が考えられ，さらに産業教育振興の立場から，農，工，水，商業，家庭等の専門教育を主とする学科に対して定数の加算，大規模学校への定数増，小規模学校への最低保障等も配慮されるなど，細かく規定されている。

具体的な算定のしかたを説明することは省略するが，現在の生徒数をおさえて，本法の規定を適用した場合，全琉の政府立高等学校全体で400名余の教職員の増員をしなければならないことになる。これは財政上，教職員養成の面から一きよに実現することは困難であるので，3年計画で完全実施になるように，年次別に一定のパーセンテイジを乗ずる方法をとつた。

本土においては，昭和36年に公立高等学校の設置，適正配置及び教職員定数の標準等に関する法律として公布されて以来，昭和41年，そして昭和42年7月に改正され，特に昭和42年の改正で，これまで法律上規定されていなかつた，特殊教育諸学校（盲・聾・養護学校）の高等部についても，規定されるようになつた。

沖縄においても，最終改正の内容の線で立法化を図つた。

2 高等学校生徒急増に伴う教職員の確保等に関する臨時措置法の一部を改正する立法（案）

〔勧告理由〕

高等学校への進学率の上昇は，現今のすう勢であり，この要件を満たし，かつ，学級規模を学校教育法（1958年立法第3号）第46条に規定する40名の標準に達するには，なお5年を要し，更に工業科教員を確保することは，現在においても困難であるので，これらの実状に対処するために，本法の有効期間を延長する措置を講じ，もつて高等学校の正常な運営を図ろうとするものである。

〔主な内容〕

本法は，時限立法であり，1968年6月30日限りでその効力を失なうにいたるものであるのを，時限を1973年6月30日まで延ばそうとするものである。

学校教育法（1958年立法第3号）第46条の規定により，高等学校の1学級の在籍は，40人を標準とすることになつているが1963年度らら高等学校の生徒急増に伴い，1学級の在籍数を40人をこえることができるとして，或る程度の学級在籍の増減ができる緩和策をはかることによつて，高校生急増に対処してきたこと。工業科教員について，その人事採用の円滑化の面から初任給調整手当を支給することを規定していることが本法の2大趣旨である。ところが，後期中等教育の拡充整備の施策として漸次高校への進学率を上げていかなければならなくなつた。この新しい事態に対処するためになお更に5年有効期間を延長することが本法一部改正のねらいである。

本土においては，教員の初任給調整手当の支給は，給与法や給与条令に位置づけられており，臨時的な措置ではないし，かつ工業科教員のみに限られていないことをつけ加えたい。

3 農業，水産又は工業に係る産業教育に従事する政府の教員及び実習助手に対する産業教育手当の支給に関する立法（案）

〔勧告理由〕

産業教育振興法（1967年立法第101号）第5条の規定の趣旨に基づき，政府立高等学校及び政府立各種学校における農業，水産又は工業に係る産業教育に従事する教員及び実習助手に対し，その勤務の特殊性にかんがみ，産業教育手当を支給し，もつて政府立高等学校及び政府立各種学校における産業教育の充実強化を図る必要がある。

〔主な内容〕

去る9月1日署名公布された産業教育振興法第5条は「産業教育に従事する教員の資格，定員および待遇については，産業教育の特殊性に基づき，特別の措置が講ぜられなければならない。」と規定されている。産業教育に従事する教員等の資格については，教育職員免許法の附則の規定により，実習教諭の免許が取得しやすいように単位上の緩和措置がなされているし，定員については問題になつている政府立高等学校教職員定数の基準に関する立法（案）により，農，水，工，商業，家庭の学科に対して定員上の特別措置がなされている。待遇については本法により，産業教育のうち農水工に係る教員及び実習助手に対して，産業教育手当の支給に関し規定されることによつて，資格，定員，待遇の三位一体の特別措置が完成されることになり，ここに産業教育振興がほぼ満足し得る程度に貫徹される運びになるわけである。

産業教育手当の支給の対象となる職員及び支給額は次のとおりである政府立の高等学校及び各種学校の教諭；助教諭，常勤講師で，農業，水産，工業に関する学科において，実習をともなう科目を主として担任する者と一定資格のある実習助手に対して，給料月額の100分の7（定時制通信教育手当を受ける者については，100分の3）を乗じて得た額となつている。

内容は，本土法と全く同様であるが，政府立各種学校の教員及び実習助手についても，高校と同様に支給の対象にした点が沖縄独特のものといえる。

4　高等学校の定時制教育振興法の一部を改正する立法（案）

〔勧告理由〕

高等学校における通信教育制度の実施に伴ない，定時制教育の振興とあわせて通信教育の振興を図る必要があり，かつ本土法と同様に，定時制教育及び通信教育に従事する校長及び教員に対し，その勤務の特殊性にかんがみ，定時制通信教育手当を支給することを規定ずけることによつて，定時制教育及び通信教育の振興の強化措置を図る必要がある。

〔主な内容〕

去る8月14日に署名公布された学校教育法の一部を改正する立法（1967年立法第86号）により，通信制の課程が設置できるようになり，それに基づき，1968学年度からいよいよ政府立小緑高等学校通信制課程として通信教育制度が発足することになつた。

後期中等教育の拡充整備が叫ばれている昨今，全日制や定時制の課程に進めない勤労青少年に対し，高等学校の教育を受ける機会を広く与えんとする通信教育制度の実現は，画期的な施策であり，その意義は大きいものと云えよう。

更にまた，定時制又は通信制の課程を置く政府立高等学校の校長や教員等に対し，その勤務の特殊性からくる労苦に報いるため，定時制通信教育手当の支給に関する条項をあらたに設けることになつた。この手当については現在，特殊勤務手当に関する規則（1964年人事委員会規則第4号）第20条の規定により支給されているものであるが，本土との一体化の観点から本土と同様，本法に，その支給の根拠を置こうとするものである。

なお定時制通信教育手当の支給の対象となる職員及び支給額は次のとおりであ

る。

本務として定時制又は通信制の高等学校の校長，教員及び一定資格のある実習助手に対し，給料月額の100分の7（給料の特別調整額を受ける者については100分の5）を乗じて得た額となつている。

本土法の規定と同様になり，名実ともに定時制通信教育の振興措置が強化されることになる。

5 政府立各種学校教職員の確保等に関する臨時措置法の一部を改正する立法（案）

〔勧告理由〕

高等学校と同様に，工業科教員を確保することが現在においても困難であり，将来においても，学校増によりその困難性がますます予想されるので，これら教員に対し，高等学校の教員と同様に，初任給調整手当を支給する措置を更に5ヶ年間延長することによつて，産業技術学校の正常な運営を図ろうとするものである。

〔主な内容〕

高等学校生徒急増に伴う教職員の確保等に関する臨時措置法と同様に本法も1968年6月30日限りでその効力を失うにいたるものであるのを，その時限を1973年6月30日まで延ばそうとするものである。

政府立各種学校は，人的措置等において政府立高等学校と同様に取扱うことになつているので，本法の対象となる政府立産業技術学校と政府立高等学校の工業科教員との人的交流を進める上から，高等学校の工業科教員と同様に初任給調整手当を支給し，もつて産業技術学校の円滑な運営を図ることを目的とするものである。

6 政府立競技場法

〔勧告理由〕

政府立の奥武山総合競技場が機能をじゆうぶんに発揮し，その成果を期するために，特殊法人を設立して，適切で効率的な管理運営をはかる。

〔主な内容〕

(1) **目的**，政府立競技場は，その設置する体育施設を適切かつ効率的に運営し，体育の普及振興を図つて，住民の心身の健全な発達に寄与することを目的としている。

⑵**法人格**　政府立競技場は法人としている。

⑶**役員**　競技場に役員として，理事長1人，理事4人以内，監事二人を置き，理事長は常勤とし，他は非常勤としている。また，役員は行政主席から任命されることになつている。その任期は，2年として，再任ができることになつている。

⑷**評議会**

評議員は，行政主席から任命された6人以上12人以内の評議員で組織され，理事長の諮問に応じ，競技場の業務に関する重要事項を審議することになつている。

⑸**業務**　競技場は，次の業務を行なう。

1，その設置する体育施設及び附属施設を運営すること。

2，体育に関する内外の資料を収集し，整理し，保有し一般の利用に供すること，

3，その他その設置する体育施設及び附属施設を利用して，体育の普及振興のため必要な業務を行なうこと。

⑹**財務及び会計**

競技場の事業年度は，毎年7月1日から始まり，翌年6月30日まで毎事業年度の開始前に収人及び支出並びに事業計画及び資金計画について行政主席の認可を受けることになつている。また，決算についても行政主席の承認を受けることになつている。

⑺，**その他**

監督，罰則に関することなどが規定されている。

7　学校保健法の一部を改正する立法

〔勧告理由〕

伝染病予防法（明治30年法律第36号）が1967年9月9日立法第百十二号に改められたのでこの伝染予防法をおつて学校保健法も改める必要がある。

〔主な内容〕

第十四条（規則の委任）前二条（第十二条の規定に基づく中央委員会規則を含む。）及び伝染病予防法（明治30年法律第36号）その他伝染病予防に関して規定する法令に定めるもののほか，学校における伝染病予防に関し必要な事項は，中央委員会規則で定める。とある条文中「(明治30年法律第36号」)とあるのを「(1967年9月9日立法第百十二号)」と改める。

本土法同法第十四条上記（　）内は「(明治30年法律第36号)　」となつている。

1967年度

高等学校入学者選抜方法の改善

指導課主事　又　吉　慶　次

昨年は高等学校入学者選抜方法について，沖縄も含めて日本全国が終戦後いく度目かの大きな変革を行なつた年であつた。すなわち，これまで高等学校入学者選抜のための学力検査は中学校の必修教科のすべてについて行なつていたのを都道府県の実状に応じて教科を減らしてもよいということになつたことや，長年強く言われてきた内申の重視ということが真剣に取り上げられ，内申を重視するための具体的な方法が実行に移されたことなどである。

また，総合選抜制についても東京都の学校群制の実施などで社会の関心を集めるようになつた。

全国的に見て，本年は昨年以上に選抜方法の改善についての努力がなされているようであるが，改善の内容もこれまでの研究の積み上げをさらに深化させたもののようである。

1　本年の研究委員会の構成

沖縄においても高等学校入学者選抜方法を昨年に続いて改善するために，1967年6月19日付で昨年とは異なつた委員の顔ぶれによる高等学校入学者選抜方法に関する研究委員会（委員長与那嶺松助）（以下研究委員会と呼ぶ）が文教局長の諮問機関として設置された。委員会の構成は次のとおりであるが，昨年と異なる点は，新しく教頭，定時制主事，教諭，ＰＴＡの役員，文教局職員が加わり，人員も昨年の19名から，23名に増えたことである。

小学校	中学校	高校	学識経験者	連合区教委	ＰＴＡ	文教局	計
校長1	校長2 教頭2 教諭1	校長2 教頭1 定時制主事1 教諭1	琉大3	教育次長2	那覇1人（中学） 中部1人（高校）	部長2 課長3	23

このように，各界から委員を任命したのは，選抜方法に関し教育関係の各層はもちろんのこと，そのほか多方面の意見を広く反映させてより良い選抜方法を生み出すためであつた。

研究委員会は全体会11回，起草委員会2回の計13回の会を開き，1967年9月8日報告書を文教局長へ提出した。

2　研究委員会のおもな協議内容

研究委員会での研究・協議の内容については，同委員会から文教局長へ提出された報告書（全文）を別紙に掲載してあるので，これのご一読を願うことにしてここでは，本年の研究委員会で論議されたことが，昨年の研究委員会とどんな点で異なついたかについて述べてみたい。

(1)　本年度の研究委員会において，学力検査は，国語・社会・数学・理科・英語の5教科を実施することが望ましいとしてある。昨年の研究委員会は9教科実施が望ましいとし，その第1の理由として，学力検査の実施からはずされた教科が生徒・父兄その他社会一般から軽視される恐れがあるということであつた。このことについては，本年の研究委員会においても論議が集中したのであるが，すでに3教科，5教科で実施した本土の都府県の資料などからしても，また実施からはずされた教科については内申を他の教科よりも重視すること，及びその他の配慮によつてじゆうぶんにカバーできるということで6教科実施の結論がでたのである。なお，研究委員会からの要望のあつた，実施からはずされた，音楽，美術，保健・体育，技術・家庭の4教科の内申を他の実施教科の内申よりも重視するための具体的な方法については，来年3月の選抜に間に合うように，目下文教局において委員を組織して検討中である。

(2)　学区制等についても昨年と比べ大きな変化が見られる。昨年の研究委員会では，志願者がひとり1校しか志願できないので，那覇市を中心とした都市地区においては，A高校の合格者よりはB高校の不合格者の得点が高い，つまり学力の高い生徒が落ち，低い生徒が合格するという現象が見られるのでこれを早急に解決しなければならないということが論議の中心であつた。ところが，今年の研究委員会では，単に学力の高い生徒が不合格にならないようにするだけでなく，各高校の入学者の力が均等になるようにしなければならないということに変つて来た。このようなことから小学区制や総合選抜制が大きく研究の対象として取り上げられたのである。昨年の研究委員会においても総合選抜制について論じられたのであるが，提出された報告書の中には総合選抜制ということばは見あたらなかつた。本年の研究委員会から出された報告書はかなりのスペースを割いて総合選抜制を述べ,「……那覇市を中心とする都市地区においては多くの問題点が指摘され検討の結果，その是正策として総合選抜制が最も望ましいとの意見の一致をみた。ただし，直ちに改善するには実施上の問題点があるとの見地から次年度は現行どおりとするが，近い将来にこの制度の実現を目ざして研究を継続する必要がある。」と結んでいる。このように本年の研究委員会は力のある生徒が不合格にならず，かつ学力による学校較差を解消するために小学区制や総合選抜制について相当な時間を費して研究を行なつたのでなる。一方，一般社会や，父兄の側でもこれらの制度には大きな関心を持ち，賛否両論についていろいろと論じられた。那覇市内のある中学校では臨時PTA総会を開き，小学区制反対を決議し，代表の方々が文教局長へ陳情に見えたほどである。那覇市内の他の中学校や高校も集まりこそ持たなかつたが小学校区制や総合抜制については同様に大きな関心をよせていたことと思う。

以上のような実情からしても，総合選抜制については報告書にもあるように，さらに継続して研究する必要があるように考えられる。

3　報告書の内容はどう生かされたか。

研究委員会から提出された報告書については，文教局内に設置された局内研究会（3部長，6課長，2主事）においても慎重に検討がなされた結果，報告書の内容を全面的に尊重して1968学年度高等学校学者選抜実施要項の原案が作成された。この原案はさらに局内審議を経て第167回定例中央教育委員会へ付議の上決定された。

4 選抜方法に関する今後の課題

研究委員会を創設して2か年間，選抜方法についての問題点を1つ1つ解決して来たのであるが，今後に解決を持ち越した問題もまだある。こうした残された問題を研究するために文教局としては来年度の研究委員を3月に任命し，4月からは活動を開始し，時間的にも余裕をもつて研究を進めてもらい父兄や受験生に不安，動揺を与えないようにしたいと考えている。

では，どんなことが今後の課題であるかというと，その1つは報告書にもあるように総合選抜制の継続研究であり，2つ目は，指導要録の原本送付の可否についてである。総合選抜制については，先にも述べたとおり本年の研究委員会の主要な議題となつたのであるが，指導要録の原本送付についてはあまり触れられなかつた。実はこのことについては，昨年の研究委員会で相当に論議され，結局は従来どおり，志願者の指導要録原本を高校に送付して選抜の資料とするということになつたものである。本年も昨年と同様に原本を送付することに決定したのであるが，中学校としてはこの決定に不満を示しているところもある。

指導要録の原本送付は，内申重視という点から，きわめて価値のあることであるが，反面，指導要録の原本であるため取り扱いその他でいろいろと難点があるようである。原本送付を改めるためには，これに代つて生徒の日頃の教育活動が適正に評価される合理的な調査書の作成が必要になるわけであるが，こうした面の研究にも次年度の研究委員は活躍していただくことになるかも知れない。

5 1968学年度の選抜方法はどんな点が改善されたか

		1968学年度	1967学年度
学力検査	実施教科	国語，社会，数学理科，英語の5教科	国語，社会，数学，理科，英語，音楽，美術保体，技家の9教科
	配点	5教科とも50点満点	9教科とも40点満点
	時間	5教科とも50分	国語，社会，数学，理科，英語の5教科は40分 他の4教科は30分
出張検査場		中学校	小学校

	1968学年度	1967学年度
健康診断証明書	必ずしも厳封する必要はない。	個人別に厳封する。
入学志願書健康診断証明書等	用紙の大きさをB5判に統一した	用紙の大きさが統一されてなかつた。
学習成績一覧表	用紙はB4判1枚にした。	用紙はB4判を2枚つないでいた。

「参考資料」

1968学年度政府立高等学校入学者選抜実施要項

1　**方　　針**

政府立高等学校入学者の選抜は，高等学校及び中学校教育の正常な発展を期し，公正かつ妥当な方法で，高等学校教育を受けるに足る資質と能力のある者を選抜するために次の方針に基づいて実施する。

1，選抜は，入学志願先の高等学校長が学校教育法施行規則（1958年中央教育委員会規則第24号）第45条及び第49条に基づき，中学校長から送付された報告書その他必要な書類及び選抜のための学力検査の成績を資料として行なう。

2，選抜は，入学志願者が募集人員を超過すると否とにかかわらず行なう。

3，選抜のための学力検査は，中学校における国語，社会，数学，理科，英語の五教科について，志願者全員に対し，同時に行なう。

4，学力検査の問題は，文教局長が任命する委員で構成する問題作成委員会によつて作成する。

2　**出願資格**

次の各号の一に該当する者は，政府立高等学校の通学区域に関する規則（1960年中央教育委員会規則第11号）により定められた学区の高等学校に出願することができる。

1，中学校卒業者

2，1968年3月中学校卒業見込みの者

3，学校教育法施行規則第53条に該当する者

3　**募集人員**

各高等学校の募集人員は別に定める。

4　**出願期日**

1，入学願書の受付は1968年2月19日（月曜日），2月20日（火曜日），2月21日（水曜日）の3日間とする。

2，受付時間は毎日午前9時から午後5時までとする。

3，郵送された入学願書は2月21日までの消印のあるものを有効とする。

5　**出願手続き**

1，各高等学校への入学志願者は，入学志願書に入学検定料1ドルを添えて出身中学校長に提出する。

2，出身中学校長は，入学志願者の提出する入学志願書に入学検定料及び報告書を添えて，志願先の高等学校長に提出する。

3，中学校卒業者及び1968年3月卒業見込みの者以外の高等学校入学志願者の出願については，居住地の中学校長がかわつて手続きをとるものとする。

4，入学志願書における志望課程及び志望学科は，それぞれ第一志望を記入し，その他の進路については，指導要録（進路に関する記録）にくわしく記入する。

5，入学志願書提出後の志望の変更は認めない。

6 選抜の方法

1，各高等学校は，学校長を委員長とする選抜委員会を組織する。

2，各高等学校の選抜委員会は，出身中学校長から提出された報告書と学力検査の成績を資料にして選抜を行なう。

3，選抜にあつての学力の評価は，報告書中の学業成績を重視し学力検査の成積を資料として総合的に行なう。

4，各高等学校長は，選抜のために必要と認める場合には，面接を行なうことができる。

7 学力検査

1，検査時間及び配点

学力検査を実施する教科の検査時間はいずれも五十分とし，配点はおのおの五十点を満点とする。

2，検査の場所

(1) 原則として志願先の高等学校とする。

(2) 学区域が広域にわたる高等学校への志願者及び特別に指定する地域からの志願者のために，次のように委託検査場及び出張検査場を置く。

ア 委託検査場

名護高等学校，久米島高等学校，宮古高等学校，八重山高等学校

イ 特別に指定する地域及び出張検査場

地域	検査場	地域	検査場
伊平屋村	伊平屋中学校	渡嘉敷村	渡嘉敷中学校
伊是名村	伊是名中学校	座間味村	座間味中学校
伊江村	伊江中学校	多良間村	多良間中学校
北大東村	北大東中学校	西表	西表中学校
南大東村	南大東中学校	与那国町	与那国中学校
粟国村	粟国中学校	波照間	波照間中学校
渡名喜村	渡名喜中学校	——	——

3，検査の期日

1968年3月18日（月曜日），3月19日（火曜日）の2日間とする。

4，検査の実施

(1) 各高等学校長は，学力検査委員を指名し，別に文教局長が定める学力検査実施要領に基づいて学力検査を実施する。

(2) 委託検査場にあつては，委託検査場の高等学校長が，(1)の要領によつて委託された志願者の学力検査を実施する。

(3) 出張検査場においては，文教局長の派遣する学力検査員が学力検査実施要領に基づいて実施する。

(4) その他の事項

ア　志願者の中に，委託検査場または出張検査場で受検する者のいる高等学校長はその名簿及びその他必要な書類を，委託検査場にあつては検査場の学校長あてに出張検査場にあつては文教局長あてに送付する。

イ　委託検査場の学校長は，委託検査場において受検する志願者のために便宜をはかり，検査終了後は答案及び先に送付された名簿その他関係書類をすみやかに，志願先の高等学校長に送付する。

8　面　　接

1，面接を行なう高等学校においては，学力検査終了後学校独自の計画で実施する。

2，面接を行なう高等学校への志願者で，委託検査場及び出張検査場において学力検査を受ける者の面接は，志願先の高等学校の計画により委託検査場にあつては委託検査場の高等学校長が出張検査場にあつては学力検査員が学力検査の終了後実施する。

9　報 告 書

1，中学校は，学校長を委員長とする報告書作成委員会を組織する。

2，中学校長の提出する報告書は，指導要録（原本），健康診断証明書，学習成績一覧表とする。

(1) 指導要録

ア　学習の記録は、学年を単位とした5段階評価によること。

ただし特別の理由で右の段階評価により難い場合はその理由を付記する。

イ　卒業見込みの者について第三学年の出欠の記録は，第3学年の出欠の記録は，2月10日現在で記入し，学習の記録及びその他の記録は最近までのものを記入する。

ウ 転学者は転学前の中学校から送付された指導要録の写しも提出する。

エ 中学校卒業者のうち，新旧の指導要録のある者については，新旧ともにこれを提出する。

オ 中学校卒業者の卒業後の動向または成積については，これを証明するに足る参考資料を指導要録に添付する。

(2) 健康診断証明書

ア 健康診断証明書は，中学校において記入すべき事項についてはあらかじめ中学校長が記入し，その他の事項については医師の診断の結果を記入する。

イ 健康診断の検査の方法及び技術的基準については，学校保健法施行規則（1962年中央教育委員会規則第16号）を準用する。

ウ 健康診断の項目中やむを得ない事情で検査のできないものについては，その旨を記入し空白をつくらない。

エ 結核性疾患については，でき得る限り精密に検査し記入する。

オ 身体不自由や運動機能障害等は，備考欄に記入する。

カ 職業教育を主とする学科への志願者については，特に色神，難聴等を正確に検査し記入する。

キ 健康診断は1967年12月以降のものとする。

(3) 学習成積一覧表

ア 学習成積一覧表は，指導要録中の第3学年の「学習の記録」によつて，志願者が在籍する学年全員について学級ごとにこれを作成する。ただし1956年以前の卒業者については，旧指導要録中の教科ごとに分析された各目標の評定を平均（小数点第一位で四捨五入）したものを，その教科の評定として記入する。なお，学習成積一覧表の作成が困難な者については，その理由を付記して個人成績を提出する。

イ 学習成績一覧表は，謄写紙により作成する。

3，やむをえない事情で所定の報告書を作成することのできない者については，その理由を記し，本人の成績を証明する。

4 高等学校長は，出身中学校長の提出した報告書に疑義があるときは必要に応じて資料の提出を要求することができる。

また，虚偽の報告によつて入学を許可された者については入学を取り消すものとする。

10 合案者の発表

合格者発表の日は1968年３月25日とし，各高等学校長が志願者が入学志願書を提出した中学校長に通知する。

11　**この要項に定めるもののほか入学者選抜の実施について必要な細則または事項は別に文教局長が定める。**

12　**この要項のほかに高等学校通信制課程の入学者選抜については別に定める。**

学力検査の時間割り

表１

	第１時限（50分）	第２時限（50分）	昼食55分	第３時限（50分）
第１日目（３月18日）	国語	理科		英語
第２日目（３月19日）	社会	数学		

表２

時刻	時間	第１日目（３月18日）	第２日目（３月19日）
9：15 ～ 9：45	30分	受検生全員集合，点呼	――――
9：45 ～ 10：00	15分	教室入場，出欠調べ 検査の指示，説明，問題配布	教室入場，出欠調べ 検査の指示，問題配布
10：00 ～ 10：50	50分	第１時限　（国　語）	第１時限　（社　会）
10：50 ～ 11：05	15分	休　憩	休　憩
11：05 ～ 11：15	10分	教室入場，問題配布	教室入場，問題配布
11：15 ～ 12：05	50分	第２時限　（理　科）	第２時限　（数　学）
12：05 ～ 13：00	55分	昼　食	昼　食
13：00 ～ 13：10	10分	教室入場，問題配布	――――
13：10 ～ 14：00	50分	第３時限　（英　語）	――――

高等学校入学者選抜方法について（報告）

本研究委員会は，高等学校入学者選抜方法について研究協議を行なつた結果，次記の結論に達しましたので，報告します。

1967年９月８日

文教局長
赤嶺義信殿

高等学校入学者選抜方法に関する研究委員会
委員長　与那嶺松助

記

本委員会は，高等学校入学者選抜の方法が，中学校および高等学校の教育をゆがめていないかどうかという観点から現行の方法の全般について問題点を慎重に検討した。

中学校および高等学校における本来の教育を充実させるためには各様の施策が必要であるが，さしあたつて高等学校入学者選抜方法については次のような改善を図る必要がある。

1　**学力検査について**

1，学力検査の実施教科は国語，社会，数学，理科，英語の５教科とする。

2，学力検査の時間は５教科とも50分とし，配点はいずれの教科も50点を満点とする。

3，上記のように決定した理由

選抜のための学力検査は行なわないのが理想ではあるが，現状ではあるていどの学力検査は必要である。

学力検査は全教科について実施し，受検者の学力を評価するのがたてまえではあるが教科の本質上，ペーパーテストによる評価が適当でないものについては，これら教科の内申成績を重視して，評価することとし，学力検査の実施教科からはずすこととした。

ア　音楽，美術，保健体育，技術・家庭の４教科は教科の目標からしてペーパーテストだけでは公正，妥当な評価ができないばかりでなく，これら４教科の正常な学習にも好ましくない影響を及ぼすおそれがあるので学力検査の実施教科に加えないのが望ましい。

なお，これら４教科については，実技，実音テストの実施が可能かどうかについても話し合われたが，学力検査の日程，設備ならびに評価の客観性の問題等からして，現在のところ実施は困難であるということになつた。

イ　国語，社会，数学，理科，英語，の５教科はペーパーテストによつて比較的公正，妥当な評価が可能である。

ウ　学力検査で９教科を実施した場合，その中の国語，社会，数学，理科，英語の５教科と９教科の相関はきわめて高いので，５教科を選抜のための資料としてさしつかえない。

エ　学力検査の解答が偶然性に左右されたり，単なる記憶の検査に偏することなく理解，応用力，考え方などを検査できるようにするためには客観テストと共に記述式テストも併用することが望ましい。記述式テストは解答や採点の客観性を保持するために時間を必要とするので，この面からも実施教科を少なくするのが適当である。

4，その他

3のような理由から5教科実施の結論を得たのであるが，実施からはずされたこれら5教科が学校教育の中で軽視されることのないよう内申書の重視や学校現場の指導，その他じゆうぶんな配慮が必要である。

なお，研究協議の中では従来どおりの9教科案や，3教科案，選択教科案，学力検査全廃案なども検討がなされたことを付記する。

2　内申書について

1，従来，沖縄の高等学校入学者選抜において内申が重視されてきたが，今後はさらに重視することが必要である。

2，学力検査の実施からはずされた音楽，美術，保健体育，技術・家庭の4教科の内申の取り扱いについては特に配慮する必要がある。そのための具体的方法は文教局において研究する。

3　学区制等について

1，学区制等については一部地域を除いて別に問題点はなく現行どおりでよい。

那覇市を中心とする都市地区においては多くの問題点が指摘され検討の結果，その是正策として総合選抜制が最も望ましいとの意見の一致をみた。ただし，直ちに改善するには実施上の問題点があるとの見地から次年度は現行どおりとするが，近い将来にこの制度の実現を目ざして研究を継続する必要がある。

2，検討されたおもな内容

ア　小学区制は学力による学校較差が減少し，生徒の通学距離の短縮，学校と地域社会との結びつきの強化，志望校の決定が容易であるなどの長所があるが，反面，志望校選定の自由がないこと，学区の分割が技術的に困難であること，分割された地域の住民感情の問題などから実施は無理であるということになつた。

イ　三校群制(六高校を二校ずつの三群に分ける。)の長所，短所はほぼ小学区制のそれと同じであるがこの制度は群の較差(学力)が生じることと，各群内で総合選抜が必要であるため事務も繁雑になるなどの理由で実施は不適当であるということになつた。

ウ　二校群制（六高校を三校ずつの二群に分ける。）は分割された地域の父兄の不満が少ないこと，分割の作業が容易であることなどの長所はあるが，分割したうえでの生徒の配分は総合選抜制でなければ二校群にした意味がないので，それよりは最初から群に分けずに総合選抜制にしたほうがよいということで，やはり実施は不適当であるということになつた。

エ　総合選抜制は学校較差が解消され，生徒が成績どおり順当に合格でき，志望者が定員にたりなくなるようなことがない等の長所がある。しかし，その反面，生徒の希望がいれられず，通学距離に無理が生じ，関連地区の志願者の取り扱いに問題がある。さらに父兄，教育関係者，社会一般にこの制度がじゆうぶん理解されていないなどの理由で早急に実施することは困難である。しかし，この制度は最も望ましい方法と思われるので，上記の難点を緩和することについて継続して研究する必要があるということになつた。

ホ　志願者調整

志願者の片よりを無くする方法として志望変更期間を設けることや，併願制などによる調整によつて現状を少しでも改善すべきであるとの案であるが，検討の結果，必ずしも現状を改善するものでなく，むしろ学校較差を助長するおそれもあるので好ましくないということになつた。

カ　その他

総合選抜制に学区制を加味した方法や，合格者の一部調整の案も出されたがいずれも実施上の問題点があつて，今後の研究にまつことになつた。

4　**選抜方法の研究について**

1，研究機関の設置

昨年の研究委員会の報告書にもあるように選抜方法に伴なう弊害を的確につかみ適切，妥当な対策を立てるためにはぜひとも科学的な資料の収集や，継続的な研究が必要であるので，こうしたことを達成するための研究機関の設置を重ねて要望する

2，研究委員会

研究委員会は研究協議の対象を次年度の選抜方法だけにとどめず，長期的展望に立つて研究ができるような計画と組織をもつ必要がある。

高等学校入学者選抜方法に関する研究委員会委員（23名）

高校	山里　政勝	沖縄工業高校長	学識経験者	与那嶺　松助	琉大教授（委員長）
	金城　宏吉	小禄高校長		東江　康治	琉大助教授
	玉城　啓佐	コザ高校教頭		米盛　裕二	琉大助教授
	新垣　秀雄	南農定時制主事	連合区教委	国吉　順質	那覇連合区指導課長
	照屋　林一	那覇高校教諭		宮城　盛雄	北部連合区教育次長
中学校	仲松　源光	本部中校長	PTA	大山　盛幸	首里中学PTA会長
	当真　嗣昌	石川中校長		仲村　春勝	普天間高PTA会長
	新垣　助次郎	豊見城中校長	文教局	知念　繁	指導部長(副委員長)
	外間　永律	那覇中教頭		笠井　善徳	管理部長
	山城　寛則	神原中教諭		下門　龍栄	指導課長
小学校	糸洲　長良	壺屋小学校長		伊是名　甚徳	高校教育課長
				仲宗根　繁	義務教育課長

本土における総合選抜制実施状況（昭和42年3月実施）

「文部省発行昭和42年度版公立高等学校入学選抜実施状況に関する調査報告書より」

県名	実施地区(学区)名	実施学科名	実施校数	実施の手順	備考
東京	第1～第9学区	全日制普通科	84	原則として，同一学区内の全日制普通科をおく学校2～4校ずつにまとめてこれを学校群とし，志願者には，自己の住所の属する学区内の学校群中いずれか一つの学校群を志願させる。（この場合，その学校群内の特定校への志願は認めない。）つぎに，群内の各高等学校長・教頭・教諭等で組織する審査委員会においてその群の全志願者中から，その群の募集定員の数だけの合格者を決定し，それを，入学者の成績が均等になるよう，群内各高校に配分する。	○学区内をさらに学校群に分け，志望学校群内で総合選抜的な選抜を行なう。 ○48校に含まれない7校は，通学区域等の事情により群に編成しない。
京都	京都市地区	全日制普通科 〃 商業科	13 8	普通科，商業科の別に，それぞれ，定員総数を一括選抜し，これを小学校区単位に近距離配分を原則として，各高等学校の収容定員にみあうよう配分し，通学区域を決定する。したがつて，毎年，通学区域を一部変更している。	
兵庫	尼崎市地区 西宮市地区	全日制普通科 〃 〃	5 4	県教育委員会の案を関係市教委，学校に示し，その了解を得て実施した。	一部地区において中学校側の進路指導のとき父兄や本人の希望を無視したという批判があつた。
岡山	岡山市地区 倉敷市地区	全日制普通科 〃 工業科 〃 商業科 〃 普通科 〃 工業科	3 2 2 2 2	1，志願者は願書に志望校を記入（特に希望のない場合は「いずれもよい」と記入し，願書受付当番校長あてに出願する。 2，各校連合の指定委員会において，県教委立会のもとに所定の基準・方法により，志願者を各高校に指定する。（学力，男女比がかたよつたものとならない範囲で，志願者の希望を尊重する学力は中学校からの調査書によつて判断する。） 3，指定委員会は関係書類を各高校別に分類し，それぞれの校長に渡す。 4，各高校は，受検票に高校名と受検番号を記入して交付し，学力検査を実施する。 5，この後の選抜の手順は一般の場合と同様である。	出願後の段階において，入学志望校を指定委員会が指定する。

県名	実施地区(学区)名	実施学科名	実施校数	実施の手順	備考
広島	広島市地区	全日制普通科	5	各校の入学生徒の学力と男女の比率が同程度となるように配分する。	事務処理が複雑であること，設置者が異なり（県立3市立3）各校の内容設備が不均一であること等の理由から総合選抜制反対の声もあるが，広島市教委，広島市中学校長会，県教組広島支部，広島市中学校ＰＴＡ連合会等は総合選抜制を強く支持している。
長崎	長崎市および西彼杵郡・北高来郡の一部	全日制普通科	4	長崎市内の当該高校の志願者は，出身中学校ごとに県教委が指定した高校に願書を提出し，その高校で受検する。4高校は，合同選抜委員会を組織し，4高校の定員分の合格者を決定し，学力，住所を勘案して各高校の入学生徒の学力がほぼ均等になるように配分する。	この制度への世評はよい。

高校入学者選抜検査実施教科調べ　1967.7.10現在

県名	67年度教科	68年度教科		県名	67年度教科	68年度教科		県名	67年度教科	68年度教科	
北海道	9	5	○	石川	5	5		岡山	9	3～5検討中	
青森	5	5		福井	5	5		広島	9	9	◎
岩手	5	5		山梨	4	4		山口	9	5	×
宮城	5	5		長野	4	4		徳島	9	5の見込み	×
秋田	3	3		岐阜	5	5		香川	9	5の見込み	×
山形	3	3		静岡	9	9	◎	愛媛	9	5	○
福島	5	5		愛知	9	9	◎	高知	9	5	○
茨城	9	5	○	三重	9	5	○	福岡	9	検討中	△
栃木	9	5	○	滋賀	9	5の見込み	×	佐賀	9	5	○
群馬	5	5		京都	9	9	◎	長崎	5	5	
埼玉	5	5		大阪	5	5		熊本	9	5	○
千葉	5	5		兵庫	9	全廃7/7	▲	大分	5	5	
東京	3	3		奈良	9	検討中	△	宮崎	5	5	
神奈川	9	5	○	和歌山	9	5	○	鹿児島	9	5	○
新潟	9	5	○	鳥取	5	3					
富山	5	5		島根	5	5					

67年度9教科実施のでた県の中で…

ア	68年度5教科を実施する県	13県	(○印)
イ	68年度5教科見込みの県	4〃	(×印)
ウ	68年度9教科実施を決めた県	4〃	(◎印)
エ	68年度全廃の県	1〃	(▲印)
オ	目下検討中の県	2〃	(△印)

67年度3教科で68年度も3教科を実施する県		3〃
〃 5〃	〃 3〃 〃	1〃
〃 4〃	〃 4〃 〃	2〃
〃 5〃	〃 5〃 〃	16〃
	計	46都道府県

1967学年度高等学校入学者選抜

学力検査結果の分析　1967年3月実施

(イ)　教科別得点分布　全受検者より1/10を抽出(40点満点)

得点区分＼教科	国語	社会	理科	数学	英語	美術	保体	技家(男)	技家(女)	音楽
	%	%	%	%	%	%	%	%	%	%
40 ～ 37	1.7	0.2	1.0	0.2	1.2	0.5	0.2	0.2	0	0.3
36 ～ 33	8.7	1.9	4.9	0.9	2.2	3.0	3.6	3.8	0.3	2.4
32 ～ 29	12.7	6.2	10.0	3.7	3.5	7.9	16.7	12.1	2.8	4.9
28 ～ 25	17.9	11.2	14.3	6.5	5.6	14.2	26.0	20.4	7.2	7.9
24 ～ 21	18.0	19.4	17.2	9.5	9.9	20.5	25.0	22.9	16.9	14.0
20 ～ 17	15.4	24.2	20.9	13.9	17.0	22.5	17.4	17.3	31.1	23.5
16 ～ 13	12.8	25.3	18.4	14.7	29.0	18.6	7.8	13.8	29.1	28.4
12 ～ 9	7.2	10.3	11.2	17.9	24.6	10.4	2.8	7.8	10.5	15.3
8 ～ 5	4.7	1.3	2.1	20.7	6.9	2.3	0.5	1.6	2.0	3.3
4 ～ 1	0.9	0	0	11.5	0.1	0.1	0	0.1	0.1	0
0	0	0	0	0.5	0	0	0	0	0	0
計 (%)	100	100	100	100	100	100	100	100	100	100
平均点	22.1	19.2	20.6	13.6	16.4	20.1	23.6	21.8	17.9	18.0
標準偏差(S.D)	8.04	6.06	7.17	6.45	6.84	7.01	5.76	6.68	5.19	6.38

(ロ) **学力検査総得点度数分布表(全受検者)** 360点満点 1967年3月実施

	360〜331	330〜301	300〜271	270〜241	240〜211	210〜181	180〜151	150〜121	120〜91	90〜61	60〜31	30〜0	小計(人)	計(人)
全日制普通科	1	73 26	419 175	815 584	1,316 947	1,318 1,175	820 758	390 223	113 36	18 6	1		5,284 3,930	9,214
全日制職業科			5 2	69 39	304 282	763 864	1,151 1,780	1,247 1,892	749 982	153 114	4		4,445 5,955	10,400
定時制普通科			1	2 2	10 4	38 25	69 83	90 121	43 92	11 9	 1		263 338	601
定時制職業科				2	22 8	82 47	212 179	292 395	253 329	89 51	6 1		958 1,010	1,968
小　計(人)	1	73 26	424 178	888 625	1,652 1,241	2,201 2,111	2,252 2,800	2,019 2,631	1,158 1,439	271 180	11 2		10,950 11,233	22.183
計　(人)	1	99	602	1,513	2,893	4,312	5,052	4,650	2,597	451	13		22,183	

(ハ) **(中学3年)内申総得点度数分布表(全受検者)** **45点満点** 1967年3月実施

	45〜43	42〜40	39〜37	36〜34	33〜31	30〜28	27〜25	24〜22	21〜19	18〜16	15〜13	12〜10	小計(人)	計(人)
全日制普通科	272 308	500 444	793 851	926 938	926 608	828 465	540 193	259 72	151 42	69 8	17 1	7 2	5,288 3,932	9,220
全日制職業科	9 8	34 58	139 180	358 570	658 1,049	1.089 1,543	970 1,285	547 652	404 409	186 174	34 25	17 9	4,445 5,960	10,405
定時制普通科	1 3	8 3	4 8	8 11	17 27	41 56	59 64	66 75	36 57	23 23	3 5	2 1	263 338	601
定時制職業科		 2	12 12	23 29	66 68	139 162	212 273	195 209	162 164	119 75	17 12	14 4	959 1,010	1,969
小　計(人)	282 319	537 512	948 1,051	1,315 1,548	1,667 1,752	2,097 2,226	1,781 1,813	1,067 1,008	753 672	397 280	71 43	40 16	10,955 11,240	22,195
計　(人)	601	1,049	1,999	2,863	3,419	4,323	3,594	2,075	1,425	677	114	56	22,195	

(注) 人数の欄の上の数字は男子、下の数字は女子を示す。

国　　語　　科

問題のねらいと結果の分析

全受検者より1/10抽出

完全解プロフィール(%)

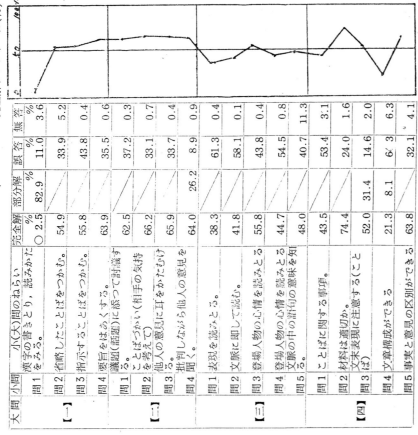

大問	小問	小(大)問のねらい	完全解	部分解	誤答	無答
			%	%	%	%
【一】	問1	漢字の書きとり，読みかたをみる。	○ 2.5	82.9	11.0	3.6
	問2	省略したことばをつかむ。	54.9		33.9	5.2
	問3	指示することばをつかむ。	55.8		43.8	0.4
	問4	要旨をはあくする。	63.9		35.5	0.6
【二】	問1	議題(話題)に添つて討議する。	62.5		37.2	0.3
	問2	ことばづかい(相手の気持を考えて)	66.2		33.1	0.7
	問3	他人の意見に耳をかたむける。	65.9		33.7	0.4
	問4	批判しながら他人の意見を聞く。	64.0	26.2	8.9	0.9
【三】	問1	表現を読みとる。	38.3		61.3	0.4
	問2	文脈に即して読む。	41.8		58.1	0.1
	問3	登場人物の心情を読みとる	55.8		43.8	0.4
	問4	登場人物の心情を読みとる	44.7		54.5	0.8
	問5	文脈の中の語句の意味を知る。	48.0		40.7	11.3
【四】	問1	ことばに関する事項。	43.5		53.4	3.1
	問2	材料は適切か。	74.4		24.0	1.6
	問3	文末表現に注意する(ことば)	52.0	31.4	14.6	2.0
	問4	文章構成ができる	21.3	8.1	64.3	6.3
	問5	事実と意見の区別ができる	63.8		32.1	4.1

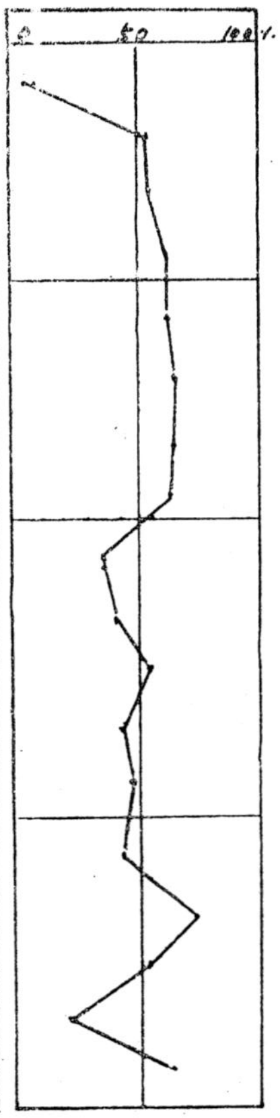

平均　22.1点S.D8.04点

概評

小学校の学習指導要領が昭和43年に改訂する。これまで，小学校においては881字の教育漢字を各学年に配当して指導してきたが，この新しい指導要領では，その範囲をもつと拡げ100字程度は教えることになる見込みである。現行指導要領実施後，いろいろと検討した結果，漢字力の低下が問題になつてきたからである。このことは，中学校にも同様に言える。漢字力の低下は全国的な傾向になつているが，とくに沖縄では、その傾向が著しく表われている

上記のグラフをみると，問題【一】の問1，漢字の書きとりと読みかたの問題が完全解答2.5%という驚くべき低率を示している。提出された漢字がシンコウはともかくとしてチョクメン，タイショウ，ケイケンと，ごく日常茶飯事に使われているものであればいよいよ根本的に沖縄における国語教育のあり方を検討し，反省を加える必要を痛感する。漢字力が低いということは，語いが貧弱であることも意味しているし，そういう基礎力のないところには，「読むこと」，「書くこと，」「聞くこと，話すこと」の能力もけつして向上しないからである。単なる形式的な漢字指導ではなく，語句指導とあいまつた漢字指導を，国語教育のすべての領域で留意したい。

「シンコウ」にしても，「読むことの構え」が指導され，身についておれば，その前の文との関係で，ある程度の察しはつくものと思う。前の文には，「万葉集」とか「大和の古いお寺」などとあり，美と「神仏を信じる信仰」とが並列してあるのだと推察はできよう。こういうふうに，読解の過程で，文脈に即し，前後の関係から語句を推読させる指導との関連で，もつともつと漢字指導を強化したい。「皆目」ということばも，現在では，副詞は「かながきが原則」であるといえ，「かいもく」ということばがわかつておれば読みがなをつけるのに，そう苦労はしないものである。

一般的に文学作品の読みとりの問題も低調である。問題【三】の問1は表現を読みとつたり、読み味わつたりする能力の問題、問2は文脈に即して読めば解ける問題、問3、問4はいずれも人物の心情(気持)を読みとる能力に関する問題である。改訂される指導要領（小学校)は、読む能力をつけるために読書指導を強調することになるが、国語科の中には、読書指導に関する指導事項も、はつきり出ているのであるから、教科書を中心に基本的なことを身につけさせると同時に、教科書だけに頼らず、もつといろいろな本を読ませるよう留意しなければならない。いろいろな本を読むことにより、経験も豊かになり内容が充実してくるし，語いが拡がり，表現力も自然と身につくというものです。

作文指導も近年盛になりつつあるがいまだ軌道に乗りきつたとはいいがたい。問題【四】の問3は，文章を構成する能力をみる問題として出題されたものであるが，21､3%とやはり低調である。何かを中心にまとめ，さらにそれを文脈に即して一つの文章として大きくまとめていくということは，文脈や段落意識とも関係が深いし，同時に「考えをまとめるという思考力とも関係があることで，今後もつともつと忍耐強くおし進めなければならない問題である。

社　会　科　問題のねらいと結結の分析

全受検者より1/10抽出　　　　完全解のプロフイール（%）

大問	小問	小(大)問のねらい	完全解	部分解	誤答	無答
【一】	問1	地形図を読む能力をためす（方位と地図記号を中心に）	48.5		51.4	0.1
	問2	地形図を読む能力をためす（等高線を中心に）	52.8		47.1	0.1
【二】		西ドイツの工業の中心地域と中心都市についての知識をためす	17.5	24.6	57.5	0.4
【三】		日本農業の地域的特色が把握されているかをためす。	42.5	41.5	16.0	0
【四】		等温線図の見方が理解されているかをためす	35.0		65.0	0
【五】		日本の主要鉄道路線についての理解を示めす	43.8		56.1	0.1
【六】	問1	綿花の輸出国が把握されているかをためす	47.0		53.0	0
	問2	線花の輸入国がは握されているか，	57.9		42.0	0.1
【七】		インド，南米，沖縄などの世界各地の産業や貿易の特色が理解されているかをためす。	25.8	68.8	5.2	0.2
【八】		日本史の各時代の社会経済的特色が把握されているかをためす。	3.0	47.3	49.6	0.1
【九】	問1	1858年の日米修好通商条約の内容についての理解の程度をためす。	34.4		65.6	0
	問2	明治時代の条約改正運動についての理解の程度をためす。	41.6		58.4	0
	問3	〃	36.6		63.3	0.1
【十】	問1	西洋の近代民主政治の発達の年代的理解をためす。	19.6	32.8	47.3	0.3
	問2	名誉革命についての理解の程度をためす。	76.8		23.1	0.1
	問3	フランス革命についての理解の程度をためす。	73.4		26.5	0.1
【十一】		日本史の主要事項についての理解の程度をためす。	31.7	50.9	17.1	0.3
【十二】		琉球の文化史上の主要人名と事項についての理解の程度をためす。	4.9	21.9	72.1	1.1
【十三】	1	基本的人権の性格が把握されているかをためす	74.1		25.9	0
	2	社会保障制度の種類が把握されているかをためす	34.6		65.4	0
	3	国際連合における議決法が理解されているかをためす	53.3		46.7	0
	4	預金の種類が理解されているかをためす	61.3		38.7	0
【十四】		日本の国会についての理解の程度をためす。	51.7		48.1	0.2
【十五】	1	経済上の特殊な用語の理解の程度をためす	64.6		35.2	0.2
	2	〃	38.4		61.5	0.1
【十六】		裁判官の任務が理解されているかをためす	50.0		49.8	0.2
【十七】		生産財と消費財が区別されているかをためす	24.5		75.1	0.4
【十八】	問1	議院内閣制が理解されているかをためす。	47.6		51.9	0.5
	問2	日本の中小企業の性格が理解されているかをためす	79.3		20.1	0.6
	問3	職業の意義が把握されているかをためす	86.4		12.8	0.8
	問4	沖縄の政治的諸制度が理解されているかをためす	17.6		81.6	0.8

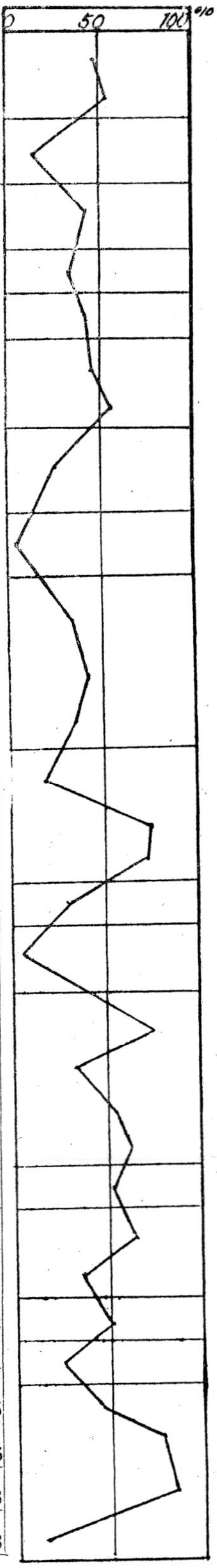

概評　　　　平均　19.2点　　S.D　6.06点

全体として正答率50%に近いのでまずまずの成績である。

地理的分野ではもつと読図能力を高め世界や日本の主要地域の地理的特色を確実に理解させる必要がある。歴的史分野では，政治的事件だけでなく，社会経済的事項も時代の特色をあらわすような基本的なものは理解させておかねばならない。政経社分野は，比較的に成績がよいが，生産財と消費財，コンツエルンやコンビナートなどのごくありふれた用語さえもよく理解されていないことに教師は留意すべきであろう。

なお3分野を通じて言えることは，郷土関係の問題の成績が一般に悪いことである。教授時間数生徒の負担量，手ごろな資料その他困難な事情のあることはじゆうぶん理解できるが，教師は郷土事情をもつと身近なものとして生徒にとらえさせる努力をせねばならない。

理　　科

問題のねらいと結果の分析

全受検者より1/10抽出

大問	小問	小(大)問のねらい	完全解	部分解	誤答	無答
【一】	問1	鉱物の性質（カコウ岩に含まれる）	77.3		22.5	0.2
	問2	仝　上	40.4		59.2	0.4
	問3	カコウ岩の結晶の粒の集まり方	59.0		40.7	0.3
	問4	カコウ岩の成因	41.0		58.3	0.7
【二】	問1	遺伝形質の優性	50.0		41.6	8.4
	問2	遺伝における分離の法則	73.0		25.9	1.1
【三】	問1	$Ca(OH)_2$ と NH_4Cl をまぜ熱したときできる気体とその補集法	55.1		44.3	0.6
	問2	アルミニウムの鉱石	68.9		30.6	0.5
	問3	塩酸の性質（実験をとおして）	49.6		50.0	0.4
【四】	問1	発芽に必要な条件	52.0		47.9	0.1
	問2	形成層のはたらき	41.5		58.4	0.1
【五】	問1	恒星の見かけの運動について一方向	49.8		49.5	0.7
	問2	仝　上　一時間との関係	65.3		33.7	1.0
【六】	問1	だ液によるデンプンの消化について，だ液の作をうけたものとうけないもののヨウソ溶液を加えた場合の色の変化	2.4		95.4	2.2
	問2	問1からだ液の作用を受けたものを選び出す	27.0		70.6	2.4
	問3	だ液の作用でデンプンが何に分解されたか	37.0		61.6	1.4
【七】	問1	細管が音をだすときの発音体(気柱のはたらき)	79.7		19.9	0.4
	問2	気柱の長さと音の高低	39.1		60.5	0.4
【八】	A	中生代の示準化石	71.1		28.8	0.1
	B	地球内部の比重	66.4		33.3	0.3
【九】	(1)	光のガラスから空中へ進むときの境界面で屈折	48.9		50.7	0.4
	(2)	とつレンズによる光の屈折(進み方)	89.4		10.2	0.4
	(3)	おうレンズによる光の屈折(進み方)	50.7		48.9	0.4
【十】	問1	還元について	61.3		38.2	0.5
	問2	酸化第二銅と炭素とを熱したとき反応式	64.9		33.6	1.5
【十一】	問1	低抗の連結（並列，直列組合せたとき）	44.8		52.5	2.7
	問2	電圧，電流，抵抗の関係	42.9		53.5	3.6
【十二】	問1	水溶液のパーセント濃度	62.5		36.7	0.8
	問2	中和液のつくり方(割合)	64.9		33.7	1.4
	問3	中和のときできるもの	55.3		43.6	1.1
【十三】	問1	アルキメデスの原理	56.3		42.9	0.8
	問2	問1の応用として，固体の比重の測定	49.3		49.0	1.7
	問3	問1の応用として，液体の比重測定	34.6		62.8	2.6
【十四】	問1	ホ乳類，鳥類，ハ虫類の共通な特徴	59.3		39.8	0.9
	問2	ハ虫類，両生類魚類に共通な特徴	70.7		28.3	1.0
	問3	ホ乳類の特徴	71.5		27.8	0.7
【十五】	A	湿度表を使つての湿度の求め方	28.6		66.2	5.2
		雲量について 雲量と天気	8.8		85.0	6.2
【十六】	問1	食塩水中の物質(イオン)	42.2		55.9	1.9
	問2	食塩水の電気分解のときの両極における変化	11.9		84.5	3.6

完全解のプロフィール(%)

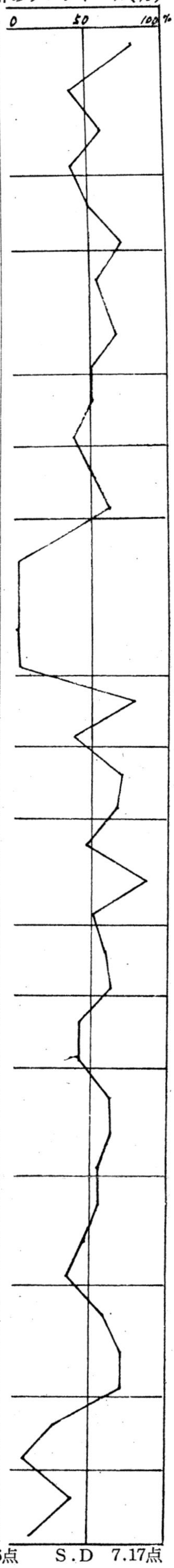

概評　　平均　20.6点　　S.D　7.17点

正答率約50%で出題者の意図していた60%には及ばない。各領域については物理的53%，化学52%，生物49%地学49%の順である。基本的な原理，法則については，単なる知識としては，おさえられているが，少し，形式を変えてきかれると正答率は落ちてくる。これは充分理解していない，定着していない証拠である。実験，観察中継続観測等を要する内容については極端に正答率が悪い　（大問【六】，【十五】等）

数　学　科

問題のねらいと結果の分析

全受検者より1/10抽出

大問	小問	小(大)問のねらい	完全解	部分解	誤答	無答
【一】	1	文字式の減法	74.3		24.4	1.3
	2	小数，分数が混合し，負数と(　)を含む式の計算	32.7		48.3	19.0
	3	加法と除法の混合した数式の計算で，特に $(-a)^2$ と $(-a^2)$ の判別	32.9		61.2	5.9
	4	根号を含んだ式の計算(簡単なもの)	51.5		42.3	6.2
【二】	1	式の中の文字に数値を代入して，式の値を求める。	3.7		69.9	26.4
	2	分数式(簡単な)の計算	16.7		38.6	44.7
	3	因数分解の理解	17.1		42.7	40.2
	4	割合を整数倍×百分率で表わされたものから連比を求める。	13.1		54.2	32.7
【三】		不等辺四辺形の１外角１内角の大きさを知つて他の内角の大きさを求める	42.6		51.6	5.8
【四】		平方根や根号の意味の理解	33.0		66.2	0.8
【五】	ア	円と接線，円周角の性質等を作つて証明を完成する。(完成法)	55.3		42.4	2.3
	イ		29.1		67.2	3.7
	ウ		38.0		57.4	4.6
	エ		52.0		42.8	5.2
【六】	問1	二次関数 $y=x^2-C$ (cは定数) のグラフの１点の座標を知つて，ｃの値，頂点の座標，ｙの最小の値を求める。	39.7		35.0	25.3
	問2		17.6		50.4	32.0
	問3		15.8		42.2	42.0
【七】		$xy=12$, $y=x^2/3$ におけるｙとｘとの関係や，これらの式とグラフとの関係理解をみる。	24.0	34.7	36.5	4.8
【八】	問1	直線 $2x-y+1=0$ について，その傾き $x=0$ のときのｙの値，点(0−2)を通り，この直線に平行な直線の式を求めること。	38.3		46.7	15.5
	問2		50,2		37.0	12.8
	問3		21.1		51.0	27.9
【九】	問1	相似な２つの直角三角形について，その性質を利用して角の大きさや辺の長さを求める。	52.8		44.2	3.0
	問2		70.1		27.4	2.5
	問3		46.1		38.2	15.7
【十】	問1	実際問題を連立二元一次方程式を利用して解かせる。	50.5	16.8	23.3	94.3
	問2	この際，方程式の根がそのままは問題の答にならないことの理解もみた。	21.4		44.8	33.8
【十一】		sim30°, 5/π, $\frac{5}{3}$ はいずれが大きいかについての理解	31.8		64.1	4.1
【十二】	問1	三角比を使つて，三角形(図示)の高さ，辺の長さや面積を求めること。	5.0		62.5	32.5
	問2		2.9		54.5	42.6
	問3		1.8		56.8	41.4

完全解のプロフィール

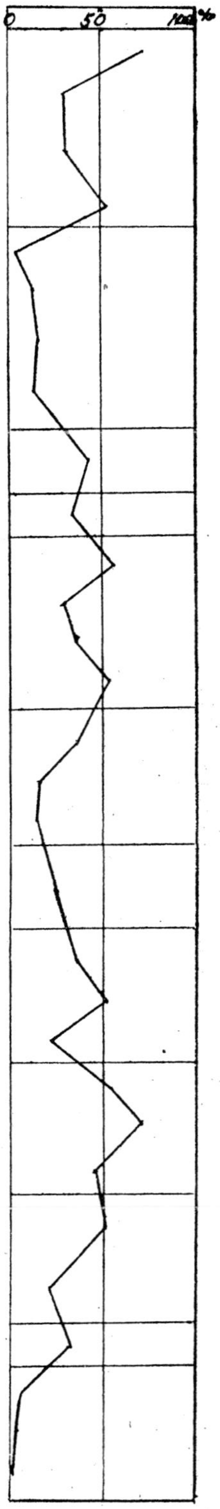

概　評

平均　13.6点　S.D　6.45

1，平均正答率34%は予想平均正答率50%にはほど遠く9,教科中最低のものである。また，他教科に比べ無答率がきわて高いのも一つの特徴である。これらの原因には，数学科の問題の出題形式がほとんど記述式であることも考えられるがそれにしても大問【二】,【六】【十二】などは完全解の率はもつて高くあるべきである。

2，大問【二】の小問１，２，３の式についての計算ができないのは問題である。小学校と中学校の根本的な違いは中学校においては文字を使うということである。文字式を自由に使用できることが数学的考え方．見方の育成につながることなので，文字式の意味をよく理解させると共に，計算が確実にできるための訓練が必要であ。

3，大問【六】は２次関数のグラフについてであるが，２次関数の特徴をつかんで，これを理解するためには，この程度のグラフの知識はぜひ必要であるが，生徒はあまりわかつてないようである。グラフ指導に際しては，グラフだけを単独に考えるのではなく，具体的な量とグラフとを結びつけての指導がたいせつである。

4，大問【十二】は完全解がきわめて低く，その反面，無答率がたいへん高い。三角比についての理解は例年悪いが，ここらあたりで，指導法について一歩踏み込んだ研究が必要である。たとえば三角比の意味の理解のさせかた三角比の表の構成の理解や利用のさせかたの指導などいろいろと研究の余地があるように思える。

英　　語

問題のねらいと結果の分析

全受検者より1/10抽出

大問	小問	小(大)問のねらい	完全解	部分解	誤答	無答
【一】		英語の綴りと音との不一致の基礎的な知識特にイ，では規則動詞の語尾が，特例を除いて'-t'以外の無声音ときは，無声歯軽破裂音にと-edがついても，語尾は〔t〕と発音する。	27.5	54.1	18.4	0
【二】		分節法，音節拉音の見分け方やアクセントののつけ方の基礎的な知識	18.0	71.6	9.6	0.8
【三】	1	休止で区切られたイントネーションの主型線が意味上重要な内容語の理解	56.6		43.2	0.2
	2		64.3		35.3	0.4
【四】	1	語をつなぎ合はせた形態や配列，機能語という型とその内容の理解	15.1		81.8	3.1
	2	it～toの変らない在続する型に於いて，意味範囲の伸び縮みすることの理解	12.3		83.2	4.5
	3	現在完了の型で，語の配別と意味範囲の伸び縮みする語の理解	13.8		81.3	4.9
【五】	1	配列，形態機態語という構造の型の理解と内容の把握	31.9		65.7	2.4
	2	〃	13.6		84.8	1.6
	3	分詞構文の主分と前語の文脈の関係と内容語の把握	30.9		66.7	2.4
【六】	1	仮休止をおく場合の複合リズム単位の関係及び意味の理解	42.5		57.3	0.2
	2		44.3		55.5	0.2
【七】	1	文脈による，意味範囲が伸び縮みする知識	40.2		59.4	0.4
	2	個々の要素の文柱に基づく規則的な関係様式(Structues)がわかる時に，個々の要素の把握	49.1		50.3	0.6
	3	直接話法に変える時の伝達動詞と時制の一致の理解	59.1		40.5	0.4
【八】	1	語を形の上からまとめ，さらに発音と綴字の不一致の理解	30.8		68.6	0.6
	2		44.5		55.2	0.3
【九】	1	連鎖的問答群の一部でSequential groupの理解	33.4		66.4	0.2
	2	Yes, noで答えられない相関の理解	52.0		47.9	0.1
【十】	1	制限作文内で，関係別詞の補充完結による理解	45.5		54.2	0.3
	2	too～to の型とその内容の把握	68.9		30.9	0.2
	3	different from 語句の外心構造，活用，内容拡充	36.9		62.7	0.4
【十一】	問1	文脈において，機能語そしてその活用性の理解	62.3		37.2	0.5
	問2	制限作文内で意味段落をもとにして，その文脈の理解	49.9		49.4	0.7
	問3	例示質問によつて，意味段落内の文脈の理解	50.9		48.5	0.6
	問4	意味段落単位での文脈の理解	41.8		56.5	1.7
	問5	〃	39.6		58.3	2.1
【十二】	問1	文脈における機能語の意味の理解	43.2		54.3	2.5
	問2	例示式による，文脈単化の理解	59.0		38.8	2.2
	問3	言語文脈と語い内容の基礎的知識，変らずに存続する型と変え得る語を変えた構文の理解	21.2	39.8	35.9	3 1
	問4	基本的な短縮形の語の理解	26.1		71.8	2.1
	問5	文脈で，想像的認識と文の要約	20.0	52.3	24.4	3.3

完全解のプロフィール

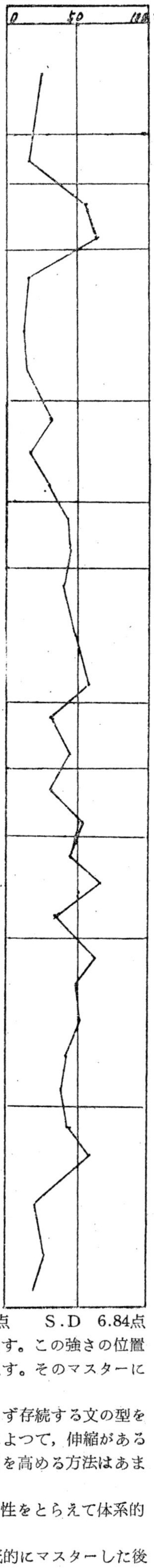

平均　16.4点　　S.D　6.84点

概評

【二】では強さのことである。音声には高さ，強さ，長さの三つがあります。この強さの位置が移転すると，意味が異る，例外もあるが，強さは大体母音にあります。そのマスターについてはまず分節のし方を学習することが必要です。

【四】は語順のことである。英語学習の最も困難点の一つである。変らず存続する文の型をGeneralization の段階でマスターした後に，変え得る単語の配列によつて，伸縮があることを例をもつて学習するとよい。Generalization をぬいて，運用を高める方法はあまり効果はない。

【八】は綴り字と発音の不一致である。これは英語の特徴である。傾向性をとらえて体系的に学習することが効果がある。

【九】会話体に於ける答えのSequence である。これは答えの文を徹底的にマスターした後に質問を設定する方法で学習するとよい。つまり洞察の原理を応用することにある。英語ではNo, が文頭にあると次の文は否定になることを理解することから始まる。

【十】語順と内容の変化についてのことである。これも類推的学習でなく，変らず在続する文型をGenerulization 段階でマスターした後に運用を高める学習が効果がある。

【十二】の3は【十】と同様な学習法が効果がある。5については文の要約であるが，意味段落内で要約するのに抵抗があれば，程度をおとして，文章単位要約することから学習を始めるとよい。全般的に云えることは，発音，構文，語い等の学習に練習に気をあまりうばわれすぎて，Generulization の段階で洞察のSketinを徹底的に学習していない点に問題があると思う。現にやつているのは次の時点にどのように役立つかをしつかり理解して，integration のある学習をすると効果はずい分かわると思う。

美　術　科

問題のねらいと結果の分析

全受検者より1/10抽出

大問	小問	小(問)大問ねらい	完全解 %	部分解 %	誤答 %	無答 %
【一】		描画における基礎的事項についての理解度	16.1	77.8	5.5	0.6
【二】		二点透視による表示のしかたの理解度をみる	37.1	38.3	22.5	2.1
【三】	問1	石こう取りについて実技をとおして学習したかどうかをみる。	42.8		56.5	0.7
	問2		25.0		74.2	0.8
	問3		22.4		76.9	0.7
【四】		彫塑の学習において基礎的事項が，実技を通して身についたかどうかをみる。	65.4	33.0	1.3	0.2
【五】	A	感覚的な理解度をみる	14.0	61.0	24.3	0.7
	B		13.7	63.8	22.2	0.3
【六】	1	色彩の性質や感情についての理解度をみる。	81.7		18.0	0.3
	2		66.6		33.1	0.3
	3		57.7		41.9	0.4
【七】		立体から展開図をみちびき出し，又は展開図を見てその立体を想定できるかどうか等，立体的デザイン力をみる。	26.9	41.2	24.5	7.4
【八】	問1	色の明視度について具体的に理解されているか	18.6		80.9	0.5
	問2	無彩色について具体的に理解されているか	47.4		52.0	0.6
	問3	暖色について，　仝上	39.1		60.2	0.7
	問4	補色対比について仝上	26.9		71.7	1.4
【九】	1	各々の用途を持つたデザインをする時の基本的事項がよく理解されているかについて	82.2		17.6	0.2
	2		60.8		38.9	0.3
	3		48.7		51.2	0.1
【十】		製版の経験と関連させて，レタリングの経験をみる。	44.6		55.0	0.4
【十一】		日常用いられている造形品の鑑賞力と，デザインについての知的理解度をみる。	41.3		45.2	0.7
【十二】	1	単なる知的理解だけでなく，鑑賞を通して学習したかどうかをみる。造形品の素材の理解度をみる。	31.3		67.7	1.0
	2		22.4		76.8	0.8
	3		50.2		48.6	1.2
【十三】	問1	問2鑑賞の学習が感覚をとおして学習されたかどうか	30.9	51.9	16.2	1.0
	問2	作品と作者につうての理解度をみる。	19.1		78.8	2.1

完全解プロフイール（%）

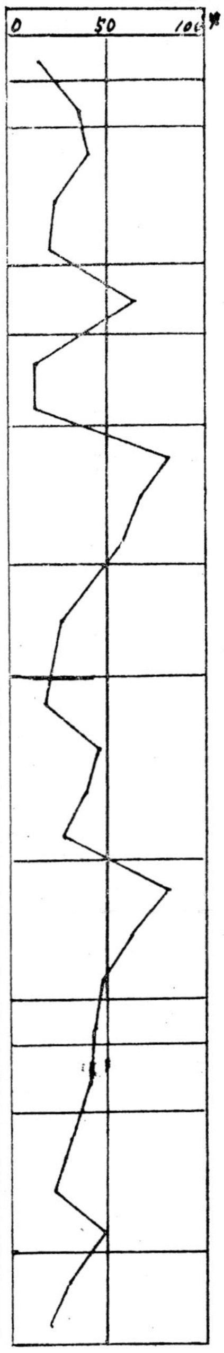

平均　20.1点　　S.D　7.01点

概評

問題は，絵画，彫塑，色や形の基礎練習，デザイン，鑑賞の全領域にわたるように，また，単なる知的理解だけでなく，実技をとおして学習された事柄が身についているかがわかるように出題の方針をきめた。然しながら感覚にうつたえ，具体的な体験を通して学習されるこの教科の特性上出題の形式や範囲にもおのずから限界があることはやむをえない。としても一応妥当な線が結果的には出ていると思われる。

大問【四】【六】【九】の解答率は全般的にも実技をとおしてよく学習されていることを物語る。一方同じく実技的な問題の大問【三】，【七】については上記のことと逆のことがいえる。全般的に感覚的な問題の解答率が低いは，問題製作上の難点，妥当性もさることながら，美術科の学習を進めていくためにも一考を要する。

保健体育科　問題のねらいと結果の分析

全受検者より1/10抽出

完全解プロフイール(%)

大問	小問	小(大)問のねらい	完全解	部分解	誤答	無答
【一】	1	救急処置の理解	34.1	21.7	39.8	4.4
	2	〃	61.6		34.3	4.1
【二】	1	疲労回復の理解	80.7	16.6	2.5	0.2
	2	長距離走の要領	13.1	43.9	42.6	0.4
【三】		運動の練習法	71.0		28.6	0.4
【四】	問1	走り高とびの規則	69.0		30.9	0.1
	問2	走り幅とびの規則	62.8		37.2	0
	問3	リレーの規則	59.9		39.8	0.3
【五】	1	伝染病の予防	79.4		20.3	0.3
	2	〃	78.2		21.6	0.2
【六】	問1	マット運動の要領	58.9		40.9	0.2
	問2	〃	66.9		32.8	0.3
【七】	問1	バレーボールの基本技能	55.8		43.6	0.6
	問2	〃	66.0		29.5	4.5
	問3	バレーボールの応用技能	32.7		65.9	1.4
	問4	バレーボールの規則	63.7		35.6	0.7
【八】		ソフトボールの技能	33.1		66.2	0.7
【九】		競技会の運営	50.7	15.3	29.4	4.6
【十】		救急処置の理解	55.6	34.5	9.6	0.3
【十一】		徒手体操のねらいの理解	70.4		29.5	0.1
【十二】		徒手体操の要領	68.3		31.6	0.1
【十三】	1	バレーボールの規則	71.2		28.3	0.5
	2	バスケツトボールの規則	37.7		61.5	0.8
【十四】	1	バスケツトボールの応用技能	38.9		60.0	1.1
	2	〃	29.4		69.3	1.3
	3	〃	23.7		75.0	1.3
【十五】	問1	腕立て閉脚とびの要領	47.0		52.3	0.7
	問2	〃	42.4		57.0	0.6
	問3	〃	48.2		50.8	1.0
男子のみ						
【一】	1	サツカーの規則	60.7	28.9	8.2	2.2
	2	すもうの基本技能				
女子のみ						
【一】		ダンスの創作	71.6	15.5	11.8	1.1

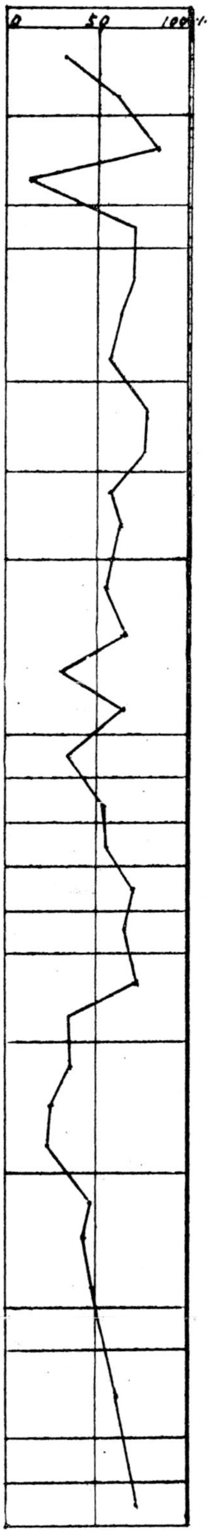

平均　23.6点　　S.D　5.76点

概評

1，球技は広く行なわれているがその割に理解度が低い。

2，技能の指導にあつたては理解に立つた指導が必要である。

3，保健や体育の知識面の理解が不十分である。

4，知的面の理解は具体資料の活用等によつて，具体的な身じかなことをとおして理解させることが必要である。

技術・家庭科
（男子向き）

問題のねらいと結果の分析

全受検者より1/10抽出

安全解のプロフィール（％）

大問	小問	小(大)問のねらい	完全解	部分解	誤答	無答
【一】	問1	投影法の理解	41.3	39.3	19.2	0.2
	問2	三解法から立体を復元する能力	63.9		30.8	5.3
【二】	問1	断面を表現する能力	16.3		74.8	8.9
	問2	製図をする場合の作図の順序の理解	61.3		38.1	0.6
【三】		木材において方向によつて収縮度の異ることとの理解	41.4		58.1	0.5
【四】	1	工具の使用目的の理解	34.7		65.1	0.2
	2	〃	30.6		69.1	0.3
【五】	問1	ほぞつぎのじようぶさとほぞの形との関連	52.4		47.5	0.1
	問2	通しほぞをノミではる場合の知識の理解	45.4		54.5	0.1
【六】	1	素地みがきの場合の紙やすりの使い方の理解	51.8		48.1	0.1
	2	タンポの使い方の理解	31.2	41.2	27.5	0.1
【七】	問1	軟鋼板ブツクエンドを作る場合の作業順序の理解	44.5		55.0	0.5
	問2	A部を折り曲げるときの使用工具の知識	51.5		48.1	0.4
【八】	問1	金切りばさみの使い方の知識	69.3		30.2	0.5
	問2	板金を折り曲げる能力	66.5		43.1	0.4
【九】		工具の名称と用途の知識	51.1	27.4	21.1	0.4
【十】	1	四サイクルの行程順序及び一行程完了の回転数	64.0	26.6	9.2	0.2
	2	クランク軸とカム軸との回転比の理解	67.0		32.8	0.2
	3	圧力リングの働きの理解	67.6		32.2	0.2
【十一】	問1	鋼球の働きの知識	81.1		18.5	0.4
	問2	自転車のクランクはどういう機構要素に属するか	37.4		62.2	0.4
【十二】		電動機の始動電流と線路の電圧降下	37.5	35.2	26.9	0.4
【十三】		けい光灯の回路図を完成する能力	61.2		37.8	1.0
【十四】	問1	陽極電圧の正負と測定個所の知識	56.4		41.8	1.8
	問2	コンデンサやバリコンの働きの知識	22.8	34.4	41.8	1.0
【十五】	1	中耕の目的	58.0		41.0	1.0
	2	肥料の知識	49.3		49.7	1.0
【十六】		草花の苗を植える場合の知識	78.2		21.3	0.5

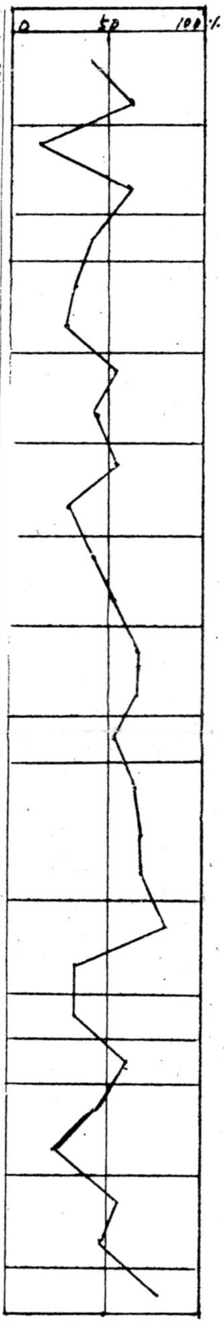

平均　21.8点　　S.D　6.68点

概　評

断面図の書き方が一番完全解が悪い。これを教える場合生徒の理解が早いため，その早さの故に例題による練習をしないで知識の定着が悪いのではないか。次に悪いのがラジオ部品に対する理解である。これは生徒自身がむずかしいものと思いこんで，あまり身近には感じてないからであろう。教師自身これを身近なものとして取り扱う必要がある。四の2，したば定規や六の2，タンポの問題は実際に手に取つて実習したことがあれば解答できる問題である。全般的に日常身近にあるものや，重要だと考えられるものは完全解が良くなつている。

技術・家庭科
（女子向き）

問題のねらいと結果の分析

全受検者より1/10抽出

完全解のプロフィル（%）

大問	小問	小(大)問のねらい	完全解	部分解	誤答	無答
【一】	問1	食品群別摂取量のめやすの理解	52.6		46.8	0.6
	問2	献立作成の手順	31.8		67.6	0.6
	問3	脱脂粉乳の市乳換算	29.4		69.6	1.0
	問4	だいず，たんぱく質の栄養的意義についての理解	64.2		35.1	0.7
【二】		かきたま汁のだしの正しいとり方	44.9		55.0	0.1
【三】	1	でんぷんの加熱による変化	39.5		60.2	0.3
	2	ビタミンB_1の生理作用	13.9		85.7	0.4
【四】	1	じやがいもに含まれる有毒物質	37.3		62.6	0.1
	2	ビタミンB_1破壊酵素の知識	21.2		78.5	0.3
【五】	1	ビタミンC破壊酵素の知識	40.1		59.9	0
	2	脂肪の熱量素としての効果	39.0		60.9	0.1
	3	食品の冷蔵法についての知識	37.2		62.6	0.2
	4	てんぷらを作る時の油の温度と小麦粉の種類	56.6	31.8	11.2	0.4
	5	ゼラチンの凝固温度	34.7		64.9	0.4
【六】		幼児の食事についての理解	45.8		54.1	0.1
【七】	問1	ドレスのそで，えり，スカートの名称	29.5	53.4	16.7	0.4
	問2	ワンピースドレスの用尺の見積り	37.1		62.9	0
【八】		ポリエステル（テトロン）の原料と性質	41.0		59.0	0
【九】		毛糸製品のせんたく法	71.2		28.7	0.1
【十】	A	建染め染料で染色する場合の助剤	47.8		52.2	0
	B	〃 適当な繊維	62.6		37 4	0
【十一】		立体から正面を画くこと	76.0		23.8	0.2
【十二】		板材の切り出し方による名称	27.5		57.5	15.0
【十三】		ミシンの針棒が動かないときの原因	72.7		27.0	0.3
【十四】	問1	ストツプモーションの大ねじ働きとその位置	33.3		66.3	0.4
	問2	ストツプモーションの座金の働き	38 7		60.9	0.4
【十】	1	測定個所とテスターの振れと断線との関係	39.0		60.5	0.5
	2	測定個所とテスターの振れと接触不良または断線との関係	19.1		80.3	0.6
	3	測定個所とテスターの振れとろう電との関係	18.4		81.0	0.6

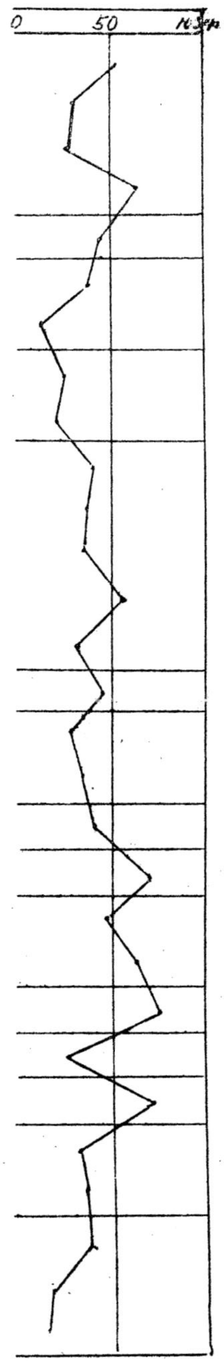

平均 17.9点　S.D 5.19点

概評

技・家女子向本来の食物・調理および被服制作の分野がよくないのは工的分野の指導に傾つた結果とみるべく，これは本土も同じ傾向ではあるが，反省すべき点であり，今年度の教研大会のテーマに，食物調理がとり上げられた所以でもあろう。献立作成と調理実習の段階を通してこの分野の知識，技術の基礎的事項を定着させなければならない。

他面，工的分野も理解度の不足およびアンバランスが目立つ。「だいずの栄養的特質」「被服材料および管理」「ミシンの故障の原因」などに関する知識の定着が良好な点に鑑みて，各分野について実生活に密着した学習指導がなされなければならない。

また生徒たちの真摯な学習意慾を喚起する体制作りは家庭および学校教育において，重視されなければならないことであり，殊に入試科目が5科目に限定された今年度は一層普段の学習を大切にし，入試科目偏重の空気が醸成されないよう学校当局のご配慮を望みたい。

音　楽　科

問題のねらいと結果の分析

全受検者より1/10抽出

完全解プロフイール(%)

大問	小問	小(大)問のねらい	完全解 %	部分解 %	誤答 %	無答 %
【一】	問1	拍子記号の理解度を見る	50.9		48.2	0.9
	問2	読譜力との関連において拍子記号の理解度を見る。	20.7	43.6	35.0	0.7
	問3	速度標語の理解度を見る	15.5		83.2	1.3
【二】	①	歌詞の感じをあらわすための曲想のつけ方の理解度を見る	37.4		62.5	0.1
	②		36.2		63.2	0.6
【三】	問1	読譜力と鑑賞経験の深さを見る	30.9		68.5	0.6
	問2	簡単な記述式により作曲者名を知つておるかどうか	24.2		69.6	6.2
	問3	読譜力との関連において	26.8		72.3	0.9
【四】		読譜との関連において和音の理解度を見る	57.8	30.6	8.5	3.1
【五】		読譜との関連において歌詞の感じにふさわしい旋律の感得度を見る。	27.9		71.7	0.4
【六】	問1	合唱曲の演奏形態を読譜との関連で考えさせる	75.0		24.4	0.6
	問2	簡単な記述式で作曲者がわかる	20.0		52.5	27.5
	問3	音符の理解度を見る	29.5		62.2	8.3
【七】		器楽学習で鍵盤楽器（ピアノ，オルガン）の演奏が出来るかを見る	29.5	52.7	16.5	1.3
【八】	A	鑑賞での作曲者名の理解度を見る	65.2		34.4	0.4
	B	器楽(弦楽4重奏)の演奏形態の理解度を見る	74.8	20.4	4.6	0.2
【九】		短調の理解と創作力を見る	49.9		49.7	0.4
【十】		読譜力と和音の理解度を見る	55.6		43.2	1.2
【十一】	A	読譜力との関連において鑑賞曲の理解度を見る	31.7		65.9	2.4
	B		25.2		72.3	2.5
	C		26.6		70.4	3.0
	D		27.2		70.1	2.7
	E		24.6		72.7	2.7
【十二】	問1	創作に関する形式の理解度を見る	71.5		26.7	1.8
	問2	曲想に関する記号の理解度を見る。	20.4	51.1	26.8	1.7
【十三】		器楽(たて笛，ハーモニカ)のポジションについて学習の程度を見る。	15.2	30.6	50.7	3.5
【十四】	問1	和音の理解度(分散和音)を見る	43.5		53.9	2.6
	問2	仝　上	40.5		56.7	2.8

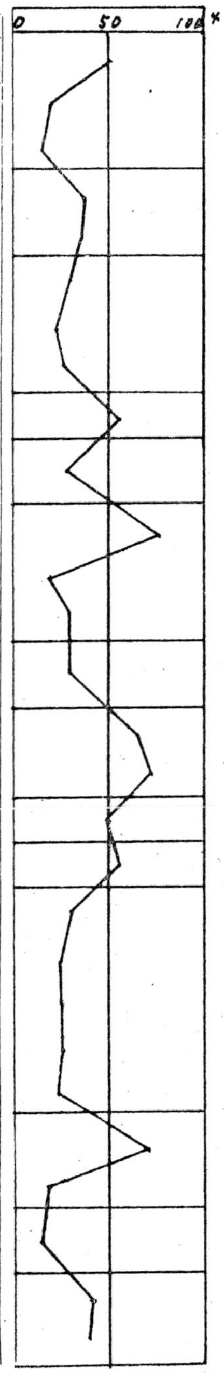

平坪　18.0点　S.D　6.38点

1，歌唱，器楽などの学習において，記号や楽典事項の理解が遊離して身についていない。そのために「速度標語の理解」が一番低く，曲想の記号，1小節の完成などこれについでいる。歌唱，器楽などの学習に際して，身につくように指導することが大切である。ぬき出して指導するのは理解にかたむきすぎる。

2，例年類似の問題提出により実技面の向上をねらつている「たて笛，ハーモニカ」の問題は，予想に反して最低とは遺憾である。各学校で万難を排して継続的に指導する以外に解決の道はない。

宮古水産・農林両高校表彰さる

—宮古火災の救援活動に対して—

近年青少年問題は教育界はいうにおよばず，社会全体に暗い影をおとしているが，宮古大火における宮古水産，農林両高校の職員生徒のとつた敏速適切な行動は災害という不幸な出来事のなかにあつて明るい話題を提供した。

市民はこれら高校生の献身的な行為に拍手を送り，去る12日2日平良市長より感謝状が，文教局長より表彰状が両校にそれぞれ授与された。

これは沖縄の将来を背負う青少年のあり方としてあたりまえのこととはいえ誠によろこばしいことでありここにその詳細を紹介したい。

1967年11月14日午後3時頃平良市市場付近から火事が発生，強風と乾燥・こみ合う建物・消防車の事故・消火栓の不備等悪条件が累積して，戦後かつてない大火災となつた。ところが火災現場には消火作業や荷物の持出しなどを手伝おうとする人はおらず，傍観の野次馬がいるだけであつた。そこへ急遽かけつけ，野次馬をしりめに大人顔負けの目ざましい救援作業をやつてのけ，悪条件下における大火の被害を最少限度にくい止めたのは宮古水産，農林両高校の生徒であつた。

災害の規模は新聞報道によると，火災の範囲60m四方，全焼10棟33世帯153人，半焼6棟51世帯242人（公設市場各店を一世帯とみなす），金額にして約50万ドルといわれるがが，もし両高校生の救援作業がなかつたならば，どれ程の惨事，どれ程の経済的損失をこうむつたかはかり知れない。

また火事場の混雑の中に多人数が作業をする場合，やゝもすると統一を欠き，かえつて混乱を増すことさえもあるが無事故で秩序ある救援作業を終えたのは，

両高校の毎日の教育実践の効果が非常事態の中にあらわれたもので，表彰を受けるのも当然のことであろう。

当日の救援活動の模様を両高校から高校教育課への報告書でみると，

△ **宮古水産高校**（校長　譜久村寛仁）

11月14日，校内球技大会開催中に火事発生を知り，直ちに大会を中止して教員生徒会役員数名を学校に残し，残り全員現場に急行して教員指揮の下に家財道具，商品等の持ち出し，バケツリレーによる消化作業，延焼を防ぐための戸板等の除去の作業に午後6時すぎまで従事した。更に翌15日も全生徒を2隊に分け，午前は3年全員と2年生の半分，午後は1年全員と2年生の残り半分を教員指導のもとに火事場の整理，後片づけをなさしめた。

△ **宮古農林高校**（校長　玉城深二郎）

当日は普通授業の日で火事発生を知つたのは丁度下校時であつたため，下校準備中の生徒約400人及び教員を現場に急行させ救援作業にあたらせた。（作業は水高に同じ）翌15日は午前3年男子3クラス127名，午後は2年男子1クラス，女子1クラス計87名を教員指導のもとに現場に派遣，整理，後片づけにあたらせた。

以上のことを知つた高校教育課では，実情の詳しい調査をなし，その行為が表彰すべきものであるとして，局長に表彰を内申，去る2日石垣管理部長が出張して両高校校庭で表彰式を行なつた。尚同時に平良市長よりも感謝状の授与がなされたことは冒頭に述べたとおりである。

校舎建築の進捗状況

管理部施設課主事　上 間 正 恒

種別	計画		執行済(1967年12月5日現在)			前年度同期の執行率
	工事量	予算額	工事量	執行済額	執行率	
		$		$	%	%
政府立関係	144室　35棟	2,341,205	95室　18棟	1,148,357	49.0	31.4(67年11月30日現在)
公立関係	348室　90棟	2,881,891	235室　8棟	1,457,249	50.5	20.6(67年12月3日現在)
計	492室　125棟	5,223,096	330室　26棟	2 605,606	49.8	

本土との教育水準に比べてもつとも遅れの目立つのが学校施設であることは，明白な事実である。だからこそ，文教局は68年度の重点施策にもそのトップに「文教施設及び設備備品の充実」をかかげ，520万ドル余の巨額を投じて校舎等の整備充実に努めているのである。ことに毎年繰返されてきた4月の新学期開始の時期にあたつて，学級増による教室不足から生じる現場の混乱をいくらかでも緩和するため，その年度内に計画した全教室を3月までに竣工することを目標に全力を尽くしてきているのだが，その実績は，昨年を例にとると計画数の10%の教室数が完成しただけで，あまりかんばしいものではなかつた。

この原因は大別して3つに分けられる

① 学年度と会計年度のずれ一すなわち，会計年度は7月に始まり翌年の6月に終る。予算執行を始めて9か月後には4月の新学期を迎えることになり結局9か月間で1年間の仕事をしなければならないことである。

② 事業遂行のための事務等のはん雑～教室が完成するまでには，工事1件ごとに建設局，民政府教育部，同公益事業部，地方教育委員会及び学校との連絡調整が次の過程（次表参照）の中で行なわれる。

③ 受入側（学校，地方教育委員会）の態勢の不備一用地の狭隘，施設の総合計画の不備，資金の準備不足等があげられる。

これらの要因が重なりあつているのを工事1件ごとに問題点を見出し，その解決策を協議して，進捗を容易にしなければならないのである。

だが，今年度はこれまでとちがい冒頭の表に示す実績をみるにいたつた。まず，表をごらんいただきたい。

執行率 12月5日現在で予算額の半分を消化している。昨年の同期における執行率と比較すると約2倍の進捗ぶりを示している。執行率50％を示した昨年の時期は公立関係が1月21日，政府立関係が3月15日となつている。

工事量 政府立の計画数144室35棟のうち，執行済95室18棟でそのうち4月に間にあう教室が55室となつている。公立の場合は，計画数348室 90棟のうち，執行済235室8棟で4月に間にあうのが199室の予定。

上記の執行率，工事量からして昨年度より2か月早く仕事は進んでおり，4月の新学期もいくらかは明るい気持ちで迎えられよう。はやくも瀬底小中学校の2教室が11月22日には完成し，本年度竣工第1号となつた。

ただ目標（3月までに計画教室数の77％〔政府立110室公立268室〕を完成する）には，及ばないが，工事量の小さいものであれば12月中に着工すれば4月に間にあう可能性はあので，この12月を着工すべき最後の月として全力を傾注している。

今年度の進捗状況が例年にない好調を示したことは，①中教委における割当決定を早めたこと。今年度の第1次割当は3月に決定した。その後毎月割当をして6月までには主なものは決定し設計を進めてきた。（ただし援助額の分）②建設局で行なう設計作業の1部を民間の設計事務所に発注したこと，などがあげられる。

結局，早期に計画を立て強力に推進してきた結果であるといえよう。

それでもまだ目標にはほど遠いので次年度は更に割当決定を早めたい。そのためには，学校・委員会がじゆうぶんな受入準備をつくつてほしい。受入側の準備不足のため，割当してから数か月経た今もなお着工できずに宙に浮いているのも少なくないし，1度決定し設計図も完成してから変更を申し出ることも再々あつて，止むを得ない事情にあるとは言いながらも，計画のずさんであつたことは否めないだろう。

校舎建築執行過程

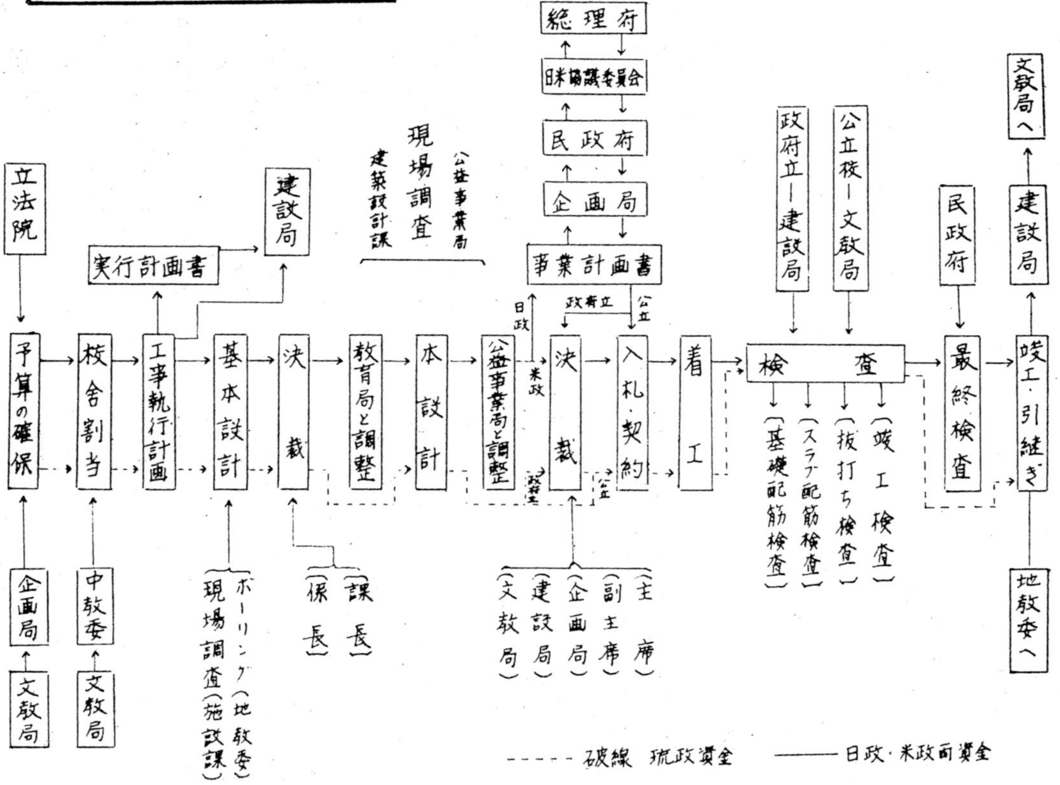
立法院
予算の確保
企画局
文教局
校舎割当
中教委
文教局
工事執行計画
実行計画書
建設局
基本設計
ボーリング(地教委)
現場調査(施設課)
決裁
課長
係長
教育局と調整
現場調査
建築設計課
公益事業局
本設計
公益事業局と調整
日政
米政
事業計画書
企画局
民政府
日米協議委員会
総理府
政府立
公立
決裁
主席
副主席
企画局
建設局
文教局
入札・契約
着工
検査
政府立ー建設局
公立校ー文教局
基礎配筋検査
スラブ配筋検査
抜打ち検査
竣工検査
最終検査
民政府
竣工・引継ぎ
建設局
文教局へ
地教委へ
破線 琉政資金
日政・米政両資金

1967年度　教育関係

10大ニュース

調査計画課選定

1，教公二法問題で，教育界大いに荒れる。

立法院は前会期より継続審議となつていた教公二法（地方教育区公務員法，教育公務員特例法）の立法をめぐつてこれを立法しようとする民主党と，野党及び教職員会，革新団体等で結成された教公二法立法阻止共闘会議の意見が正面から衝突，開会へき頭の２月１日及び立法案本会議提案の２月24日には教職員会は10割年休を指示，教職員，院外団体が早朝から立法院を包囲し，随所で警官隊といざこざが起るなど，教育界戦後最悪の事態にまで進展してきた。このような混乱のため，立法院は約３カ月も空転し，社会的にも，これに関連する不祥事件が続発するなど教公二法問題は尾に尾を引いて教育界のみならず，一般社会まで険悪な世情を呈してきた。このような不穏の中で11月の佐藤首相訪米，沖縄の施政権返還をめぐる日米共同声明など，沖縄に関する内外の諸情勢が大きく変動したこととして，遂に11月22日，民主党は教公二法廃案を決定し，漸く教公二法争議に終止符がうたれた。しかしながら，これにからむ諸問題は関係者の起訴などで或いは法廷闘争にまでもちこまれる可能性もあり，1967年は政界，教育界にあつては文字通り教公二法にあけ，教公二法に暮れた一年であつた。

2，沖縄問題懇談会による「教育の一体化」答申に基づき教育界に教育一体化気運高まる。

昨年９月に森総務長官から，沖縄問題懇談会に対して，沖縄の教育権返還が諮問され，これに対して同懇談会から塚原総務長官に「本土と沖縄の教育の一体化について」が７月に答申された。これは教育権の分離返還は法的にも可能であるが，沖縄問題全般についての情勢の推移は必ずしも教育権のみに限定することを必要としなくなつたことから，近き将来施政権が全面返還されることを前提として，当面の問題として，広く本土と沖縄の教育を一体化するための方策について審議，答申されたものである。内容は沖縄の教育の現況をふまえて，今後において実質的に教育を本土と一体化するために本土・沖縄側においてとるべき措置についての示唆が盛られている。この答申書に基づき，沖縄においても教育の一体化を推進するための措置について政府・教育団体などに研究委員会が設けられるなど「一体化」はにわかに沖縄教育界の合言葉となつた。

3，沖縄大学スト長びく

９月に学園分離問題をめぐつて，理事会側と学生側の話し合いが決裂し，スト態勢に入つた沖縄大学ストは，その後教授会側と学生側との共闘，更には教授会，学生側による大学の自主管理による授業の再開などで，一層深刻化の様相を呈してきた。両者に対する文教局，私大委員会などの懸命なる助言にもかかわらず，話し合いの糸口さえも見出せないままに事態は進行しており，今後の成り行きが大いに憂慮されている。

4，幼稚園教育振興法公布される。

政府は，かねて，教育基本法・学校教育法の精神にのつとり，幼稚園教育の振興をはかることを目的として幼稚園教育振興法の立法を勧告していたが去る第33回立法院定例議会でこの立法案が可決され，7月25日に署名公布された。この立法は本土にもない画期的なもので，主な内容としては，中央教育委員会及び幼稚園の設置者の任務と幼稚園教育を振興するために必要な補助が規定されており，この立法の施行により幼稚園教育の飛躍的振興が期待されている

5，生存者叙勲，教育関係者初叙勲の

菊かおる11月3日の文化の日に，日本政府では秋の生存者叙勲が発表されたが，今回ははじめて沖縄居住者にも適用され，教育文化関係者として，元琉球大学学長胡屋朝賞先生・沖縄ＰＴＡ連合会長徳元八一先生にそれぞれ勲三等旭日中綬章，平和慰霊像建造に精魂を打ち込んでおられる画家の山田真山先生に勲四等旭日中綬章が授与された。

三氏のこれまでの功績をたたえ，晴れの叙勲を祝つて11月16日八汐荘で教育関係団体主催による盛大なる祝賀会が開催された

6，高等学校入学者選抜方法改善される。

文教局では高等学校入学者選抜方法に関する研究委員会に対して，現行の高等学校入学者選抜の方法が中学校及び高等学校の教育をゆがめていないかどうか，また，改善すべき点はないかどうかについて諮問していたが同委員会では慎重審議の結果，9月8日に文教局長に対して報告書が提出された。その主な内容は①学力検査の実施教科を従来の9教科から5教科にする②内申書を一層重視すること③学区制については都市地区では総合選抜制をとることが望ましい。但し実施上での問題点があるので次年度は現行通りとし，近い将来にこの制度の実現を目ざして研究を継続する必要がある。④研究機関の設置の必要性などとなつている。文教局ではこの報告の線に沿つて次年度の高等学校入学者試験実施要項を作成し，これは去る9月の定例中教委で正式に可決された。これにより，来春からのペーパーテストによる学力検査の実施科目は国語，社会，数学，理科，英語の5教科となる。

7，高松宮杯全日本中学英語弁論大会で沖縄代表の長浜さん優勝す。

11月25日東京の読売ホールで開かれた高松宮杯第19回全日本中学英語弁論大会で，沖縄代表の真和志中校3年生長浜須和子さんは「フレンドシツプ」という演題で熱弁をふるい，沖縄で初めて高松宮杯獲得という快挙をなしとげた。

8，沖縄での九州各県対抗高校陸上競技大会開催される。

沖縄高等学校体育連盟創立15周年記会事業の一つとして，8月27日に奥武山陸上競技場で九州7県から270名の選手団を迎え

て沖縄で初の九州各県対抗高校陸上競技大会が開催された。競技の結果，福岡県が男子，女子，総合で一位を独占，沖縄は男子8位，女子6位，総合8位に止まつたが，この大会を通じて沖縄高校陸上界の一層の奮起を促がした点で大きな成果があつた。

9，全国高校弁論大会沖縄で開催される。

第14回文部大臣旗全国高校弁論大会は8月2日，琉球大学体育館で，参加者43名によつて覇が競われたが，過去5年連勝の沖縄側は地の利にもかかわらず最優秀賞にいたらず，晴れの文部大臣旗は兵庫県立三原高校曾根照子さんの手により6年ぶりに本土へ渡つた。

10，琉球大学に夜間部開設される。

唯一の政府立大学である琉球大学に夜間部を設置することについては，数年来関係者が強く要望してきたところであつたが，それに応えて，勤労青年教育を目標として，夜間部の設置が決定，3年制の短期大学部として本年4月より発足をみるに至つた。現在，開設されている学科は英語科，法政科，経済科，商科，機械科，電気科の6学科で193名の学生が勉学に励んでいる。

本土との教育一体化推進のため

1969年度　文教局予算概算見積 6,290万ドルを提出

行政府は1969年度予算編成作業にとりかかつているが，文教局では「沖縄における教育諸条件を整備することにより本土との較差を是正すること」を目標とし，もつて本土との教育の一体化を推進することを基本方針として予算概算見積りを作成し企画局へ提出した。目標総額6,293万ドルで，うち事業費5,105万ドル，運営費1,188万ドルとなつている。

<随想>

女教頭　このよきもの

高嶺小学校教頭　吉川文子

「昔，女は大陽であつた。」明治から大正にかけて，新しい女として名を馳せた平塚雷鳥は日本ではじめての婦人雑誌「青とう」の中で，こういつたが，まさしくその通りで，その起源において女性はかならずしも男性に劣るものではなかつた。

しかし，年の経るに従い女性の立ち場は変わつてきた。女性尊重を標ぼうする西洋においてさえ，尊重するという美名のもとに男性はうまく女性を牛耳つてきた。ましてや東洋においての女性観は，後の世に女性解放を叫ばさせねばならぬほどにたいへんなものであつた。

日本では儒教思想に拍車をかけて，男性は男性に都合のよいように，あるときは女性を労り，あるときは女性を虐げて現在に至つたのである。現在巷に残る過去のものである筈のことばが，時として息を吹きかえしたりするのだから，何千年の伝統はおそろしいものである。

いなぐわらび　　女のくせに
女は三界に家なし　　女だてらに
子なきは去る
女子と小人は養いがたし
ミー鶏ぬうたいねー危
婦女子，山門に入るべからず

等々，女を軽んじたり，不浄なものとして忌み嫌つたりしたことばの何と多いことか。それにひきかえ，男性を賛美し，その立ち場を擁護することばも，おかしなほど多い。

・いきがうふつちゆ
・武士に二言はない
・男と男の約束
・夫唱婦随
・英雄はいろを好む
・据え膳食わぬは男の恥
・酔うては枕す美人の膝，覚めては論ず天下の形勢

等々，そのかげで世の女性は忍従の生活を強いられ，それは蜻蛉の日記となり，はてはさからつて，西鶴の忍び扇の長うたの主人公となつた。

女性に対するこの考え方は，昭和の代にも尾を引き，昭和十五年学巣を出て教職についたわたしたち女子師範出の女教師は，男子師範出の男教師に比べて五円も給料が少なかつた。当時はそれが当りまえであつた。すなわち，男性というレツテルにものを言わせて女性に君臨した時代があまりにも長く続いたのである。

さて，戦後，ようやく女性の地位向上が云々され，参政権が与えられ，女性自身も伸びようという努力をするようになつた。

しかし，何千年という伝統は重くのしかかつて，折に触れ，時に乗じて女性の進出を阻んだ。その要因が男性の誤つた女性観である場合もあれば，女性自身の極度の謙そんや，卑屈や，考え方の幼稚さから出る場合もある。

このわたしもご多聞にもれず，「教頭に出ないか」といわれて，幾日も思い悩んだものである。男性ならば，世渡り上，一応の辞退はするにせよ，内心小躍りして喜んだのではあるまいか。ここに男性と女性の違いがある

女性の地位向上，管理層への進出，理論としてはわかる。しかし自分の問題となるとどうも‥‥。これが現実である。それを敢えて押しきつて教頭職を引き受けることになつた。

なるほど大役である。だから悩みもした。しかし，男・女の差こそあれ，わた

しの年代の多くの人がやつていることではないか....と考えてみた。子どもの母親であり，教師であるわたしだ，子どもたちのしあわせを願う気持ちなら人後に落ちないつもりだ。次は教師としての仲間づくりである。個性の違い，考え方の違い，いろいろあろうが，子どもたちのしあわせのために，次の世代をよりよく育てるために，という願いは一つである。結びつくための共通の問題をもつている。理解しあえない筈はない。きわて常識的にこう考えた。だが，それ以上にわたしに決断の勇を与えたもの，それは次のようなことである。

教師生活三十年に近いいま，「一つの教科を通して子どもたちの人間形成に当る」という枠を出て，教育というものをもつと広い意味で考えてみるチヤンスの到来ではないか....と。学習時はもちろんであるが，子どもの遊びの中にも，校地や校舎のたたずまいの中にも，植木や花園の草花の姿にも，教師と児童の父母との話しあいや，教師と児童の話しあいの中にも，さらに教師同志の和やかな協力の中にも，生きた教育が充満しているはずである。そういうものに体ごとぶつつかつてみたい。というのがわたしのいつわらざる心境であつた。

現在，わたしは満ち足りた気持ちで毎日登校している。一日八時間の勤務ではとうてい間にあわないほど仕事をかかえている。対外的な要件はできるだけ能率的にさばくよう努力し，それに費す時間をできるだけ少なくするようにはしているが，それでも社会教育面の集まりや，PTA支部の教育懇談会などには何はおいても出席する。むしろ，わたし自身がそのような子どもたちの生活環境をよくすることにつながる集会を，PTAの席でも，婦人たちの集まりでもかきたてているのかもしれない。いわば教頭とは，学校中の「御用承り所」みたいなものでもある。各係りがいてそれぞれの仕事をしてはくれる。が，その係りの相談にのることも教頭の大きな仕事だ。すべての面で教頭のわたしよりすばらしい能力をもつ先生方に，その能力を充分発揮してもらうことがわたしの仕事だ。

何よりもうれしいことに良き校長に恵まれたことと，とりわけ二十五人の教師がわたしに壁をつくらないことである。わたしもまた，思つたことがずけずけ言えることである。わたしより先輩の教師がお二人おられるが，わたしにとつてはよい先輩であり,いろいろ教えられることが多い。先生方はいう。「安心して気持ちよく働けます」と。立ち場上苦言を提することも多いが，子どもたちの明日のしあわせにつながる苦言である。心ある教師，それをとがめる筈がないと思うから，わたしは一向に気にならない。そして学校はすこしずつ，よくなつていく

先日，研究発表会終了後の席で，ほろ酔いかげんの男教師が，「ぼくたちは，女教頭がくるというので，正直いつてよい気持ちでなかつた。男教師四人揃つて，『ぼくたちは普通以上には働きませんよ』と校長のところへねじこんだものです。しかし今，吉川教頭に尻をたたかれたり，時々叱られたりしてみんなが協力し，きようのような発表会が催されるようになりました。」と述べていたが，まつたくその通りである。女教頭就任で，つむじを曲げて，「普通以上には働きませんよ」と宣言した男教師諸君，よく協力して一騎当千の活躍をしてくれているのだから，人生，味のあるものである。男，女であるまえに，お互いみんな人の子である。人生意気にも感じ，肝胆相照らしもしようというものである。

「教頭先生，どうしても言うことをきかない子がいて....」ある女教師の言である。家庭環境がうまくいつていない五年生のTという子である。呼んで汚れた足を洗わせる。顔を洗つてこなかつたと素直に言いながら顔を洗つている子を見れば，そんなに反抗的でもなさそうだが，やはりむずかしい問題である。わたしはこの子がよくなるまで，担任教師と一緒に悩むであろう。

菊が満開した学び舎の庭で，「明日からまたペンキ塗りを始めようかな」とわたしはいま考えている。二学期の初めごろ，六年のヤンチヤ坊たちに，放課後，機械棒やブランコなどのペンキ塗りをさせたら，思い出を残すのだと張りきつていた。いま，学校中の雑布かけのペンキ塗りをしたいと思つているが，さて，だれにさせようか。五年生のTたちにさせよう。あるいはこれが反抗的な性格をなおすきつかけになるかもしれない。

少なくとも現在，引つこみ思案な女教師は本校にはいない。これからは引つこみ思案にならない児童を育てることができる。

とかく遠慮がちな彼女たちを引つこまさないのは女教頭の強味かもしれない。「おたがい精いつぱいやりましよう」という仲間意識で，どんどんものがいえるからだ。それは児童の母親たちにも言えることで，家庭教育学級の母親たちは意気さかんなものがあり，こちらが悲鳴をあげるくらい熱心である。

これからやりたいこと，やらねばならないことが山ほどあり，たたけば何とか開かれる周囲をもつている。先ずはやり甲斐のある仕事である。太陽にはならないまでも，肩を並べて光る数ある星のひとつにはなれそうである。〃女教頭，このよきもの〃と題した所似である。

さる年への思い

親の盲目的な愛は
子の正常な成長を阻む
きびしすぎず　放任にならず
あたりまえの教育のむずかしさ
人間社会が複雑で豊かだから
さるの親子のように
単純にはいかないのだろう
教育という仕事にたずさわる
意味を考えつゝ
来年も生きよう

1967年12月20日印刷
1967年12月30日発行

文　教　時　報　（第110号）
非　売　品

発行所　琉球政府文教局総務部調査計画課
印刷所　セントラル印刷所　電話 099—2273番

文教時報
（号 外）
—第14号—
発行
琉球政府 文教局
沖縄 那覇市美栄橋
電話③1121（内線）248

本土と沖縄の教育一体化めざして

文教審議会初会合開く

「沖縄の教育水準を本土なみに引き上げるため、教育の一体化はどのようにすすめるべきか」を諮問

先に森前総務長官から諮問され、昨年八月に沖縄問題懇談会から答申された「本土と沖縄の教育の一体化について」を基本に沖縄の施政権が返還されることを前提として、施政権が返還されるまで沖縄がとるべき処置について文教局で検討がされた。しかし沖縄問題懇談会の答申内容は、かなり範囲が大きいこと、更に、本土と沖縄の一体化については沖縄の現状から困難な問題も含まれていることなどがあり、一体化を円滑にすすめるためには、世論を背景にした全住民的な運動が必要であるとの結論に達した。この結論をもとに文教審議会設置の必要性が打ち出され、去る二月九日午後二時から、文教局中教委会議室で、その初会合が開かれた。

まず日程説明の後、仮議長に天願朝行委員が選ばれ、つづいて正副委員長の選挙にはいり、協議の結果、委員長に安里源秀琉球大学教授、副委員長に比嘉信光沖縄ガス専務が選出された。正副委員長の就任あいさつのあと、赤嶺文教局長から諮問理由の説明があった。諮問理由説明では、沖縄問題懇談会の答申書の内容紹介から、その中でとり上げられている八項目について説明が加えられ、今後教育行政上方向づけをして行かねばならないこと、また、その緊急性、重要性からみて早急に検討されるべき事項として「検討すべき問題点」四点がとりあげられた理由についても説明があった。更に、教育の一体化と復帰運動とは矛盾しないことが強張され、施政権の返還の際、すべての面で円滑に移行できるよう、それまでの間一体化について、できるだけ押しすすめて行きたいと結んだ。

これに対して、委員の中から、文審の答申によって沖縄が混乱を起さないように考慮すべきであること、更に諮問されている四点以外にも較差是正が早急になされるべき事項もないか、特に学校施設、設備等の整備拡充も検討すべきではないかとの意見と要望が出され審議会として、一応とり上げることにし、その事項及び取り上げ方については、次の会合まで事務局で研究することになった。

尚、審議会の会合は月二回（第二、四金曜日）開かれることが決定され、各委員とも、諮問された事項の重要性を考慮し、できるだけ時間をかけ慎重に審議していく決意を新たにした。

第一回文教審議会開く

比嘉副委員長

安里委員長

文教審議会委員

松岡主席は、去る二月一日次の一九氏に対して文教審議会委員の辞令交付を行なった。なお、人選に当っては、現在の沖縄における教育、文化、経済、マスコミの各界において指導的立場にあるということが考慮されている。

▽宮良　長辰（琉球大学委員）
▽新城　利彦（琉球大学教授）
▽譜久山朝直（教育長協会長）
▽津嘉山朝吉（〃副会長）
◉安里　源秀（琉球大学教授）
▽宮里　繁（沖縄実業社長）
▽尚　詮（ラジオ沖縄専務）
○比嘉　信光（沖縄ガス専務）
▽池宮城秀意（琉球新報社長）
▽上地　一史（沖縄タイムス社長）
▽糸洲　長良（小学校長協会副会長）
▽大城真太郎（中学校長協会長）
▽宮島　長純（高校長協会長）
▽与那嶺松助（琉球大学教授）
▽天願　朝行（中部連合区教育委員長）
▽阿波根朝次（琉球育英会理事長）
▽真栄田義見（文化財保護委員長）
▽比屋根方清（東風平村長）
▽屋良　朝苗（教職員会長）

（順不同　◉印 委員長　○印 副委員長）

諮問事項

「沖縄の教育水準を本土なみに引き上げるため、教育の一体化はどのようにすすめるべきか。」

諮問理由

沖縄が本土の施政権より分離されて二十二年の才月を数えています。この間、わたくしたちは政治、経済、産業、文化などのあらゆる面で戦禍による荒廃から立ち上り、平和で民主的な社会の建設を目ざして今日まで営々と努力に努力を重ねて参りました。教育においても、関係者はもとより、住民、政府が一体となって教育の民主化、教育の向上発展のために絶え間ない精励を続けて今日に至っています。

しかしながら、教育の諸条件における本土との較差は依然として大きく、従って教育水準もいまだに本土と大きな開きがあることは歴然とした事実であります。

一昨年九月、森前総務長官により教育権の分離返還なる構想が打ち出され、大浜信泉先生を座長とす沖縄問題懇談会に対して、沖縄の教育権返還が諮問されました。これに対する答申として昨年八月に「本土と沖縄の教育の一体化について」が公表されましたことは既によくご承知のことと思います。この答申書は沖縄教育の返還問題を含めて沖縄教育の現状に対する診断書あるいは処方箋ともいうべきものであり、沖縄の祖国への復帰を前提としつつもそれまでの間に沖縄教育が歩むべき方向を示唆しているとみることができます。

琉球政府としましても、この答申書の内容をじゅうぶんに理解し、本土との教育の一体化により、教育水準の本土なみ引き上げをはかるとともに、他日祖国への復帰の際の困難を少なくするための沖縄においてとるべき措置について検討しているところでありますが、沖縄の現況を鑑みるとき、指摘されている内容、すなわち、教育制度、教職員の身分、給与、福祉、人事交流、外かく団体の取り扱いなど、いずれの一つをとっても、実施の方法などについては幾多の困難な問題が予想されております。しかしながら、沖縄をとりまく内外の諸情勢は昨今急速に変動しつつあり、施政権の返還されるべき時期についても具体的に取り上げられる段階に来ております。このような観点から、近い将来における本土復帰を期待しつつ、沖縄の教育水準を本土なみに引き上げるため、沖縄においてとるべき一体化の方策を、沖縄の現時点に立脚し、かつまた、将来を展望しつつ、広く各界の意見を聴取することにより、世論を啓発し世論を背景とした一体化への施策が円滑に実施される必要があると考えます。

検討すべき問題点

1、教職員の身分、給与および福祉について
2、教員免許制度および教員人事交流について
3、外かく団体の支部的運営について
4、教育行政組織について

第一諮問事項に　教職員の給与・福祉

今回の文審に諮問された事項は「沖縄の教育水準を本土なみに引き上げるため教育の一体化はどのようにすすめるべきか」であるが教育部門における較差是正を必要とする内容は種々複雑であり、多くの困難な問題も存在する。

かかる点から、文教局としては、教育行政的見地から、すでに方向づけがなされている分野については行政的な手段で対処し、方向づけのなされていない分野、特に緊急性、或は重要性を鑑み、(1)教職員の身分、給与および福祉について、(2)教員免許制度および教員人事交流について、(3)外かく団体の支部的運営について、(4)教育行政組織について、が文審において検討すべき問題点としてとり上げられた。なお、委員からの要請で、施設設備の整備充実についてもとり上げることになった。

まず、第一諮問事項としてとりあげられた「教職員の身分、給与および福祉について」のうち教職員の身分については、去った議会において住民の代表である立法院において既に指向の定まっていることでもあるし、また、復帰すれば当然に解決すべき問題でもあるので今回は審議の対象からはずすこととした。従って教職員の給与、福祉についての改善策を諮問することになった。

第一諮問事項の諮問理由としては、

①教育基本法第六条第二項に「学校の教員の身分は尊重され、その待遇の適正が期せられなければならない」と明示されている。

②教職員の給与、福祉については毎年の給与改訂や公務員退職年金制度の実施などで、年々改善されつつはあるが、本土に比べると、給与、福祉制度はじゅうぶんに整備されておらず、従って必ずしも適正な待遇がなされているとはいえない。

③「本土との教育の一体化をはかるために給与その他の待遇を本土のそれと同一水準に高める必要がある」旨、沖縄問題懇談会答申にも指摘されている。

④教職員の給与、福祉の改善については、単に物的面からの一体化に止まらず精神面への作用も極めて高く、これの実現は、教職員の明日へのより充実した教育実践へ直接つながるものであり、一体化策のうちでも最も効果があり、且つ緊急重要なものである。

以上四点の理由から、具体的に検討して貰いたい問題点として、給与面では(イ)勤務年数に応ずる適正なる給料額への是正 (ロ)諸手当の本土なみ支給 (ハ)基本給の一号アップが提示され、福祉面では「本土並みの教職員共済制度の制定について」が提示された。なお、諮問事項のうち緊急性のあるものについては、分割答申がとられるよう文教局では希望している。

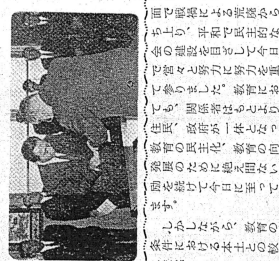

文審開催までの経過

本土と沖縄の教育の一体化についての、いわゆる大浜答申が出されたのは七月下旬、それ以来、半歳を経た二月に、ようやく、これを受けて沖縄側においてとるべき措置についての諮問に応じていただくための文教審議会の開催をみるに至った。

文教局では、その間、この答申の取扱いについて慎重な検討がつづけられてきた。答申書の全文は参考資料の「教育水準比較」を含めて二十九ページに及ぶもので、全容を検討して、方策を打出していくについては、どうしても権威ある機関によって幅広い検討がなされる必要があるとして、この件についての文教審議会を開催し、諮問することを決め、その準備がすすめられてきた。

すなわち、文審へ諮問すべき事項や検討すべき問題点、これに関する資料の収集、調査研究を行なうため文教局長より委嘱された局内の部課長、主事を含めた十六名の委員によって構成された局内一体化研究委員会が設置され、この研究委員会を中心として十数回にわたる研究討議が行なわれた。

まず、諮問事項については、教育の一体化は、沖縄が祖国へ復帰することにより名実共に、実現するであろうが、現時点において、可能な限り実質的な一体化を図ることは、沖縄の教育水準を本土なみに引上げるために緊急でかつ重要なことであるという認識のもとに、「沖縄の教育水準を本土並みに引上げるために」という大前提を打出して、一体化の目標ないしは目的を明確にすることで意見が一致した。次いで検討すべき問題点については、答申書に指摘されている八つの施策（本号外に別掲されている答申の要旨参照）のうちで、①より重要性のあるもの②より緊急性の高いもの③実施にあまり困難を伴なわないもの、という三つの観点に立って審議の範囲及び序列をつけ、文審が長期にわたって審議が続けられることも配慮して、四つの問題点にしぼり上げた。

残りの四つの問題点については、取り上げられた四つの問題点に包括されるべきものであること、あるいは既に指向の定まっているものとして一応諮問の対象からはずすことにした。

このようにして、諮問事項、諮問理由、検討すべき問題点の原案の作成がなされるとともに、文審の委員の人選、資料の準備がすすめられ、諮問事項、委員などについては最終的に主席の決裁を経て、二月一日に辞令交付式の運びとなった。

一方、検討すべき問題点の中の給与、福祉などについては、これが予算や立法と結びつくものであるとして、予算の概算要求や、立法原案の作成なども併行してすすめられた。

さらに、福祉面で最も大きな問題となると予想される、退職年金の較差是正については、本土の現行の公務員共済制度の実態を理解することが先決だとして、本土政府の技術援助により日本公立学校共済組合、年金部第一課長の柚原達夫先生を十二月十三日から十日間、文教局に招へいし、文教局、連合区、総務局、保険庁、校長協会、教職員会共済会などの関係職員を対象として、本土の共済組合法の内容解説及び沖縄の現行退職年金法の問題点などについて、詳しく指導を受け、本土との一体化のために、退職年金に関する問題点を早急に解決していくことは極めて緊急なことであることを理解できたのは、大きな収穫の一つとなった。

以上が文審が開催されるまでのおおよその経過であるが、文審の開催により、教育の本土との一体化への道は一歩大きく前進したことになる。もとより、文審の任務は諮問された事項についての望ましい施策を合議によってこれを答申におりこむことである。具体的にこれを施策に反映させるのは中央教育委員会をはじめとする行政機関の権限に属するものであることはいうまでもないことであるが、沖縄の知識層を代表し、より幅広い視野から検討を加え慎重な審議の結果から生みだされる文審の答申は、別の観点で行政上への重要な示唆であり、この意味からも委員のみなさんのご努力により、立派な答申が生み出されることを心から期待するものである。

一体化とは……

一体化という概念は次の二つの面から考えることができる。即ち、

(1)、異体のものが解体して一体となることである。

(2)、異体でありながら一体であるのと同じように両者が深い結びつき及び両者の体質の同一性をもつことに努力するということである。

復帰運動について、一体化という概念でとらえてみると、復帰運動は、前述の(1)の定義、即ち「異体のものの、本土と沖縄が一体となること、いいかえれば、日本そのものになること」に向けられた一体化であるといえよう。

一方、教育の本土との一体化とは、前者の(2)の定義、即ち「異体でありながら……本土と沖縄は別物でありながら……一体であるのと同じような本土と沖縄の深い結びつき及び本土と沖縄の体質を同一にすること」に向けられた一体化のとらえ方である。

このように、一体化を考えた場合、復帰運動と一体化とは矛盾しないといえよう。即ち、復帰前においても一体化はすすめられるべきであり、同時に復帰運動そのものも推進されるべきである。かかる点から一体化と復帰運動とはお互に両立するといえる。

このように一体化が本土との同一性を指向する限り本土と較差のある沖縄の諸水準を引き上げる努力は復帰前にもなされるべきである。それは本土の水準を一応の目標にすべきである。その点から一体化は、復帰前において今後の至高目標となる。

しかしながら、(2)の定義による一体化は、(1)の定義にみるような一体でなく異体であることを前提とするものである。異体であること、即ち、沖縄と本土の政治的、社会的、経済的基盤が異っていることによる特殊性の存在は無視することはできない。そのため、一体化をすすめること、即ち、本土と沖縄の同一性をすすめる過程にあっては、沖縄の置かれている特殊性を考慮に入れず、一体化だといって何から何まで直ちに本土と同一化していくことには問題がある。あくまでも沖縄の特殊性を考慮した一体化推進でなければならない。ことに(2)の定義による一体化にはある限界が存在することを認識する必要がある。

これまでに開かれた文教審議会の動き

全琉の統合政府がまだできない以前に、沖縄群島政府では教育行政の民主的運営をはかる目的で、文教局長の諮問機関として、文教審議委員会が一九五一年二月に設置された。その後、文審設置の基本的な意図は受けつがれ、主席の諮問機関として、今回の文審諮問まで十回諮問され今回は第十一回目に当たる。

文審に諮問された事項も時代的社会的要請にそった内容がもられているが、これまでに、開かれた文審の推移を紹介してご参考にしたい。

回	期間	諮問事項
第1回	（一九五三・一〇〜五五・三）	▲産業教育計画について
第2回	（一九五五・九）	▲高等学校入学者選抜方法の改善について
第3回	（一九五六・五〜六）	▲産業教育振興計画について
第4回	（一九五六・一一〜五八・五）	▲高等学校の入学選抜方法について ▲高等学校の入学定員について
第5回	（一九五八・五〜六）	▲学校における道徳教育について ▲教員の交流について
第6回	（一九五九・六〜七）	▲本土における教育課程の改訂に伴って琉球の教育課程をどのようにすべきか
第7回	（一九六〇・六〜八）	▲連合教育区の規模について ▲文化センターの設置について
第8回	（一九六一・八）	▲小中学校の教育課程に伴い高等学校の教育課程をどのように改訂すべきか
第9回	（一九六八・四〜九）	▲高等学校・生徒急増対策について
第10回	（一九六三・一〇）	▲博物館建設の構想について

文教審議会とは

文教審議会「文審」は行政主席の諮問に応じて教育、学術、文化に関する重要事項について調査審議し答申する機関である。審議会は、委員二〇人以内で組織され、委員の互選によって委員長、副委員長が各一人ずつ置かれ、更に特別な専門的事項を審議する必要あるときには、正規の委員外に臨時に九人以内の専門委員が置かれることになっている。委員及び専門委員とともに、学識経験のある者のうちから行政主席が任命し、その任期は、委員二年、専門委員は特別事項の調査審議が終ったとき退任になる。会議については、必要に応じ行政主席又はその委任を受けて文教局長が招集し、審議会は、委員及び議事に関係のある専門委員の現在総数の過半数が出席した場合に議事を開き決議することができる。審議会の議事は、出席した委員及び議事に関係のある専門委員の過半数をもって決し、可否同数のときは、委員長が決める。尚詳細については「文教審議会設置規則（一九六三年一月二五日規則第一三号）」を参照されたい。

紹介

沖縄問題懇談会の答申

「本土と沖縄の教育の一体化について」

一九六六年九月森前総務長官から沖縄問題懇談会に対して、沖縄の教育権の返還が諮問され、それに対する答申として、一九六七年七月に公表された「本土と沖縄の教育の一体化について」の概要を次に紹介する。

尚、この答申は沖縄教育の返還問題を含めて沖縄教育の現状に対する診断書とでもいうべきものと考えられるが、この答申による沖縄教育に対する現状評価は教育関係者として、これを十分に理解し、その上にたって今後の教育の方向を位置づけていくことが望ましいと考える。

〔沖縄問題懇談会　答申の要旨〕

沖縄問題懇談会は機能別分離返還の方法として、教育権返還を取りあげ、法律上の可能性及び可能である場合の行政上、財政上とるべき措置についての検討をするために発足したが、沖縄問題全般についての内外諸情勢の変化によって教育権返還に限定せず、広く本土と沖縄の教育の一体化の方策に関する答申となった。

沖縄教育の現状

沖縄教育の現状を本土との比較において次のとおりとらえている。

1教育委員は、中央、地方ともに公選制がとられている。

2財政権をもつ市町村長と教育区（特に連合区）との連けいが弱い。

3行政主席（及び文教局長）と中教委の権限の配分が明確でない。

4公立義務教育諸学校の教職員の任命権が区教委にあり、中教委の所管でないため全琉的人事交流が困難。

5教育区立学校教職員は公務員制度がなく、その身分保障及び服務等の取り扱いに本土と大きな相違がある。

6施設・設備等の物的面、教員の学歴、経験年数等の人的面共に大きな較差がある。

7児童・生徒の学力も本土より著しく低い。

日本政府の責任において沖縄の教育を実施する方法

上記の提案によって教育権分離返還に対する考え方を述べている。

1教育権分離返還は法律上可能である。米国が持つ施政権のうち、その一部である教育に関する立法及び行政上の権利を一定の時期から行使する意志を放棄する旨の意志表示を行なえばよい。

2教育権の範囲　「教育に関する行政」及び日本の法律が沖縄において適用されるという意味での「教育に関する立法」の範囲に限定する。

3教育権の範囲　差し当り「学校教育」に限定し社会教育をはずす。

以上を前提として、日本の教育関係法規を沖縄に適用し沖縄における教育関係制度を本土のそれに合わせるよう猶予期間をおいて可能なものから漸次改革していこうと構想している。

実質的に教育を一体化するための方法

沖縄の全面復帰（又は教育権返還）が実現して、本土と沖縄の教育の一体化が行なわれるまで、実質的に教育を一体化する方法として次の点を指摘している。

1沖縄の教育水準を本土並みにするための援助の内容と方向

(1)沖縄の教育水準は学校施設、備品、学級編制、教員の学歴、経験年数等の諸条件において本土と大きい差があるまた児童生徒の学力も本土より相当低位にあるが、その原因は主として教育財政の貧困にある。

(2)本土の府県は、国庫負担金、地方交付税、起債等で国から財源保障を受けているが琉球政府は、日米の財政援助金も漸次増額されてはいるがその財源のほとんどは自らの税収入に依存している。

(3)沖縄に対する教育関係財政援助は、年々充実をみつつあるが、なお一層の拡充の必要がある。

(4)沖縄では、税、財政制度や教育制度の相異から本土の府県に対すると同様な援助方式を採用するのは問題がある。

(5)財政援助の増額は、米国と共同して実施していくべきであるが、日本政府としては沖縄住民の教育が日本国民としての教育であるから、教育援助の実施については格別の配慮が必要である。

2沖縄の教育の諸制度を本土と同一にする方法

(1)本土の教育関係法規と同一内容の立法を琉球政府で制定すること。

(2)本土法の改定が行なわれた場合、沖縄でも本土の教育制度と同一になるよう法令の改正等について積極的配慮を行なうこと。

(3)教育行政組織について

イ教育区を廃止して、市町村委員会とする。

ロ連合区制度を廃止して、都道府県教育委員会事務局の出先機関に相当する機関を設置する。

ハ現在連合区の範囲で行なわれている人事異動を中央教育委員会の権限で沖縄全域の規模で実施し、教育の人事交流を促進する。

(4)教育の資格、身分、給与等について

イ沖縄の教員免許制度を本土と同様とする。

ロ本土の地方公務員法、教育公務員特例法に準ずる立法を行ない身分保障、服務規律等を本土と同様なものにする。

ハ給与、その他の待遇も本土と同様なものとする。

ニ共済組合法も本土並み給付ができるようにし、本土の共済組合法との関連で相互給付相互通算等の措置が望ましい。

(5)学級編制基準、施設設備教員の素質能力等の諸条件も本土と同一になるようその引き上げ並びに研修の強化を図る。

(6)本土政府と琉球政府との関係は、本土の国と都道府県との関係と実質的に同様になるよう指導助言及び連絡調整を強化する。

(7)免許状制度の同一化とあいまって本土との教員の人事異動人事交流に関する方途を検討することが必要。

(8)琉球政府の教育関係外かく団体（例えば琉球育英会、私立学校振興会、琉球学校安全会等）は本土の教育外かく団体の支部として事業を実施せしめることについての検討が必要。

文教時報

111

11

琉球政府・文教局総務部調査計画課

<12>

勝　連　城　跡

指　定　史　跡

指定年月日　1967年4月11日

所　在　地　勝連村字南風原赤吹原

阿麻和利以前は詳しい記録がないので判然としないが野史及び口碑によると勝連城主は浜川按司，望月按司，阿麻和利按司の三代ということになっている，然しながら城内の発掘によって出土した高麗瓦などからして鎌倉時代から相当に栄えていたことがわかり，三代の按司以前にも勢力のある按司たちが数代居城していたことがうかがえる。

この城は二つの台地からなり　東南側をヘーグシク（南城）といい，北の高い所をニシグシク（北城）といっている。この南北の間にくぼんだ平地は「中間の内」と称し，城内兵士の訓練場と炊事場があったと伝えられている城壁の石垣は大正から昭和にかけて道路工事や護岸工事などの石材として取りこわされ，往時のキ然たる城壁を見ることはできないが，いくらか城壁が残っているので昔の面影をしのぶことができる。城の地形上の形式は，台地と台地の中間の低い平地を取りいれてきづかれた特殊な平山城で，この形式の城は琉球古城跡中では唯一のものである。

勝連城最後の城主阿麻和利はオモロにもうたわれたほどの大政治家で「按司のまたの按司」ともいわれたのであったが長禄二年（1458年）尚泰久王に亡ぼされそれ以来は空城となった。

<新城徳祐>

文教時報

No. 111, 68/3

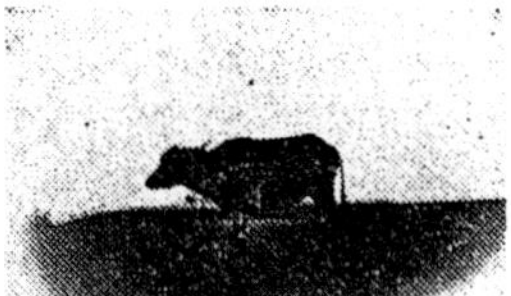

沖縄の文教行政

主な内容

文教局長　赤嶺義信

（はじめに）　本稿は去る1月10日に全国高等学校長協会理事会が沖縄で開催された時、主催者側からの依頼で「沖縄の文教行政」についての講演を行なった際の要項であります。沖縄の教育の概況を理解していただくための参考になれば幸に存じます（編集者）

このたび全国高等学校長協会の理事の皆様方がはるばる沖縄においで下さいまして，理事会を開催して下さいましたことを深く感謝申し上げます。沖縄において理事会を開催していただくことは，沖縄をご理解していただくうえにおいて，たいへん意義深く，沖縄の教育界の進展に大いなる影響を及ぼすものと確信するものであります。なお本日はたいへんお忙しい日程をおくりあわせ下さいまして，沖縄の教育についてお話し申し上げる機会を得ましたことを深く感謝申し上げます。

1，沖縄教育の一般的背景

沖縄は，大小64の島々からなっており，そのうち49の島々に人が住んでいます。人口は約95万人，総面積2,400平方キロ，人口密度1平方キロ，当り400人と非常に高い密度を示しています。つまり佐賀県とほぼ同じ面積をもち，香川県とほぼ同じ人口をようしていることになるわけであります。

産業別の人口構成と国民所得をみますと，第1次産業就業者は43.4%，その国民所得は17.9%同じく第2次産業は11.4%と13.4%，第3次産業は45.2%と68.7%になっております。この数字は，沖縄が何らみるべき生産業もなく，もっぱら基地に依存した不安定な経済基盤の上に立っていることをものがたるものでありま す。

もともと日本の1県でありました沖縄は，第2次大戦後，日本の施政権から離され，サンフランシスコ平和条約第3条によって，アメリカ合衆国の施政権下におかれるようになってから，23年の才月が流れました。住民は日本の国籍を有し，日本国民としての教育を受け，この地は今も日本国の領土ではありますが，アメリカ合衆国国防長官管轄の琉球列島民政府が置かれており，その長官は高等弁務官と呼ばれております。

高等弁務官は沖縄の施政の最高責任者であると同時に沖縄に駐留する米軍の最高司令官を兼ねております。住民の自治組織としては，琉球政府があり，立法，司法，行政を行なっており行政府の教育部門担当部局が，文教局となっているわけであります。

2，教 育 行 政 制 度

琉球政府文教局は琉球政府の一部局であると同時に，中央教育委員会の事務局という他の一面を持っており，3部10課が置かれております。 中央教育委員会は，地域別に区教育委員の間接選挙によって選ばれた11名の委員をもって構成されていて，沖縄における教育政策決定機関となっているほか，主として政府立学校を直接管理しております。地方の教育行政について申し上げますと，市町村の行政区域がそのまま教育区という法人格を与えられ，区教育委員5～7名が選挙によって選ばれ委員会を構成しております。その主な任務は，義務教育諸学校及び幼稚園の管理と社会教育であり，教員任免権を有しております。

区教育委員会が幾つか集まり連合教育区を構成し，教育長をおき，事務局を設けており，現在6連合区となっております。

3，教 育 財 政

現年度の琉球政府総予算額は，約1億1,975万弗で，その31.2%にあたる約3,723万弗が教育予算となっております。 この比率は日本の1964年度（昭和39年度）における各都道府県平均（総行政費に対する教育費の割合）30.5%を上回っております。また同年度における国民所得に対する公教育費の比率を比較しますと，本土が5.5%に対し，沖縄は6.5%であり，沖縄が教育予算にいかに力を注いでいるかおわかりいただけると思います。

しかしこのように努力しても，財政そのものが貧困なため，日本本土との較差は大きくなるばかりであります。1964会計年度（昭和39年度）における公教育費の生徒1人当り金額を本土と比較しますと，小・中・高校を合計した学校教育費は本土の62.3%であり，社会教育費に至っては，35.6%と極めて低いのであります。

しかも沖縄においては，基本的な施設がととのっていないため，資本的支出が予算の20%以上を占めているので，直接生徒に還元される経費の較差が更に大きいのが現状であります。

4，学　校　教　育

学校制度はすべて本土に準じており，いわゆる6，3，3，4制度がとられています。学校の現況を概略申し上げますと，

幼稚園	78校	11,500人
小学校	241校	144,800人
中学校	155校	79,900人
高校（全日制）	37校	44,900人
高校（定時制）	18校	5,600人
大学	3校	5,400人
短期大学	5校	1,500人
特殊学校	4校	700人
各種学校	2校	700人

児童生徒数　295,000人

教員数　10,800人

となっています。

教育財政上の問題として考えた場合，特に本土に比べて義務教育人口が非常に多いという特色をもっております。全国平均は15%でありますが，沖縄は実は人口の$\frac{1}{4}$の24%の義務教育人口を抱えているのであります。全国学力調査によると，年々学力の差は縮少しつつありますが，まだ各教科10点内外の差が出ており，学力向上と生徒指導は沖縄教育界の主要課題となっているのであります。

高等学校教育について，やや詳しく現状をご説明申し上げますと制度や教育内容は本土と全く同じであることは，よくご存知のことと思います。高等学校全日制37校のうち33校が本土の県立に相当する政府立高校で，私立高校は4校にすぎず，生徒数の比率も全体の87%が政府立高校の生徒となっています。

次に，沖縄の高等学校の特色としましては，学科別生徒数の構成比が，普通科49に対して職業科51となっており，本土における普通科59対職業科41と逆になっていることであります。職業科では，商業科が最も多く，家庭科，農業科，工業科，水産科の順になっており，商業科が21%と多く，工業科が7%と少ないのは，基地経済と工業化の未発達という沖縄の経済基盤を反映しているものであります。

高等学校に準ずる産業技術学校は，技能教育を中心としたもので，1966年に設立された那覇産業技術学校は現在2年コースがラジオ，テレビ科，板金溶接科，印刷科等，12学科，1年コースが測量科，塗装科等の5学科があり，559名の生徒が学んでいます。

5　懸　案　事　項

(1)　校舎等学校の建設施設促進についてみますと，1949年（昭和24年）から校舎建築が開始され，1954年度以降は恒久校舎の建築が本格的に進められてきました。しかし戦後の児童，生徒の急激な増加によって，校舎の現有率は，1967年6月末現在で，中央教育委員会基準（文部省基準と同基準）で小学校66.7%，中学校63.5%，高校62.9%となっております。現状としては，学級数に応ずる普通教室がようやく充足しつつある状態であり，特別教室，管理関係諸室，体育館，水泳プール等の施設は極めて不備の状態にあります。

これを本土の現状と比較しますと，生徒1人当り保有面積は，1966年5月1日現在で，小学校の本土4.9㎡，沖縄2.4㎡，中学校の本土4.8㎡，沖縄2.4㎡，高校の本土5.7㎡，沖縄3.4㎡と約半分になっております。

校舎につきましては，1974年までに，小，中校とも基準の90%，高校は100%を目標に建設して行きたいと計画しております。これらの学校施設等の整備に対し本土政府の大幅な援助増額をお願いしております。この件につきましては，本土の教育関係者にもお力添えをお願い致します。

(2)　教職員の待遇改善と資質の向上についてでありますが，「義務教育諸学校の学級編制及び教職員の定数の基準に関する立法」が公布され，1968年度で日本本土の基準まで引き上げることになっております。一方高等学校についても，本土並み基準をめざして，「政府立高等学校教職員定数の基準に関する立法（案）」が現在準備され，次の立法院に立法勧告を行なう予定であります。

これまで申し上げました沖縄の教育諸条件は，もとより本土と比べてかなりの較差がありますが，これに加えて戦災で多くの中堅教師を失った沖縄の教育界にとって，教職員の資質の向上も大きな課題であります。幸いに本土政府のご配慮によって教育指導員及び研究教員の制度により，現職教員の再教育が行なわれておりますし，また1968年度に約33万ドルの工費で沖縄教育界多年の懸案でありました「教育研修センター」がその第一期工事を完成することになっております。この「教育研修センター」建設にあたっては，本土政府の暖かい援助に負うところがあり，教育関係者から深く感謝されているところであります。

教職員の給与面について申し上げますと，給与法の改正に伴うベースアツプによって次第に改善されつつありますが，本土に比較した場合本俸において大差はありませんが諸手当を加えた手取額には依然として大なき開きがみられますし，沖縄でも1966年度から年金制度が実施されているものの，その内容において本土並みとはいえない点がありまして，今後本土との教育一体化推進にともなって改善しなければならない問題を多くもっております。

(3)　後期中等教育の拡充整備

沖縄においても1963年（昭和38年）以降義務教育終了者が急増したのは本土と同様であります。

琉球政府は高等学校急増対策を樹てて，この5年間に高等学校8校と産業技術学校，商業実務専門学校を新設しました。この間，生徒の能力に応ずる教育の機会均等，社会的要請にこたえて，前にも申しあげましたとおり，政府立各種学校が新設されたことは，後期中等教育の多様化の一つの方向として特筆されるべきものであります。

産業技術学校は産業に従事しようとする青少年に技能教育を授けることを目的

としておりますが，この四月さらに2校開校します。遅れていた通信教育も今春から那覇市内の高等学校に通信制課程を設置する運びとなっております。

現在中学校卒業者の高等学校への入学志願者の割合は，本土と殆んど同じでありますが，進学率は本土の75.3%に対して沖縄は59.1%にすぎません。進学率を本土並に高めること，学科の多様化を図ることが今後の課題であります。

(4) 教育財政の充実

前に申し上げましたように，沖縄は教育予算にかなり力を注いでいるにも拘らず，生徒1人当り公教育費にもみられますように，教育水準は本土に比べてかなり低位にあります。このことは大きく分けて2つのことに基因しております。すなわち，一つは「義務教育人口の比率が本土に比べて極めて高い」こと，もう一つは「琉球政府の財政力が貧弱であること」であります。

従いまして，本土との教育の較差を解消し，実質的な日本国民の育成を行なうためには，琉球政府の財政力はもはや限度に達しており，どうしても母国である日本政府並びに，施政権をもっている米国政府の援助に頼らなければならないのであります。

幸いは，これまで日本政府の教育援助につきましては，昭和40年度の 147万ドル（約5億日円）が，昭和41年度には待望の義務教育諸学校教職員給与費の半額援助の実現により808万ドル（約29億日円），現年度は1,189万ドル（約43億日円）と年々大幅な援助をいただいております。しかしながら，沖縄の教育が本土水準に達するには，なおかつ今後とも教育財政の充実が必要とされており，これから申し上げます教育の本土との一体化の上からも本土政府の一層のご理解，ご援助を得てこの問題を解決していくよう努力を重ねていきたい所存であります。

この外の懸案事項として，琉球大学の充実，私立学校の助成，社会教育の振興など数多くの問題をかかえております。

6，教育の本土との一体化策について

1966年9月に森総務長官から大浜信泉先生を座長とする沖縄問題懇談会に対して，沖縄の教育権返還が諮問され，これに対して昨年7月同懇談会から塚原総務長官に「本土と沖縄の教育の一体化について」が答申されましたことは既に皆様

よくご承知のことと思います。

この答申書のあらましを簡単にて説明申し上げますと，教育権の分離返還は法的にも可能ではあるが，沖縄問題全般についての情勢の推移は必ずしも教育権の返還のみに限定することを必要としなくなった。ことから近い将来において施政権が全面返還されることを前提に当面の問題として沖縄の現状をふまえて今後において実質的に教育を本土と一体化するために本土並びに沖縄側がとるべき措置について細かい方策が盛られております。

この答申は沖縄教育の返還問題を含めて，沖縄教育の現状に対する診断書ないしは処方箋ともいうべきものであり，沖縄の祖国への復帰を前提として，それまでの間に沖縄教育が歩むべき方向を示唆しているものと私達はこれをうけとっております。したがいまして，文教局としましては，この答申書の内容をじゅうぶん理解し，本土との教育の一体化を推進していくことによって，沖縄教育の水準を本土並みに引き上げていくとともに，他日祖国への復帰の際の困難をできるだけ少なくするため，沖縄側がとるべき措置を真剣に検討しているところであります。

しかしながら，ご承知のように沖縄が本土より行政分離されて23年も経過しており，先程ご説明申し上げましたように教育においても行財政の制度や組織において本土とかなりの相異がありまして，これを直ちに本土のそれに移行させていくことは幾多の問題点や困難性が介在しております。これらの問題点や困難性を克服しつつ本土との教育の一体化をすすめていくためには，行政者側の独善に陥ることなく，広く衆智をあつめ，教育専門家を含めて沖縄の産業，経済，文化，法曹など各界の意見を聴取することにより，世論を啓発しつつ，かつ，世論を背景とした一体化の方策が円滑にすすめられるべきだという判断に基づき，行政主席の諮問機関である文教審議会に「沖縄の教育水準を本土並みに引き上げるため，教育の一体化はどのようにすすめるべきか」について諮問を行ない，その答申に基づいて一体化をすすめていくため，一月中に文教審議会を発足させるべく局内における一体化研究委員会を設けこれを中心に鋭意その準備をすすめているところであります。

教育の本土との一体化について検討すべき問題点としては①教職員の身分，給与，福祉（主として共済制度）について，②教員の免許制度および本土との教員の人事交流について，③育英会，安全会，給食会等の教育外かく団体の支部的運営について，④教育行政組織について，の4点をあげておりますがこれらのもののうち比較的容易に可能なものから順次一体化を計っていきたいと考えております。昨年11月16日佐藤総理の訪米における沖縄の施政権返還をめぐる日米共同声明にもありますように住民の悲願である即時祖国復帰への期待ははずされはしましたが，両三年以内に復帰についての目途がつけられるという明るい見とおしも立っておりますし，更に他日施政権が返還される際のまさつを最小限にするため沖縄の住民とその制度の日本々土との一体化をすすめ，沖縄住民の経済的社会的福祉を増進していくよう日米両政府の合意も得られており，これに基づく，教育を含むすべての面での一体化策が本土政府，琉球政府相呼応して着々とその準備がすすめられ，近くこれらの問題を検討していく日米琉政府の代表によって構成される諮問委員会も発足しようという今日となってまいりました。

このような情勢下にあって教育もこれらの動きとともに進み，いな，むしろ教育こそそのけん引車としての使命を担い，できるだけ早く実質的な本土復帰ができるよう，一体化策をすべての施策の中核として今後の教育行政をすすめていきたいと考えているところでありますが，本土と沖縄の一体化，特に教育の一体化については本土政府の側からも一層の財政的・制度的なご配慮やご援助がなければ実現の困難なものも多々ありますので，この面についても本土の教育関係の皆様の一層のご支援を重ねてお願い申し上げる次第であります。

以上，沖縄の教育，特に後期中等教育の現状についてあらましを申し上げましたけれども，ごぞんじのように沖縄の現況は特殊な地位にあり，したがって教育もそれなりの状勢の下にあることはいなめないものがあります。どうか皆様方が今回の来島を契機といたしまして沖縄の教育の進展にご協力下さいますよう期待するものであります。最後に全国高等学校長協会のますますの充実発展を祈念いたしますとともに皆様方がご健康で後期中等教育にご精進あられんことを希望いたします。

大衆行動への中高校生の参加について

義務教育課長　仲宗根　　繁

次代をになう青少年の教育に対しては，教育関係者並びにご父兄が常にご心配をいただいていることでありますが，最近特に青少年の学力問題，非行の防止問題等が大きく社会問題として浮び上ってきています。

これらの問題について教育行政にあたるものとして，文教局でも関係部課で慎重に検討を進めております。

大衆行動への中・高校生の参加につきましても青少年の将来を誤らしめないため，純粋な教育的立場から別記の問題提起をすることによって，教育者として又は父兄としての心構えをもつておく必要があると考えたからであります。決して規制のみをするという意図での問題提起ではありません。

日頃の研究課題として，充分ご考察の上，適切な判断のもとに，よりよい環境づくりと，生徒指導の一層の成果を全うしていただきたいというのが局長の真意であります。

関係者の十分なご検討を期待いたします。

問　題　提　起

大衆行動への中・高校生の参加について

現在，本土においては，中高校生の大衆行動（大会やデモ）への参加の傾向が強まりつつある。

中・高校生の大衆行動への参加は，成人の場合とちがって未だ勉学の途中であり，また，感受性もつよいことから，生徒指導上の問題があり，教育上与える影響も微妙なものがある。

従来の例にてらすと本土の傾向は，多少時間的におくれて，沖縄にあらわれている。

したがって，沖縄にこの傾向が現われる前に，すべての教育関係者は，この問題について，充分論議を重ね，研究しておく必要がある。

文教局としては，この問題は，単に一片の通達や規制処置によって，解決されるものでなく，直接には，教職員を含めて，すべての教育関係者の判断とそれに基づく指導によって，解決せられるべき問題であると考え，下記の問題点を提起し，教職員を含めて，すべての教育関係者が本問題について，真剣な研究をはじめられることを切に期待する。

記

1　大衆行動における参加者の行為や言語，プラカード等の中には，不統一や，突発的なことがあり，中高校生に与える教育的影響について，考慮すべきことがありはしないか。

2　大衆行動への参加によって，社会的な諸問題解決の直接の責任が中高校生にもあるのだという意識を過剰にもたせ充分な判断をもたないまま暴走するおそれはないか。

3　大衆行動のムードや，その時の予想しがたい事態の発生によって，その行動を制御しがたい場合が予想され，中高校生の保護の立場から不測の結果を惹起することがありはしないか。

4　大衆行動は，まま，夜間におよぶことが多く，その場合，交通事情その他解散後に生ずる生徒指導上の問題の発生が予想されはしないか。

高等学校通信制教育の新設

高校教育課主事　宮　里　　毅

1968年4月1日より小禄高等学校通信制課程が発足するので，通信教育のあらましについて述べてみたいと思う

1，設置の理由

高等学校への進学率は年々増加し，1968学年度には，政府立高校のみで60.1%，これに私立高校，産業技術学校を含めると71.7%に達することになっている。ところが進学率が上昇している現在においても折角向学心に然えながら経済的その他いろいろの理由で高等学校の全日制課程や定時制課程に進めないで，中学校を卒業したまま職務につかざるを得ない生徒がいるので，これらの勤労学徒に高等学校の教育の機会を広く与えるために，1967年9月中央教育委員会において小禄高等学校に通信制課程が設置されことになつたる。

2，本土における通信教育の沿革

本土においては，高等学校における通信教育は昭和23年4月より実施されたが，開設当初は実施科目も国語一科目のみであった。その後年々実施科目は増加されたが，通信教育のみでは高等学校卒業に必要な単位数は修得できなかった。ところが昭和30年4月文部次官通達により昭和30年度から通信教育のみで，高校の卒業資格が得られるようになり，更に昭和36年10月の学校教育法の一部改正により全日制課程，定時制課程に並ぶ通信制の課程として整備された。

3，小禄高校通信制課程について

小禄高校に設置された学科は普通科で，修業年限は4年以上である。

通信制の課程は，高等学校の一課程であるので，入学資格・教育内容卒業

後の資格等は全日制の課程，定時制の課程と全く同じであるが，教育の方法は主として通信の方法，即ち添削指導により行なわれる。そのほか直接教師の指導をうける面接指導（スクーリング）・試験等がある。面接指導のための年間出校日数は約20日である。

教材としては文部省検定の教科書のほか学習書（教科書に基づいて作成され，学習の指針を示すとともに教科書の内容を解説し，またレポートの課題を示す）その他を使用する。

添削指導はすべて小禄高校で行なわれるが，面接指導と試験は協力校でもうけられる。協力校とは経済的，時間的制約等のために小禄高校に出席できない生徒のために特に設けられた学校のことである。

協力校は　名護高等学校
久米島高等学校
宮古高等学校
八重山高等学校

の4校である。

単位認定は科目によって違うが，国語の場合は1単位当りレポート提出3回，面接指導3時間，体育の場合はレポート提出1回，面接指導10時間をうけ，試験に合格すれば単位が認定される。

そして4年以上在学し所定の単位（男85単位，女87単位）を修得すれば卒業できる。八重山高等学校で面接指導をうけても，卒業は小禄高等学校の卒業生ということになる。

学費としては入学料が20セント，ほかの課程の授業料に相当する受講料が1単位当り25セントである。この受講料はその単位を修得するまでは有効である。小禄高校通信制課程の教育課程によると一年次に15単位を受講することになっているので一年次に受講料2ドル25セント納入することになる。ちなみに授業料が全日制課程では11ドル，定時制課程は5ドル50セント必要である。

つぎに1967年11月中央教育委員会で決定になった通信制課程選抜実施要項より志願に必要な事項をあげると

イ，募集人員　200人

ロ，出願期日　1968年3月25日から4月5日まで

ハ，出願資格　全日制・定時制課程に同じ

ニ，出願手続　志願者は入学志願書を出身中学長に提出する。

出身中学校長はこれに報告書を

添えて小禄高等学校長に提出する。入学検定料は徴収しない。

ホ，選抜の方法

出身中学長から提出された報告書を資料として選抜が行なわれる。学力テスト及び面接は行なわれない。

へ，入学許可者の発表

1968年4月10日に入学を許可された者が発表されるので，許可された者は4月10日から4月25日までの間に，小禄高等学校長が示した所定の手続きをしなければならない。この手続を完了しない場合には入学が取り消される。

ト，入学資格のない者でも，特定の科目を履習しようとする者があるときは，学校長がその科目を履習することができると認めた場合に限り，特科生としてその科目を受講することができる。

4，結　び

働きながら学び勤労学徒に通信教育という大きな門戸が開放されたが，通信教育をうける生徒は毎日通学している全日制や定時制の生徒のように教師から直接指導をうけることも少なく，また学友と語り合う機会も少いので，よらほど強い意志で自分を鞭打ってやないと所期の目的を達成するのは困難と思われるが，それにもまして勤労学徒の雇用者，家庭さらに広く一般社会の理解と協力が必要かと思う。

中教委・正副委員長決まる

委員長に大城英昇委員・副委員長に中山興真委員

石原昌淳委員長，新垣茂治副委員長の任期満了に伴い，去る1月18日の中教委定例会議において，新委員長に南部地区選出の大城英昇委員が，副委員長に北部地区選出の中山興真委員が選出された。ちなみに，正副委員長の任期は，「教育委員会法」第117条よって1年間となっており再選も可能となっている。

高等学校通信制教育の本土実務研修から

小禄高校通信制主事　照　屋　林　一

通信教育は，全日制や定時制の課程における学習指導が，主に学校において教室授業という形態で行なわれ，その授業も集団的かつ直接的であるのに対し，その学習指導は教科，科目ごとに必要最低限度（標準時という）の時間数を定めて面接授業も行なうが，その指導の中心は，生徒の自宅学習の結果作られる学習報告書（レポート）に対する添削指導であり，それは大体個人的，間接的な指導である。

生徒は，平常わずかな所定（月２回）の面接指導を除き，家庭や職場など学校以外の場所で勤労の余暇を善用して学校で定められた教材（教科書・学習書）を自学自習し，それにもとづくレポートや成績物を学校に提出し，その添削指導を受けて学習をつづけるのが本体である。

この通信制課程は，経済的事情，住所と学校との距離や交通の事情，家庭や職業からくる時間的制約および身体的事情等で全日制や定時制に入学できない者に対し教育基本法に示されている教育の機会均等の精神にのっとり学習の能力と意欲のある者に教育を広く与える為に開設されるものである。

以上述べたものは通信教育の姿と開設される理由である。

通信制主事として本土に研修のため派遣され実際に見聞して来たものの一端を記してみよう。

まず通信制の在籍と卒業状況を全国統計よりみると，現在通信制課程を設置している高等学校は全国各県に１校ないし２校づつあり，その数は公立61校，私立10校計71校でその中には独立通信高校もあるが，そこに在籍している生徒数をみると，13万667名でありこれに対し卒業生はなんと5,711名で卒業率が約4％で卒業生が非常に少ない。これは通信教育がいかに多難な途であるかを物語っている。しかし昭和29年より昭和41年までの在学生と卒業生の増加の状況をみると，在学生42,930名に対し130,667名と3.05倍に増加し卒業生は昭和31年191名に対し5,711名と29.8倍にも達している。最近においては定時制の生徒は次第に減少しておりむしろ通信制の生徒が増加しつつある現状で沖縄からも東京や鹿児島に通信教育を受けさせてほしいとの連絡があるようだが各県ともその県に在住している者だけという規定を作ってあるため現在では本土において通信教育を受けることはできない。次に生徒の職業別をみると農業・工業従事者・看護婦・商店員・事務従事者・家事等の順に多種多様の生徒がおり又年令別にみると15才より60才までおり20才より30才前後が大多数を示している。

私は，浦和通信高等学校・東京都立上野高等学校通信制・鹿児島県立鶴丸高等学校通信制課程において研修をさせていただき通信制の教師はカウンセラー的性格の持ち主で添削事務等諸事務をその日で処理し，黙々として縁の下の力持ちになり得る者でなければならないことを痛感した。またスクーリングの状況も見たが，生徒は年令の開きがあり，服装等も種々雑多であるが案外明るく，はつらつとしていて，教師の質問にもよく答えており，その態度が全日制や定時制の生徒にはみられない真剣さで，しかも年令や職業の別を超越して学問の道にひたむきに歩ゆんでいる姿は実に頼もしい限りである。

通信制生徒が職場や家庭などの拘束された中で独学に苦しみながら歩ゆんでいる姿を記した作文を二つ紹介してみよう。

「40の冷汗」…42年入学生

入学式，新入生の名簿を見たら三段格，早いもので五ケ月，レポート，レポート，中学・高校生の娘を総動員，やっとできたレポート，採点される先生の姿想うと，いずる冷汗，得点を喜こんでくれる妻子，さすがは私の父ちゃん，と便りくれる長女，この冷汗がでなくなった時こそ真の通教生になったときである。

「スランプ作戦」…38年入学生

我々通教生にとって卒業証書を手に入れるということは，なかなかのことである。日々拘束,不自由な中の私たち,その毎日は仕事，睡眠，遊びの三種で区別され，仕事を忠実に了えた後は誰ひとり個々の時間に文句をつける人はなく何をしようがとにかく公共の福祉に反しない限り自由なのだ。その自由の中の一部をさき，我々は学ぶ道に志ざした。選んで入学するまでは，たわいのないことで終った。入学式時の校長主事の訓話など余り耳もかさず，心の中で（そんなに勇気づけてくださらなくとも人のすることだからこれ位やれますが…）とつぶやいていたような気さえする。しかしいざやり始めてみるとなかなかひとすじ縄できくものではないということにまもなく気づいた。全日の高校生みたいに勉強が仕事というわけにはいかない自分たちである。つい，ややもすると私たちの自由になる時間を最も安易な遊びとか，睡眠とかに比重をかけてしまう。そうしていつの間にかスランプという沼にはまり込んでしまうのだ。そうしたスランプ時にたまに本校などに顔を出し面接を受けると必ずその帰りは今までなんと無駄な時間を何十日も過ごしてきたのだろうかと，己れにあきれかえり後悔することが常であった。こんなことがこの五年間何十回あっただろうか。スムースに進むかと思えば又スランプ…のくり返し，そうするうちにも少しずつ卒業の旗に近づいてゆく。まるでカタツムリが山登りをするみたいに…少し手きびしい主事の言葉だが，現在の状況がどうであれ，とにかくやらなければいけない。やらない通教生は通教生ではないということだ。苦難の中から勝ち得た卒業の栄冠こそ意義深いものではないだろうか。

以上の作文を読んでみて，いかに通信制生徒が困苦に耐えながら学問の道に進んでいるかをうかがうことができる。言葉の上では四カ年間と簡単に言えるが，本土の実態を見ると第1年次において約半数が落伍してしまい卒業生は入学時の約20%に過ぎない状態である。こういう状態は何が原因しているかを見ると全般的にどういうことはまだ調査していないので言うことはできないが，文部省の教科書無償支給制度で現行18単位履修した生徒を対象にしているのを来年度から14単位に減らすことでも現在実施している各県の教育課程で1年次の生徒に課される負担がいささか多い為ではあるまいかと考えられる。そういうことにも生徒が減少する原因の一因があるということも考え今度開設される小禄高校通信制課程の教育課程は1年次は最少限度に少なくし次第に教科を増して行くよう考慮をした。しかしながら始めて開設されるのであるから，あれやこれやと考えると一層不安はつのるばかりであるが，やらねばならないと思うと気合がかかる。

教育課程

第1年次

		面接時数	リポート
現代国語Ⅰ	3単位	3時	9回
地理B	4単位	4時	12回
数学Ⅰ	3単位	3時	9回
体育　男	3単位	30時	3回
女	2単位	20時	2回
英語A	3単位	12時	9回

第2年次

現代国語Ⅱ	3単位	3時	9回
世界史B	4単位	4時	12回
数学Ⅰ	3単位	3時	9回
生物	4単位	16時	12回
地学	2単位	8時	6回
体育　男女	2単位	20時	2回
英語A	3単位	12時	9回

第3年次

現代国語Ⅲ	3単位	3時	9回
古典乙Ⅰ	3単位	3時	9回
日本史	4単位	4時	12回
数学ⅡA	3単位	3時	9回
化学A	4単位	16時	12回
体育　男女	2単位	20時	2回
美術Ⅰ／音楽Ⅰ／書道1（選択）	2単位	8時	10回
英語A	3単位	12時	9回

第4年次

古典乙Ⅰ	3単位	3時	9回
倫理社会	2単位	2時	6回
政治経済	3単位	3時	9回
数学ⅡA	2単位	2時	6回
体育　男	2単位	20時	2回
女	1単位	10時	1回
英語A	3単位	12時	9回
家庭一般（女）	4単位	8時	12回
古典乙Ⅱ／商業一般／商業簿記（選択）	3単位	3時	9回

特別教育活動　50時間（4年間）

「父兄支出の教育費調査」の実施について

—— その概要と協力お願い ——

調査計画課長　前　田　　功

1人の子供が学校教育を受けるのにいくらの費用がかかるか？　これを知ることなしには文教政策の正しい策定も，教育財政の確立も困難であります

学校教育を受けている児童・生徒のための費用についての政府や市町村等の負担している分については毎年行なっている財政調査によりその全容が把握されていますが，「父兄が支出した教育費」については1961年度に調査がなされただけで，そのあとは調査されておりません。（61年度の調査結果は1962年12月に公表した）

「父兄が支出した教育費」の実態を知りたいという要求は近年各教育関係者の間にも高まっており，このたびその調査を実施することにしました。

調査の要旨は後記の通りでありますが，なにしろ調査期間が長期にわたりますので，学校・父兄・児童生徒の根気強いご協力なしには調査の成功は期し難いのであります。

調査は全琉の小・中・高校より抽出して行ないますが(高校全日は全校)，選定された学校は本調査の意義を十分ご理解なされてご協力下さいますよう，切にお願いいたします。

記

「父兄支出の教育費調査」要旨

1，調査の目的

こどもを公立小学校・中学校・政府立高校に通学させる父兄が支出した教育費の実態をとらえ，教育扶助金育英資金等の合理的な算定基礎を得る。

2，調査の対象と選定の方法

今回の調査対象となる学校種類・学校数および児童生徒数は次のとおりである。

学校種類	学校数	児童・生徒数
公立小学校	32	876
〃 中学校	32	585
政府立高校		
（全日）	41	384
（定時）	8	102
計	113	1,947

※　学校の選定＝学校の選定は小・中学校については，文教局で定めた通学区の地域類型別（市街地・農村）に，高校定時については学科別に各々の在籍数に応じて学校数を決め，その枠内で学校を選定する。

※　生徒の選定＝選定された学校は各学年から３～６人の児童，生徒と選定する。

３，調査の時期

1968年４月～1969年３月

４，調査の方法

この調査は調査対象にえらばれた児童・生徒，その父兄，学校，文教局という一連の組織によって，次の方法で実施される。

a.　児童・生徒（もしくは父兄）が経費を記録し

b.　教師がそれを分類集計し

c.　文教局が点検と全体の集計・分析を行なう。

５，調査する経費の範囲

この調査で調査する教育費は，こどもに学校教育を受けさせるために父兄が支出した経費で，その内容は次のとおりである。

a.　児童・生徒が学校の授業を受け行事に参加するために，直接父兄が支出した経費

b.　父兄が児童・生徒の教育のために，学校および学校教育関係団体に納付あるいは寄附した経費

c.　通学のために必要な経費

教育研修センター第一期建設工事始まる。

かねてから計画されていた，沖縄教育研修センターの第１期工事について，去る１月20日建物についての入札が行なわれ嘉数組が落札（219,400ドル)した。また，電気水道（金城電気30,300ドル，衛生設備（工友水道30,200ドル）　２月10日に決定し，１月25日から建物工事は着工された。尚，第一期工事の完成は1968年11月19日の予定である。

沖縄に寄せる気流

<全国へき地教育研大会参加報告>

宮古連合教育区　大神小・中学校長
仲　元　銀　太　郎

1，はじめに

この大会は文部省主催で第16回目，10月11日から13日の3日間，宮城県で開催された。一級へき地と二級へき地から14校をえらび，各教科，道徳，特活，進路にまたがって，それぞれテーマを設定し，教育の機会均等とへき地の特殊事情との関係を究明し，教育水準を向上させようとの意欲的な大会であった。 参加者は，南は沖縄から北は北海道まで全員で二千五百人，不参加県は一県もなく，文通り全国大会にふさわしかった。

沖縄からは，八重山由布小の富村校長，津堅中の城間教諭，それに私をいれた三人が参加したが，14分科会場に分散しているので，それぞれ別行動をとり，13日の最終日に仙台の東北大学記念講堂の全体会議場で，はじめてお国なまりの言葉と顔に接してなつかしかった。尚，各分会場の講師は文部省から，指導助言は指導主事と校長とで組織されていた。

2，宿泊地〃青根〃

私は，第三分科会（視聴覚教育）に属していたので，福島，仙台両市の中間にある白石駅で東北本線を乗り捨てた。人口四万の温泉都市で，山に囲まれた静かな街である。10月10日，白石駅の前の広場に，〃全へき教研大会第三分科会案内〃の看板が立てられたので，あいさつに出かけ案内役の指揮下にはいる。 宿泊地，青根にバスで向う。一時間の行程であるが，高原らしい景色が車窓に展開されて旅の嬉しさを知らされる。

青根は，有名な蔵王連峰を西に背負い 標高730メートルの温泉郷で，ホテルが五つある。どれも大きく，どっしりとおちついた雰囲気を見せる山のホテルである。青根にも，大会案内係がいて，バスをおりると，車で青根温泉ホテルまで案内した。鉄筋六階建のエレベーター付きの豪華ホテルである。

フロントで働く蝶ネクタイの若者たちの姿も実に清楚で，上品で美しい。

客室64，収容人員260，150畳敷きの宴会場，ロビー，会議室，バー，ダンスホール，売店等の諸施設があり，大浴場には，温泉がもったいない程朝晩湧き続けている。私の部屋は，四階の 401号室，和室と洋間があり，周囲の紅葉づいた山々が部屋を一層明るくしてくれる。

五時頃，秋田県教育庁の管理主事，黒沢市太郎先生が同居人として入室された。自分一人で勝手に考え，勝手にふるまって旅心にほくほくしている処へ偉い肩書の先生が同居されるので，にわかに緊張した。しかし話し合う中に，先生の人柄が好きになり，秋田，沖縄を話題に私はすっかりとけあっていた。

外行きの飾りをつけられず，管理主事としての経験談や日教組等の話しをお聞かせいただいた先生に今でも親近感を持っている。

3，第三分会場〃笹谷〃

第三分会場の笹谷分校は，川崎小学校の分校で，青根宿泊地からバスで40分の地点にある。

川崎町は東西30余粁，南北40余粁の広大な町で，奥羽山脈の主峰蔵王山の麓の大盆地になっている。17世紀の初期，ローマに渡った支倉常長の出身地で，常長は帰国後この川崎に謹慎を命じられ，鎖国を強化して行く時代相の中で悶々の日を送っていたと伝えられている。川崎町が，無形文化財として全国に誇るものに豊年踊りがあるが，これは常長の心情をなぐさめるために，この土地の農民たちがつくりだしたもので，三百年この方おとろえたためしがないとのことである。12日，青根から仙台に会場を移す日に川崎の有志がこの芸能を紹介し第三分科会員の拍手を浴びた。全国民謡おどりのコンクールで優勝して町民の誇りの一つに数えられている。

川崎小学校は本校のほかに六つの分校を持ち，分校の児童数は50名内外であるが，中には小松倉分校のように，23名という超小規模の分校もある。

笹谷分校は，文字通り，山又山，谷又谷を通り抜け，くぐり抜けて，本校から14粁の地点にある。学級数3，児童数34，山形と宮城の県境，海抜500メートルの高原の学校でから松林が無限に続きその間を谷川の清れつな流れがせせらぐほとりにある。

冬は積雪のためにバスが不通となり，全く陸の孤島となって生活のきびしさを痛感するという山間へき地の学校である。

しかし，学校内部にはいると，見事な施設々備に感嘆せずにはいられない。

各種の岩石を集めた岩石園，郷土の生んだ先輩偉人の頌徳碑，ハンブリング，雲梯，ブランコ，シーソー，砂場，鉄棒，観察池，植物園，果樹園が学校周囲を取り巻き，学ぶ聖地の感を深くさせる。誰が，こんな環境でけんかをしたりいやな言葉を使ったりすることができよう。母校〃ささや〃としての愛情が自然に生まれるのではなかろうかと思う。教室にはいると今週の学習案内が各教科にわたって掲げられ，学習の手引きが示されている。廊下は理科コーナー，社会科コーナー，シートコーナーが設けられ，三人の先生方の真剣な息吹きが熱っぽく迫ってくる。

3教室の外に，放送室，給食室，職員室，集会室，倉庫等があり，りっぱな教員住宅もあって川崎町の教育優先主義が羨ましくなる。

斉藤町長のあいさつに，〃川崎町にへき地があっても，教育にへき地があってはならないとの信条で，可能な限り理想的な教育を実施したい所存であります〃との言葉があったが，一分校のために，これ程の設備を提供する町当局に敬意を表せずにはいられない。

4，笹谷分校の研究会当日

校門をはいると全校児童30余名がさっぱりした服装で赤いほっぺたを並べて，笑顔で歓迎してくれる。実にかわいい。

朝礼は各教室で，校長あいさつ，子どもの歓迎のことば，今週の反省と約束がマイクを通して流れてくる。子どもらは自分の座席で静かにそれを聞いている。

朝礼後，全児童は集会室に集まって全校合奏をするのだが，全員それぞれ楽器を持って美しいハーモニーを持った合奏を見せてくれた。その後，合唱に移ったがどの子も正しい口形で精一ぱいに歌う姿は崇高だ。

この高いレベルまで鍛えあげた先生方の苦労と，児童らの努力を賞讃する声しきりである。更に，20分の校内放送劇が5，6年生で行なわれたが，ことばに実感がこもっていきいきしていた。　山深い子どもらの心音を聞くようで，すなおで，明るく，なつかしさにあふれることばであった。校門に並んでいたあの赤いほっぺたとともに，この劇のことばは印象に深く残っている。

〃川崎にへき地はあっても，教育にはへき地はない〃全くその通りで，この子らは大都市の真中に出しても，いささかも劣る点はない。前々年の学力テストでは笹谷分校は全国平均を10点もうわまわったことを聞かされ，なる程と思った。

公開援業は，1，2年複式は社会科学習でテレビ番組の視聴をとりいれ，3，4年も，5，6年も算数でシンクロフアツクスのシート学習を展開していた。

シートつくりはむつかしいが，そのために教材の系統性と指導目標が適確にキャツチされ，教師に力がついてくるし，生徒のつまづきもわかって有利である点を強調していた。

シート学習の特性をいかし，限界をわきまえた活用の工夫が必要であり，効果をどのように見て行くかが今後の課題である等，北陸方面の先生方は彼等の経験を通して意見を述べていた。主体的学習，集団学習，思考力を伸ばすために，シンクロフアツクスの今後の利用は研究を深めるべきだとの北海道側の意見もあった。

へき地出身者はことばに抵抗を持っとともに，機械器具操作の上にも抵抗を持つ。視聴覚教材はこの二つを正すのに好適であるからへき地教育には特に必要である等聞かされて，今更ながら視聴覚教育の重要性を痛感した。

5，沖縄に寄せる気流

解放された気持で旅へ出た。話にも気兼ねすることなく，誰からも気を配られることなく，見たいもの，知りたいものをさがしたかった。しかし，笹谷分校の朝会で，跡部校長がマイクを通して「皆さん，今日はね，南の遠い沖縄からもみなさんのお勉強を見にいらっしやた先生がいますよ。沖縄と言えば皆さん知っていますか」とやり出した。

研究討議場の青嶺閣では各県の先生方が全員席に着いた後，特別に呼び出されて「沖縄の仲元先生をご紹介します。」とのあいさつに続いて入場させられる等芝居じみていた。マスコミ関係のシャツターはパチパチ切られ四方八方の瞳が注がれているようでおちつけない。

翌12日の不忘閣会場では，更に大がかりな演出をさせられた。青根分校の児童会代表がみやげのこけしを贈る場面や，青根観光協会，河北新聞社等から記念品贈呈をする等，私の周りには箱が積み重ねられていく。

13日河北新報の郷土らんに大きく写真入りで「沖縄におくる山の子らの友情」でそれらが紹介されていた。

ありがたいと思ってよいのか，悲しいピエロにされているのではなかろうか等，私の心情は複雑になり秋田の黒沢先生に心の中を打ち明けた。先生は静かな口調で，「沖縄に対して私たちはすまないと思っている。沖縄の皆さんの心境も十分に知っている積りだ。　復帰もおいそれとスムーズに行かないし，お気の毒だ。本土のそうした気持の表現をしているのだから気にしないで快くうけいれてほしい。」と言われた。

東京四多摩の宇津木校長は，

「青根の子らはほんとによいことをしてくれた。子どもらにできる心のつながりである。そうした方法ででも沖縄を忘れさせないようにしたい。」と話された。

しかし，同情されるのに私は抵抗を感じた。静かな同情からは何も生まれない筈だ。

沖縄の不幸は自分の不幸であるとの意識がない限り，同情の感情で扱われるのは一種の劣等感を生む。

6，全体会議場の仙台市

12日の午後4時，3台のバスを連らねて仙台市に向う。途中で川崎小の分校の腹帯，小松倉を見る。小松倉一帯は釜房ダム建設のため，3，4年の内に湖底に沈み，その姿を消すことになっていることを聞かされた。児童数が23名であることも日一日と仙台市へ移住するのが出たのに因があるという。

仙台市では駅前の中村旅館に九州勢は揃っておちついた。福岡の池原安英先生は大宜味出身で20余年福岡に教師として勤めている由，沖縄部屋の桐の間にきて夜おそくまで話し合った。

全へき教研大会に参加される先生方はへき地の特殊条件下で苦しみ抜いているだけに，皆，共通の願いを持ち，明日の日本のために美しい夢を持っている。二千五百人の先生方の間に同志的雰囲気が自然に形成されて，親しみとファイトが湧いてくる。師弟一如となって教育の美しさが味えるのは，今日の日本ではへき地の小規模校だけだとの自信を皆持っている。偽らず，飾らず，淡々と談笑されるへき地教師の集団は，何か幕末の志士たちのそれにも似て会場全体に清純の気がはつらつと満ちているのを感ずる。

それに，天下の名曲〃荒城の月〃が会場にはりめぐらされた紫の幕にしみこむように流れて，雰囲気を更に高めている。

昭和37年10月20日，宮城総合グラウンドで第七回国体の第一日目，仙台市内の女子高校生のマスゲーム〃荒城の月〃がはじまろうとした時，作詩の土井晩翠先生の死が突然にアナウンスによって告げられ，数万の観衆はひとしく立って黙とうを捧げたという。

仙台市には晩翠先生の家があり，作詩のイメージとなっつ青葉城がある。仙台に旅する者はいやがおうでも晩翠先生のことを一度はしのばねばならなが，青葉城に近接する東北大学の記念大講堂できかされた荒城の月は晩翠先生追憶の最大のおくりものであった。その講堂で叫んだ東北の一教師の次の言葉も印象に深く残っている。

「へき地をつくるものは誰か，それは当時の政権である。山は美しく，谷川のせせらぐこの自然を捨てることなく，たのしい産業が興せないだろうか。都市の工業集中，人口集中にメスをふるい，国際的展望の上に立つ産業の再構成を計り，人間回復を計る社会科学を生み出す日本でありたい。経済の高度成長を誇っても，その裏に農山村は人口激減し，家庭は荒廃して行く，それでも日本を支える人物のほとんではへき地出身の人々であるのを思う時，現在の教育も認識を改めねばならない。」

＜学校めぐり＞(3)

陸の孤島に生きる

── 真栄里山分校 ──

石垣教育区立川原小学校
真栄里山分校主事　大浜用幸

前に水青き太平洋，広々としたキビ，パイン畑。後ろに琉球一を誇るおもと（於茂登）連山を眺める 標高150米余，秀麗な於茂登山麓に位置するここおもと分校（真栄里山分校）は，八重山群島の中心である石垣島の且つ中央部市街地よりおよそ8マイル余のところにある。しかしながら純然たる僻地である。なぜかというと，交通通信機関も甚だ悪く，文化に浴することほど遠く，あたかも陸の孤島なるがゆえであろう。さて部落構成だが，分校を中心に，東方約1キロの地点におもと部落，南西方約5キロの地点に開南部落があり，1957年6月政府計画移民に基づく最終入植団であり沖縄の北谷，玉城村の両村を主に開拓の苦難にもめげず，堅忍不抜，不退転の精神で励み，今日では団員おしなべて生活も落ちついている。生計の中心は営農であり，主要産物は，パイン，キビ，野菜，おもと銘茶である。

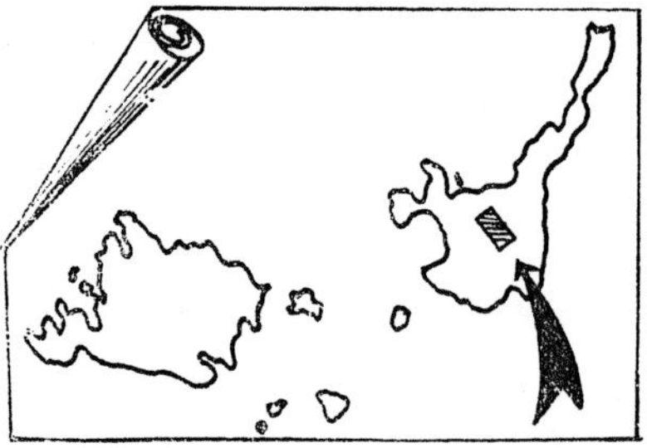

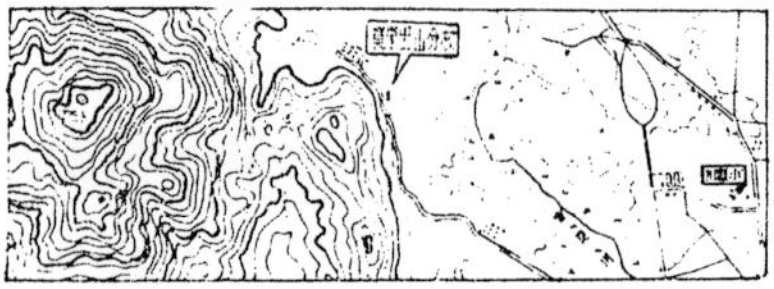

入植当初，川原小学校仮教場として開校し，公民館（開拓団宿泊所）を仕切って使用，1961年分校に昇格，1962年，現在の校舎（二教室）が建築され

た。（創立当初は道なきジャングルの中にあったが，現在は道と名のつく悪道がある）。

学校の職員構成は目下職員二人（4月～5月は単級で職員は1人であった。転校生が増え，在籍は減る一方で現在16人の三箇学年複式である。

一人三役を兼ね，その上，名のみの分校であり実質的にはなんら独立校と変わらないというのは，本校よりずいぶん離れ，交通通信甚だ不便であるため，あらゆる事務（会計その他一切）学校行事（運動会，ＰＴＡ総会，学芸会等）二人でやってのけるのだから（一校並に）それこそ一人五役，六役，七役で大変な不担過重である。運動会は部落民総出で，小中高生共に協力してレクリエーションを兼ねた楽しい〃和〃のある唯一の催しである。今年は卒業生六人，入学児童（新入生）二人という淋しいものであったが，それでも一校並に入学式がもよおされた。

日頃の授業で最も痛感するのは，三箇学年複式のカリキユラムがないことである。二箇学年複式の各教科のカリキユラム及びその他これに関する参考資料はあるが，こと三箇学年複式となるとたよる資料は皆無に等しい。このような資料（各種の）が是非あって欲しいものである。非進歩的でありかつ奇形である三箇学年複式の授業型態より巣立った児童が進学した際，単式学級よりきた児童と肩を並べ，あらゆる面に少なからぬハンデーキヤツプを感じながら学習するかと思うとき，一日も早く交通（バスダイヤの回数増），通信（電話）の便が開け，ここ文化生活に恵まれない山麓の淋しいランプ生活の村，おもとにも電気のつく文化生活ができ，また児童も分校が最寄りの単式の学校に統合することに依って，（三箇学年複式解消）凡ての面で，文化の恩恵に浴した教育（教育の機会均等）が受けられることの早からんことを切に祈るものである。

<教育関係法令用語シリーズ>(5)

教育に関連した目的のための募金

総務課法規係長　祖　慶　良　得

1 沿　　革

学校教育法（1958年立法第３号）の第６条は，「授業料その他の費用」という見出しの下に，第３項で「政府立又は公立学校の教育に関連した目的のための寄附金の募集は，中央委員会の認可を得た後でなければ，これを行なうことはできない」と定めている。　この規定は，1956年９月に可決された２度目の可決法案には謳われていなかったが翌年９月に可決された３度目の可決案に挿入されていたのである。しかし，これを可決した立法院第10回定例会の会議録によれば，第６条については，先に可決された案と変ったところがないという説明になっている。したがって，立法者がどのような意思でこの第３項を設けたかを解明することは難しいことである。

ところがその審議過程において，つまり，1957年３月に布令第165号琉球教育法が発布され，そして同布令の第７章第３節にロとして「政府立及び公立の小，中学校の生徒からも，その父兄からも教育税以外には，授業料もいかなる種類の費用も徴収してはならない」と規定し，その後段で「政府立または公立学校の教育目的または教育に関連した目的のための寄附金の募集は中央委員会の認可を得た後にのみ行なうことができる」と規定してあった。学校教育法の規定も，これに起因していると思われる。ただ立法院においては勧告案に挿入されてきたこの規定に気づかなかったか，あるいは問題にされなかったのであろう。いずれにしても布令ロ項の趣旨からすると，公費以外のもので教育費をまかなおうとするときには，中教委において規制すべきだという意味に解される。

2 運用の実際

沖縄の学校教育法の中には法理論的にみておかしいと思われる規定でも，一時的な事態収拾の必要から設けられたものがいくつかあった。6条2項や12条及び削除された8条などがそうである。第5条が学校の経費についての設置者負担主義を謳っている点からみても，6条3項は学校教育の体系よりは教育行政分野にて考慮されるべきではなかったかと思われる。

6条3項の規定が，募金活動の規制を目的とするものなのか，行政当局の寄附受領を規制することを目的としているのか，運用の現状からは必ずしも明確でない。中教委はこの規定の施行のために二つの規則を定めている。一は「教育に関する寄附金の募集に関する規則」で，二は「教育に関する寄附金募集認可基準」である。前者は，警察で適用している寄附金品募集取締規則（旧県令）に相当し，募金責任者や募金従事者について定め，その募金活動を規制し，認可申請の手続について規定してある。　後者は，申請があった場合の認可基準で，募金によって実施できる事業の範囲と予算上の基準について定めてある。その内容は，前者は取締り，後者は寄附受入れ制限について規定してあるように感じられる。

実際の募金認可申請は，学校の創立何十周年（10周年以上との規定がある）記念行事としての事業に限られ，申請者はその事業の期成会長（任意団体）になっている。勿論法の趣旨としてはそれ以外の募金についても，すべて規制を受けなければならないだろうが，こういったものについては認可を受けずに実際にはなされているものと思われる。

3，法 的 な 問 題 点

① 募金に関する規則第14条によれば「公教育の適正な公費による運営をはかるという趣旨」に基づいて同規則が解釈されるべきことを規定している 。 この点からすれば，本土地方財政法第27条の3及び第27の4の規定が住民に対する負担の転嫁を禁じたのと同趣旨であり，募金責任者や従事者について細い規制をする必要はなく，学校を含めての行政当局の寄附受入れを規制すれば足りると思われる。また立法論としては学教育法の体系からはずすべきではないかと思われる。

② 認可基準第3条に列挙された事業の範囲からは，公教育費でまかなうべきものを除外することは，運用の実際からみてほとんど不可能で，寄附できる範囲が無制限に解されるおそれがある。これは，認可申請をしない者があっても，警察のような取締りができない現状からして，単なる自粛規定の意味しかもたなくなっている。認可がないから無効だといったところでどうにもならない。

③　募金に関する規則第7条によれば，認可があったときは募金許可書を発行することになっているが，認可について許可書を発行するというのは変である。行政行為の補助行為（効力発生要件）としての認可と，禁止された行為の解除を意味する許可との用語の混同があるのではないか。理論的にみて募金の取締を目的とする場合は法にあるような「認可」は「許可」でなければ筋がとおらない。しかし，このことによって6条3項の認可を許可の意味だと解することは困難である。

④　実際の運用上期成会長に対して認可を与えているが，最終的に寄附の利益を受けるのは学校又はその設置者を代表する行政当局である。特に政府立学校に関連した募金の利益を受ける者については，教育財産の取得の権限を有する中教委となる場合がある。これは認可権者が受納者となることで，双方代理のような関係になる。

⑤　以上のほかにも問題点はあるだろうが，これらを総合して考えられることは，学校教育法6条3項の規定が多くの労力と費用をかけて繁雑な事務を課しているが，この規定の存在意義については，はなはだ疑問だということである。

各種研究団体紹介 (8)

沖縄県社会科教育研究会　高校部会

高校部会長　西　銘　活　蔵

一，高校部会の設立

本部会の結成は昭和39年12月23日にさかのぼる。以下設立当初の趣意を簡単に要約すると次のとおりである。

高等学校教育は生徒に対し中学校における教育の基礎の上に，心身の発達に応じて教育を施し，国家および社会の有意な形成者として育成することが目標であることは学校教育法の明示するところである。

この目標を達するために行なわれる高等学校教育の内容を充実，発展させるために高等学校社会科担当教師が当面する社会科教育の諸問題，即わち日々の授業実践における考えさせる社会科教育の位置づけ，もっとも効果的な教材の取り上げ方，郷土教材の取り扱い方など教師が積極的に，いかにすべきかを理論と実践の両面から究めていかなければならない。

こういった課題は教師の自主的な教研活動，研修会等で指摘，検討されながらも，活動を継続的に促進するには到らなかった。

そこで個々の教師の専門的知識の収得を高め，日々の授業実践，研究活動を組織化し，本土の研究団体との提携を深めようとする気運が急速に高まってきた。さき頃，教育指導員として来島された斉藤弘，吉田一正両先生の意欲的な態度は現場社会科教師に一段と研究会設立の意欲を湧きたたせた。

そして現在，全国社会科教育研究会全国地理教育研究会，東京都倫理社会教育研究会などへの参加連携と今日に至っている。

二，研究会の目的及び研究組織

本会は沖縄内高等学校社会科担当教師並びに本会の趣旨に賛同する者で組織され，社会科教育の研究促進，あわせて会員の資質の向上を図ることを目的として組織されたものである。

1968年1月現在会長（西銘活蔵）副会長（山城宗克）各分科会長（政治経済＝比嘉隆，倫理社会＝金城盛作，地理＝城間幸次郎，日本史＝新田重清）事務局長（比嘉隆）等の役員を中心に各理事，全会員の協力によって堅実に運営されている。

三，各分科会の研究活動の要旨

(1) 政経分科会

○授業研究会…「選挙制度」　比嘉　隆

○　〃　「労働関係の改善」　東盛清八

○研究発表　「研究発表「郷土教材の取り扱いに関する提案」　津留健二

○研究発表　「課題学習の一試案」
王城　勲

○研究会報告　「本土の研究会の現状」
玉城　勲

○講演　「復帰の基本的条件について」
琉大助教授　宮里政玄先生

○政治経済料（沖縄編）の編集計画
…（研究中）

(2) 倫理社会分科会

授業研究会「キリスト教の考え方について」　金城盛作

○授業研究会「ヘーゲルについて」
新垣　清

○研究討議「倫理，社会全般における取り扱い上の諸問題について」各学校より意見の発表交換

○講演「倫理社会の基本的諸問題」
教育指導員　斉藤　弘先生

○講演「倫理社会の取り扱い方」
教育指導員　酒井俊郎先生

○研究発表「グループ学習の一試案」
金城盛作

(3) 地理分科会

○地理巡検「沖縄島南部の海岸地形」を主テーマとして

○講演　「沖縄における移動村落について」　琉大教授　仲松弥秀先生

○研究発表「沖縄糖業の現況」
豊島貞夫

○講演「都市の地理学的考察」
琉大講師　中山　清先生

講演　「集落地理の取り扱いについて」（ヨーロッパの村落を中心にスライドによる講演）

「集落地理の取り扱いについて」（ヨーロッパの都市を中心にスライド使用による講演）東大助教授　西川治先生

○今後は会員よる研究発表授業研究，巡検等にも力を注ぐ計画である。

(4) 日本史分科会

○授業研究会「室町の文化」　新田重清

○史跡調査（沖縄本島）～共同研究

○年間指導計画（基準プラン）の作成～共同研究

○研究課題提案～「郷土史を日本史の一還としてどのように位置づけるか」
新田重清

○指導要領にてらしてどの史料をどの程度までとり扱かったらよいか～共同研究。

教育長協会からの
教育委員会法疑義照会に対する回答

文　教　局

沖縄教育長協会からの教育委員会法の疑義照会に対する文教局長回答（1967年12月23日文義 第106号）をここに掲さいし，教育行政の円滑な運営に資したいと思います。

問1　教育委員会法（以下「教委法」という。）第5条の規定の中の「公表を要するもの」とは一般権力関係を律する法規たる性質を有する規則としての教育委員会規則を制定した場合のことを示していると解してよいか。

（回答）　教委法第5条第2項の規定は，教育委員会規則は勿論，公布を要するが，その他にも当該教育委員会の決定した告示，訓令等の規程にも公表を要するものがあるので，その種類，手続き等を公告式規則でもって定める必要があることを規定したものである。一般的権力関係を律する規則だけに限って公表を要するということはない。

問2　教委法第6条によると，教育委員は，その委員の一人又は一部の委員に行政上の職務を行なうことを委任することはできないと定められているが，校舎建築の検査等にも全員立合わねばならないか。検査の権限は誰か，立合いはどのような法律行為か。

（回答）　教委法第6条の規定は，教育委員会については，委員長にも代表権はなく，委員会の意思は会議を通してのみ表示されるべきことを規定したもので，委員は合議体たる委員会の構成員たるのみである。

委員会の契約遂行については、委員会の補助執行者たる教育長を通じて行なわれるべきである。

教育委員を校舎建築の検査に立合わせたことについては，校舎建築に対する関心と理解をもたせるための配慮であり，法律行為ではない。

教委法第136条第1項により政府が全額負担する校舎建築については，政府が検査の権限を有することは当然であるが教育区の負担において設計書を作成し，契約したものについては，当該教育区も検査の権限を有することは勿論である。

問 3　教委法第20条の規定について

(イ)　同法規定中「当該委員会において…云々」とあるのは，委員会の会議において補充委員を選出することと解してよいか。もし，そうだとすれば，かりに区委員会の委員に定数の過半数の欠員が生じた場合は同法第29条の規定に基づき区委員会の会議は成立せず，従つて補充委員の選任は事実上，不可能となるが，そのへんはどう解釈すべきか。

(ロ)　区委員会の委員が任期中に全員欠員になつた場合，再選挙の規定のない現行法においては，どのような方法で補欠委員を選任すべきか。

（回答）(イ)　について

前段，貴見のとおり

後段，

教育委員が同時に過半数の欠員を生じた場合は，教委法第29条の規定により会議の定足数を満すことができないので会議は成立しない。したがって補充委員の任命も不可能となる。このような場合の救済規定は，現行教育委員会法には何らの規定もないので，このような事態が起らないよう運営にあたって特に注意を要する。

(ロ)　について

(イ)の回答により了知されたい。なお，教委法 第134条を参照のこと。

問 4　教委法第25条の規定について

(イ)　同条第 1 項によると教育委員会が事務を行なう場合は，教育長の助言と推せんを得ることが不可欠の要素になつている。従つて教育委員会に対する議案の提出権は教育長の専属的権限と解されるがそれは正しいか。

(ロ)　個々の教育委員にも議案の提出権はあるか。もしあるとすれば議案については教委法第20条の規定に基づく補欠委員の選任に関するものに限られるものと解することは正しいか，もし正しいとすればその根拠はどうか。

(ハ)　「助言と推せんを得て」の規定が直ちに提案権と解釈するのは理解しかねるので，

そのへんをもう少し詳しく解説してほしい。

（回答）(イ) について

教育長は，教育委員会の指示要求により又は，教委法第25第１項の規定による独立の権限として，教育委員会に対して助言と推せんができるものであるこの独立の権限により，直ちに提案権は教育長の専属的権限と解することは適当ではない。

教育委員会の議事運営については；教委法第25条及び第85条第２項の規定に基づき，原則として教育長の側から議案を作成して発議するが，同法第20条（委員の選任），第26条第１項（委員長及び副委員長の選任）及び第83条第４項（教育長及び教育次長の選任のような教育委員会の専属的権限の行使については，委員側からの発議が認められなければならない。

(ロ) について

前記(イ)の回答後段により了知されたい。

なお，教委法第27条第２項の規定によつても委員の側から発議されることは予想できるが，これは案件を示して議を起すということであって，ただちに，議案の提出権と解することはできない。

(ハ) について

前記(イ)により了知されたい。

問５　1965年12月18日文管義 第427号の教委法の解釈についの回答文の中に「教委法第25条第2号「教育区の資金使途を決定しその支払を承認すること」とは，教育区の歳出予算書に基づき支出負担行為について承認することと解する」とあるが，この支出負担行為とはどのような行為か，具体的解説をお願いする。特に支払義務の発生の時点と支出負担行為の時点についての解説をお願いする。

（回答）(1) 教委法第25条第１項第２号の「教育区の資金使途を決し」とは，広い意味に解釈すると予算の決定権まで発展するので歳出予算の支払資金と解すべきで，その使途の決定は支払計画の決定と思われる。

後段「支払を承認する」とは同法第58条第２項の委員会の支払命令と関係がある。代表者のいない非常勤の委員会であるため，その日常事務について支払命令をすることは，前もつて予定されているもの以外のものについては不可能である。したがって，同法 第133条第１項及び第２項の規定に基づいて，事務の委任が必要である。

(2) 「支出負担行為」とは，財政法（1954年立法第55号）によると支出の原因となる契約その他の行為をいう，と定義されている。支出負担行為等取扱い規程（1965年訓令第27号）の支出負担行為の整理区分表等を参考にされたい。

問６　教委法第25条第1項第3号の規定に「…任免，その他の人事に関すること」とあるが，その他の人事とは，具体的にどのようなものがあるか。

（回答）「その他の人事に関すること」とは，任命，免職以外の「給与その他身分取り扱いに関する事務」と同意である。

昇給，徴戒，分限等は一例だが，人事権の範囲は広く，職員の身分取り扱いの全般に及ぶものと考える。

問７　教委法第25条第1項第5号について疑義

同法同条第８号の規定は，学校その他の教育機関の設置管理及び廃止に関する権限を定めたものである。本来設置，管理及び廃止の主体は教育区にある（教基法第６条，学校教育法第２条等）が，併し，教育区は自ら権利を具体的に行使することは不可能であるので，教育区を代表する教育委員会が教育区に代つてそれを行使することを定めたものであると解される。しかるに教委法第44条の規定を受けて定められた第５号の規定の中には，管理と処分のみ定め，設置の権限が除かれているのは何故か。

（回答）一般に基本財産とは，それから生ずる果実のみを使用することができる財産である。

教育目的のための基本財産とは，それから生ずる収入が教育目的のために使用されるものであり，教育目的のための積立金穀とは，教育の目的のために供せられる積立金のことで，果実のみならず元本をも消費することができるものであって，設問の「設置の権限」は，第５号とは直接関係はない。

問８　教委法第25条第1項第7号の規定による「予算編成に関すること。」とは同法第45条の前段を指しているものと解してよいか。もし，そうだとすれば，予算の編成とは，予算編成方針の作成から予算案の作成に至るまでの一連の行為であるから，教育委員会の予

算編成に関する権限は予算見積書の調製という予算編成の中の一行為である。即ち予算の概算要求権であると解すべきと思うが如何。

（回答）　教育委員会法第25条第１項第７号は，予算の編成が区委員会の権限であることを規定したものであり，従来予算の最終的決定権までを含む一連の過程を意味したが1965年の改正後は議決権が市町村議会の権限として規定されたので，第45条以下の規定によって区委員会が予算について作成すべき事項とされたものに限ると解すべきである。単なる概算要求権ではなく予算原案送付権と二重予算の制度が認められている。

問９　教委法第25条第1項第9号の規定の中の次の疑義について御教示下さい。

(イ)　認可の実定法上の意義

(ロ)　教育課程の制定と編成とは別の意義を有するものであるが，もしそうだとすれば，ここでいう制定は包括的管理権を有する教育委員会の地方基準の制定を意味するものと解し得るや，否や，また別の立法趣旨に基づくものであるならば，その点を詳しく解説して下さい。

(ハ)　「教育課程の制定」と「教育課程の編成」とが同意語であるとするならば，学校教育法の委任命令による学習指導要領の中に「学校は教育課程を編成する」という規定があり，従つて，教育課程の編成権について教委法と学校教育法の規定が矛盾低触することとなるが，その辺はどのように解釈するか。

（回答）　(イ)　について

法律用語の一般的解説に従う。

(ロ)　について

教育課程の編成とは，その手続き及び内容において異なるものと解する。

「教育課程の編成」とは，関係法令に従い教育課程を作成することであり，「教育課程の制定」とは，特定の教育委員会が作成された教育課程を所定の手続きを経て決定することをいうものと解する。

(ハ)　について

学校において編成された教育課程を経て最終的に決定することが教育課程の制定と解するので，設問のような矛盾はおこらない。

問10　教委法第25条第1項第13号及び第14号の規定の中にある「教育関係職員」とは，教育委員会が任命するところの学校に勤務する一切の職員と解してよいか。

（回答）　よい。

なお，同法同条同項第13号及び第14号は，学校職員を前提とした規定と解する。事務局職員については，同項第3号及び同法第5款の規定によりカバーされたい。

問11　教育長及び教育次長が共に事故があるとき，教育委員会の会議を開くことができるか

（回答）　教委法第85条第5項の規定は，教育長の教育委員会のすべての会議に出席する義務を定め，教育長自身の身分取扱い，その他止むを得ない事由のある場合は，出席を要しないと規定している。したがって設問のような場合で会議は開けるものと解する。

ただし，この場合の議題については，教委法第20条，第26条第1項及び第83条第4項等教育委員会の専属的権限とされるものに限られることが望ましい。　すなわち，教育長の助言と推せんを必要とするものについては，教育長又はその代理者の出席を求めて審議されるべきである。

問12　教委法第36条の規定中「教育区の出納」とあるが，ここでいう出納とは，現金出納及び物品出納の両者を指しているものと解してよいか。又出納という観念は，出納という手続きのみでなく，保管まで及ぶものと解すべきと思うがどうか。もしそうだとすれば教委法第25条第1項第4号の如何にかかわらず現金（雑部金を含む。）の保管については，会計係の専属的権限と解されるが如何。

（回答）　出納とは会計法規上は，現金及び物品に関して用いられ，保管を離れることを出，保管に入ることを納ということで出納官吏とは出納保管を掌る官吏をいうとあるから教委法第36条の会計係は，現金と物品の出納及び保管の責任を有するものと解する。

教委法第25条第1項第4号は区委員会の職務権限であって，会計係の現金保管とは直接関係はないが，委員会の職務権限の執行によって，出納が生ずる場合は，その出納保管の責任を負うことになるものと解する。

問13　教委法第33条の規定中，すべて会議録に記載しなければならないとあるが，その「すべて」とは，会議の始めから終りまで一言一句も落さず記載するという意味かどうか。

（回答） 会議録について必要な事項は，教委法第33条第２項の規定により教育委員会規則で定めるようになっているので，この規則で定める必要事項について記録することで，会議の次第の要点をすべて残さず記載するという意味に解されたい。

問14 教委法第41条の規定の中の「報酬」とは，生活給たる意味を全く有しないところの単に役務に対する反対給付と解すべきであり，従つてその支給方法については委員会に出席しない委員に対しては支給すべきではなく，月額報酬或は年額報酬は不当であり，日割報酬にすべきだと思うがどうか。「費用弁償」とは，職務の執行に要した経費を償うために金銭を支払うことであり，従つて費用弁償の定額主議は原則として好ましくないと思うが如何。

（回答） 報酬が委員並びに非常勤職員の勤務に対する反対給付を意味し，費用弁償が職務の執行等に要した経費を償うため支給される金銭であることは貴見のとおり。

支給方法については区委員会規則で定めることになっており，統一するのは困難である。

問15 教委法第41条第３項に区教育委員会の報酬及び費用弁償は，該当市町村議員のそれをこえてはならないとあるのは，委員長は議長と副委員長は副議長と委員は議員と同額以内であればよいと解すべきか。あるいは委員長以下委員，議員と同額以内と解すべきか

（回答） 教育委員会法第41条第３項は委員の報酬，費用弁償について市町村議会議員との均衡を保持するための一般的な制限条項であり，委員長，副委員長の報酬が一般委員と異なる定めであっても，その制限内であればよい。

問16 教委法第45条第２項で，「その他財政状態の説明資料を提出しなければならない。」とあるが説明資料とは具体的にはどのようなものがあるか。

（回答） 教委法第44条第２項に該当する各種の積立金穀の現状や，教育区債の支払状況などが挙げられる。

問17 市町村自治法第 169条の予備費に関する規定の中に「予備費は議会の否決した費途に充てることができない」と定められているが，教育委員会法第49条の予備費に関する規定にそのような定めがないのは何故か。又予備費使途に対し何の規制もないことは，議会の修正権を有名無実にする慮れがあると思うが如何。

（回答） 市町村自治法第169条第3項の規定に相当するものが教育委員会法にないのは，委

員会が予算の決定者だった従来の経緯からこのような規定となっているが，議会に議決権がある以上これを尊重し議会の否決した費途に予備費を充てるべきではないと解する。

問18　教委法第52条の規定と関連した問題として次の点について御教示下さい。

(イ)　市町村自治法 第112条の規定は，教育予算に対しても適用できるかどうか。

(ロ)　適用できるものとすれば，連合区の予算は同条第2項第1号の「その他の市町村の義務に属する経費」に該当するものと解してよいか。

（回答）　(イ)　市町村自治法 第112条は市町村の収入又は支出に関する市町村議会の議決に対する長の処置について規定したもので，教育予算に対しては適用できない。

(ロ)　(イ)により承知されたい。

なお，回答(イ)によっては，「義務費の削減等に対処できない。」との見解から，教育委員会の原案送付に係る事項にあっても，市町村長から提出され，議会の議決を経るものについては，すべて議会と長との関係が生ずるものであるので，長が議会の権限を代って行使するような場合には，教育予算等についても，市町村自体の問題として処理し教育委員会に答えるべきであるとの解釈もあるが，このことについては，更に検討をしたい。

問19　教委法第51条の規定の下記について御教示下さい。

(イ)　市町村長の調製権は教育予算の全面に及ぶものである。従つて予算編成の実質的権限は市町村長にあると解すべきであると思うがどうか。

(ロ)　調製権から当然増額もできるものと解するが如何。

(ハ)　減額だけを規定し，増額にふれなかつた理由。

(ニ)　減額は全額を削除する場合も含むかどうか。

(ホ)　増額する場合は，教育委員会の意見を聞く必要がないと解し得るか。

（回答）　(イ)(ロ)(ハ)(ホ) 教育委員会法第3条に「政府及び地方教育区は，法令の定めるところにより，教育，学術及び文化（以下「教育」という。）に関する事務を処理する。」とあり，地方における教育事務の所管は地方教育委員会に専属している旨が明示されている。したがって，市町村長の教育予算に関する調製権は歳入を主とする調製権であり，財源上の理由による減額修正のみで増額修正はあり得ないと解されたい。なお市町村に財源の余裕がある場合には，市町村長はその旨教育委員会に通知し，予算見積りを増額させるべきである。

㈡ 減額には全額削除も含むものと解する。

問20 教委法 第52条第3項に「区委員会は，市町村長から教育予算の送付を受けたときは直ちにこれを文教局長に報告し，かつ，その要領を告示しなければならない。」 とあるが，要領の告示形式を示してもらいたい。

（回答） 告示形式については，教育委員会法第5条第3項により，各教育委員会が規則によってこれを定めることになっている。なお，市町村自治法 第170条第2項に基づく市町村予算の告示の形式に準じて取扱われたい。

問21 教委法第55条に関する次の点についてお伺いします。

㈠ 教育委員会が起債する場合の要件は「議会の議決」と「中教委の許可」になつているが，この行為は手続上どちらの方法を先にすべきか。

㈡ 許可という語は，学問上は一般的禁止を特定の場合に解除する行為であるといわれていますが，ここでいう許可は，同意という程度に解してよいか。また，中教委の許可なしに起債した行為は法律上どのような結果になるか。

㈢ 起債の方法等を変更する場合も，議会の議決を必要とするか。

（回答） ㈠ について

教育区の起債許可に関する規則（1966年中央教育委員会規則第31号）第2条によれば議会の議決が先である。

㈡ について

（前段）教育区の法律的行為の効力を完成させる行政行為，すなわち認可行為であると解する。

（後段）許可を受けなければ無効である。

㈢ について

教委法第55条第2項の趣旨から議決事項と解される。

問22 教委法第58条について御教示下さい。

区委員会の支出命令は，区委員会の会議において決定されるものと思うが， その場合，支出命令書の捺印は区委員会の公印か，又は委員全員の私印か。

（回答）　印鑑は原則として公印であるが，私印が有効となされる場合もある。

なお，問５の回答(イ)を参照されたい。

問23　教委法第65条の４の次の点について御教示下さい。

(イ)　「承認」とは，単なる同意でなく，原案の修正権を否むものと解してよいか。

(ロ)　1966年4月1日前に制定した委員会規則（市町村の負担を伴う規則）も議会の承認が必要か。

(ハ)　「承認」の定義は何か。

（回答）　(イ)(ハ)　「承認」とは「ある行為に対して同意を与え，その行為の効力を保証するための意志の表示」であるとみることができる。したがって，議会の権限としては承認の可否の議決のみで原案に対する修正権は含まないものと解する。

(ロ)　教育委員会法の一部を改正する立法（1965年８月19日立法第99号）施行以前に既に制定されている規則（市町村の負担を伴うもの）については改めて議会の承認を得る必要はない。

問24　教委法第65条５の次の点について御教示下さい。

(イ)　議長は，教育長又はその委任を受けた者以外の者を指名して出席を求めることは違法か又は不当か。

(ロ)　教育長が，議長から出席を求められたとき当該委員会の補助機関である学校長，会計係等を随伴することは違法かどうか，又連合区教育委員会の職員についてはどうか。

（回答）　(イ)　教育長は当該教育区における教育事務執行の責任者であることから，教育長またはその委任を受けたもの以外のものを説明のため出席を求めることは妥当でないと解する。

(ロ)　教育長の議会での説明のための補佐役としての随行である限りにおいてはさしつかえない。

問25　教委法第65条の６に「著しく適正を欠くときは」云々とあるが，教育予算の場合，どの程度の範囲をさすか。

（回答）　その範囲について一律に明確な線を画することはできないが，例えば立法や規則に違反した予算措置や教育事務に著しい支障や困難を来たすような予算措置等がこれに含まれよう。

問26　教委法第78条連合区の経費の分賦について次の点をご教示教さい。

(イ)　違法又は錯誤の具体例を示して下さい。

(ロ)　連合区分担金を議会は削減できるか。

(ハ)　異議の申立のあつた場合，どのように処理したらよいか。

（回答）　(イ)　連合区の規約に基づかない経費の分賦または教委法第75条の手続きを経ない規約の改正による経費の分賦等が違法の具体例として挙げられる。錯誤の例としては，経費の分賦に際しての計数上の過誤等が挙げられる。

(ロ)　教育予算の審議決定権が議会にある限り，金額の増減に関する修正権は存在するものと解する。なお，問19の回答を参照のこと。

(ハ)　教育法第78条２項により，連合区委員会は申立理由を審査し，申立が妥当と認められる場合には，これを訂正して再告示しなければならない。

問27　教委法第80条の準用規定中にある「教育区に関する規定」とは，教委法第２章を指しているものと解してよいか。

（回答）　よい。

なお，主として第２章であるが，それ以外にもありうる。

問28　教委法第83条第４項に連合区委員会は，教育長を選任する場合は，当該連合区を構成する教育区の区委員会と協議することになつているが，ここでいう「協議」とは，相談の上合意に達した場合を指すものか，又は事前相談としての意見聴取という程度のものであるか。

（回答）　原則として合意に達することがのぞましい。

なお，協議については，教育長の選任に関する規則（1958年中央教育委員会規則第60号）第４条に定める手続きによるものとし，充分に意見の調整をはかり，同規則第５条により任命できるものと解する。

問29　教委法第141条の規定中，「職務上知ることのできた秘密」とあるが，その秘密とは，教育関係職員及び教育委員等の個人にかかる秘密のことか，あるいは区委員会にかかる秘密も含まれるかどうか。なおここでいう秘密とは内容的にどのようなものを指しているか。

（回答）　「職務上知ることのできた秘密」とは，秘密そのものは個人的秘密であつても，職務執行上知り得た秘密であり，個人にかかる秘密も委員会にかかる秘密も含まれるものと解する。

具体的な内容については，個々の事がらについて検討を要すると思われるが，一般的には，個人又は委員会が公知を欲しない事項で，名誉，信用，社会的地位等に影響を与えると考えられるものであると解する。

なお，このことについては，琉球政府公務員法（1953年立法第4号）第42条の秘密を守る義務と同義である。

問30　教育委員の常勤は，法律上可能かどうか，及びその理由

（回答）　教育委員の常勤については，現行法上，明確な規定がない。しかしながら，現行教育委員会法に規定する教育育員の性格上及びその職務内容，勤務態様等からみて，常時職務に従事することを要する職とは思料されない。なお，教委法第41条，第28条及び第6条等の趣旨からも常勤とすることはできないものと解する。

問31　本土の教育委員長には代表権があるが，沖縄の場合ないのはどういう理由か。

（回答）　教育委員会は，合議体の執行機関であって，会議体としてのみ，その職務を執行することができることを強調したものである。

なお，本土においては，旧教育委員会法から現行法への改正に当って，委員長に委員会を代表する権限を与えているが，教育委員会の権限に属する法律行為を委員長名でなし得るということであって，教育委員会の権限に属する事務を委員長が単独の意思によって処理し，事務の執行をするという意味ではない。

教育委員会の権限の行使については，委員会の会議においてその大綱が決議され，これに基づく事務の執行は，教育長が行なうようになっている。

問32　予算執行にあたつて款，項の流用は議会の承認が必要であり，目内の流用はその必要がないといわれているが，法的根拠があるか。

（回答）　教育委員会法の一部を改正する立法（1967年立法 第148号）で，予算費目の流用その他財務に関し必要な事項は中央委員会規則へ委任する規定（第72条）が加えられている。

規則はまだ制定されていないが，予算費目の流用については市町村自治法施行規則第78条の規定の趣旨に沿うて運用されたい。

問33 特別交付税について，次の点をご教示下さい。

(イ) 特別交付税積算の中に教育に関する部分も含まれているか。

(ロ) 申請の手続上，市町村当局と教育委員会との関連はどうか。

（回答） (イ) 含まれている。

(ロ) 「申請の手続」とは「特別交付税の交付に関する資料の提出」のことと解するが，市町村交付税の交付事務はすべて総務局が主管しており，特別交付税の交付に関する資料の提出も総務局長から市町村長に対して求められる。従って教育区の分については，市町村長は教育区に係る資料を当該教育区に求めて，これを市町村分とまとめて提出することとなる。交付についても普通交付税と同じく市町村に対して交付される。

問34 会計監査委員について，次の点を御教示下さい。

(イ) 市町村の監査委員を教育委員会監査委員として任命できるか。

(ロ) 市町村の監査委員は，教育区の出納を監査する権限があるか。

（回答） (イ) 差支えない。

(ロ) 市町村と教育区は同格の法人であり，財源が一本化されているだけで，それぞれ独立した機能を有している。市町村の教育費負担金は補助金，交付金的な性格のものではなく，財源の配分とみられる。したがって，教育予算が議会で可決された後においては，予算執行の段階である出納の監査については教育事務の一種であり，教育委員会の一機関である監査委員がその責務を負うべきで，市町村の監査委員はこれに関与する権限はないと解する。

問35 地方自治法と教育委員会法が低触する場合，どちらが優先するか。

（回答） 市町村自治法と教育委員会法は抵触することなく両立すべきものと考える。

もし，両法に抵触する規定があると思われるのであれば，その具体的例を示されれば改めて検討したい。

問36 教委法第85条第３項及び同法第89条に関する次の点について御教示下さい。

(イ) 教育長の指導助言の対象が学校であり，指導主事のそれは校長及び教員になつているのは何故か。

(ロ) 教育長は，個々の教育活動に対しても指導助言することができるか。

（回答） (イ) について

校長，教員は，地方教育行政の最高責任者としての教育委員会の一般的な命令監督の下にあるのであるが，この命令監督の系統は，教育委員会から教育長を経て直接に校長に至り，そこから教員に及ぶものであり，特に身分上の問題等については大方この系統を往復するものと考えられる。ところが指導主事については、上記のような教育長の権力的な命令監督の補助執行者ではなく，あくまで非権力的な指導助言の補助執行者であることが示されている。

指導主事は，教育課程，教授法，教育内容等についての専門家であり，免許資格も要求されている職員であることから，直接又は教育長の指示により，校長及び教員に指導助言が与えられるよう規定されたものであると解する。

(ロ) について

できる。

教育委員会の行なう指導事務～教科内容及びその取扱いに関するること等～については，指導主事がもっぱら指導助言の役割を果すべきであるが，教育長も校長，教員に対して，直接に又は所属職員を通じて，指導助言することができる。

問37 教委法第87条及び第88条の規定によると，連合区委員会の職務権限に関する事務を処理させるために事務局を設置し，そしてその事務局に指導主事等を置くと定められている。これ等の規定から同法89条の指導主事の職務は，当然連合区委員会の職務権限に関連する事務の範囲内でなければならない。従つて同法第73条に基づく規約に，その旨を共同処理する事務として定められない限り，同法第89条の規定をもつて直ちに教育区立学校の校長及び教員に助言と指導を与えることができると解することは無理だと思うが如何。

（回答） 指導主事は，教育長の補助執行者であり，教育長は，連合区教育委員会の教育長であると同時に，区教育委員会の教育長でもあるので，連合区に属する指導主事であっても，教育長の指示により教育区立の学校の校長及び教員に直接指導助言を与えさせることはできるものと解する。

教委法第73条に基づく連合区の規約に共同処理する事務として定められなければ

ならないことは当然のことであるが，これが定められていない場合であっても，教育区立の学校の校長及び教員に対する指導助言が行なえないとの解釈は適当ではない。すなわち，教育区の教育長の要請により連合区教育長は，連合区に属する指導主事を派遣することになるが，連合区教育長と教育区教育長とは同一人である現行制度では，区教育長からの文書による要請がなくとも，それがあったものとして教育長が取扱うならば連合区教育長の出張命令等により，指導主事の教育区立の学校の校長及び教員に対する指導助言は行なえるものと解する。

問38　教委法第86条の規定に基づく教育次長の法定代理権は，連合教育区委員会の教育長に対するもの育あり，教育区教育委員会の教育長に対する代理権は，存しないものと解するが，それは正しいか。

（回答）　区教育委員会に独立に教育次長が任命されていないので，教委法第83条及び第86条の趣旨から，区教育委員会の教育長の職務も代理することができるものと解する。

1968年度普通交付税の算定資料

教育区	A 基準財政需要額	B 基準財政収入額	C 交付決定額	D Aのうち教育費分
	$	$	$	$
全琉計	**14,071,049**	**4,988,858**	**9,082,191**	**4,004,531**
国頭	171,782	10,942	160,840	67,332
大宜味	120,739	10,880	109,859	38,863
東	77,506	2,490	75,016	26,478
羽地	142,177	24,183	117,994	45,205
屋我地	75,409	2,990	72,419	18,676
今帰仁	198,941	30,185	168,756	65,175
上本部	102,496	5,225	97,271	28,875
本部	227,805	34,211	193,594	84,126
屋部	102,051	20,868	81,183	26,071
名護	288,590	209,409	79,181	77,873
久志	117,096	9,950	107,146	43,309
宜野座	97,492	4,714	92,778	25,580
金武	147,832	23,513	124,319	40,950
伊江	122,022	15,765	106,257	37,751
伊平屋	79,890	3,226	76,664	26,992
伊是名	92,564	5,818	86,746	27,902
恩納	136,805	8,819	127,986	49,946
石川	213,580	38,157	175,423	63,277
美里	278,328	83,851	194,477	85,361
与那城	221,636	19,948	201,688	83,597
勝連	167,641	13,191	154,450	52,528
具志川	459,452	154,923	304,529	140,230
コザ	675,635	282,985	392,650	186,654
読谷	267,560	41,891	225,669	85,601
嘉手納	188,882	61,495	127,387	56,474
北谷	149,595	36,464	113,131	45,270

教育区	A 基準財政需要額	B 基準財政収入額	C 交付決定額	D Aのうち教育費分
	$	$	$	$
北中城	128,991	30,418	98,573	32,210
中城	156,250	18,327	137,923	48,370
宜野湾	408,057	186,472	221,585	123,055
西原	147,610	42,385	105,225	41,778
浦添	391,572	336,533	55.039	114,229
那覇	3,600,004	2,417,580	1,182,424	798,018
(久)具志川	103,644	10,735	92,909	29,566
仲里	143,071	16,070	127,001	51,356
北大東	50,910	2,738	48,172	11,283
南大東	75,003	17,750	57,253	11,192
豊見城	170,332	71,726	98,606	49,741
糸満	487,815	85,236	402,579	145,034
東風平	142,607	20,856	121,751	40,733
具志頭	119,495	8,919	110,576	34,603
玉城	146,756	14,173	132,583	46,035
知念	100,595	5,924	94,671	33,483
佐敷	125,857	16,727	109,130	35,602
与那原	138,338	31,125	107,213	37,588
大里	122,393	13,819	108,574	34,996
南風原	147,359	26,858	120,501	41,168
渡嘉敷	49,430	777	48,653	15,305
座間味	59,923	945	58,978	21,738
粟国	57,519	1,751	55,768	16,073
渡名喜	45,559	748	44,811	12,258
平良	453,420	125,694	327,726	144,406
城辺	226,649	33,254	193,395	74,064
下地	109,960	57,016	52,944	30,528
上野	95,293	7,828	87,465	24,864
伊良部	162,317	15,788	146,529	49,317
多良間	72,395	4,056	68,339	19,264
石垣	639,112	185,616	453,496	197,619
竹富	174,531	16,208	158,323	73,710
与那国	94,776	8,713	86,063	27,249

(注) 総務局の資料より

一人だけの世界

早朝の校庭を
ひとりで走る
授業では味わえない
スピード感と自信…
比較
評価
競争…
からの解放
爽快な
一人だけの世界

（写真文・豊島）

1968年2月25日印刷
1968年3月1日発行

文　教　時　報　（111号）
非　売　品

発行所　琉球政府文教局総務部調査計画課
印刷所　セントラル印刷所　電話 099—2273番

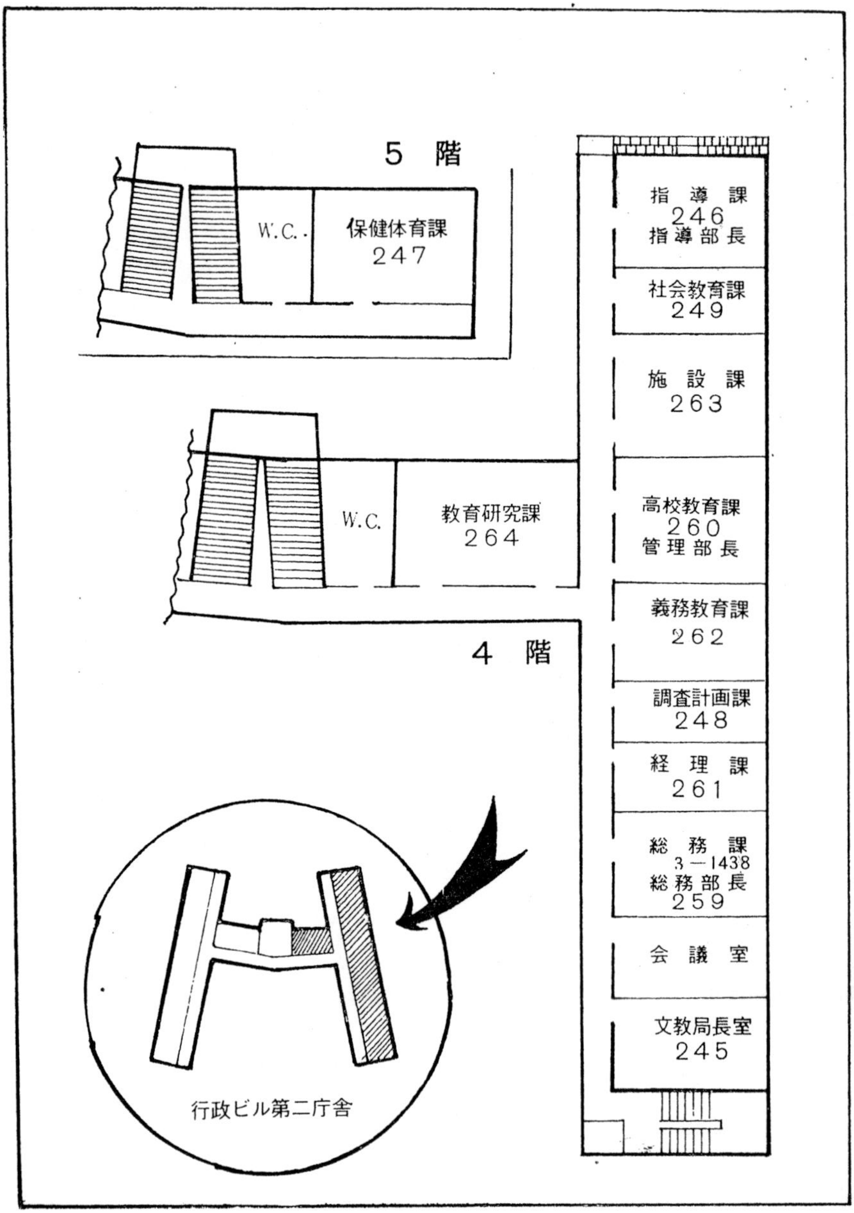
5 階
W.C.
保健体育課
247
W.C.
教育研究課
264
4 階
指 導 課
246
指導部長
社会教育課
249
施 設 課
263
高校教育課
260
管理部長
義務教育課
262
調査計画課
248
経 理 課
261
総 務 課
3－1438
総務部長
259
会 議 室
文教局長室
245
行政ビル第二庁舎

文教時報

112

12

琉球政府・文教局総務部調査計画課

<13>

諸志御嶽の植物群叢

指　定　天然記念物

指定年月日　1955年1月25日

所　在　地　今帰仁村諸志

諸志御嶽は老樹や巨木が生い茂り，いろいろの広葉樹でおおわれている。ここの林相は亜熱帯林の極盛相を代表するまれに見る林相である。ちよっと見ると隆起さんご礁地帯のようであるが，よくしらべてみると，下の方は古生層であり，片岩などの岩石等もあるので，ここの植物は国頭地帯のものと島尻地帯のものとが入りまざって複雑である。隆起さんご礁地帯を代表するものに，ホラカグマ，オキナワセンニンソウ，アマキ，ニガキ，チャンニーアカテツ等があり，古生層地帯を代表するものにリュウビンタイ，イタジイクロガネモチ，ヒゼンマユミ等がある。大木としては周囲5メートル，高さ20メートル，枝のひろがり20アールにおよぶ驚くべきものがあり，ムクロジの幹の周囲2メートル，リュウキュウマツの幹の周囲4メートル内外のものが十数本もある。ここは小鳥が美しい声で年中さえずっている別天地である。

（文化財調査官　多和田真淳）

文教時報

No. 112 68/6

地方教育財政制度改革による成果の評価

調査計画課長　前　田　　功

はじめに

教育区における教育財政の均衡化とその充実を促進するため，10余年来のなじみであった教育税を廃止して市町村税に一本化するなど，地方教育財政制度の抜本的な改革が，教育委員会法の一部改正に基づいて行なわれたのは1966年4月（実際の実施は同年7月）である。

このほど，その第一年次にあたる1967会計年度地方教育区教育財政調査の結果がまとまったので，制度改革の成果を評価，反省する意味で，財源面や支出分野面から数字的に捉えて今後への期待と希望をもまじえつつ紹介していき，あわせて，財政面よりみた沖縄の教育水準の現況についても考察していきたい。

1，教育区の一般財源はどのような推移を示しているか。

教育区の歳入予算は，政府からの補助，使用料・手数料　（幼稚園の入園料・保育料などが含まれる），教育区債，寄付金など広い意味での特定財源と呼ばれているものと，それ以外の一般財源とに区別される。例えば，政府の補助金などは，その性質上，歳入の段階において既にその使途が決定もしくは限定され，いわゆる〝ひも付き財源〟である。　このような財源に対応して，当事者の意志によって自由に支出を配分できる財源をふつう一般財源と呼んでいる。

1966年以前における教育区の一般財源としては，租税としての教育税がその主体をなし，このほかに市町村補助金（これも実質的にはひも付きの場合が多かった。）と，1964年度以降この一般財源に対する需要と収入とのアンバランスを幾分でも調整していきたいという趣旨のもとに設けられた，教育区財政調整補助金（政府補助による平衡交付金）となっていた。1967年度以降は，これらにかわって，市町村交付税を含む市町村の収入（市町村税・その他の収入）を財源とする市町村教育費負担金と，ここ2・3年は経過措置で続くものと思われる教育税過年度分収入が教育区の一般財源となっている

この一般財源について，1961年度以降の実額の伸びの状況を財源の区分毎に数表で示したのが第1表，これをグラフにしたのが第1図である。

第1表　教育区一般財源の推移

単位千ドル

	教育税	市町村補助	財政調整補助	市町村負担金	計	指数	対前年度増加率
							%
FY61	965	139	—	—	1,104	100	—
62	1,134	98	—	—	1,232	112	11.6
63	1,367	108	—	—	1,475	134	19.7
64	1,613	103	155	—	1,871	169	26.8
65	1,891	123	200	—	2,214	201	18.3
66	2,267	137	300	—	2,704	245	22.2
67	546	—	—	3,787	4,333	392	60.2

第1図　教育区一般財源の推移

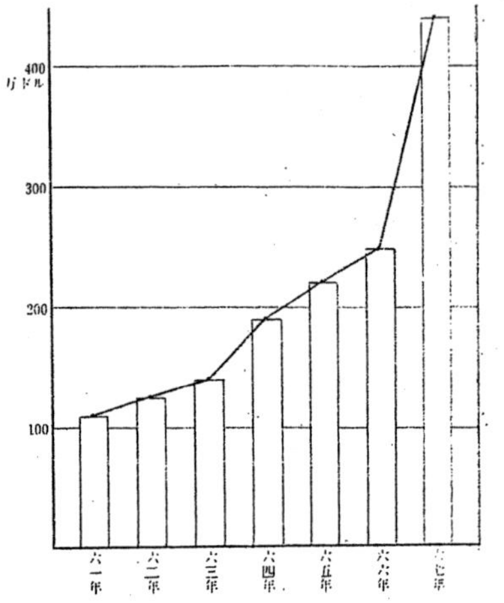

第1表及び第1図にみるとおり，教育区の一般財源は毎年順調な伸びを示していることがわかる。これは当然のこととして，細かくみていくと，この年間の伸びの間に，他の年度とかなりの違いのある年度が二つあることを見出す。その一つは1964年度であり，他の一つは1967年度である。すなわち，1964年度は前年度に対して約27%の伸長率となっており，1967年度においては約60%と大幅な伸びを示している。

その要因について考えてみると，前者は政府が教育区に対してはじめて財政調整のためので

こ入れをした年度であり，後者は申すまでもなく地方財政制度の変革の第一年次であることから，これらのことが上のような結果をもたらした最大のものであることはよく認められてよいところである。特に，1967年度は他の年度にぬきんでて大きな伸びをみせたことは，過去においてもその事例をみない点でも正に画期的な年度であったといわなければならない。

2，教育区別にみた場合の一般財源の伸びはどうなつているか。

1，においては全琉的な見地から，一般財源の伸びをみてきたが，1967年度のそれについて，さらにこれを教育区別に調べてみると，内容面でかなりの特色があることを発見する。

次ページの第2表は1967年度における教育区の一般財源の収入額を前年度と比較して表示したものである。教育区別には，豊見城教育区を除いては，ほとんどの教育区が前年度を遙かに上回る一般財源収入を得ており前年度の2倍以上の教育区が実に23を数えている 伸長率2.5倍以上の教育区は，座間味教育区の3.79倍を筆頭に，渡嘉敷，多良間仲里，勝連，知念，与那城，渡名喜，大宜味，（久）具志川の10教育区となっている。

いま，教育区の一般財源の伸び率と1967年度の市町村基準財政需要額（以下，略して基財需要と呼ぶ）の交付税への依存率（市町村の普通交付税額を基財需要でわった数値を%で表わしたもの）との関係を示す図表（相関図）を作ると下図のとおりである。

このグラフでは，横軸に第2表に示す一般財源の対前年度比率を，縦軸に

第3図　教育区の一般財源の対前年度比と市町村の交付税への依存率との相関図

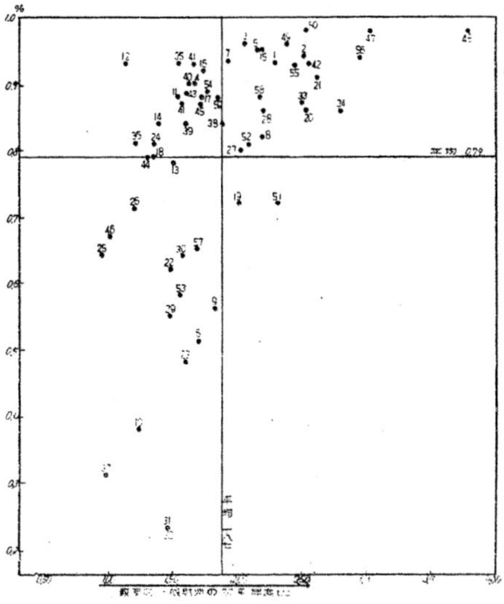

第2表　1967年度教育区別の一般財源対前年度比較

	教育区	67会計年度	66会計年度	対前年度比		教育区	67会計年度	66会計年度	対前年度比
		ドル	ドル						
	全琉計	**4,333.303**	**2,704,328**	**1.60**	31	浦　添	106,600	73,600	1.45
1	国　頭	54,398	23,708	2.29	32	那　覇	1,366,817	944,003	1.45
2	大宜味	32,423	12,959	2.50	33	久具志川	28,444	11,356	2.50
3	東	21,343	10,353	2.06	34	仲　里	48,218	17,232	2.80
4	羽　地	36,222	21,840	1.66	35	北大東	8,800	5,680	1.54
5	屋我地	16,556	7,656	2.16	36	南大東	13,500	11,284	1.20
6	今帰仁	67,542	39,848	1.69		那覇　計	(1,572,379)	(1,063,155)	(1.48)
7	上本部	24,364	12,789	1.91	37	豊見城	47,475	48,899	0.97
8	本　部	75,391	34,487	2.19	38	糸　満	145,806	77,854	1.87
9	屋　部	40,763	23,113	1.45	39	東風平	35,803	22,506	1.59
10	名　護	90,202	73,836	1.22	40	具志頭	28,073	17,367	1.62
11	久　志	36,106	23,591	1.53	41	玉　城	35,562	21,408	1.66
12	宜野座	24,993	22,631	1.13	42	知　念	27,993	10,933	2.56
13	金　武	32,962	22,058	1.49	43	佐　敷	34,084	21,455	1.59
14	伊　江	34,141	24,809	1.38	44	与那原	32,517	27,144	1.20
15	伊平屋	24,686	11,252	2.19	45	大　里	33,544	19,772	1.70
16	伊是名	22,611	13,089	1.73	46	南風原	38,283	37,719	1.01
	北部　計	(634,703)	(383,019)	(1.66)	47	渡嘉敷	12,627	4,173	3.03
17	恩　納	39,068	22,904	1.71	48	座間味	18,913	4,989	3.79
18	石　川	53,451	39,765	1.34	49	粟　国	11,769	4,935	2.38
19	美　里	83,165	41,286	2.01	50	渡名喜	9,611	3,794	2.53
20	与那城	62,056	24,517	2.53		南部　計	(512,060)	(322,948)	(1.59)
21	勝　連	59,441	22,772	2.61	51	平　良	160,616	69,546	2.31
22	具志川	127,573	86,964	1.47	52	城　辺	80,723	38,855	2.08
23	コ　ザ	171,380	108,339	1.58	53	下　地	34,149	22,044	1.55
24	読　谷	76,449	57,200	1.34	54	上　野	20,700	11,837	1.75
25	嘉手納	57,926	54,107	1.07	55	伊良部	40,625	16,738	2.43
26	北　谷	37,500	31,460	1.19	56	多良間	18,415	6,261	2.94
27	北中城	36,336	17,986	2.02		宮古　計	(355,228)	(165,281)	(2.14)
28	中　城	42,181	19,162	2.20	57	石　垣	176,589	105,087	1.68
29	宜野湾	111,689	75,741	1.47	58	竹　富	65,827	27,763	2.37
30	西　原	32,688	20,855	1.56	59	与那国	25,617	14,017	1.83
	中部　計	(990,903)	(623,058)	(1.59)		八重山計	(268,030)	(146,867)	(1.82)

（注）1967年度の一般財源………市町村教育費負担金＋教育税過年度分

1966年度　〃　　………教育税＋市町村補助金＋教育区財政調整補助

は市町村の1967年度における基財需要の交付税への依存率をとり，各教育区のこの二つの数値をそれぞれ点で表わしている。（図中の番号は第2表の教育区一連番号を示す）。中の十字に区切った線は59の教育区（市町村）の数値の単純平均値である。このグラフで右側の点の教育区ほど一般財源の対前年度比率が高いということになり，また，上側の点の市町村（教育区）ほど基財需要の交付税への依存率が高いこととなる。この図でみるとおり，一般財源の対前年度比が高い教育区ほど交付税への依存率もまた高くなっている傾向になる。（図中の平均値線で四つに区切られた部分のうち，右上と左下の点の数が，右下と左上の点の数より遙かい多い。このような場合，ふつう両者の間に正の相関があると呼んでいる。）　先きに挙げた対前年比の最も高い10教育区はすべて右上の区かくの中に入っていることも，この現象を示している。

このことは，財政力の弱い教育区がこの度の改正によって，大幅な財政的向上を示していることを端的に表現しているものとみることができる。

すなわち，基財需要の交付税への依存率が高いということは，逆に云えば基準財政収入額（市町村税収）が少ないということであり，住民の経済力が低いため，教育税の収入も，さして大きく期待できなかったことであろうことも容易に想像できる。しかも，66年度までは教育区では教育税が一般財源の主体となっていた関係上，教育現場の旺盛な財政需要をいくぶんでも満たすためには，いやおうなしでも教育税の増収に心掛けなければならない事態に追い込まれていたと考えられる。事実，66年度では，全琉統計でみた場合には，教育税の総額は市町村税のそれの約55%程度であったにも拘らず，これら財政力の弱い教育区では，教育税の徴収額が市町村税のそれの実に2～3倍にも達しており，明らかに住民への負担過重を強いていたのである。このようなことも併せ考えると，67年度以降における，これらの教育区の一般財源の飛躍的向上は，いままでの異常から，あるべき姿～正常～へ戻ってきたと云うべきであり，いままでこのような低い財政水準の中にあって学校現場の強い要求と住民負担の板ばさみにあえいでいた教育委員会の立場に立った場合，その改善への道を開くことはむしろ，遅きに失したとも思われるぐらいである。

それはともかく，今回の地方教育財政の改革は，そのねらいである①各教育区における住民負担の均衡化②教育財政水準の向上　という二つの観点からは，財政調査の数字上の結果をみた範囲内の判断では，十二分の成果が得られたものと断定してよかろう。

3，教育費の基財需要と市町村教育費負担金の関係はどうなつているか。

改正された教育委員会法第65の3条により「市町村長は，市町村交付税を含む市町村の収入を財源として，教育予算に基づく教育費負担金の額を市町村の歳出予算に組まなければならない」と規定されており，この負担金がそのまま1に述べた教育予算の歳入の教育費負担金という一般財源になるわけである。1，2に述べた一般財源は，これに教育税過年度収入を加えたものである。いま，この市町村教育費負担金を教育費の基財需要と比較して，別の角度から制度改革の成果を評価してみることにする。

この両者の間には，制度上の結びつきは全くないが，教育区が教育予算の見積りをする場合には，市町村教育費負担金をどの程度にするかの目途ないしは基準として教育費の基財需要が用いられてよいことは，よくご承知のことと思う。すなわち，教育予算を編成する過程において区委員会も，市町村長も，また，最終的には市町村議会も両者のかね合いを市町村の財政状況に照らして作業が進められることは容易に推察されるところである。

第3表は，59の教育区の市町村教育費負担金収入額と教育費分の基財需要との関係をまとめたものである。

全統計では教育費分基財需要 305万9千ドルに対して，市町村教育費負担金総額は 378万7千ドルで前者より約78万ドル多く，比率では約1.24倍となっている。従って，全琉では約¼倍近くも基財需要よりも多くの負担金を得ていることとなっている。

このことは，教育委員会の努力はもとよりのこと，市町村ご当局，市町村議会の教育に対するよき理解とご協力がもたらした結果として，誠に喜びに堪えないところである。

教育区別にみていくと，最も高い比率を示しているところは那覇教育区の1.78倍，最も低いところは南大東教育

第3表 1967年度教育区別の市町村教育費負担金と教育費基準財政需要額との比較

	教育区	市町村教育費負担金 a	教育費基準財政需要額 b	比率 a/b		教育区	市町村教育費負担金 a	教育費基準財政需要額 b	比率 a/b
		ドル	ドル						
	全琉計	**3,786,557**	**3,058,829**	1.24	31	浦添	79,600	83,217	0.96
1	国頭	54,300	53,028	1.02	32	那覇	1,066,569	600,858	1.78
2	大宜味	31,522	30,716	1.03	33	久具志川	26,859	22,567	1.19
3	東	21,233	20,557	1.03	34	仲里	47,278	39,878	1.19
4	羽地	35,889	34,981	1.06	35	北大東	8,700	8,456	1.03
5	屋我地	16,224	14,247	1.14	36	南大東	13,500	14,563	0.89
6	今帰仁	50,658	50,782	1.00		那覇計	(1,242,506)	(769,539)	(1.61)
7	上本部	24,119	22,573	1.07	37	豊見城	46,500	37,777	1.23
8	本部	72,974	64,928	1.12	38	糸満	137,769	121,013	1.14
9	屋部	23,642	20,204	1.17	39	東風平	35,400	31,411	1.13
10	名護	83,259	59,517	1.40	40	具志頭	27,900	26,022	1.07
11	久志	35,650	33,642	1.06	41	玉城	35,304	35,079	1.01
12	宜野座	24,960	20,354	1.23	42	知念	27,557	25,148	1.10
13	金武	31,000	30,396	1.02	43	佐敷	33,427	26,335	1.27
14	伊江	33,652	29,076	1.16	44	与那原	31,060	28,138	1.10
15	伊平屋	22,397	20,941	1.06	45	大里	33,447	26,408	1.26
16	伊是名	21,940	21,858	1.00	46	南風原	36,700	30,453	1.21
	北部計	(583,419)	(527,797)	(1.11)	47	渡嘉敷	12,627	11,681	1.08
17	恩納	38,621	38,621	1.00	48	座間味	18,718	16,513	1.13
18	石川	47,525	48,536	0.98	49	粟国	11,473	11,783	0.97
19	美里	73,970	65,448	1.30	50	渡名喜	9,164	9,134	1.00
20	与那城	64,372	65,574	0.98		南部計	(497,048)	(436,895)	(1.14)
21	勝連	42,569	39,914	1.07	51	平良	153,265	111,189	1.38
22	具志川	112,187	106,393	1.05	52	城辺	71,000	57,453	1.24
23	コザ	147,002	137,951	1.07	53	下地	29,483	23,508	1.25
24	読谷	75,000	64,498	1.16	54	上野	20,700	19,200	1.08
25	嘉手納	46,241	42,456	1.09	55	伊良部	40,500	38,020	1.07
26	北谷	33,247	34,028	0.98	56	多良部	17,000	14,070	1.21
27	北中城	33,500	24,014	1.40		宮古計	(331,948)	(263,440)	(1.26)
28	中城	41,455	36,878	1.12	57	石垣	157,586	152,491	1.03
29	宜野湾	97,372	92,166	1.06	58	竹富	63,523	58,725	1.08
30	西原	32,442	32,290	1.00	59	与那国	25,024	21,172	1.18
	中部計	(885,503)	(828,767)	(1.07)		八重山計	(246,133)	(232,388)	(1.06)

区の0.89倍と，教育区間でもかなりの開きをみせている。那覇の場合は，人口や児童生徒の在籍数，あるいは財政力などからみて，他の教育区と比べてむしろ例外的なものとみるべきであるし，また，いままでの実績からみても1.78倍という数値は決して高きにすぎるものとは考えていない。

このように，市町村教育費負担金は大部分の教育区において基財需要を上回っているが，今帰仁，石川，与那城北谷，浦添，南大東，粟国の7教育区が僅かにそれを下回っている。もとより，基財需要は交付税算定のために用いる一種の仮想された行政水準を示すものであり，教育費負担金がこの基財需要を下回ってはいけないという理論に成り立たない。しかしながら，少くとも政府としては教育区の教育に必要な経費として市町村税と交付税を合わせてこの基財需要を満たし得るような財源措置ないしは，財源保障を与えてあることであるし，しかも，この基財需要は，いわゆる普遍的・経常的な経費に応ずるためのものであり，特別需要に対しては，市町村の租税収入・普通交付税以外の収入，すなわち，税外収入（軍用地料などの），特別交付税や留保財源（実租税収入から基財収入を差引いたもの）等の財源から，市町村行政と同様に教育区に対しても配分されてしかるべきである。このような観点から，もう一度教育区の実態を改めて見直すとき，少くとも基財需要以下の教育区はもちろん，比率1.00～1.10ぐらいの範囲の教育区では，教育費負担金について，もっと市町村当局とも十分な話合いをもち，先方の理解と協力を得て，その増額（補正の段階でもよい）に努めてしかるべきではなかろうか。

ともあれ，この制度はまだスタートしたばかりであり，真の評価はこれからというところではあるが，制度の十分なる理解と予算編成の技術的な研究等を絶えず積まれ，よりよい結果への努力を続けることがそのまま教育の振興ひいては住民の福祉につながるものであることを，委員会の皆さんが常に意識され，過去の実績を，今後の指向への反省資料として十分活かしていただきたいことを切望するものである。

4，教育費の実支出額と基財需要との関係はどうなつているか。

1～3までは，教育区の一般財源について主として収入の面から考察してきたが　4では今度は支出額の側から捉えて教育費分の基財需要との関連をみていきたい。ここでいう実支出額とは，小・中学校費では，教育区支出金（その財源は，市町村教育費負担金，教育税過年度分，教育区積，給食負担金，（いわゆる，パン加工賃の父兄支出教育予算繰入れ分），公費に組み入れられた寄附金，その他の収入　に細分される）のうち，1に述べた一般財源及びその他の収入（手数料，使用料等が主なもの）の中から債務償還費以外のものに支出した額をいい，「その他の教育費（教育委員会費，社会教育費，幼稚園費）」では全財源による教育区支出金を挙げてある。　財源や支出対象などにいろいろと除外操作をして，きわめてややこしい表現になってしまっているが，文部省の実施している「地方教育費調査」と同一基準にして　本土との比較ができるようにしたため，このような手続きを経た実支出額を算出するようにした。

第4表は，分野別の実支出額と基財需要との関係をまとめたものである。

第4表　教育費の実支出額と基財需要との関係（全統計）

分野別	実支出額 a	基準財政需要額 b	比率 a/b
	ドル	ドル	
総額	4,143,003	3,058,829	1.35
小学校費	1,885,397	1,536,397	1.23
中学校費	1,096,749	847,768	1.29
その他の教育費	1,160,907	674,664	1.72

全統計では，実支出額は基財需要を35%も上回っているが，分野別にみると，「その他の教育費」が基財需要の70%以上も上回っていることが注目される。基財需要の分野別の額も総額と同様に，一応の目安にはすぎないが，このようなアンバランスが生じていることは，予算編成上，あるいは執行上において何か改善すべき点はないか，さらには，基財需要の分野別配分について，教育区の実態に沿わない点がなかったかどうか，各教育区とも，また単位費用の積算をまとめる文教局の事務段階においても，今後において検討するかして，お互いにその均衡化に努力すべき問題点の一つともいえよう。

参考のために，第4表における実支出額と基財需要との比率について，昭和40年度本土の市町村における建築費を除いた教育費実支出額と基財需要との比率とを相互に比較してみると第5表のとおりである。

第5表　教育費の実支出額と基財需要の比率の対本土比較

分野別	沖縄(FY67)	本土(昭40) 平均	最高	最低
総額	1.35	1.15	(東京) 2.21	(福井) 0.62
小学校費	1.23	1.14	(東京) 3.06	(佐賀) 0.69
中学校費	1.29	1.05	(東京) 2.51	(大分) 0.64
その他の教育費	1.72	1.22	(兵庫) 2.12	(福井) 0.37

第5表にみるとおり，実支出額の基財需要への達成率はどの教育分野においても本土平均を遙かに上回っており特に「その他の教育費」では，本土の最高の都道府県に近い数値を示している。このような調査結果の数字から判断すると，各教育区の教育費支出は，第1年次として極めて好調なすべり出しを見せていると云えるし，しかも，これが望ましい方向に向っていることが十分に伺える。

しかしながら，1967年度における沖縄の基財需要は，いまだに，本土水準の70%台であり，今後年を追うて，本土水準まで高められるべく改善されていくものと予想されるが，水準が上昇して本土並みに到達した時においてもこのような成果が保持されていくように，なお一層の関係者の努力を期待したいものである。

次に，これらの比率を教育区別に，いくつかの階級に区分した分布表で示すと第6表のとおりとなる。

第6表　実支出額と基財需要との比率の階級別教育区教　分布表

	総数	小学校費	中学校費	その他の教育費
1.50以上	4	2	12	17
1.40～1.49	1	1	4	5
1.30～1.39	4	3	8	3
1.20～1.29	7	6	4	3
1.10～1.19	15	4	10	4
1.00～1.09	13	9	7	10
0.90～0.99	12	16	5	7
0.80～0.89	2	3	6	5
0.70～0.79	1	10	1	3
0.69以下	―	5	2	2
計	59	59	59	59

各教育区毎の実額については，近く公表の予定である第13回教育財政調査報告書（1967年度版）を参照していただきたい。

総額については，半数である30の教育区が0.90～1.19の範囲にあることは当然のこととして，70%台に止まって

いる教育区もあるかと思うと，一方では150%以上の教育区も4つを数え，その散らばりが，相当広範囲にわたっ

教育区財務担当職員研修会風景

ていることがわかる。小・中学校費では70%未満の教育区が延べで7教育区もあることが注目される。その他の教育費では逆に150%以上の教育区が17もあり，この表では示されていないけれども，分野別の教育費の支出の間のバランスについて問題のある教育区も若干みられる。各教育委員会では，このような資料により各自の教育区の位置をしっかりつかんで，よりよい予算編成への基礎資料とすることにより，少ない予算を効率的に使い，教育効果を一段と高めていただくよう重ねて希望することである。

5，沖縄の教育水準はどのようになっているか。

前項までの解説により，この度の地方教育財政制度の改善が，地方の教育財政に大きな飛躍をもたらしたことを資料に基づき詳しく説明してきた。

一方，1967年度は，中央，すなわち琉球政府の教育予算も日米援助の大幅増加により大きく伸長した年でもある。特に，本土政府の教育援助については長年の要望であった義務教育諸学校教職員給与費の半額国庫負担の実現をはじめ，義務教育諸学校の校舎建築費に対する援助の大幅増加などにより，援助総額は66年度の150万ドル台から一躍800万ドル台と6倍近くの増加をみせた。このため琉球政府の教育予算についても，義務教育諸学校学級編制並びに教職員定数改善3カ年計画の実施，学校施設，設備充実のための大増な金額の予算措置などを講ずることができた。このような中央，地方共々の予算増を反映して1967年度の中央地方を通ずる教育費は第7表に示すように，過去の2～3年分の伸びに相当するくらいの大きな進展をみせている。

すなわち，教育費総額は66年度の2,600万ドルから1千万ドルも増加した3,600万ドルと実に40%近くも大きな伸びを示している。

第7表　教育費の財源別対前年度比較

財　源　別	FY67	FY66	増加率
	千ドル	千ドル	%
総　　額	36,198	26,092	38.7
I　公　　費	34,614	24,583	40.8
(1)政府支出	29,527	21,324	38.5
(2)教育区支出	5,087	3,259	56.1
II　私　　費	1,584	1,509	5.0
(1)PTA寄付金	1,067	903	18.2
(2)そ　の　他	517	606	−14.7

ただし，第7表でいう教育費とは，政府立・公立の高等学校以下の学校教育費，社会教育費，教育行政費の合計額で，これらの教育機関のために支出された公費（公共機関の予算から支出された経費），私費（父兄負担，その他の寄付金より支出された経費）を含むものである。

第7表にみるとおり，財源別には公費の伸びが約41%に対して，私費の伸びは僅か5%に止まっている。もともと公共機関の教育費がたとえその一部であっても私費で賄われることは常態ではなく，特に学校教育費では，このような公費の肩替り経費を父兄負担教育費と呼んで，政府をはじめすべての教育機関においても，このような経費をできるだけ少なくするように政策的な努力を傾けているところであり，第7表にみるような結果は，公費財源の大幅伸長により，その努力がいくぶんなりとも実を結んできたことを実証しているものと云えよう。たとえば，いままでPTAなどの経費で，学校図書館の事務職員を雇用していた学校など教育委員会予算の大幅増により，委員会負担の職員に切替えることができ，PTAはその経費だけ，PTA本来の目的のために予算を配分することができたなどという話をよく聞く。考えてみれば当然のことではあるが，今までは〝ない袖は振れぬ〟ということで委員会としても，目をつぶっておくより仕方がなかったというのがいつわりのない姿ではなかったかと思われる。

では，このような公費財源の伸びによって，生徒（人口）1人当り公教育費はどのようになったか，また，将来の見通などについて考察してみよう。

第8表は生徒（人口）1人当り公教育費を前年度と比較したものである。学校教育費については，各種学校を除いて，どの学校種別についても相当な伸び率を示している。各種学校が減少しているのは，前年度が学校新設のための資本的支出（校舎建築費など）に多額の経費をかけたが，67年度以降こ

第8表　生徒（人口）1人当り公教育費の対前年度比較

分野別	FY67	FY66	増加率
	ドル	ドル	%
A 学校教育費	113.47	79.50	42.7
幼稚園	52.90	35.69	48.2
小学校	94.94	67.58	40.5
中学校	118.00	78.15	51.0
特殊学校	880.16	546.28	61.1
高等学校	166.74	128.71	29.5
各種学校	685.49	897.93	−23.7
B 社会教育費	0.56	0.31	80.6
C 教育行政費	1.76	1.50	17.3

れが平常化したためである。また，高等学校費の生徒1人当り額の伸びが他の学校種別に比べて小さいのは，ご承知のように，生徒数の増加がまだ続いているためと思われる。（生徒数は前年度に比べて約10%近くも増加している）。従来，本土に比べて著しく遅れていると云われている社会教育についても，財政水準が80%以上も向上してきており，社会教育の振興についても一段と拍車がかけられたとみることができる。

このように，教育の水準を表わすといわれる生徒（人口）1人当り公教育費は67会計年度を契機として著しい向上をみせたが，これを本土と比較した場合，どの程度の水準を保っているかをみると，第9表のとおりとなる。

第9表　生徒（人口）1人当り公教育費の本土比較

分野別	沖縄（FY67）a	本土（昭41）b	比率 $\frac{a}{b}\times100$
	ドル	ドル	%
A 学校教育費	113.47	…	…
幼稚園	52.90	95.20	55.6
小学校	94.94	158.10	60.1
中学校	118.00	166.20	71.0
特殊学校	880.16	1,156.40	76.1
高等学校	166.74	201.30	82.8
各種学校	685.49	…	…
B 社会教育費	0.56	1.20	46.7
C 教育行政費	1.76	1.60	110.0

この表，並びに，過去の実績比較から，結論的に云えることは，本土との較差は67年度において確かに大きく縮まってきたが，それでもなおかつ，まだかなりの開きがあるということである。

第9表の本土昭和41年度の数字は，文部省統計要覧（昭和43年版）の中の地方教育費調査中間報告から，こちらで算出したもので最終的な報告書によるものではないが，従来も，さほどの誤差は生じていないので，この数字を本土の水準とみて差支えないと考えるなお，昭和41年度といえば1966年4月～1967年3月で，沖縄のＦＹ67は1966年7月～1967年6月となっており両者の間に3カ月のずれはあるが，一応対応年度とみなすことができる。

この表によると，小学校費が本土の60%台，中学校費が70%台，高等学校費が80%台，最も低い社会教育費が50%以下という数字結果となっている。総合的な水準を示す数値はないけれども，各分野別，学校種別をおしなべて本土の約70%台のレベルにあるとみることができよう。1966年度では，本土の対応年度との比較においては，小学校で約50%，中学校で約55%，高等学校で約75%の水準であったのと比べると，いずれの場合も本土水準に大きく近づいて来ていることになる。

このように財政上からみた教育水準は67会計年度において10%内外の本土水準への追い付きをみせたが，将来の見通しはどうだろうか。正直な話として，68，69会計年度の政府及び教育区の予算（69会計年度の予算はまだ成立していないが，政府参考案や教育費分の基財需要見積りなどから）内容を検討して，両年度の本土水準への追い付きは，平均して5～6%ぐらいと見込んで，このペースですすむとしても，実質的な本土水準倒達には，あと5，6年はかかるのではないかと，私見ながら，このように推測しているところである。しかも，これらは経常的な財政措置のみの話で，沖縄の場合，校舎・備品などのいわゆる資本的支出の較差がかなりあり，（校舎建築費のみでも本土水準到達までに必要な経費は約7千万ドルを要すると見込んでいる）これらの水準もすべて本土と同列になるためには，今後において相当な財政的支出が要求される。教育の実質的な一体化は，まず，較差の是正から始められなければならないということについては政府としても，また，教育関係者とも一致した見解である。その解決について，どのような方策が立てられるべきか，また，それはどのように実践されるべきか，これからの文教行政の最も重要な課題の一つとなっている

むすびと将来への展望

これまで，主として教育区の一般財源を中心として，制度の改革による，教育区の財政の指向について数字に現われた結果をもとに，評価してきた。結論はいく度も繰り返されてはいるが全琉的にみて地方教育財政水準は数段

の進歩向上をみせており，特に，財政力の弱い教育区では，交付税という財源保障によって少くとも一定水準までの行政を行ない得るまで大きく向上しており，この点では教育を施す面からみての実質的な機会均等がはかられたこと，一方，住民の側からみた場合には，租税負担の均衡化が実現したなど教育財政を含めて地方財政全般を通じて，画期的な改善がなされ，大きな成果を修めることができたと申し上げても決して過言ではないと信じているところである。

しかしながら，他方，この度の制度改革により，財務に関することが市町村当局や市町村議会と必然的に関連をもつようになり，規則制定についての制限，予算編成などにおいて，今までよりは大いに繁さとなっており，市町村長，議会との折衝かれこれの精神的な苦労も加えると，制度の必要以上の輻湊をなげいたり，はては，この度の制度改革は，教育区においては実質的な財政権を奪われたのに等しく，立法当初の教育委員会制度の趣旨から大きく後退しているものである，などという教育委員会の皆さんの不満の声もよく聞かれる。かと思うと，一方，市町村側に云わしむれば，議会は教育予算の議決権を与えられはしたが，教育委員会法が市町村自治法に比べて，極めて不備であることや，教育区が市町村と別法人であることなどもあって，予算を含む教育区の財政上の取扱いが非常にあいまいで，すっきりしない。今のようなシステムならば何のために市町村の議会がわざわざ別の法人の予算まで議決しなければならない義務があるのかという疑問さえ生ずる，などという市町村当局や議会議員のみなさんの声もよく聞かれる。

しかしながら，この制度は住民の代表である立法院での可決を経て，施行に移されているのである。教委法の解釈をどのようにし，また，これをどのように運用するかなどについては，文教局としては，今後とも，はっきりした見解のもとにその疑義をできるだけ少くするように努力を重ねることはもとより，必要があれば法的な整備についても検討し改善していく心構えを持っている。また，本土との一体化という点から教委法の全面改定をなし，教育区を廃止して，本土の方式のような制度に直す必要があるという意見もある。本土へ復帰すれば，いやおうなしにそのように切替えられるし，復帰の際の困難を少くするためには，復帰前においても，このような措置がとられるべきである考え方には大いに賛成であり，文教局としても，教育における一体化の施策として，どのような時期に，どのような方法で，本土の制度に近づけていくかを，いま真剣に検討しているところであり，広く各界の有識者のご意見を拝聴して，より堅実な施策が打出されるよう行政主席の諮問機関である文教審議会にその方策を諮問しているところである。

けれども，このような事柄は，いちおう将来の問題として，現実においては，教育予算の編成にあたって，教育委員会と市町村当局，議会の間に見解の相異などで，うまくいっているとは云えない団体も少なからずあることも事実のようである。これら，現実の問題の解決については，先程も指摘したように，教委側，市町村側，文教局側ともできるだけ統一のある見解のもとに教委法の運用ができるよう，お互いに相手の立場を理解し尊重しつつ業務をすすめることが先決ではあるが，特に，市町村側にお願いしたいことは，教育区の行なう教育という業務も究極には，自分たちのこどもの教育に外ならないのだという気持ちで事に当っていただきたいことである。教委側としても，あらゆる業務にこのような気持ちで当っておられることとは思うが，特に，財務に関しては，市町村当局や議会に対して十分なる理解をもっていただくよう常に誠意ある努力を重ねてもらいたいことである。

ともあれ，67年度の成果に対する評価は，教育水準の向上という観点から極めて満足すべきものであり教委側も，市町村当局，議会の方々もこのことを十分意識していただいて，教育基本法にもあるわたくしたちの次代を担う青少年が立派な日本人として，すくすくと成育できるよう今後とも教育環境の一層の整備に共々に手をとりあって，地方教育行政のスムーズな運用をはかっていただきたいことを念願して稿を終えることとする。

全国教育研究連盟共同研究

学習指導の近代化に関する研究

沖縄教育研修センター主事　嘉　陽　正　幸

全国の道府県市立教育研究所で組織している全国教育研究所連盟では，これまでの共同研究（「学習指導の研究」「学習態度」）の発展として「学習指導の近代化」について，42年度より3カ年計画で共同研究を行うことになった。

昨年12月に開催された第二回研究集会に参加する機会を得て，研究の構想に接することができたので，以下その概要をのべ教育現場における研究，実践の参考に供したいと思う。

今日，学校教育においては，増大した教材量を限られた時間内で，どう子どもたちに消化させていったらよいかまた，児童生徒ひとりひとりがもつ個性をどう開発して現代社会に対処しうる思考力や創造力を育成していったらよいかということが最も大きな課題である。

この研究は，このような課題を解決するために，こんにちの学校教育における学習指導の体質を改善し，飛躍と変動をつづける現代社会に即応するより効果的な新しい教育方式を確立するために行なわれるものであって，そのねらいは

①教師が自らの学習指導について反省するための基礎資料として
②学習指導を改革するために学校がどのような手だてを講じたらよいかを考える資料として
③教育研究機関ならびに教育行政機関が，学習指導の近代化を積極的に推進していくためには，どのような条件整備を行なったらよいかを考える資料として

活用されることにある。

研　究　分　野

上記のねらいを達成するため次のような研究問題を設定した。

1，教師の学習指導観に関する研究

2 発見的，創造的学習に関する研究

従来の学習指導法の体質を改善し，転移を中核とした発展的な学力を育成するために「発見的な」そして「創造的な」学習方式の樹立をねらったものである。

限られた指導時間の中で，増大する教材を消化するためには，教材の本質をみきわめ本質をとらえることによって，その教材の全体構造がはあくされるように教材を精選整理する必要がある。

児童生徒が，精選されたある本質を学習することによって，創造や転移が可能になるように，授業の過程を組織化していこうというのである。

研究の構造

A 発見的創造的学習が成り立つために教材内容の構造化をどうはかっていくか。

教材の本質を明らかにする研究にとどまることなく，それを児童生徒に発見させるためにはどういう手がかりや視点が必要であるかを明らかにする。

B 発見的創造的学習が成り立つために指導過程をどのように組織化していったらよいか

教育研究課が研究協力校中城中学校の協力を得てすすめてきた「授業過程の構造化に関する研究」は，全教連共同研究のテーマがきまる以前に構想されたもので，ニューアンスの違いは多少あるが，このテーマの構想と類似しているので，全教連共同研究の一環として今後もつづけていきたいと考えている。

詳細は，今年2月にだされた研究報告書第一次中間報告をみていただき，現場における研究の参考にしていただきたい。

3 個別指導方式による学習指導に関する研究

教育の目的は本来個性を育てるべきであるという考えから，特にプログラム学習やシート学習といわれるものについて研究し，この方法の長短や困難点を明確にし，その有効な活用の方途を考究する。

研究の構造

A 個別指導のための施設，教材教具はいかに設備されているか

B プログラム学習に適した教材は

C 個別指導方法の適用に関する問題

D 個別指導管理の問題

E ティーチングマシンの問題

F プログラムの情報提供に関する問題

4 一斉授業の改善に関する研究

この研究は，一斉授業を否定する立場をとらず，この学習指導形態がこれからも継続されていくものだという立場から，その長所を伸ばし，落ち入りやすい欠陥を積極的に改善していく方法や条件をさぐろうとするものである。

研究の構造

A 一斉授業の中で，ひとりひとりの学習者の反応の場を確立強化するために指導過程をどう組織化していったらよいか。

B 個別化と集団化をどのように統合し学習の成立を促進したらよいか

C 一斉授業における進度差に応じた指導過程をどう編成していったらよいか。

D 各種の教育機器をどう活用するか

5 教授組織の改善に関する研究

個々人の能力の最大限の伸長をめざす学習指導にあたって，ひとりの教師にはそのなしうる限界があるという立場から，数名の教師が協力体制をしいて，それぞれの特性や専門性を生かし指導力や経営力をますます高めていこうとする協力教授組織の考え方がある。

これが実際の指導場面においていかなる効果をもたらすかをいくつかの類型に分けて厳密に実証し，それをより合理的かつ効率的たらしめていくための研究である。

研究の構造

A 協力教授組織の編成と活動に関すること

B 教育内容の経営と教材配列の系統に関すること

C 展開の形態と指導方法に関すること

D 評価の方法と用具に関すること

現場における学習指導の近代化を推進するにあたって，現場教師のこれに対する受けとめ方をつかむ必要がある。

近代化をはばむものとして教師自身にも問題があるのではないかというのがこの調査のねらいである。

また教師の学習指導観の実態をはあくすることは，2～5までの研究を推進するにあたって解明を要する基本的な課題でもあると考えられるので次の視点にもとづいて調査研究をするものである。

A学習指導観を支える教師の子どもや学校教育への期待観

B教師の具体的な学習指導観

C学習指導の実態

これらの研究は，全国都道府県所属教育研究機関の大多数が参加して行なわれておりその成果が各方面より期待されている。

研究計画は，初年次に研究体制の確立と基礎研究，二年次に実験研究，三年次には追研究とまとめを行なうことになっている。

教育の現代化が提唱されている現在，これらの研究はその一環としての教育実践や研究の方向を示すものと考えられるので，学校現場においても，その特色を生かしてふるって研究に参加されるよう期待するものである。

〝家庭と子ども〟に関する研究——全教連共同研究

この研究は，昭和42年度から44年度にまたがり，全国的な組織ですすめられている。

沖縄教育研修センターは，全県を母集団に多段層化任意抽出法でいくつかの地点を選出し，同一調査要項を使って同一時点で調査を実施し比較研究する計画であるので，その概要を記してご協力をおねがいしたい，

Ⅰ，研究目的

家庭がいかなる教育機能を果しつつあるかの実態を，家庭の教育機能をささえている条件と子どもの生活や意識にみられる問題点との関連において明らかにし，これからの家庭教育のあり方を考えていくのに必要な基礎資料を与えようとするものである

Ⅱ，研究問題設定の視点

1 基底的条件

家庭の教育機能をその基底からささえている社会的な条件についての調査研究

2 家庭の教育機能をささえている条件の分析研究

㋑ 両親，保護者の社会意識の分析

㋺ 家庭生活の実態の分析

㋩ 家庭外の集団や機関の果している役割の分析

3 家庭の教育機能の実態の分析

㋑ 親の教育観の分析

㋺ 家庭教育の実態分析

㋩ 家庭外の集団や機関に対する教育的期待の実態分析

4 子どもの生活と意識の実態分析

㋑ 親の考え方に対して子どもの意識の分析

㋺ 子どもの生活の実態，そこにみられる問題点の分析

㋩ 家庭外の集団や機関における生活の実態

〔随　　想〕

本土のラッシュアワーに思うこと

～研究教員のつぶやき～

第23回内地派遣研究教員
配置校横浜市立星川小学校

金　城　勝　代

午前6時起床，室内温度3度，かじかむ手でストーブをつけ，お茶づけをサラサラとかきこむ。満員バスにとびのり，きしみながら走ること15分。川崎駅に降りたつ。とたん，あのバス，このバスからはじき出される人，ひと，ヒトの群。そのおびただしいひとの群がホームを目ざして，いっせいに駅の階段をかけあがる。ここにも，ひとの帯ができる。

シヤー・シヤー，どのホームからも12輌編成の電車が，ひっきりなしに発着する。

「しまるとびらにご注意ください。押さないでください。発車しまあす。」駅内アナウンスの必死の声もむなしく，なんとか乗りこもうと懸命になる着ぶくれした乗客。力まかせにギュー，ギュー押しこまれる。　押屋と呼ばれる駅員の太い手のひらを背にずしんと感じる。　しだいに足もとから宙に浮く体…。しかしどの顔も，はげしい生存競争に負けまいというしんけんさにあふれている。

やっと乗りこむことはできたものの，足の踏場もないままに横浜駅へ到着。ここでも官庁街へ通勤する人でごったがえし。気がつくとひとりでに車外にほーり出されている。反対側のホームへ降りた人が，ダーッと階段をかけ降りてくる。その人ごみをぬって，ひとの波に逆らいながらやっとの思いで私鉄のホームへ降り立ち，次の電車にかけこむ。…… これがわたし，いや大都会に住む一般サラリーマンの朝の通勤のもようである。

さすが人口一億，どこへ行っても人の波で，そのつどのんびりしたふるさとのバス停がなつかしく思い出される。

この一億の人の中で自分に適した職業を見つけ，そのポストを獲得し，さらに維持し続けることがどんなにむずかしいことであるかを痛感させられる。それだけに人の洪水の中にいながら，ひとりびとりが孤独であり，ひとり生きぬくつらさ，むづかしさがひしひしと感じられる。

こうして生存競争に勝ち抜くため，高校入試はもとより中学校，小学校の入試さえも厳しさが増し，越境入学児教育ママなどという社会現象がおこってくる。　そんな世の中をうまく調整し社会の要求する教育をめざして，教育界においては適性教育が重視されつつあるという。

神奈川県では，高校教育の多様化をはかるという目的で，看護婦養成のための高等学校や貿易外語高等学校などという適性教育のための学校が着々と建てられている。

今や世はスピィデーに転回し，企業界においても，学問の世界においてもはげしい個人競争の行なわれている時である。それが望ましい社会であるとは思わないが，そういう社会に生きている限りそれを全面的に否定するわけにはいかない。

そんな時世にあって万事がスローテンポな環境に育った沖縄の子ども達が本土のこうした社会にでていかに対処して行くかは大きな問題であることを感じた。それだけに沖縄の一教師としての大きな使命を感ぜずにはいられない。もっともっと研讃を積み，科学性のある充実した指導で，とどまることを知らない現代社会の発展に適応できる人間，日本の最南端にあるがためにおくれと，劣等感をもたない人間を他に送り出さねば………………。

ラッシュアワーの電車の中でいつもそんな事を考えたのである。

<教育関係法令用語シリーズ>(6)

教　頭　職

総務課法規係長　祖　慶　良　得

1　教頭の設置

本土学校教育法には教頭に関する規定はなく，昭和32年に同法施行規則で「小学校においては，教頭を置くものとする。但し，特別の事情のあるときは，これを置かないことができる」（中学校等に準用）と規定されるに至った。最近になって，身分の安定化を望む全国教頭会からの「教頭の管理職としての地位を学校教育法ではっきり確立すべきだ」という働きかけなどによって，文部省も，学校教育法を改正して「実態上，校長の補佐役である教頭の地位や権限を明確にして行政上のスジを通したい」としている。

ところで，沖縄の学校教育法は，民立法された当初から「教頭を置くことができる」という定めをしてきている。これは，上記本土法施行規則が，特別の事情のあるとき（小学校5学級，中学校2学級が判断の一応の基礎となるが，それ以下の設置もある）を除き，原則として設置されるのに比し，沖縄の場合は，実際上の取扱いはともかくとして，任意設置が原則であることを意味する。

2　教頭の職制及び任命方法

教頭の場合は「補職の職」として特に本土法の場合，官職として法律上当然に設置されるものではなく，従来学校の内部組織として置かれてきた。これは校長が掌る校務の分掌処理を行なうために必要な職制として内部組織として置かれたものだが，この点から，教頭という職が教育委員会から正式に任命された独立職ではなく，職務命令だけで左右される身分であるといわれてきた。教頭はまた「教諭をもってこれにあてる」と規定され，単なるあて職だともいわれた。

法律上教頭という身分はなく，教頭も教諭であるが，しかもこの教諭が教頭になれば，ＩＬＯ関係国内法の改正で管理職に指定されているという矛盾を含んでいた。沖縄の場合，身分上の格付や発令の上から教頭職の独立制が認められ，立法上も規定はあるのであるが，学校教育法の規定が「校長を補佐し校務を処理させるために，教頭を置くことができる（29条2項）」「教頭は，教諭の中からこれを命ずる（同条3項）」として本土法施行規則の規定とあまり変わらない表現をしているところに職制の独立制についてスッキリしないものを感じる。

3 教頭の職務権限

「校長を補佐し校務を処理させる」という規定は，本土の場合の「校長を助け，校務を整理する」ということに対し，多少の表現のちがいはあるが，教頭の職務の態様及び内容には変わりがあるとは思われない。立法技術上の用語例が旧国民学校令のそれに近く，古いといえるのではないか。校長を補佐するということは，校長の職務権限について校長を直接に補佐することであって，教頭は，校長の補助機関のうちでも，最も直接的に，また一般職員の長として校長を補佐する職責を有するということである。校務を処理し，あるいは整理するために必要な場合は，所属職員を監督して命令したり指示を与える地位にある。この意味で教頭は，管理職であると考えられている。なお，政府立小中学校管理規則は「校長が不在のときは，その事務を代決することができる」と定めているが，この場合は，法的には校長の名と責任において意思表示されるのであって，代理とは異なる。

4 まとめ

以上述べたほかにも校長と教頭の関係や教頭の行なった行為の法的責任の問題等，現行法の解釈として学校管理の上で問題とすべき細かな点が残っているのであるが，これについては，別の機会にゆずることにし，教頭の職制の独立性という点での文部省による学校教育法改正の動きと，これに反対すの日教組の態度について，沖縄の現行法との関連の上で注目すべき点があることを主として述べてみたかった。現行の沖縄学校教育法が，教頭についての規定をとり入れた点本土よりも一歩さきんじているかにみえるが，実は給与法その他の身分法上の取扱いが進んでいるのに比し，学校教育法の表現そのものによっては身分の保障には結びつかないように思われるのである。

〔訂正〕

第111号所載の「教育に関連した目的のための募金」28ページ中「琉球教育法」とあるのは，「教育法」の誤りにつき，訂正します。

進路指導講座<第一話>

観察指導の強化とその背景

教育研修センター主事　上　原　敏　夫

はじめに

観察指導が中学校における進路指導の一つのすすめ方として，とくに後期中等教育の多様化の問題と関連して注目されているこれからの進路指導は観察指導を中軸に推進される気運にある。こういう気運がどういう背景から生じ，どういう方向へ発展していくかを，できるだけ早い機会にはあくしておくことは，現在のていたいしがちな進路指導にとってきわめて大切なことだと思う。

新しい進路指導の実践の手がかりとしての観察指導を検討することによって，今一度進路指導を前進させるための糸口にしようというのが，この講座の大きなねらいである。

この講座では，後期中等教育の多様化の問題と平行して考えられている観察指導を中心にした望ましい進路指導のあり方を，観察指導の強化とその背景（第一話）・観察指導の課程（第二話）・能力・適性のはあくとかウンセリング（第三話）・能力・適性のはあくの方法としての検査（第四話）・観察指導の強化に必要な条件（第五話）・生徒の能力・適性を発展させる上での進路指導の役割（第六話）の6つの観点から考えてみたいと思う。

第一話　観察指導の強化とその背景

I　観察指導の強化を打ち出した中央教育審議会（中教審）の答申

1　中教審の答申にみる観察指導の強化

ここでいう中教審の答申というのは昭和38年6月28日に「後期中等教育の拡充整備について」，諮問を文部大臣から受けた中央教育審議会（中教審）が，昭和41年10月31日に行なった最終答申をいう。

まず最初に，この答申の特徴のうち観察指導の強化と直接つながるものをいくつか，ひろいあげてみよう。

後期中等教育の拡充整備がなぜ必要なのかということと関連して，この答申は次のように述べている。すなわち「生徒の適性・能力が多様であるとともに，高等学校の卒業者に対する社会の要請も多様であって一方では専門的な技術教育が要求されながら，地方では一定の熟練度を身につけさせる技能教育が必要とされている。」

要するに，生徒の適性・能力がさまざまであるように，社会の要請もさまざまである。したがって，長期的な立場からの専門的技術教育と，すぐ役に立つ一定熟練度の技術教育が，能力の開発という考え方のもとに，実践されることが望ましいということである。

この考え方が一足とびに，現在の高校のコース制の改善，すなわち多様化へと向けられている点に注目する必要がある。後で詳しくふれるが，米国の能力開発計画にみられるように，現在の制度はそのままにして，学卒者あるいは中途退学者を対象にした能力開発の基本的な発想がみられないということである。

さて，この考え方を具体的にするために，以下のような「高等学校教育の改善」方針を打ち出している。

1）普通教育を主とする学科および専門教育を主とする学科を通じ，学科等のあり方について教育内容・方法の両面から再検討を加え，生徒の適性・能力・進路に対するとともに，職種の専門的分化と新しい分野の人材需要とに即応するように改善し，教育内容の多様化を図る。

2）職業または実生活に必要な技能または教養を，高等学校教育の一部として短期に修得できる制度を考慮する。

3）勤労青少年の修学を容易にするとともに，教育効果を高めるため，定時制と通信制の併修形態を拡大する。また，定時別と通信制の課程を併置する勤労青少年のための独立の高等学校の設置を計画的に推進するとともに，各課程ごとの学校についても，その整備拡充を図り必要に応じて独立校とする。とくに農山村等の定着する勤労青少年のための定時制の課程については，積極的に整備を図る。

この方針をまとめていえば，第一に多様化，第二に短期高等学校，第三に定時制通信制という三つの観点から，後期中等教育の中心になっている高等学校教育を改善していこうというものである。

ところで，第一の観点である多様化の現状はどうなっているのだろう。普通科は現在でもある程度分化されているが，全国高校長協議会はこれをさらに深めて，次の6コースに分類することを提案している。つまり ① 才能を重視する系列，② 文科を重視する系列 ③ 理科を重視する系列 ④ 一般教養を中心とする系列 ⑤ 職業的教養を加味する系列 ⑥ 家庭的教養を加味する系列である。(日本教育新聞昭和43年3月24日) しかし，これは今のところたんなる試案であって，政策として打ち出されているわけではない。かりにこの6コースに普通科をわけると，中学校における進路指導はさぞむつかしかろうと思われる。

その点職業科の多様化はすすんでいる。ちなみに全国の高校職業科の学科の種別をみると次の表のとおりになっている。

高校職業科の調べ（文部省）

区分	学科の種類	学科数 国立	公立	私立	計
農業に関する学科	51	5	1,718	12	1,735
工業に関する学科	131	8	2,144	543	2,695
商業に関する学科	12	—	870	497	1,367
水産，商船に関する学科	13	10	166	—	176
家庭に関する学科	10	1	882	291	1,174
その他の学科	1	—	24	31	55
計	218	24	5,804	1,774	7,202

（後期中等教育最終答申の解説P85より）

この調査では，すでに職業科に関する学の種類は218種になっている。これからすると，学科をふやすという意味での多様化には，自ら限界がでてこよう。

こうみてくると，高校教育の改善策としては，第二，第三の観点から短期高校＋定時制通信制の拡充に重点がおかれる可能性もなしとしない。

ふり返って沖縄における高校職業科の種類はどうなっているか，みてみよう。

沖縄における高校職業科の調べ（文教局）

区分	学科の種類	学級数 政府立	私立
商業に関する学科	1	185	40
工業に関する学科	9	84	9
農業に関する学科	7	118	—
水産・商船に関する学科	5	33	—
家庭に関する学科	5	107	5
計	27	527	54

（1967.4.30.現在文教局高校教育課「産業教育関係学校学科数」資料による）なお産技・商業実務は除外してある。

この調べでは，27種の学科しかまだ設置されていない。この意味での多様化は沖縄の場合まだ可能性があるといえる。

第二の短期高校は産業技術学校および商業実務専門学校の設

立によって全国に先がけているともいえる。ただし各種学校としての性格をこれらの学校にもたせると短期高校との関係がややっこしくなるが。

第三の定時制通信制は今年度から，小緑高校に設けて実施するようになっている。

2 観察指導の強化

この答申はこのような後期中等教育の多様化と関連する9つの問題をとり上げ，その第1に「中学校における観察指導の強化」を次のように述べている。

「後期中等教育の多様化に伴い生徒の適性・能力・環境に応じて，適切な進路を選択させることがますます重要となる。そのため中学校において生徒の適性・能力を的確にはあくする方法を開拓するとともに綿密な観察を行ない，その結果に基づいて適切な指導を行なう体制を整備する必要がある」

ここで注目したいのは，観察指導について述べている後半と同じく，「生徒の能力・適性を的確にはあくする方法を開拓する」という前半もきわめて大切だということである。

この能力・適性のあく方法の代表的な例には，能力開発研究（能研）の進学適性検査や職業適性検査等のいわゆる能力テストに代表される適性検査とカウンセリングがある。もちろんカウンセリングを手段ないし方法として考えることについては，いろいろな批判がある。このことについては，この講座の第三話でくわしくふれる。

ややもすると，観察指導の強化がカウンセリングや適性検査を含む能力。適性のはあくの方法が忘れられがちになる傾向がある。これが観察指導課程が制度化されているフランスの事例を参考にして，実践の段階にとり入れようとする場合に，ぶっつかる大きな問題である。たとえば，観察指導課程という場合の観察には，評価がずいぶん高い比率をしめているし，さらに評価する過程において，生徒およびその保護者とのカウンセリングを気ながに続けられている点をみおとしている。このことについては第二話でくわしくふれたい。

ただここでは，この答申に応じて，さっそく文部省では，「観察指導調査研究会」を昨年9月に発足させ，観察指導のすすめ方について調査研究を始めたいという点だけつけ加えておく程度にとどめる。

II 観察指導の強化の背景

1 社会経済的な背景

「後期中等教育の拡充整備について」，文部大臣が中教審に諮問する理由として，次のような説明がなされている。この説明のなかに，観察指導の強化がうちだされた背景がよく表現されているので，多少長いが以下に引用する。

「科学技術の革新を基軸とする経済の高度成長とこれに伴う社会の複雑高度化および国民生活の向上は，各種の人材に対する国家社会の需要を生み，また国民の資質と能力の向上を求めてやまない。」

「これら青少年は，心身共に重要な成長期にあり，個人的にみても，社会的にみても，この時期においてそれぞれの適性にしたがって能力を展開し，将来にわたる進路決定する必要がある。このような青少年の能力をあまねく開発して国家社会の人材需要にこたえ，国民の資質と能力の向上を図るために適切な教育を行なうことは，当面の切実な課題になっている。」

要するに，経済成長の結果として産業構造が高度化されるようになっている現状では，それにともなう能力の開発が急がれなくてはならないということになる。

答申の背景にあるのも，この諮問理由に説明されていることとかわらない。そしてこれには「人的能力開発計画」（昭和38年），「中期経済計画」（昭和39年）―いずれも経済審議会―の考え方が，大なり小なり加味されていることは，ほぼおおかたの一致した見解である。

この考え方の特徴は，人間の能力を資源の一つとしてとらえていることである。そして，それに投資し，その能力を改善された教育の過程を通して，質的に向上させていくと，経済成長が結果としてもたされるという，教育投資論の基本的な発想につながる点に見だされる。

教育投資論については，この項では，これが能力の開発のたての線をなおすということだけを指摘するにとどめる。

次に人間の能力を資源の一つとみなし，それを積極的に開発していこうとする姿勢が，いつ頃から，どのような開発へのアプローチのもとに考えられるにいたったかをふりかえってみよう。

2　人的能力の開発のあゆみ

(1) 人的能力の開発へのアプローチ：開発という用語についてまず最初に考えてみよう。この言葉は多くの場合，英語の Development を日本語にいいなおす際に使われている。たとえば，manpower development といえば，「人的能力の開発」，development countriesといえば，「開発途上諸国」といったぐあいにである。この言葉はもともと，ひとりびとりの生徒のもつうちに秘められた可能性を十分にのばすことを意味する。

しかし，これが日本語の開発という言葉

になると，経済開発，産業開発，社会開発地域開発等にの用語にみられるように，国家の施策として，他律的におし進められるような印象を与える。だから，経済開発計画の一環としての人的能力開発計画が経済審議会あたりで，うちだされてくるのも当然のなりゆきといえなくもない。

しかしながら、進路指導で人的能力の開発というときの開発というのは，生徒のもつうちに秘められた可能性をのばすという意味でとらえることが必要である。これが進路指導とカウンセリングに一貫して流れて考えである。

たとえば、ソ連の人口衛星の最初のうち上げ（1957年）の翌年，米国が国家防衛教育法（国防教育法）関係の一連の法律のうちに，人的能力の開発計画の早期実施をうたい，それと平行してカウンセラーの計画的養成がうち出されているのは，そのよい例である。このことについては後にふれる

おしいことに，経済開発とか社会開発と同列において，人的能力の開発を考える発想にたてば，そこにはまだ開拓されていない分野を国家的な政策で開発していくことが第一に大切とされるので，生徒ひとりびとりのもつうちに秘められた可能性をのばすということは第二次的なものになるという事実である。この陥りやすい欠点をなくすには，開発というより啓発という読がよい。しかし一般には，人的能力開発という国語が使われているので，この使い方にしたがうことにする。

(2)人的能力の開発に関する二つの段階：このアプローチには大きく二つの段階に分けて考えられる。その一つは，1950年にコロンビア大学に設けられた「人的資源開発研究会」によってすすめられたものである

これは第二次大戦に際しての，徴兵検査に合格しない青少年が予想外に多くいたことが直接の発端になっている。そして，続いておこった朝鮮戦争でほりよになった兵士が意外なほど精神的なもろさを示したことによってはくしやがかけられた。その原因を明らかにするために，まず精神衛生の面からとくに，能力を発揮できない理由を明らかにしていこうとした。

これが一従軍精神分析学者の立場から，詳しく分析され米国の民主々義のもつ，いろいろな長所短所をうきぼりにするけいきにもなった。

この問題が一段落すると，第二にこの研究会は，兵役の義務を終えて帰ってきた人々を中心にした職場復帰，あるいは職業選択と関連して，それぞれのもつ能力を十二分に発揮できるようにするには，どうすればよいかということに主力を注ぎ始めた

こういう研究会の活働と相前後して，進路指導の分野では古典的な本になっている「職業生活の心理学～職業経歴と職業的発達～」（スーパーD.E.）が公げにされたことは，きわめて興味深い。この本は初期の人的能力の開発をすすめていくためのアプローチを知るのに貴重な糸口を与えてくれる。

なぜなら，副題にあるように，職業的発達というのは，一方では能力が十分に開発された状態を意味するからである。このことについては，別の機会にふれたいと思う

この研究会は，第三に婦人の労動力との関係において能力開発のすすめ方を検討する方行へゆく。この頃から職業へ進出する婦人労働者が急速にふえてきたためである

さて，人的能力の開発に関する二つ目の段階は，1962年8月に立法された「人的能力開発および訓練法」によるものである。

これは国防教育法と密接なつながりをもつのだが，ここでは省略する。

この法律は第104条によって，大統領は議会に対して人的能力開発に関する年次報告書（年報）を出すことを義務づけている

以下この年報（1967年度）を中心に職業開発計画の主なものについてみてみよう。

(3)年報にみる人的能力開発計画：この年報は第五回目のもので，見出しは「教育と訓練～職業選択の拡充～」となっている。この見出しからもわかるように，学卒者に対する組織的な教育の機会をあたえ，よりよい職業につく機会を多くすることをねらった，国家が行なう計画の実施結果の報告である。

まず連邦政府の資金使途別にみると①大学等の機関で実施する計画② 実施訓練計画③ 前二者を組みあわせた計画の三種類ある

使われた資金総計（1963～67）は，$890,543,000　$89,533,000　$55,463.000になっており，またこの計画に参加し登録した人員の総計（1963～67）は567,600人，211,600人　58,600人になっている。すなわち，① ② ③ の順に開発計画の比重がおかれているのである。

さて，国家，州，地域のどの段階で実施するかという水準ごとにみると，「国家人的能力訓練計画」「人的能力訓練センター」「再開発地域における訓練計画」がある

以上をまめていえば，次のようになる。すなわち，1960年代は「人的能力開発および訓練法」を中心にして，能力の開発へのアプローチが考えられてきた。そして，その底を一貫して流れているのは，ひとりびとりの能力が十分に発揮されるように啓発するという，カウンセリングの基本的な目

標と一致する姿勢である。

さて要約にかえて，今一度後期中等教育の改善について考えてみよう。

米国の場合，前述のように，後期中等教育の制度の改善はそのままにして 学卒者に対する組織的な 教育を与えることによって能力 の一層の発展を促す機会をもち得るよう に法律によって国に義務づけている。

ところが，こちらでは制度そのものを改めることによって能力の 発展を促そうという。

1958年の国防教育法の中の人的能力の開発と関連して， カウンセラーの計画的養成が強調されている。 その考え方が1962年の人的能力開発および訓練法」に一貫して流れている。 こちら側がこのカウンセラー養成を平行して考えない発想法 （能力開発の）にはいくつかの離点がある。

その代表的なものは，米国の能力開発の計画をカウンセリングの基本的な 考え方をうちに含ませつつ考える態度で 支えられているのに対し， こちらは社会開発等と同じく発想でのみとらえようとして いることである。この答申に対する批判はこの 点に集約することができる。

このたとから，解察指導の強化は，ひとびとりの 可能性をのばすという大きな前提にたって， すすめられなくてはならないということが， 改めて認識され得たと思う。

夕暮れの名護湾

イルカ追う声も
しずまった　名護の浦

明日を呼ぶ
子どもらの叫びが
夕なぎに
ひびきわたる…………

（写真と文　豊島）

1968年6月12日印刷
1968年6月15日発行

文　教　時　報　（第112号）
非　売　品

発行所　琉球政府文教局総務部調査計画課
印刷所　セントラル印刷所　電話　099－2273番

1969 年 度

号外 15

教育関係予算の解説

'69

文 教 局

1 9 6 9 年度

教育関係予算の解説

文 教 局

文教時報号外（第15号）

はじめに

この小冊子は、1969会計年度の教育関係予算について解説したものであります。

文教予算の編成にあたっては中央教育委員会によって樹立された9大方針があり、これらを中心に毎年充実発展させるべく努力しているのでありますが沖縄における教育諸条件の整備及び本土並み水準到達のためにはなお長期にわたっての日米援助と教育予算の拡充に努力する必要があります。

沖縄教育の向上は、ひとり行政当局だけでなしうるものでなく、広く教育関係者はもとより全住民が文教施策および諸制度の趣旨を理解され、ご協力くださることが最も必要なことだと考えます。

この小冊子のご利用により文教施策について、より深い認識とご協力を得たいと念願しております。

1968年8月

文教局長　小嶺憲達

もくじ

第1章　1969年度教育関係予算の全容

1969年度琉球政府予算は、前年度同様に1カ月の暫定予算で発足したが、本予算は7月20日の立法院本会議で可決され、7月31日に行政主席の立法第87号としての署名公布により正式に成立した。

1．教育予算の総額

1969年度琉球政府一般会計歳入歳出予算総額は145,629,520ドルで、このうち教育関係予算額は45,288,242ドルで政府総予算に占める比率は31.1％となっている。

今年度の教育予算額を前年度と比較すると、前年度の当初予算額38,174,258ドルに対して7,113,984ドルの増であり伸長率は18.6％となっている。この増加率は政府総予算の増加率21.6％と比較すると、約3％も伸長率が低い。また、前年度の補正後の最終予算額36,897,993ドルに対しては、8,390,249ドルの増、比率で22.7％の増（政府総予算額の前年度最終予算に対する増加率は27.6％）となっている。

教育予算を事項別に分け、その構成比ならびに政府総予算に対する比率を示すと次のとおりとなる。

事項	予算額	構成比	政府総予算に対する比率
	ドル	%	%
総額	**45,288,242**	**100.0**	**31.10**
文教局	41,687,704	92.0	28.63
文化財保護委員会	87,078	0.2	0.06
琉球大学	3,513,460	7.8	2.41

琉球大学費及び文化財保護委員会関係予算を除いた文教局歳出予算額41,687,704ドルを支出項目別に前年度と比較して示すと次のとおりである。

支出項目別内訳　　　（単位・ドル）

事項	1969年度	1968年度予算額		比較増△減	
	予算額	当初	最終	当初	最終
総額	**41,687,704**	**35,061,195**	**34,386,253**	**6,626,509**	**7,301,451**
A. 消費的支出	32,704,760	26,751,234	27,315,737	5,953,526	5,389,023
1. 教職員の給与	27,992,798	22,233,519	22,948,653	5,759,279	5,044,145
2. その他	4,711,962	4,517,715	4,367,084	194,247	344,878
B. 資本的支出	8,982,944	8,309,961	7,070,516	672,983	1,912,428
1. 学校建設費	6,332,697	5,355,746	4,584,997	976,951	1,747,700
2. その他	2,650,247	2,954,215	2,485,519	△303,961	164,128

なお、1968年度の最終予算額が当初予算額より674,942ドル減額されているのは、年度途中における歳入欠陥等によるものであり、歳出予算の補正額の内訳は、追加額791,559ドル修正減少額1,466,501ドルで、差引674,942ドルの減額となっている。また、修正減少額の内容は既定経費の節減分619,902ドル、政府債務負担行為分846,599ドル（教育研修センター建設費、図書館建設費、社会体育振興費、学校建設費）となっている。

さきに示した支出項目別内訳の構成比を図示すると下図のとおりとなる。

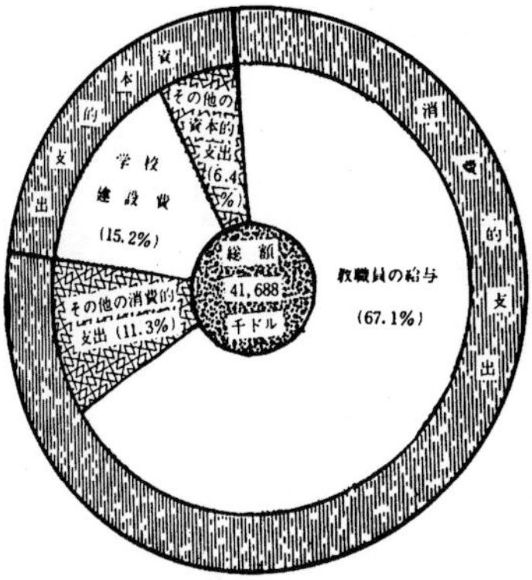

この図にみるとおり、文化財、琉球大学関係を除く教育予算額41,687,704ドルの67%は学校職員の給与費で、これに学校建設費の15%を加えた約82%が、いわゆる義務経費に支出されている。次に文化財、琉球大学経費を除く教育予算額を教育分野に分類して、その構成比を示すと次の表のとおりである。

教育分野別の予算額と構成比

分野別	予算額	構成比
総額	**41,687,704**ドル	**100.0%**
学校教育費	39,265,550	94.2
幼稚園	334,416	0.8
小学校	16,385,709	39.3
中学校	12,227,575	29.3
特殊学校	947,636	2.3
高等学校	8,531,295	20.5
各種学校	838,919	2.0
社会教育費	401,537	1.0
教育行政費	1,686,442	4.0
育英事業費	334,175	0.8

本年度の教育予算も前年度同様に、義務教育諸学校教職員給与費をはじめとする日米両政府の教育援助が大幅に組み入れられているが、これらの状況を前年度と比較してみると下表のとおりとなる。

教育関係予算中の日米両政府の援助状況 (単位・ドル)

区分	財源		1969年度		1968年度(最終)		比較増△減
			金額	構成比	金額	構成比	金額
全教育予算	計		45,288,242	100.0%	36,897,993	100.0	8,390,249
	琉政		27,724,796	61.2	22,655,239	61.4	5,069,557
	援助	日政	13,223,446	29.2	10,047,754	27.2	3,175,692
		米政	4,340,000	9.6	4,195,000	11.4	145,000
文教局(含文化財)予算	小計		41,774,782	100,0	34,464,742	100.0	7,310,040
	琉政		24,554,975	58,8	20,296,988	58.9	4,257,987
	援助	日政	12,909,807	30,9	10,027,754	29.1	2,882,053
		米政	4,310,000	10,3	4,140,000	12.0	170,000
琉球大学予算	小計		3,513,460	100.0	2,433,251	100.	1,080,209
	琉政		3,169,821	90.2	2,358,251	96.9	811,570
	援助	日政	313,639	8.9	20,000	0.8	293,639
		米政	30,000	0.9	55,000	2.3	△ 25,000
(参考)							
琉球政府予算	総額		145,629,520	100.0	114,117,727	100.0	31,511,793
	琉政		101,431,344	69.7	80,070,156	70.2	21,361,188
	援助	日政	31,974,675	21.9	23,714,571	20.8	8,260,104
		米政	12,223,501	8.4	10,333,000	9.0	1,890,501

日米両政府の教育援助の事業内容については、それぞれの章において詳説されることになるが、琉球政府予算に繰り入

れられない事項を含めた日米両政府の教育援助額の一覧表については参考資料〔5〕にまとめて掲示してある。

これまでに述べた教育関係予算は、他の部局に繰り入れられているものは除かれているが、このほかに政府全体として一括計上されているものに、庁用消耗費、備品費、印刷製本費、被服費等のいわゆる用度費として77,775ドルが計上されている。

さらに、このほかに市町村交付税をとおして、教育区の予算に実質的に繰入れられていく教育財源があるが、今年度の政府一般会計より市町村交付税特別会計への繰入額は14,492,417ドルで、このうち市町村の「教育費負担金」を通じて間接的に政府より教育区へ支出されるとみられる額を基準財政需要額の割合いから単純推計すると約 4,348,000ドルとなってくる。

このような局外計上の教育費分を含めると、次にみるように教育関係予算は実質的には約 4,971万ドルとなり、政府一般会計総予算額の約34.1%を占めていることとなる。

文教局（含む文化財）		41,774,782ドル
琉球大学		3,513,460
他局計上	用度費	77,775
	市町村交付税教育費相当分	4,348,000
	計	49,714,017

2．文教局予算編成の方針とその経過

1969年度文教局予算の編成に当っては、教育条件の本土との較差是正を目標として、日米両政府の大幅な教育費関係財政援助を得て、本土並みの財政規模を確保することにより、校舎建築の推進較差是正のための主要施策を中核として、教育条件の飛躍的向上をはかるべくその作業がすすめられた。

すなわち1967年11月21日に中央教育委員会で協議された「1969年度教育主要施策」を基とし、それらの施策が予算上に反映されるよう、各主管部課において、けんめいな努力がはらわれてきた。

なお、中央教育委員会で定められた主要施策は次のとおりである。

1969年度教育主要施策

重点施策	具体的施策
1．文教施設（校舎等）及び設備・備品の充実	●普通教室の充足 ●特別教室・管理関係諸室建設の推進 ●屋内運動場及びプールの建設 ●老朽校舎の解消 ●特殊教育施設の充実 ●文教施設用地の確保 ●設備備品の充実
2．教職員の資質並びに福祉の向上	●教職員定数の確保 ●教職員の資質の向上 ●教育研修センターの拡充 ●各種研究団体の助成 ●教職員の待遇改善と福祉の向上
3．地方教育区の行財政の充実と教育現場と連絡提携の強化	●交付税（教育費分）の財源確保と単位費用の拡充 ●文教施策普及指導の強化
4．教育の機会均等	●義務教育教科書無償の実施 ●幼稚園の育成強化 ●へき地教育の振興 ●特殊教育の振興 ●就学奨励の拡充 ●定通制教育の拡充

5.後期中等教育の拡充整備	●高校教職員定数の確保 ●高校の増設及び拡充 ●産業教育の振興 ●私立学校の育成強化
6.教育内容の改善充実と生徒指導の強化	●教育指導者の養成と指導力の強化 ●理科教育の振興 ●道徳教育と生徒指導の強化 ●教育調査研究の拡充 ●視聴覚教育の拡充 ●学校図書館教育の振興 ●教育方法の近代化
7.保健体育の振興	●学校体育指導及び学校保健の強化 ●学校給食の拡充 ●指導者の資質向上と体育団体の育成 ●総合競技場の拡充と運営の強化 ●体育施設の拡充
8.社会教育の振興と青少年の健全育成	●青少年の健全育成と家庭教育の振興 ●社会教育講座の拡充 ●社会教育指導者養成と資質の向上 ●社会教育施設の運営強化と視聴覚ライブラリーの設置 ●文化センターの建設
9.育英事業の拡充	●国費・自費制度の拡充 ●特別奨学制度の拡充

この主要施策に基づく教育費の需要額を約5,800万ドルと見込み、予算担当局と長期に亘る折衝が行なわれた後、他の行政分野との均衡における教育予算の最終査定がなされ政府参考案が作成された。この参考案は去る4月に立法院に送付され、立法院で審議の結果、若干の修正増減が行なわれ、教育予算は前記のとおり45,288,242ドルに修正可決となり主席の署名公布により正式に成立した。

新年度予算の具体的内容については主要施策に基づき第2章以下で概説されている。

第2章 文教施設(校舎等)及び設備備品の充実

本土の教育水準と比べて著しい較差のあるのが、学校施設と設備備品である。その一例を次の表にみよう。

	校舎の一人当り保有面積			屋内運動場の一人当り保有面積		
	小学校	中学校	高等学校	小学校	中学校	高等学校
類似県平均	5.4	5.5	5.7	0.81	1.20	0.99
沖　縄	2.6	2.8	3.8	0.01	0.05	0.02

単位=m^2
昭和42年5月現在但し、屋体の沖縄は43年6月

過去14年間に学校施設に投入された金額はおよそ3千万ドル。文教予算の約15%を占める建設費は、1967年度から大巾な増加をみせて400万ドル台にのぼり、68年度は500万ドル台となり、本年度は600万ドル台に到達した。このように多額な資金をつぎこんで学校施設の拡充・改善を積極的に推進してきているが、目標の到達にはまだ多くの困難がある。設備備品にしても同じことが言える。本年度も昨年に引続き文教行政の重点施策のひとつとして「文教施設及び設備備品の充実」をとりあげて、本土との較差の解消に努め、教育環境が一段と整備されるよう強力に推進していきたい。

1　1969年度の校舎建築

(1) 学校建設費の概要

a　事業費　(第一表及び第二表参照)

○学校建築に要する予算は622万8,014ドルで、前年度当初予算額528万2,198ドルに比べて、94万5,816ドル(17.9%)の増である。

○しかし、69年度予算額には68年度政府債務負担行為額

67万0749ドルが含まれているので、実質増は27万5067ドル（5.2%）である。

○公立学校に要する予算（施設補助金）が増加し、（実増 114万6433ドル—39.8%）、政府立学校に要する予算(施設費)が減じた。（実減86万5703ドル—37%）

○財源別にみると、日政援助は増えた（79万5225ドル—50.3%）が、米政援助は僅かに後退し(2万 5,000ドル—1.3)琉政負担が約50万ドルの減少となっている。

第一表

		69年度予算額(A)	政府債務負担行為額(B)	(A)−(B)=(C)
学校建設費		6,228,014	670,749	5,557,265
内訳	施設費	1,878,006	402,504	1,475,502
	施設補助金	4,296,569	268,245	4,028,324
	修繕補助金	10,440	0	10,440
	運営費	42,999	0	42,999

第二表

		69年度予算額	構成費	68年度予算額
学校建設費		(5,557,265) 6,228,014	(100) 100	5,282,198
内訳	日政援助	(2,377,356) 2,377,356	(43) 38	1,582,131
	米政援助	(1,975,000) 1,975,000	(35) 32	2,000,000
	琉政負担	(1,204,909) 1,875,658	(22) 30	1,700,067

b　事業量（第三表参照）

○事業量は前年度とほぼ同じだが、教室関係が減少して非教室関係が増加した。

○政府立学校関係が減って、公立学校関係が増えた。

○非教室のうち、屋内運動場が2棟から10棟に、水泳プールが2基から8基に、便所が46棟から67棟に、教員住宅が14棟から48棟に、それぞれ伸びている。

○新設校として5校（政府立3校、公立2校）計画されている。

68年度予算額(D)	(A)−(D)=(E)	$\frac{E}{D}\times100$	(C)−(D)=(F)	$\frac{F}{D}\times100$
5,282,198	945,816	17.9	275,067	5.2
2,341,205	△ 463,199	19.8	△ 865,703	37.0
2,881,891	1,414,678	49.1	1,146,433	39.8
10,440	0	0	0	0
48,662	△ 5,663	11.6	△ 5,663	11.6

構成比	増 △ 減 額	伸長率	注
100	(275,067) 945,816	(5.2) 17.9	69年度予算額の( )は68年度政府債務負担行為額を減じた額
30	795,225	50.3	
38	△ 25,000	1.3	
32	(△ 495,158) 175,591	(△29.1) 10.3	

第三表

	69 年 度 事 業 量			68 年 度 事 業 量		
	政府立学校	公立学校	計	政府立学校	公立学校	計
教室関係	71室	372室	443室	192	382	574
非教室関係	11棟	162棟	173棟	31	90	121
その他	4棟	0棟	4棟	4棟	給水30	

(2) 学校建設費の明細

A 政府立学校に要する予算（施設費）

a 施設費の内訳

- 施設費 1,878,006
  - 高校 952,353
    - 既設高校 633,000
    - 最近新設 86,244
    - 新設工業 98,338
    - 北農農業施設 134,771
  - 特殊学校 181,740
  - 各種学校 300,000
    - 北部産技 150,000
    - 南部産技 150,000
  - 諸施設 41,409
  - 債務 402,504

b 事業内容

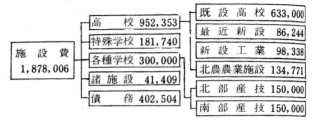

前年度に比べて86万 5,703ドルの実質減で、事業量は教室関係が71室、非教室関係11棟、新設産業技術学校2校で4棟、の建設が予定されている。詳細な事業内容は次のとおり。

		高校	特殊学校	計
教室	普通教室	16室	20室	36室
	特別 〃	24 〃	10 〃	34 〃
	管理室	1 〃	0 〃	1 〃
	計	41 〃	30 〃	71 〃
非教室	図書館	6棟	0	6棟
	屋内運動場	2 〃	0	2 〃
	給食準備室	1 〃	0	1 〃
	便所	1 〃	0	1 〃
	計	11 〃	0	11 〃
その他	産業技術学校	4 〃	0	4 〃
	計	4 〃	0	4 〃

イ　既設高校に理科教室10、図書館6（豊見城・本部・真和志・那覇商業・沖縄水産・八重山商工）屋内運動場は首里・宮古に、給食準備室は八重山商工にそれぞれ建設する。

ロ　最近新設高校の本部高校に普通教室4、真和志に5、中部商業に2、八重山商工に3教室を建築する。

ハ　新設工業（北部）の第一年次計画として普通教室5、管理室1、実習室2、便所1を建築する。

ニ　北部農林に日本政府援助資金で、農業教育施設を建築する。内訳は次の通り。作物園芸実習室・畜産実習室・鶏舎・牛舎・豚舎・生徒宿泊実習室　土肥実験室・製図室・農機具土木実習室・食品化学実験室

ホ　特殊学校では大平・鏡丘　盲・ろう学校・兼城分校に普通教室20室、特別教室10室を建設する。これに要する経費は日本政府援助資金である。

ヘ　各種学校では、米国政府援助資金によって北部と南部に産業技術学校を新設する。

北部産業技術学校	本館	715m²	工場実習室	660m²
南部　〃	〃	715	〃	960m²

ト　諸施設費は各学校の擁壁・校地の整地・照明施設・外塀工事　潅漑・給水施設等を整備する。

B 公立学校に要する予算（施設補助金）

a 施設補助金の内訳

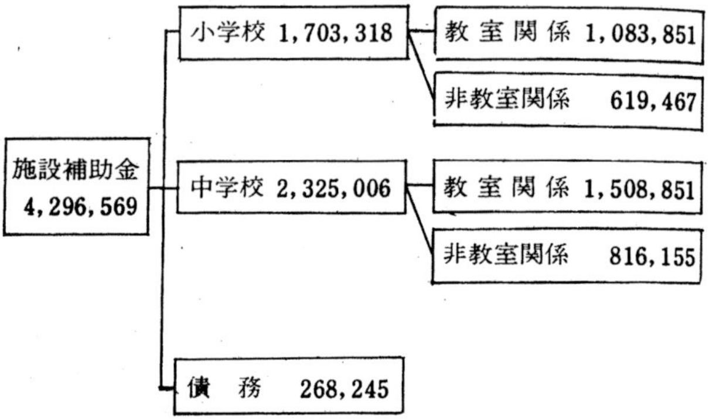

b 事業内容

施設補助金は前年度予算288万1,891ドルに対し、429万6,569ドルで141万4,678ドルの増加となるが、政府債務負担額26万8,245ドルを差し引いて実質増は 114万6,433ドルとなる。すなわち、402万8,324ドルが実質的な予算額となり、その事業内容は次の通り。

		小 学 校	中 学 校	計
教室	普 通 教 室	—	—	—
	特殊学級教室	12	—	12
	特 別 教 室 A	90	90	180
	〃 B	—	40	40
	〃 C	—	12	12
	管 理 室	64	64	128
	計	166	206	372

非教室	図　書　館	—	12	12
	屋内運動場	4	4	8
	水泳プール	4	4	8
	給食準備室	8	8	16
	便　　所	37	29	66
	へき地教員住宅	20	28	48
	〃　寄宿舎	—	4	4
	計	73	89	162

イ　新設校2校（宮里小、普天間第二小）全面移転3校（高江小中、佐良浜中、佐敷中―第二年次）部分移転2校（渡名喜小中、玉城中）計7校の校舎等の建築を3年計画で実施する。

ロ　特別教室及び管理室の建築は、1974学年度の予定学級数を考慮にいれた総合的な施設配置計画に基づいて実施する。

ハ　屋内運動場が前年度の2棟から本年度は8棟の建築を計画。必要面積の9割に相当する工事費を補助する。

ニ　水泳プールも前年度の2基から本年度は8基設置する計画。補助額は1基当り1万9000ドルの予定。

ホ　屋内運動場及び水泳プールの設置については、地域その他を考慮に入れて割当てる。

ヘ　給食準備室は前年度に引き続き米政援助で16棟建築する。その内共同調理場が6棟、単独の準備室が10棟。

ト　便所の建築予定数が66棟、前年度計画数28棟から大巾に増加した。

チ　へき地の教員住宅は前年度17棟に対して、本年度は48棟建築される。

リ　中学校の統合に伴なう寄宿舎の建築が4棟予定されている。内1棟は既設寄宿舎の増設である。

C　質の改善

a　工事単価の改善（予算額） 1教室あたりの単価

	69年度	68年度	増減額	伸長率
普通教室	5,934	5,625	309	5.5
特別教室	6,990	6,150	840	13.7
管理室	5,934	5,625	309	5.5

b　校舎の質の改善

昨年度同様に行なった上、更に次の改善を計画している。

イ　アルミサツシュ窓枠の使用。

○新築で、将来8教室以上となる場合の校舎

ロ　床面のアスタイル使用。

○新築で、管理室及び特別教室

ハ　校舎の背面庇は梁下端または垂壁下端に設ける。
（転落事故防止）

2　文教施設用地の確保

高校生徒急増対策のため毎年学校の新設がなされ、その敷地購入と共に既設校用地の拡張が大きな課題であり、その予算獲得に努力しているが政府財政の都合で現年度は28万 240ドル計上されている。これは当初計画よりほど遠い額であるが市町村やＰＴＡの負担軽減の面も考慮して最近新設校用地の年次的計画による購入を主とし既設校の拡張用地等を買い上げたい。

3 設備備品の充実

(1) 一般教科備品

理科、図書、職業を除いた一般教科備品の整備に要する経費として、公立小中学校分 125,044 ドル、公立中学校分 46,435 ドル、高等学校分として23,620ドルが予算計上されている。

従来まで品目を限定していた日政援助事業は1969年度より視聴覚備品（テレビ）を除いては従来の理科備品の援助と同様な援助方式が一般教科備品についてもとられている。

当局は現行の教科用備品基準にかえて教材基準を文部省とほゞ同一の内容で年内に制定する運びとなっていて今年度からはその基準に基づいて整備されることとなる。

その基準総額からみた場合沖縄の平均基準達成率は1968年6月30日現在で小学校14%中学校16%特殊学校30%となっていて72年度までに基準総額の45%を整備すべく立案されている。

(2) 視聴覚備品

本年度視聴覚備品整備充実計画は次の表のとおりである。

小中校へのテレビ受像機は、これまでの視聴覚利用状況を考慮して、連合区別に割当て、オーバーヘッド投映機は、小学校の中で利用可能な学校をえらび、連合区別に、実験的に配布して

校種別	品目	数量	単価	金額	合計金額
小学校	テレビ受像機	100	150$	15,000$	31,800$
〃 〃	オーバーヘッド投映機	112	150	16,800	
中学校	テレビ受像機	200	150	30,000	30,000

高　　校	〃　　　　〃	100	150	15,000	15,000
政府立	〃　　　　〃	5	150	750	
特殊学校	オーバーヘッド投映機	4	150	600	2,600
	校内放送装置	5	250	1,250	

いきたい。高校へのテレビ受像機は、1校当り2～3台割当て、高校におけるテレビ利用をはかる考えである。

北部および久米島地域の1部、大東地域を除いては、良好にテレビ放送教材利用ができるので、配布をうけた機材の活用について、特に、学校経営者は留意してほしい。

オーバーヘッド投映機は、これまで中・高校へ配布してきたが、板書時間の節減をはかり、板書以上に効果のある最新の視聴覚教材である。テレビ受像機とともに、学習指導の近代化に多大の効果をもたらすことを認識して、その利用開発に努めてほしい。

(3) 校用備品

1963年度以来充足整備されてきた児童生徒用机いすは一応1968年度に完了し、1969年度以降は特別教室用備品管理関係備品事務関係備品を重点的に整備する方針である。

高等学校備品整備に要する経費としては304,022ドルが予算計上されているがその主な内訳は生徒用及び教師用机いす、理科教卓実験机、家庭科教室用備品、事務及び管理関係備品棚、図書館用備品等及び商業実習実践タイプ室用備品の購入に要する経費である。

1969年度予算で整備する小中校の校用備品の主な内容は次のとおりである。

区分	予算	備考
小中特殊学校		
理科教室用実験机いす教卓	157,784ドル	190 校分（一校当り 825ドル相当
〃　備品棚	86,925ドル	313 校分（一校当り 285ドル相当、4台
中学校特殊学校		
家庭科教室用調理台	43,800ドル	28校分(一校当り6台)
〃　試食台	9,870ドル	28校分(　〃　12台)

⑷ 学校図書館図書及び設備

本年度は、学校図書充実費として82,158ドル（日政65,728ドル、琉政27,719ドル）計上されている。なお、学校備品費として学校図書館設備品が149,156ドル（米政）が計上されている。図書及び設備充足の予定は、次の表の通りである。

	図書			設備	
	金額	冊数	充足率	金額	充足率
小学校	51,778ドル	43,148冊	6.01%	52,056ドル	9.01%
中学校	23,880	19,900	4.08	38,120	11.09
高等学校	5,100	3,400	1.48	57,282	29.34
特殊学校	1,400	700	4.58	1,698	10.09
合計	82,158	67,148	4.81	149,156	13.16

第3章 教職員の資質並びに福祉の向上

1. 義務教育諸学校、教職員定数の確保と学級規模の適正化

1966学年度から推進されてきた学級編制の基準の引き下げは当初計画の45人を45.5の基準で編制することになった。1968年5月現在の確定定数によると、1967年5月と比較して児童数 141,373人（4,021人減）中学校76,932人（2,243人減）計 218,305人（6,264人減）となり、前学年度に比較して、在籍は減少しているが、基準の引き下げや、その他教員の増員等で教職員の定数は、増員となり、その内訳はつぎのとおりである。

まず、1967学年度及び1968学年度の児童生徒数、学級数及び教職員数（予算定数）について第1表で比較すると、

第1表　児童生徒数、学級数及び教職員数

区分	学校別／学年度	小学校 1967	小学校 1968	小学校 比較	中学校 1967	中学校 1968	中学校 比較
児童生徒学級数	児童数	145,394	141,373	△4,021	79,175	76,932	△2,243
	普通学級	3,643	3,719	76	1,851	1,906	55
	特殊学級	166	146	△ 20	28	26	△ 2
	学級数計	3,809	3,865	56	1,879	1,932	53
*教職員数	本務教員	4,458	4,631	173	3,084	3,183	99
	その他	111	139	28	129	147	18
	補充教員	148	138	△ 10	129	129	0
	事務職員	94	112	18	83	96	13
	計	4,811	5,020	209	3,425	3,555	130

*予算定数（1968年7月以降）

となっている。更に教職員数について1968学年度及び1969学年度の比較、1968年5月現在の学級規模別学校数を示したのがそれぞれ第2表、第3表である。

第2表 教職員数の前年度比較（予算定数）

区分＼学校別・学年度	小学校 1968	小学校 1969	小学校 比較	中学校 1968	中学校 1969	中学校 比較
本務教員	4,631	4,605	△ 26	3,183	3,157	△ 26
その他	139	139	0	147	147	0
補充教員	138	138	0	129	129	0
事務職員	112	109	△ 3	96	91	△ 5
計	5,020	4,991	△ 29	3,555	3,514	△ 31

第3表 学級規模別学校数 1968年5月現在

連合区別＼規模別・学校別	小学校 6学級以上	1～5学級	6～10〃	11～20〃	21～30〃	31学級以上	中学校 6学級以上	1～5学級	6～10〃	11～20〃	21～30〃	31学級以上
北部	50	13	33	11	5	1	18	25	9	8	·	1
中部	52	2	7	20	16	9	23	5	5	4	8	6
那覇	33	2	2	7	4	20	18	2	3	3	3	9
南部	29	2	6	11	6	6	12	7	2	6	3	1
宮古	17	4	3	9	4	1	14	3	9	4	·	1
八重山	21	13	15	4	·	2	7	16	4	1	2	·
計	2 02	36	66	62	35	39	92	58	32	26	16	18

第1表で明らかのように、本務教員は小中学校で、272人の増、その他教員は46人増、事務職員31人の増となっている。

即ち1968学年度は、児童、生徒6,264人の減に対して、教職員は、339人の増員となっているのは、旧学年に比較して、基準の引き下げと、その他教員の増員によるものである。

1968学年度を境にして、在籍も教職員の定数も減員となり教職員の充足という問題から資質の充実と強化策が今後の課題となることが予想される。

2．教職員給与の改善

義務教育諸学校

（ア）1969年度の教職員の給与費

給料補助金	15,121,072	退職給与補助金	292,251
期末手当補助金	5,517,569	公務災害補償補助金	3,970
管理職手当補助金	139,654	へき地手当補助金	221,269
超過勤務手当補助金	10,677	旅費補助金	85,750
複式手当補助金（事務職員）	3,279	住宅料補助金	21,708
宿日直補助金	117,760	保険料補助金	968,827

（イ）1969年度の改善された点

① 教職員給料及期末手当

給料表の改正により、1967年4月の平均給＄126.07が、1968年4月には平均給＄142.75に引き上げられた。又期末手当の支給率は$\frac{435}{100}$に改正されその内夏季手当が$\frac{170}{100}$になった。

② へき地手当

へき地手当は、1級地が給料月額の8％、2級地が12％3級地が16％、4級地が20％、5級地が25％の率で支給されている。級地指定の変更も行ない旧指定より大幅な改善を加えた。なお詳細は「へき地教育振興」の項を参照のこと。

③ 住宅料補助金

1967年度から1人につき3ドルを支給している。
ただし2人以上が同一世帯に属する場合の支給額は1人につき月額2ドルである。なお詳細は「へき地教育振興」の項を参照のこと。

④超過勤務手当補助金

1969年から事務職員に対する超過勤務手当が新しく計上され事務量の多い学校事務職員の優遇策の一つとして配慮された。

• 政府立高校

政府立高校及び各種学校教職員給与費は次のとおりである

区分	高校	各種学校
給料	3,820,974	228,227
期末手当	1,391,765	82,739
*へき地勤務手当	5,772	—
定時制通信教育手当	30,737	—
**産業教育手当	39,389	4,895
特殊勤務手当		2,798

*へき地勤務手当

政府立学校へき地勤務手当支給規則（1960年中央教育委員会規則第8号）の一部改正により、従来の5ドル（久米島高校2級地）から13ドルに改善され、予算措置されている。

**産業教育手当

「農業、水産又は工業に係る産業教育に従事する政府立高等学校及び政府立各種学校の教員及び実習助手に対する産業教育手当の支給に関する立法（立法第三十一号）」により、当該教員及び実習助手に産業教育手当を支給する。　支給率は$\frac{7}{100}$

3. 教職員の福祉の向上

近代社会は社会的、経済的に一層複雑化してきている。それにともない教職員の福祉向上を図らなければならないことはいうまでもない。

退職給与補助金、保険料補助金、宿日直補助金、旅費補助金、公務災害補償補助金等があるが今年度のそのおのおの予算額は次のとおりである。

項　　目	予算額	備　　　考
退職給与補助金	292,251ドル	普通退職、勧奨退職を含む
保険料補助金	968,827ドル	退職年金、医療保険を含む
宿日直補助金	117,760ドル	
旅費補助金	85,750ドル	
※公務災害補償補助金	3,970	

＊公務災害補償補助金については、従来政府補助金として80%、残り20%は区教育委員会の負担となっていたが、前年度から全額補助に改め、療養補償、障害補償、遺族補償等がある。なお前年度は、障害補償、３名、療養補償、２名、計5名が適用を受けた。

4．教職員の資質の向上

教育の内容を充実し、教育目標を達成するうえで、教職員の資質の向上は最も重要なことである。とくに、流動する社会の中にあって、教育内容が拡大し、科学技術がめざましく進歩発展をとげている今日においてはなおさらのことである

教育が人間と人間の人格的なふれあいの場においてなされることはもとより、教具、教材の取り扱いの問題、指導技術の問題等、いずれも教師のたゆまない努力と研修によって、たえず改善がはかられなければならない。当局としても「教職員の資質の向上」については、文教行政の重点施策の一つとして継続的にとりあげてきたところである。教育課程の改善とも相まって、今後ますます充実強化して教職員の資質の向上をはかり、いっそうの成果を期待したい。

教職員の資質向上に関する事業内容は別表のとおりである。

別表1 1968学年度 教職員管外研修派遣予定研修会等一覧表

研修会名称（講座・大会）	時期	会期	対象	会場	人員	備考
へき地教育指導者講座	9月25日～27日	3日	校長、教諭	鳥取		
学校保健講習会（学校環境衛生）	10月3日～5日	3日	校長保健主事養護教諭	香川		
公立学校事務職員研修会	10月7日～9日	3日	公立小中校事務職員	東京		
全国へき地教育研究大会	10月15日～17日	3日	校長、教諭	宮崎		
交通安全教育管理研究協議会	11月6日～7日	2日	校長、教諭	兵庫		
第18回全国学校保健研究大会	11月22日～24日	3日	学校保健関係者	岐阜		
学校図書館研究協議会	12月12日～13日	2日	校長、教諭	東京		
道徳教育研究学校発表大会	2月27日～28日	2日	校長、教諭	〃		
産業教育指導者養成講座技術家庭（男子向き）	7月22日～27日	6日	教諭	〃		
〃 〃（女子向き）	7月15日～20日	6日	教諭	〃		
全国中学校音楽教育研究大会	7月26日～27日	2日	中学校教諭	鹿児島		
九州数学教育研究会	7月下旬	2日	〃	大分		
第16回実践国語学会研究大会	7月下旬	2日	〃	東京		
全国公立小中学校事務職員研修大会	7月31日～8月3日	4日	公立小中校事務職員	〃		
全国数学研究大会	8月5日～7日	3日	教諭	〃		
社会科教育全国協議会	8月上旬	3日	〃			
第21回全国造形教育研究大会	8月8日～10日	3日	〃	高知		
全国特別教育活動研究大会	8月8日～9日	2日	〃	東京		
全国中学校理科教育研究大会	8月	3日	中学校教諭			
九州地区英語研究大会	8月上旬		〃	福岡		
日本理化学教育大会	8月22日～24日	3日	〃	愛媛		

研修会名称(講座・大会)	時　期	会期	対　称	会場場	人員	備考
第11回文学教育研究全国集会	8月	3日	小中校教諭	岩　手		
第3回小学校学校行事等研究会	8月	2日	校長、教諭			
作文教育の会	8月1日～2日	2日	教諭	東　京		
理科教育学会全国大会	8月5日～7日	3日	〃	鹿児島		
視聴覚教育合同全国大会	10月	2日	〃	愛　知		
全国小学校社会科研究大会	10月24日～25日	2日	小学校教諭	宮　城		
全国英語教育研究団体連盟大会	11月20日～27日	6日	中学校教諭	神奈川		
特殊教育課程研究発表大会	11月26日～28日	3日	小学校校長教諭	東　京		
全国音楽教育研究大会	8月14日～15日	2日	小中校教諭	徳　島		
校長教頭等研修講座(1回)	5月13日～25日	2週間	校長教頭等	東　京	2	
〃　(2回)	6月17日～29日	〃	〃	〃	3	
〃　(4回)	9月9日～21日	〃	〃	〃	3	
〃　(5回)	11月25日～12月7日	〃	〃	〃	2	
体育実技講習会	5月14日～17日	4日	教諭	山　口	1	
学校保健講習会	5月8日～9日	2日	校長、保健主事	東　京	1	
水泳講習会	5月14日～17日	4日	〃	〃	1	
中学校道徳教育指導者講座	5月22日～24日	3日	中校長、教諭	新　潟	1	
生徒指導研究推進校連絡協議会	6月3日～4日	2日	中学校教諭	東　京	1	
スポーツテスト普及講習会	6月3日～5日	3日	スポーツテスト教室講習会予定者教諭	宮　崎	1	
幼稚園教育指導者講座	6月13日～15日	3日	園長、教諭	静　岡	1	
進路指導講座	6月17日～22日	6日	職業指導主事、教諭	広　島(広島大学)	1	
小学校教育課程趣旨徹底講習会(小学校道徳教育指導者講習会を含む)	8月9日～10日	2日	校長、教諭	熊　本	29	

研修会名称（講座・大会）	時　　期	会期	対　　象	会　場	人員	備考
特殊教育講座（精薄）	8月22日～29日	8日	特殊学級担当教諭	長　崎		教育病理2単位授与
進路指導研究協議会	8月29日～31日	3日	進路主事 中校教諭	東　京（国立教育会館）		
幼稚園教育課程研究発表大会	11月6日～7日	2日	園長、教諭	〃		
中学校教育課程研究発表大会	11月14日～16日	3日	校長、教諭	〃		各教科領域に派遣
都道府県中高校生徒指導講座		2週間	〃	九　州		近県（九州地区）に派遣
学校給食栄養管理講習会(西日本)	8月10～12日	3日	学校給食主任	佐　賀	1	
学校給食研究集会（西日本	11月6日～8日	3日	学校給食主任、校長	鹿児島	1	
養護教諭研究協議会	12月3日～4日	2日	養護教諭指導者	東　京	1	
全国学校給食研究協議大会	11月27～28日	2日	学校給食関係者	大　阪	1	
全日本書写道教育研究大会	10月	2日	教諭	東　京	1	
公立学校教頭大会	8月10日～12日	3日	教頭	香　川	3	
青少年進路指導全国大会および本土就職職場視察指導	8月中旬～下旬	2日	進路指導主事、教諭	東　京	4	職場指導は集団就職先（会期後に行う）
進路指導研究協議会	8月29日～31日	3日	進路主事、それに準ずる者	東　京	4	国立教育会館
全国学校体育研究大会	10月	3日	小中校教諭	福　島	1	
全国ＬＬＡ研究大会	8月中旬	2日	中学校英語担当教諭	東　京	1	
全日本中学校長会	9月17日～18日	2日	中学校長	北海道	2	
全国連合小学校長会	10月11日～13日		小学校長	四　国	3	
九州地区教頭大会	11月2日～4日	3日	教頭	宮　崎	3	
放送教育研究会全国大会	11月21日～22日	2日	教諭	神　戸	1	
研究教員	4月～3月	半年 1年	小中高校教諭			

別表2 教職員の資質向上のための研修会一覧表（管内）

各種研修会名称		時期	会期	範囲	参加者	参加人員	会場	備考
全沖縄小中学校長研究大会		5月11～13日	3日	全沖縄	全沖縄小中学校長その他関係者	人 400	那覇	年1回
青少年健全育成関係研修会	訪問教師研修会	毎月	1日	〃	訪問教師その他	延 200人	各連合区輪番	
	生徒指導主任研修会	学期2回	1〃	連合区単位	各学校主任	延 350人	連合区ホール	
	カウンセラー研修会	9月～3月	1〃	〃	各学校カウンセラー	〃	〃	
	進路指導研修会	年1回	1〃	〃	各学校進路指導主任	延 150人	〃	
	特別教育活動研修会	9月～3月	1〃	〃	各学校主任その他	延 350人	〃	年1回
	道徳主任研修会	9月～3月	1〃	〃	〃	〃	〃	〃
学校経営講座	小中校教員中央講座	6月7～10日	4〃	全沖縄	各連合区 6人	36人	羽地野外センター	
	女教員中央講座	8月	4〃	〃	〃 5人	30人	嘉芸公務員保養所	
	新任校長中央講座	10月23～28日	6〃	〃	小中校新任校長	25人	青年の家	
	小中校教頭中央講座	11月13～18日	6〃	〃	小中校教頭	30人	〃	
	各教科主任研修会	学期1回	各1日	連合区別	小中校教諭	延3450人	連合区指定による	
	教科中央							

教科指導技術研修会	研修会 国語、社会、理科 数学、算数、音楽 図工、美術、保体 家庭、英語、道徳 等	6月～3月	各3日	全沖縄	〃	150人	羽地野外センター	
	校内授業研究会	毎月（8月を除く）	各1日	全沖縄	小中高校	延8400人	各学校	
	教育区授業研究会	5月～10月	各2日	教育区別	小中校教諭	延 900人	美里小校外	教材研究と授業研究を併せて行なう
	社会科授業研究会	5月～2月	各1日	連合区別	〃	〃	連合区ごとに指導	
学校総合指導		毎 月	各1日	各学校単位	対象校職員及び文教局長、部、課長、指導主事等			各課合同で実施
教育課程講習		3 月	各1日	全琉6ブロック	高校の対象教科の全教員	延 180人	各対象校	年14校
幼稚園教育課程説明講習		12月～2月	各1日	連合区別	幼稚園教諭		各連合区	
長期英語教員講習会		自1967.4.1～1968.3.30	1 年	全沖縄	中高校英語担当教諭	40人	英語センター	
英語教育講習会		8 月	1ヶ月	〃	〃	50人	〃	
数学教育講習会		12月～3月	各4日	各連合区別	中学校数学担当教員	延 180人		
長期研修		9月～12月	4ヶ月	全沖縄	小中校教諭	2人	文教局	年1回

各種研修会名称	時期	会期	範囲	参加者	参加人員	会場	備考
教育長研修	毎月1日 臨時(1日)	1日	各連合区	教育長	15人	連合区もちまわり	
教育委員研修	10月～6月	1日	全沖縄	教育委員会事務局職員	300人	連合区別	
会計及び事務職員研修	9月	3日	〃	小中校事務	300人	中部連合区事務局ホール	
教育法令研修	10月～6月	1日	〃	校長、教頭その他関係職員	700人	連合区別	
特殊教育研修	毎月	1日	〃	小中校特殊教育担任教諭	250人	〃	
地方教育現場との話し合い	10月～6月	各1日	〃	学校職員	500人	各学校	
進路指導主事研修会	12月	7日	〃	中学校進路指導主事	20人	那覇	
水上安全研修会	6月～7月	1日	各連合区	小中高校職員	400人	各連合区単位	
給食研修会	8月	1日	全沖縄	小中高校教諭、栄養士調理士、給食関係職員	400人	北部、中部、南部、那覇	高校は定時制
体育実技研修会	8月～9月	1日	各連合区	小学校女教師	300人	各連合区単位	
養護教諭研修会	12月	1日	全沖縄	養護教諭	170人	那覇	
学校保健研修会	12月～1月	1日	各連合区	小中高、保健主事、保健担当教師	400人	各連合区単位	
全沖縄高等学校長研修会	5月	3日	全沖縄	高等学校校長、政府立	50人	那覇	

各種研修会名称	時期	会期	範囲	参加者	参加人員	会場	備考
全沖縄高等学校教頭研修会	6月	3日	全沖縄	各種学校校長、盲ろう学校長 高等学校教頭、政府立各種学校教頭、盲ろう学校教頭	50人	青年の家	
全沖縄高等学校定時制主事研修会	10月	3日	全沖縄	高等学校定時制主事	20人	青年の家	
全沖縄高校事務職員研修会	9月	3日	全沖縄	高等学校事務職員、政府立各種学校事務職員	100人	那覇	
中等学校技術家庭科(女子)技術講習	7月24日～29日	6日	全沖縄	技家(女子)職員	40人	琉大	
中学校技術家庭科(男子)技術講習	8月6日～15日	10日	全沖縄	技家(男子)職員	40人	琉大	
高等学校家庭科講習会	7月24日～29日	6日	全沖縄	家庭科教員	33人	那覇高校	
高等学校商業科技術講習会	8月22日～26日	5日	全沖縄	商業科教員	50人	那覇商業	
視聴覚教材活用講習会	4月～6月	各4日	連合区別	小、中校校長、視聴覚主任	642人	連合区教委ホール	
視聴覚教育研修会	4月～6月	各1日	〃	高校の校長及び視聴覚主任	70人	各高校	
テレビ学校放送研修会	11月13日～15日	各1日	宮古・八重山	小中校々長放送主任	150人	宮古、八重山連合区教委	

各種研修会名称	時期	会期	範囲	参加者	参加人員	会場	備考
教育指導委員による講習	9月～12月	4ヶ月	全沖縄	小中高校教諭	延	各連合区	
夏季認定講習	8月	前後期別2週間	〃	〃	延		

5 教育研修センターの拡充

1968年度政府予算において、日本政府の財政援助もえて、沖縄教育研修センターの建設が実現し、総額327,204ドルで本年（68年）11月完成を期して目下、第1次建設工事がすすめられている。しかし、68年度予算では、全体計画（1315坪）の約65.7%（864坪地階～3階）しか建設されないので、宿泊研修に必要な宿泊施設や、視聴覚研修施設、天体観測施設及びエレベーター、冷房施設等は逐次、拡充整備していく計画である。

1969年度における教育センターの予算額は、135,049ドルが計上されているが、その内訳は下記のとおりとなっている。

記

管内旅費	25ドル
事業用備品費	18,869ドル
施設費	116,155ドル

これら予算の使途について説明すると、事業用備品費18,869ドルは、第1次建設（地階～3階）の内容の充実のために、各種研修事業に必要な備品の整備充実にあてられる。

施設費のうち、100,000ドルは、前年度予算の繰越明許の金額で、実質的には新予算は16,155ドルとなっている。これは変圧機と、環境整備費として空地の舗装にあてられる。

なお、4階～5階の第2次工事は、70年度に要求して実施する予定となっている。

6. 各種教育研究団体の助成

教育研究団体の育成のために、今年度はざっと分けて 43 団体を対象に補助する経費である。特に教育研究会という広範囲にわたる任意教育団体を主軸として、その他の教育分野の教育振興をめざすとともに教育団体を育成する目的で支出されるものである。これまで大きな成果をおさめ、関係者から高く評価されている現況である。対象団体名と、補助金予定額36,111ドルでその内訳は次のとおりである。

実験研究校	3,340	教育音楽コンクール	260
農業クラブ	600	幼稚園協会	300
家庭クラブ	600	特殊教育協会	300
高校理科研究会	960	小中教頭協会	1,000
気象教育研究会	170	定時制生活体験発表会	100
小中校理科研究会	150	学校美化コンクール	200
造形教育研究会	700	童話、お話中央大会	50
国語教育研究会	500	商業教育研究会	100
社会科研究会	150	教育研究大会	6,000
英語技能検定	50	高体連	3,773
算数数学研究会	150	高野連	1,500
各種産業教育研究会	360	定時制球技大会	200
高校弁論大会	400	中体連	1,210
書道教育研究会	468	女体連	290
生徒指導研究協会	300	青少年団体	1,300
精薄教育協会	240	婦人団体	400
職業及び科学技術研究会	400	ＰＴＡ連合会	1,000
		子供を守る会	300

教育長協会	450	定時制主事協会	600
小中学校長協会	1,400	小中校事務職員協会職	240
高校長協会	300	高校事務職員協会	200
学校保健大会	480	高校教頭協会	300

第4章　地方教育区の行財政の充実と教育現場との連絡提携

1　地方教育区の財源強化

(1)　教育区の財源と交付税

地方教育区における教育費の財源は、大きく「特定財源」と「一般財源」に分けられる。「特定財源」とは、その使途が決定若しくは限定されたいわゆる「ひもつき財源」で政府補助金や教育区債等である。これに対し「一般財源」は教育区が独自に使用できる財源で市町村負担金とその他教育区の雑収入等から成っている。市町村負担金は、1967年度の教育税廃止に伴なう市町村交付税制度によるもので、教育区の財源の主体を成している。

市町村交付税は、形式的には政府の特別会計から市町村へ支出される財源であるが、その性格は政府補助金とは全く異っている。政府補助金が使途の限定された特定財源であるのに反し、市町村交付税は使途の限定されない市町村独自に使用できる一般財源である。この一般財源という基本的性格の点では、交付税は地方税（普通税）と何等異なるところはない。ただ財政力の地域的較差是正という現実に即して、政府が政府六税と呼ばれる所得税、酒税、煙草消費税、葉たばこ輸入税及び酒類消費税を政府税の一部という形で住民から徴集し、これの一定割合額を市町村全体の財源としてプールして、どの市町村でも一定の標準的行政水準が保てるように配分交付するのである。従って交付税とは、市町村間の財源の均衡化を図るための政府税として徴収される地方共有の独立財源であると同時に、 更に市町村の独立性を強化する目的からその使途を限定しない制度で、ここに教育税制度と異なる大きな特色がある。市町村交付税の総額は、政府六税の一定割合で算出され、その85%が普通交付税、15%が普通交付税の交付基準では測定できない特別な需要に充てる特別交付税として各市町村へ一定の方式で交付される。こうして市町村へ配分交付された交付税は市町村の一般財源を補てんし、市町村は教育区へ教育費分としての市町村負担金を支出する。市町村負担金について特に留意すべき点をあげると、普通交付税は実績を基礎としないで、一定の標準的行政水準が保てるように基準財政需要額が算定され、これが基準財政収入額を越える部分について交付され、しかも基準財政需要額に算入される経費及びその額は交付税と地方税（普通）によって確実に保障されているというたてまえがとられているから、予算編成の場合一応の尺度とすることが大切である。

(2) 財源の強化

地方教育区の一般財源は基準財政需要額の面から試算すると、1966年教育税制度当時の270万ドルに対し、1967年度は308万ドル、1968年度402万ドル、更に1969年度は新たに市町村財政強化費として日政援助70万ドルが加えられ、総額550万ドルとなり、1968年度に対するその伸び率は37%を示し、昭和43年度の本土水準の90%に到達した。このことは沖縄の地方教育行財政が年々大幅に強化充実されつゝあることを意味するものである。1969年度の単位費用の積算については、小中校、その他の教育費の本土達成率及び重点施策等を考慮し全般的に改定が行なわれたが、特に学校設備備品は日政援助を得て大幅に増額され、その他給与費、需要費の引き上げ、小中校の給食従事員の増員、学校薬剤師、社会教育担当事務職員等が新たに積算された。小中学校、その他の教育費の内容は次のとおりである。

① 1969年度市町村交付税総括　　（単位ドル）

区　　分	総　額	琉　政	日　政
A．基準財政需要額	18,349,000	15.987,867	2,361,133
一般分	12,844,300	11,191,500	1,652,800
教育分	5,504,700	4,796,367	708,333
B．基準財政収入額	6,030,192	6,030,192	―
C．財源不足額（A－B）	12,318,808	9,957,675	2,361,133
D．調　整　額（C－K）	254	232	22
E．充　当　額（C－D）	12,318,554	9,957,443	2,361,111
F．政府六税額	48,291,800	48,291,800	―
G．繰　上　率	$\frac{23.8}{100}$	$\frac{23.8}{100}$	―
H．繰　入　額（F×G）	11,493,448	11,493,448	―
I．精算分及び特別交付分	2,998,969	221,191	2,777,778
J．交付税総額（H＋I）	14,492,417	11,714,639	2,777,778
K．普通交付税（J×$\frac{85}{100}$）	12,318,554	9,957,443	2 361,111
L．特別交付税（J×$\frac{15}{100}$	2,173,863	1,757,196	416,667

(2) 1969年標準施設対前年度比較

区分	年度	学校園数	学級数	児童生徒数	教職員数	雇用人	公民館
小学校	1968	1	18	864	23	5	—
	1969	1	18	810	24	6	—
中学校	1968	1	15	690	25	3	—
	1969	1	15	675	25	3.5	—
教委会	1968	—	—	—	5	4	—
	1969	—	—	—	5	5	—
幼稚園	1968	2	4	160	4	—	—
	1969	4	8	320	8	—	—
社教育	1968	—	—	—	—	—	10
	1969	—	—	—	—	1	20

③ 1969年度基準財政需要額

単位ドル

種別	経費区分	測定単位	単	位
			1968年	19
				琉　政
小学校	児　童	140,949	3.95	6.00
	学　級	3,910	284.38	242.17
	学　校	237	1,290.—	1,737.00
中学校	生　徒	76,944	4.30	5.56
	学　級	1,972	303.13	275.33
	学　校	151	1,322.70	1,938.00
その他	教育委員会 社会教育 幼稚園	1,134,567 (補正人口)	0.97	1.17
計			4,016,195	4,796,367

④ その他の教育費の種類別比較（対本土昭和42年）

区　　分	教育委員会	社会教育
本　　土	37.21	25.82
沖　　縄	77.05	18.45
	58.64	14.05
達　成　率	157.6 %	54.5%

費用		伸び率	需要額	昭和43年本土達成率
69年				
日政	計			
0.14	6.14	55.4 %	865,427	78.1 %
86.00	328.17	32.1	1,283,145	102.6
314.00	2,051.一。	58.9	486,087	73.5
0.16	5.72	33.0	440,406	80.6
100.00	375.33	23.8	740,151	102.2
453.00	2,391.00	86.8	361,041	76.9
—	1.17	139.8	1,327,443	83.6
708,333	5,504,700	37 %	5,504,700	90 %

単位　セント

幼稚園教育	図書館	保健体育	備考
29.39	12.83	9.16	人口　10万
21.50	—	—	人口　3万
16.36	—	—	人口10万に補正
55.7%	—	—	—

⑤ 教育委員会費の対1968年度比較

年度	区教育委員会			
	単位費用	補正人口	需要額	分担金
1968	0.758	978,571	741,757	0.21
1969	0.77	1,134,567	873,617	0.27
伸び			17.7%	

⑥ 社会教育費・幼稚園教育費対前年度比較

区　分	年　度	人口規模	単位費用
社会教育	1968	15,000人	0.099 弗
	1969	30,000人	0.18
幼稚園教育	1968	15,000人	0.113
	1969	30,000人	0.22

単位　ドル

連合区教育委員会			
実　人　口	需　要　額	構成比	差引実額
934,176	196,177	26 %	545,580
934,176	252,228	29 %	621,389
			14 %

補正人口	需 要 額	伸び率	昭和42年本土水準
978,571 人	968,785 弗	%	%
1,134,567	204,222	210.8	54.5
978,571	110,570		
1,134,567	249,605	225.7	55.7

2．教育行政補助金

政府は地方教育行政補助として連合区教育委員会の行政費に対し、教育行政補助金を交付している。教育行政補助金は、連合区教育委員会の給与（連合区事務局の定数職員）及びその他特に必要と認める経費に対する補助である。

本年度の教育行政補助金は426,919ドルで、その内訳は給与費 423,171ドル、管内旅費 748ドル、中央教育委員会選挙費 3,000ドルとなっている。なお，管内旅費は、文教局主催による教育長、管理主事等の研修旅費である。

連合教育区事務局職員の定数は、次の通り

職名	北部	中部	那覇	南部	宮古	八重山	合計
教育長	1	1	1	1	1	1	6
次長	2	2	3	1	1	1	10
管理主事	1	1	1	2	1	1	7
指導主事	4	5	4	4	2	2	21
社会教育主事	13	11	9	7	5	4	49
事務職員	6	6	2	4	4	4	26
合計	27	26	20	19	14	13	119

3．文教施策普及および指導の強化

(1) 地方教育区行政職員等の資質の向上

今日の教育の進歩は、教育需要の拡大を招き教育行政の内容をますます複雑多様化する傾向にある。したがって、地方教育区における事務量もますます増大しつつあり、新しい制度の理解と事務の能率化、合理化等の研修は必要欠くべからざるものとなっている。特に地方教育費のおおよそ80%は政府支出金でまかなわれており、政府補助金の適正な執行の確保も地方教育区の事務担当職員等の研さんにまつところが極めて大きい。したがって、教員の研修とともに、行政事務担当職員の研修も今後さらに充実しなければならない。研修費は次のとおりである。

教育長研修　203ドル　教育委員研修　433ドル
会計及び事務職員研修　245ドル
教育法令研修　197ドル　予算決算事務研修　207ドル

(2) 教育現場との連絡提携

●沖縄教育の現状を理解し、文教施策がどのように実施され、将来どのような施策が計画されているかについて説明し文教施策の現場への浸透をはかり、また、直接学校現場の教職員と懇談し文教施策に反映させるため、1965年度以降、教育現場との話し合い（教育懇談会）を実施している

本年度の予算額は、960 ドルとなっている。

●更に広報誌によって文教施策を普及し、また地方教育行財政の指導及びその資料を提供するために、広報普及

に必要な経費として次にあげるような各種の広報誌発行のための経費が計上されている。予算額の面ではここ2・3年大幅な増額はみられないが、今後、これらの広報誌が地方教育行財政担当者はもとより教育現場とより一層密接な結びつきをもって利用される方向にもって行くよう努力をつづけていきたい。

事　項	'68年度予算	'69年度予算	説　　明
広報普及費	3,758 弗 (3,491)	3,827 弗 (3,511)	文教時報 (1,200 部の8回) 〃　(号外) (1,000 部の4回) 教育年報 (800 部の1回) 沖縄教育の概観 (1,000 部の1回) 沖縄の教育リーフレット (2,500 部の1回) 学校一覧表 (1,500 部の1回)

※(　　)内の数字は印刷製本費で総務局用度課予算に組み入れられている。(内数)

第5章　教育の機会均等

1．義務教育諸学校教科書無償給与

義務教育無償の趣旨に沿うて1963年度から教科書無償給与が本土政府の援助により実施され、1969年度は前年度と同様義務教育諸学校の全児童、生徒の教科書購入費が計上されている。教科書無償給与の方法として、政府が経費の全額を負担して必要な教科書を一括購入し、これを義務教育の設置者に無償で給付し、給付を受けた設置者が学校長を通じてこれを児童生徒に給付することになっている。

⑴　対象

政府立、公立、私立の義務教育諸学校の全児童生徒が給与の対象になる。

※　在籍者全員が対象で長欠児に対しては自宅学習のために給与することはさしつかえない。

※　在学するものは国籍のいかんを問わず給与の対象としてさしつかえない。

※　教師用は対象にならない。

⑵　給与

学校長は児童、生徒に給与する場合は学年別学級別給与名簿を作製し、給与した教科書名を記入する。（この場合5月1日づけの在籍と比較して説明ができるよう記録しておく）

⑶　予算

会計年度	1966	1967	1968	1969
予 算 額	562,205$	558,936$	551,415$	528,906$

2. 幼稚園の育成強化

幼稚園教育は、人間形成の基盤を培うもので学校教育の一環として極めて重要な位置を占めている。

1968年7月現在の全琉の幼稚園数は公立83園、私立12園、計95園で前年より17園が増設されている。

1969年度は7月増設3園、1970年4月増設は、公立25、私立2計27園を予定している。

1969年度の幼稚園関係予算は次のとおりである。

幼稚園振興補助金	334,216	備品補助	8,133
給料補助	167,770	旅費補助	191
施設補助	158,122		

※ 給料の補助率は50%、施設補助は1教室宛単価の50%補助（但し入札額が単価より低い場合は入札額の50%）で1969年は58教室分と、モデル幼稚園1園分の80%補助を計上してある。

3. へき地教育の振興

へき地教育関係法の精神に基づいてへき地にある公立小中学校の教育的諸条件の改善を図ることに努力してきた。

1969年度のへき地教育関係の予算額は次のとおりである。

	小学校	中学校	計
へき地手当補助金	115,539ドル	95,730ドル	211,269ドル
へき地住宅料補助金	10,980ドル	10,728ドル	21,708ドル
へき地文化備品補助金	14,084ドル	19,400ドル	33,484ドル
へき地教員養成費	5,280ドル	4,320ドル	9,600ドル
計	145,883ドル	130,178ドル	276,061ドル

①へき地手当補助金

へき地教育振興法施行規則（1959年中央教育委員会規則第4号）の一部を改正し、へき地の級地を引きあげ1967年7月1日から適用したが、新基準による級地別の学校数とへき地手当補助金は次のとおりである。

級地	学校数	小学校	中学校
1	27	21,889ドル	18,231ドル
2	31	36,361ドル	26,129ドル
3	22	17,290ドル	18,140ドル
4	28	27,203ドル	21,031ドル
5	13	12,796ドル	12,199ドル
計	121	115,539ドル	95,730ドル

※学校数は併地校を小学校1中学校1としての数である。

⑵へき地住宅料補助金

へき地教育振興補助金交付に関する規則（1966年10月7日中央教育委員会規則第35号）の一部を改正し、住宅料を従来の月額3.00ドル以内を5.00ドル以内に改め1968年7月1日から適用した。ただし今会計年度は月額3.00ドルで積算されているのでこの範囲で支給される。

⑶へき地文化備品補助金

へき地学校の教材、教具等を整備し学習指導の強化を図るため1960年度から補助を行なっている。補助率は$\frac{4}{5}$で残りの$\frac{1}{5}$は区教育委員会負担となっている。

⑷へき地教員養成

へき地教員養成については、教員志望奨学生規程に定めるところによりへき地学校に勤務すべき教員の養成のため琉球大学在学生中より募集し、1966年4月以降は月額20ドルに増額して奨学金を支給しへき地教員養成に努めている。なお今年度は男子21名、女子19名に支給し、養成している。

4．特殊教育の振興

教育の機会均等の趣旨から、心身に何らかの障害をもつ子どもたちも健康な子どもたちと同じ社会の一員として、障害の種類や程度に応じた専門の教育が施されなければならない。沖縄における特殊教育も年々充実発展の一途をたどりつつあるがこのことについて1966年度以降の予算の上からみると次表のとおりである。

年度 / 区分	1966	1967	1968	1969
政府立特殊学校費	191,040	321,736	441,922	614,191
特殊教育補助金	6,650	19,900	19.900	19,900

特殊学級（精薄）の推移

学年度 / 学校別	1958	1959	1960	1961	1962	1963	1964	1965	1966	1967	1968
小学校	1	1	1	7	16	16	28	85	111	131	146
中学校	—	—	—	—	1	1	1	2	9	18	26
計	1	1	1	7	17	17	29	87	120	149	172

5．就学奨励の拡充

貧困な家庭の児童、生徒に対する就学奨励のために就学奨励法の立法が必要であるが、次期立法院議会に立法勧告するよう準備を進めつつある。

それまでの処置として例年通り学用品の無償給与を行う

こととし1969年4月から3カ月分として17,550ドルを計上してある。（日政援助）

6. 定通制教育の振興

勤労青少年教育の重要性、特殊性にかんがみ定時制給食用備品購入費として、 8,000ドルを今年度も計上し給食備品の充実をはかって行く計画である。なお給食準備室1棟の建設も計画している。

第 6 章 後期中等教育の拡充整備

1. 後期中等教育の拡充整備

高等学校生徒の急増期にはいってからすでに高等学校8校を新設するとともに、政府立各種学校4校を新設してきたが、1969年度には後期中等教育拡充の線に沿って、工業高等学校1校、産業技術学校2校を新設する計画である。政府立高等学校は昨年に比して45学級増で生徒数1368名の増、産業技術学校は7学級で175名の増をはかる計画である。これにより高等学校の進学率は政府立高校で61.84 %になる。さらに私立高等学校の入学者を含めると70%の進学率に達する。これらの学校の運営に要する経費については政府立高等学校費として5,993.465 ドル政府立各種学校費として385,972 ドルが計上されている。

2. 高等学校職員の定数

1968年7月17日の立法院で、政府立高等学校の適正配置及び教職員定数の標準等に関する立法案が可決された。

政府立高等学校の教職員定数の算定は、これまで高等学校設置基準（中央教育委員会規則第23号）等を基礎にして計算され、行政機関職員全体の数のなかの一部として行政機関職員定員法（1967年立法第90号）にその定数が規定せられてきた。しかし、教職員定数の算定基礎になる高等学校設置基準の規定は、新教育課程を運用する上において適切有効に即応し得ない面があり、また本土との教育水準の較差是正の見地から本土並の教職員定数の確保が長年にわたる課題となっていた。その意味において今度の該法案の制定は、画期的なことといえる。

教職員定数は、最終的には行政機関職員定数法に具体的な数字となってあらわれるが、その数字の基礎になる計算方法等が該立法に規定せられ、学校の種別、教育課程の違いによって教職員の種別ごとの人数が割り出されるようになっている。さらに該立法の各条項の規定により計算した人数を3ヶ年で充足していく経過措置がとられているのも特徴の一つといえる。それによって計算すると、1969学年度は政府立高等学校全体で、前年の教職員数より166名の増が見込まれることになっている。

3. 産業教育の振興

高等学校における産業教育備品の充実については学校の新設や学科の増設のため目的達成がなかなか伸びないが1968年年度では一応27.68%の達成をみた。1969年度は213,000ドルを投じ30.90%に引きあげる計画にある。

また別途に実習船用備品費8.000ドル、産業技術学校備品費98,500ドル、中学校技術家庭科備品費180,600ドル等を投じそれぞれの産業教育備品を拡充することになっている。

次に産業教育担当教員の資質向上のため講習会を開催し、産業技術研究教員を10名、別途に農業教育近代化研修教員として2名本土の学校に派遣して研修させる。

またＡＩＤ援助によって　台湾、ハワイ等の外地における研修計画がある。

次に1968年に立法公布された産業教育振興法に基づいて産業教育審議会を発足させ産業教育の綜合計画についての答申をうることになっている。

また産業教育のうち農工水の産業教育に従事している教員及び助手に対しては、その勤務の特殊性にかんがみ産業教育手当を支給しその待偶改善を図ることになっている。

第７章　教育内容の改善充実と生徒指導の強化

戦後の沖縄の教育は「よい校舎、よい施設、よい待遇」という三つの柱の充実を目標にしてすすんできた。日米援助の拡大と相まってこれらの物的条件は大幅に整備されつつある。今後の課題はこれらの諸条件を効率的に運営し、①指導力の強化、②学力水準の向上、③生徒指導の強化をはかることにしぼって諸種の施策が進められていくことである。

1．教育指導者の養成と指導力の強化

教員の資格別状況をみると、臨時免許状及び仮免許状所持者は、小学校205人、中学校57人、高等学校47人、２級普通免許状所持者は、小学校1,091人、中学校967人、高等学校1,241人、１級普通免許状の所持者は、小学校3,039人、中学校2,076人、高等学校653人となっており、小学校は男教員30%、女教員70%の比率で、中学校は小学校の逆の率で高等学校においては、女教員は約15%である。

このような現状においては、学校経営者および中堅教員の資質を高め、指導力の向上をはかることが急務であると考えられるので、これらの人々のための研修会、研修講座が計画されている。

(1)　学校経営者のための研修

イ、全沖縄小中高校長研究大会

学校経営上の問題について、管理と指導の両面から研究するために、毎年、小中校と高校とに分けて校長の研究大会を開催しているが、今会計年度も引続き３日間の研究大会を持ち、学校経営者としての資質を高めていきたい。

ロ、連合区別の校長研修会

例年２月に各連合区ごとに実施しているが、今会計年度も２月に６連合区で開催し、新学年度の学校教育の指導指針を明らかにして、その実践力の向上を図る。

ハ、中校長対象学校経営中央講座

11月19日から３泊４日の予定で、中学校長30名を参加させ特に中学校の学校経営上の諸問題について研究する。

ニ、教頭対象学校経営中央講座

前年度は小中学校の新任教頭対象学校経営講座を行なったが今年度も小中校教頭の宿泊研修をして、校長の補佐役として、また将来の学校経営の責任者としての経営能力と資質の向上を図りたい。

⑵　教員の資質を高めるための研修

イ　中堅教員中央講座

小中校教員の中から各連合区６人ずつ計36人を参加させ５泊６日間の宿泊研修を行ない、学校教育について、指導と管理の両面から研修を実施する。

ロ、小学校女子教員中央講座

小学校の女教員を各連合区５人ずつ計30人を参加させ、３泊４日間の宿泊研修を行ない、学校経営に積極的に参加する態度を育成する。

⑶　管理研修への派遣

研究教員制度によって、教員35人（前後期に分けて計算すれば70人）、校長16人、指導主事10人、大学留学教員10人を派遣し、さらに文部省主催または後援の各種研究大会や講座に約130 人の教員を派遣する予定である。

(4) 指導主事の研修

文教局と各連合区の指導主事が集り、年３回（毎学期１回）２日間の宿泊研修を行ない、学校経営および指導の方針について検討し、指導力の向上を図る。

（教育研修センター）

教育研修センターは、事業の重点目標として指導者養成をとりあげ、そのために必要なつぎの各研修事業を計画実施することにしている。

① 長期研修（294 ドル）……各地域の指導者養成を目的とし、各地域の指導者を対象にして教壇実践をしながら定期的に教育センターに集まってつぎのような研修研究を約６カ月間にわたって行なう。

- 学習指導長期研修
- 進路指導長期研修
- 道徳教育長期研修
- カウンセラー指導者養成長期研修

② 入所研修（192 ドル）……各地域及び全琉的指導者養成を目的とし、各地区の指導者を対象として、約６カ月間センターに入所して自主的研修を行なう。研修の内容はつぎのとおりとなっている。

- 学習指導入所研修
- 教育評価入所研修
- 教育相談入所研修

2．理科教育の振興

理科教育の振興のためには、理科の教育に従事する教員または指導者の資質を向上するとともに理科教育に関する施設設備を充実することが急務である。

理科教育振興法（1960年7月15日立法第62号）が立法されて8年になり、この間に公立小中校、政府立高校の理科備品も次第に充実してきた。ところが66年11月に理科教育のための設備の基準も改訂になり（実施は68年度から）基準総額が約2倍になったため、達成率は半減し68年度末現在で達成率は、約30％程度である。

本年度の備品も昨年同様日政援助、琉政負担により備品の基準総額の約5％に相当する152,314ドルが計上されている。その内訳は次のとおり。

公立小中学校備品補助金115,572ドル、政府立学校事業用備品費37,216ドル（高校30,169ドル、各種学校2,000ドル、特殊学校4,463ドル、中学校584ドル）。

⑴ 理科教育地区モデル校

㋐理科教育の振興をはかる目的をもって、連合区内に理科教育地区モデル校を指定し、理科教育に必要な施設・設備を充実させ理科の各研修の中核として学習指導の充実改善をはかり当該地区における理科教育のモデルとなるよう育成する。

（イ）本年度の研究テーマ

「効果的に理科の学習指導を進めるにはどのようにすればよいか」

小学校 ― 地学教材を全学年にわたり系統的にとりあげ研究の目標としては「効果的な実験観察指導はどのようにすればよいか」にしぼる。

中学校

「抽象的概念をどのように具体化するか」ということを目標に研究を進める。

題材　　第一分野　熱教材

（ウ）中央発表大会　11月下旬　場所　中部連合区
（教育研修センター）

⑴理料研修課で行なう研修事業

科学教育振興の事業のため計上された経費は、総額９,326ドルである。そのうち実験用備品および、各研修会場へ実験用器具薬品運搬のための車輌購入費が７,000ドル（全国理科研修センター備品基準額の３％）、全琉小・中・高校の教員に対する研修指導のための旅費、消耗品費、その他雑費等が２,326ドルである。本年度11月完成の教育研修センター施設の利用と相待って、理科教育振興のために、最も有効適切に使用したい。

なお、本年度教育センター理科研修課で計画している研修事業の大要は、次のとおりである。

○小学校理科長期研修講座（入所研修）
（前期４月～９月、後期10月～３月）
○小学校理科指導者研修会（入所研修５月に２週間）
○中学校理科指導者研修会（入所研修７月に10日間）
○小学校理科女教師研修会（入所研修上学年12月、下学年３月）
○小学校理科実験研修会（地域別全琉24会場上学年下学年）
○中学校理科実験研修会（地域別全琉６会場）
○高等学校理科実験研修会（入所研修８月10日間）
○辺地理科実験研修会（５会場）
○小・中学校生物地学野外研修会（地域別全琉16会場）
○新任教員理科研修会（地域別全琉16会場）
○理科指導主事研修会（毎月１回）
○高等学校理科授業研修会（地域別全琉７会場）

３．道徳教育と生徒指導の強化

道徳教育及び生徒指導は学校における教育活動を通して、児童、生徒に道徳的判断力、心情を培い、また児童・生徒ひとりひとりの可能性を最大限に発揮させるためのいとなみをさしていう。

そのためには道徳教育及び生徒指導の担当者である全教師の資質のより一層の向上と指導体制の強化が要求される。この点から児童・生徒の道徳教育の指導、健全育成指導、矯正指導という面から専門的理論の修得と実践への習熟をはかるため、現職教師の研修会（道徳、特別教育活動、生徒指導主任、進路指導主事、カウンセラー、訪問教師等の研修会）を開催し、また道徳、生徒指導に関する手びき（４部冊）を発刊することを予定し、更に本年度も中学校に６校、高校に５校の生徒指導研究推進校を設置することにより、なお一層道徳教育及び生徒指導の強化を現場の全教師と一体となり推進したい。

なお1969年度健全育成に関する予算額は1,753 ドルであり生徒指導推進校の予算額は5,262 ドルである。

教育研修センターにおいても、道徳教育の強化をはかるために道徳教育長期研修を実施して各地域の指導者の資質向上を期することにしている。

また、生徒指導の強化のためには、長期研修として、進路指導、カウンセラー指導者養成研修を行ない、入所研修として教育相談研修を行なうことになっているが、さらに期待されることは、センター内に教育相談・進路指導室を設けて、常時、これらの相談に応ずるとともに、専門的研究をすすめていくことになっていることである。

4. 教育調査研究の拡充

教育の成果をあげるためには、多くの視点からの調査研究が必要である。それは、現状を分析診断したり、将来を予測するのに必要な基礎資料が得られるからである。つまり、客観的科学的な資料によってこそ、現状の正しい把握と、方法施策の改善が望まれるのである。このような観点から、教育調査研究の重要性を再認識するとともに、その充実強化をはかっていく必要がある。

教育調査研究費の総額は24,847ドルでその事業内容はつぎのとおりである。

① 知能に関する実態調査（9,677ドル）
② 学習指導近代化の研究（1,041ドル）
③ 相談面接の過程に関する研究（335ドル）
④ 生徒指導に関する研究（102ドル）
⑤ 図書資料充実費（459ドル）
⑥ 教育課程調査研究（3,913ドル）
⑦ 学校基本調査（205ドル）
⑧ 教育財政調査（203ドル）
⑨ 父兄が負担する教育費の調査（2,470ドル）
⑩ 高等学校入学者選抜に関する研究（2,011ドル）
⑪ 学校保健体育調査（718ドル）
⑫ 全国小中学校学力調査（3,713ドル）

5. 視聴覚教育の推進

1968年5月末現在における校種別視聴覚教材の保有数量は次の表のとおりである。

<table>
<tr><th>品目種別</th><th>小学校</th><th>中学校</th><th>高　校</th></tr>
<tr><td>紙芝居舞台</td><td>171</td><td></td><td></td></tr>
<tr><td>スライド映写機</td><td>341</td><td>205</td><td>83</td></tr>
<tr><td>8ミリ映写機</td><td>119</td><td>54</td><td>24</td></tr>
<tr><td>8ミリ撮映機</td><td>82</td><td>40</td><td>18</td></tr>
<tr><td>16ミリ映写機</td><td>17</td><td>49</td><td>35</td></tr>
<tr><td>オーバーヘッド投映機</td><td>4</td><td>26</td><td>48</td></tr>
<tr><td>実物幻灯機</td><td>12</td><td>9</td><td>14</td></tr>
<tr><td>映写幕（スクリーン）</td><td>121</td><td>15</td><td>78</td></tr>
<tr><td>ポータブル電蓄</td><td>312</td><td>144</td><td>99</td></tr>
<tr><td>録音機</td><td>469</td><td>321</td><td>202</td></tr>
<tr><td>テレビ受像機　（親）</td><td>480</td><td>96</td><td rowspan="2">16</td></tr>
<tr><td>テレビ受像機　（子）</td><td>415</td><td>47</td></tr>
<tr><td>携帯用拡声機</td><td>81</td><td>66</td><td>26</td></tr>
<tr><td>カメラ</td><td>32</td><td>16</td><td>7</td></tr>
<tr><td>ラジオ受信機</td><td>1258</td><td>374</td><td>178</td></tr>
<tr><td>放送設備一式</td><td>142</td><td>53</td><td>25</td></tr>
<tr><td>スライド</td><td>8039</td><td>2263</td><td></td></tr>
<tr><td>レコード</td><td>4391</td><td>4139</td><td></td></tr>
<tr><td>フイルム接合器</td><td></td><td></td><td>6</td></tr>
<tr><td colspan="4">＼ 調査していない項目（品目種別は文部省教材基準）</td></tr>
</table>

今年度は更に、第2章の3　設備備品の充実の項で述べるように整備充実をはかることにしている。

年々整備充実している視聴覚教材が、効果的に利用されるための研修として、

ア、視聴覚教材活用講習会　連合区毎、関係教科主任対象
イ、視聴覚教材取扱い研修会　連合区毎、視聴覚主任対象
ウ、要請および計画訪問指導　その学校の全職員対象研修会

その他、視聴覚教育研究大会・放送教育研究大会等に協力して学校視聴覚教育の推進に努めていきたい。

文教局指導課に設置されている視聴覚ライブラリーおよび各連合区教委事務所にある視聴覚ライブラリー保有の教材フイルム等の利用にも、じゅうぶん配慮して、学校保有視聴覚教材の活用をはかるとともに、有機的な関連のもとに、学校視聴覚ライブラリーの年次充実をはかっていくことが大切である。

学校教育放送は、5年次を迎え、放送教材に対する認識が高まり、その利用率も本土の利用率を上まわるのもかなりでている。今後努力すでき点は利用の質の面で、事前・事後指導の研究をすすめていく必要がある。

1969年1月に、沖縄放送協会の放送センターからテレビ放送が開始されることになっており、同年4月以降現行テレビ学校放送を民放から同協会へ移行していく計画である。なお同年なかばに、北部等の難視聴解消のための中継局およびFMによる教育放送開始計画もあって、今年度は、放送教育の画期的な年となろう。

6．学校図書館教育の振興

学校図書館教育の振興を図るには、学校図書館施設設備及び図書の整備充実、司書教諭の養成及び配置、学校図書館職

員の資質を向上させることが急務である。

① 本年度の学校図書館の施設設備及び図書の整備予定は次のとおりである。

イ　施設

中学校	12棟	100,000ドル
高　校	6棟	100,000ドル

ロ　設備

小学校	52,056ドル	中学校	38,120ドル
高　校	57,282ドル	特　殊	1,698ドル

ハ　図書

小学校	51,778ドル	中学校	23,880ドル
高　校	5,100ドル	特　殊	1,400ドル

② 司書教諭の養成及び配置

イ　夏季認定講習で司書教諭養成科目として、本年度は中部と宮古両地区で「児童生徒の読書指導、学校図書館の利用指導」の講座を開設する。

ロ　司書教諭の配置については、未配置の学校図書館モデル校に6名配置する予定である。

ハ　本土における学校図書館研修会に派遣する。

ニ　南部の豊見城中学校、宮古の伊良部小学校が研究学校として指定され、目下研究を続けている。

7. 教育方法の近代化

近年、科学技術の驚異的発展と社会の進展に即応するため教育の目標、制度、内容、方法等においても、能率化、合理化を中心とする教育の近代化、現代化が要求されてきている。また、集積された過剰な知識・学問をどのように児童生徒に学習させるかという点からも教育の近代化、現代化は教育界の重要な課題でなければならない。

全国教育研究所連盟においても、全国の共同研究テーマとして、教育の近代化、現代化にとりくんできているので、この共同研究に参加して（教育センター）、教育方法の現代化の研究をすすめていく必要がある。

これに要する費用は1,041ドルとなっている。

第８章保健体育の振興

１．学校体育指導の強化

学校体育の指導はその特質から実践を通しての理解や指導法の研究が必要である。体育については日本政府援助によって、小学校・中学校・高等学校の体育備品が整備されつつあるので、その管理活用を強化するために、主として小学校女教師を対象に器械運動を中心として実技研修を行ない一層の強化をはかる。保健安全については児童生徒の保健安全管理に重点をおいて各連合区単位で学校の要請によって研修会を実施する。

１９６９年度の保健体育の研修に関する予算額は４３９ドルである。

２．学校保健の強化

(1) 健康診断の強化

本年も昨年に引続き本土派遣の　医師団（20名）による宮古連合区、八重山連合区内の小中学校児童、生徒32439 名の健康診断を各専問医師（小児科、眼科、耳鼻科、歯科、皮膚科）により実施し保健管理の強化をはかりたい。

計上予算7.024 ドル。

(2) 養護教諭の増員の資質の向上

養護教諭を20名の増員並びに養護教諭の研修会を開催する

とともに本土の研修会へも派遣したい。計上予算111 ドル。

(3) 沖縄学校保健大会の開催

沖縄学校保健大会と共催で第5会沖縄学校保健大会を開催して学校職員は勿論のこと地域社会の人々の学校保健に対する関心を高めていきたい。計上補助額480 ドル。

(2) 医療費補助

要保護、準要保護児童、生徒の学習に支障を生ずる学校保健法オ17条の規則で定める疾病の治療費補助金として2758ドル計上されている。

(5) 学校薬剤師の配置

学校保健法の一部改正により本年度から新しく学校薬剤師を小学校、中学校に配置して学校環境衛生の改善、強化を図る。計上予算年間1人当30ドル。

3. 学校安全の強化

1967年度の児童生徒の水禍による死亡者17名で水禍事故に対しては今年より、初心者の指導として水上安全女教師研修会および水上安全管理講習会を行い、特殊法人沖縄学校安全会に対しては運営費を補助している。

計上予算11,490

4. 学校給食の拡充

本年度における学校給食の拡充を図るための事業は次のとおりである。

(1) 完全給食の設備備品の整備費補助　9.000 ドル

完全給食を開設する教育区に対し補助を行なう。

４５０ドルの20校分

(2) 準要保護児童生徒の給食費補助　　38.097 ドル

対象率　児童生徒の７％

補助率　給食費の$\frac{1}{2}$以内

(3) 栄養職員設置費補助　　6.033 ドル

補助対象　　教育区　　10人分

補助率　　$\frac{1}{2}$

(4) 学校給食関係職員の研修費　　416 ドル

給食主任、栄養士、調理人を対象に調理技術講習会を行なう。

(5) 給食選定委員会に要する経費　　238 ドル

学校給食用物資の製造委託工場の審査を行ない、製品および工場の衛生管理の向上を図る。

(6) 学校給食会補助　　65.094 ドル

給食用物資の輸送費、保管料、へき地のパン輸送費補助ならびに運営費に要する経費に補助する。

5. 学校体育諸団体の育成

学校体育の振興をはかるために、沖縄高体連、沖縄高野連沖縄高校定時制主事会、沖縄中体連、沖縄女子体育連盟の自主的体育団体では各種のスポーツ大会を開催し、また本土における全国大会等にも多数の代表選手を派遣または招へいして青少年の心身の健全育成とスポーツの振興をはかっている。

次にこれらの学校体育諸団体の主なる事業と予算は次の通りである。（カッコ内は予算額）

高体連（3,773 ドル）

夏季体育大会、各種選手権大会、陸上選手権大会、全国高校総合体育大会、秋季体育大会、冬季体育大会、日琉親善駅伝大会，各種講習会及び各種強化訓練（インターハイには日政援助として2,245ドルの補助がある。）

高野連（1,500 ドル）

本土大会派遣、南九州大会

定時制（２００ドル）

定時制球技大会

中体連（1,210 ドル）

夏季体育大会、陸上競技選手権大会、全日本放送陸上競技大会陸上教室派遣、水泳大会、九州並びに全国水泳大会派遣、秋季体育大会、冬季体育大会、各種講習会

女体連（２９０ドル）

体育実技（ダンス・リズム運動）研修会、授業研究会、創作研究発表

６．社会体育の振興

住民の健康・体力の増進とスポーツの振興を図るためにはすぐれた指導者を養成し、体育施設を拡充整備することが必要である。社会体育振興のための予算は本年度は社会体育振興費と政府立体育施設管理運営費に大別された。特に従来那覇市が管理委託していた奥武山総合競技場と羽地区教育委員会が管理委託していた羽地青少年野外活動センターを政府が管理し、その運営管理の強化と整備を図ることとなった。

(1) 社会体育振興費

(イ) 県民体力作り運動推進に必要な経費 500 ドル

本年度からＰＲ活動を強力に展開し、組織の強化活動を容易にならしめるための経費である。

(ロ) 青少年のスポーツ活動を適切かつ効果的に行なわせるため、その指導者の資質の向上を図るための研修会開催等の予算として302 ドルを計上した。

(ハ) 選手団派遣招へい等に必要な経費 13,380ドル

国民体育大会、全国青年体育大会、九州大会等の本土大会への派遣その他本土各種講習会への参加並びに全国社会人ボクシング大会、全日本一般男子東西対抗軟式庭球大会の開催経費として補助する。(なお日政援助として国民体育大会2,631 ドル、全国青年大会に680 ドルの補助がある)。

(ニ) 国民体育大会に備えて沖縄代表選手の競技力の向上をはかるための経費として4,500 ドル計上した。

(ホ) 体育祭に必要な経費 220 ドル

(ヘ) 各種スポーツ大会運営に必要な経費 987 ドル

沖縄体育大会、沖縄青年体育大会、沖縄教職員体育大会の運営を容易にするための補助である。

(ト) スポーツ少年団の育成に必要な経費 560 ドル

(チ) 地方体育振興に必要な経費 20,000ドル

地方の運動競技場２ケ所を整備するための補助額である

(リ) 総合競技場建設に必要な経費 59,546ドル

本年度は奥武山総合競技場に25mの水泳補助プール及び飛込プールを建設するための予算である。

(2) 政府立体育施設などの管理運営に必要な経費 9,537ドル奥武山総合競技場(野球場、陸上競技場、補助競技場、50mプール、庭球場)ならびに羽地青少年野外活動センタ

ー運営管理に要する経費で、主なものは、非常勤職員給与費、光熱及水料、夜間監視委託費などを含めて9,537ドル計上し、その運営管理を一層強化することにした。

第9章 社会教育の振興と青少年の健全育成

社会教育予算は(1)地方教育区の社会教育の振興をはかるための各種補助金の交付、(2)政府が行なう社会教育関係リーダーの養成をはかるための各種研修会の開催と本土研修、研究指定、(3)社会教育施設の整備拡充と運営に大別することができる。

(1)については成人教育の振興を図るための社会学級運営補助金及び勤労青少年の教育の場である青年学級運営補助金、家庭教育の振興を図るための家庭教育学級運営補助金等が前年度並に計上されている。(2)については青年、婦人、ＰＴＡ、レクリエーション 視聴覚教育、社会学級、新生活運動、公民館、青年学級等各領域の指導者の資質の向上のために各連合区ごとに研修会を開催する。さらに各機関団体の幹部及び指導者を本土研修に派遣するための予算も計上されている。なお社会の要請と青少年の職業技術修得のために、職業高校を開放して講習会を開催することになっている。(3)については中央図書館の２階３階が今年度で完成されることになっている。また青年の家に附属体育館が日本政府援助で新築され青年教育の場がより充実されることになっている。

1. 青少年教育

イ 青年学級

後期中学教育の一環としての青年学級は、勤労青少年を対象に実生活に必要な、職業又は家事に関する知識及び技能を修得させると同時に一般教養の向上を目的として行われる社会教育講座である。今年度は地域青年会を中心にする一般青年学級が30学級、職場職域で行われる企業内青年学級が7学級で合計37学級を設置する。なお運営補助金として3,400ドルが計上されている。又研究指定のために182ドル計上されているので2学級を指定する予定である。指導者養成研修会のために120ドルの諸謝金が計上されている。

ロ　職業技術講習

職業技術講習は、職業高校を開放し主として勤労青少年を対象に行われる講習である。今年度は社会の要求度の大きい自動車整備、電気工、英文タイプ、農業技術等を産業技術学校及び高等学校で6講座12クラスで行なう予定である。なお予算は次のとおりである。

諸謝金 3,954 ドル　修繕費 160 ドル　役務費 160 ドル　油油脂燃料費 120 ドル　消耗品費 207 ドル

ハ　青少年団体活動

青少年団体が主体性を確立し積極的な教育活動ができるためには指導者の養成が急務である。今年度はリーダー養成のために本土研修（日政援助による国内研修。琉政による派遣）に14人を派遣する予定である。又活動家研修会を各連合区ごとに1泊2日、中央で2泊3日の予定で開催する計画である。なお青年団体の運営強化のために研究指定を2カ所行なう予定である。青年団体育成のための予算はつぎのとおりである

食糧費 384 ドル　役務費60ドル　研究奨励費 538 ドル
雑　費　42ドル　諸謝金 117 ドル　国内研修 1,057 ドル

ニ　青少年健全育成モデル地区

モデル地区は青少年の健全育成をはかるため学校、家庭及

び社会が一体となって、いわゆる総合的な地域ぐるみの運動を推進するために設定された事業である。そのために前年度に引き続き1,080ドルの予算で各連合区に一カ所づつ設定しその育成強化をはかっていきたい。また事業の内容としては1.組織の強化、2.家庭教育の振興、3.環境の浄化、4.健全レクレーションの奨励、5.青少年団体の育成、6.非行や事故からの防止等があげられる。

2．成人教育

イ 社会学級

社会学級は一般成人を対象として行われる社会教育講座であって主として各小学校単位に開設される。本年度は全琉に219学級を開設する予定でその運営に必要な経費の一部を補助するために6,300ドルを計上している。なお指導者養成として本土研修に2名派遣し各連合区で指導者研修会を行なう計画である。また学習内容や学級運営の諸問題を究明するために3学級を研究指定する予定である。予算はつぎのとおり

研究奨励費 504ドル　運営補助金 6,300ドル

諸謝金 68ドル　雑費 36ドル

ロ ＰＴＡ

単位ＰＴＡの指導者養成として連合区ごとに指導者研修会をもつ計画である。また単位ＰＴＡにおける諸活動の健全化をはかるために2団体を研究指定する予定である。予算は研究奨励費204ドル、諸謝金76ドル、雑費18ドルである。

ハ 家庭教育

家庭教育は学校教育、社会教育とともに教育の三本柱として重視されている。青少年の健全育成の基盤をなす家庭教育

を振興するために家庭教育学級を40学級設置する計画をすすめている。また家庭教育研究集会へ２名派遣するための補助金も計上している。予算は運営補助金１,440 ドル(40学級分)研究奨励費 180 ドル（本土派遣）である。

ニ　視聴覚教育

教育効果を高め学習の近代化をすすめていくために視聴覚教育はきわめて重要である。本年度は視聴覚教材の整備と指導者の研修のために次のとおり予算を計上した。

備品費（映画フイルム購入）1,520ドル　消耗品費 274 ドル

役務費 209 ドル　修繕費 190 ドル　諸謝金46ドル

ホ　婦人団体教育

地域婦人団体の健全な発展を促進するためにつぎの事業を行なう。

○指導者講習会　中央１回市町村婦人幹部を対象に１泊２日の研修会を行なう。また各連合区ごとにも同様な研修会をもつ予定である。

○婦人団体の幹部及び指導者を本土研修へ派遣する。14人

○婦人団体を２カ所研究指定する。

予算は研究奨励費 538 ドル（国内研修は別に 1,237 ドル）雑費56ドル　食糧費 336 ドル　謝金 117 ドル

レクリエーション

レクリエーッョンは学校、職場、職域、家庭等で生活化されるようになったが、指導者が少ないために健全なレクリエーッョンの普及にはまだまだ時間がかかる。そのために指導者の養成のための指導者講習会、普及のためのレクリェーション大会等を次のとおり開催する予定である。

指導者講習会、各連合区ごとに開催する。レクリェーッョン大会は連合区に補助金を交付して実施する、その予算は研究

奨励費として120ドル　消耗品92ドル　諸謝金60ドル　雑費32ドルである。

ト　新生活運動

新生活運動の趣旨としては住民ひとりびとりの自主的、自発的な運動をとおして生活者の主体性を確立し、社会の変動の影響から自らの生活を守り、その変化の方向に自らの生活を適応させながら生活の向上をはかり幸福で明るく豊かな家庭、住みよい社会の建設をめざして全琉的運動の推進をはかっていきたい。今年度の努力事項に新生活運動実践協議会組織の育成強化と設置促進、家庭生活合理化運動、各種集会及び諸行事の合理化、親切運動の推進、町や村を美しくする運動をかかげた。事業内容は、(1)指導者研修会各連合区ごとに開催、(2)本土研修派遣2人、(3)研究指定1カ所、(4)月間運動の実施、(5)生活学校設置奨励等である。

予算は次のとおりである。

委員手当280ドル　借料損料84ドル　研究奨励275ドル　雑費22ドル　諸謝金123ドル

3．社会教育施設、設備の充実と運営の強化

イ　図書館

前年度から継続している中央図書館の2階3階の増築工事（総工費111,736ドル、総面積547坪）が11月に完成の予定をしているので、本年度は新館開館にともない10,000ドルの図書購入費で郷土資料参考図書及び一般資料の充実をはかるとともに閲覧用各種目録カード、索引類を整備して住民の読書水準の向上をはかる。

なお建物周囲の防湿工事や浄化槽の排水工事等によって環境浄化をはかる。

ロ 博物館

今年度の主な事業は博物館の普及活動として近代名作美術展を開催し、住民の教育文化の向上に役立てようというもので、これは日本における明治初年から昭和までの名作70余点を展示する。そとための費用として2,542ドルと収蔵品消毒のための殺虫室の改造費486ドルと冷房機、換気装置の修繕費290ドルの計3,420ドルを計上してある。

ハ 公民館

公民館長の任期は全琉の9割程度が1年間であるため、公民館運営上の大きな問題になっている。その問題解決の対策として館長及び関係職員の資質の向上をはかるために各連合区教育委員会ごとに研修会を開催するとともに、第16回全国公民館大会への参加による研修を計画している。次に各地域社会の特色を生かした公民館経営についての問題解決のために4カ所に研究指定をする。研究指定公民館には1館150ドルの補助金を交付する予定である。

なお南方同胞援護会より42,000ドルの援助を受けて公民館における図書活動を充実させる計画である。

4. 社会教育関係団体への助成

青少年団体育成費	3,300ドル
子どもを守る会	300ドル
婦人団体育成費	400ドル
少年会館運営補助	10,000ドル
ＰＴＡ連合会費	2,000ドル
計	16,000ドル

第10章 育英事業の拡充

琉球育英会法による育英事業に必要な経費は1969年度予算において総額356,538ドルであって、その資金内訳は日政援助金194,444ドル（54.54％）、琉政補助金139,731ドル（39.19％）、その他22,363ドル（6.27％）である。

本年度予算では大学特別貸与奨学生の増員により日政援助が13,888ドル増額になっているが、総額において44,610ドルの減額になっているのは沖縄学生文化センター建設費、政府出資金等の減少によるもので事業面への直接の影響はない。予算に計上された業務の内容はつぎのとおりである。

1. 国費自費学生奨学費

イ　国費学生

大学院学生56名、学部学生720名に対して、文部省から支給される滞在費のほかに琉球育英会給費支給規程により一人当り月額平均前者は3ドル、後者は7.47ドル、年額合計66,557ドルを給費することになっている。

ロ　自費学生

自費学生補導費一人当り年額7.23ドルの487名分をそれぞれの大学に納付するため3,521ドルが計上されている。

2. 特別貸与奨学費

日本政府の援助によるもので、年額194,444ドルが琉球育英会奨学規程により次のとおり大学・高校の特奨生に貸与される。

（イ）大学特別貸与奨学費　119,444ドル

自宅通学生　一人当り月額　13.88ドル　人員211人

自宅外通学生一人当り月額　22.22ドル　人員316人

（ロ）高校特別貸与奨学費

自宅通学生　一人当り月額　8.33ドル　人員750人

3. 学生寮

沖英寮（東京）、南灯寮（東京）、沖縄学生会館（千葉）大阪寮、福岡寮、熊本寮、宮崎寮、鹿児島寮の8寮の管理並びに運営補助と営繕のため9,833ドルが予算計上されていて本土内沖縄学生に低廉で、よりよい学習環境を興えるのに必要な経費である。

4. 貸費学生奨学費

本土並びに沖縄内の大学に在学する奨学生20名に対して、一人当り月額8.33ドル計2,000ドルを貸与するもので、次の依託奨学金とともに上記1.2.の奨学制度を補充するものとして予算化している育英事業であって琉球育英会資金によるものである。

5．商社、団体等依託奨学金

商社、団体並びに篤志家が育英事業に賛同して出資する財源により、40名に対して一人当り10〜30ドルを給貸与するもので、年額7,400ドルである。

上記業務の運営費として、沖縄、東京両事務所の人件費49,699ドル、事務費10,580ドルが計上されている。

第11章　文化財保護事業の振興

１９６９年度においては、指定文化財の修理復旧の早期完成、管理の強化促進、保存のための記録の作成、伝承者の養成、公開等を重点に諸事業を推進する方針である。

１９６９年度文化財保護行政関係の予算額は、文化財保護委員会費（運営費）33,650ドル、文化財保護費（事業費）53,428ドル計87,078ドルとなっており，前年度にくらべると前者は 9,979ドル、後者は 9,543ドルの増加となっている。

事業費の主なるものは次のとおりである。

1．施設費　17,065ドル

委員会直営で１９６３年度から施行されてきた特別史跡円覚寺跡の復旧工事で、１９６８年度までに円覚寺境内石垣の修理、旧国宝放生橋の修理及び同勾欄の移築、総門の建造等完成し、今年度は同掖門前参道及び石垣の修理その他環境整備をするとともに円鑑池に架せられた天女橋の修理を行う予定である。

2．有形文化財補助　13,611ドル

史跡、特別重要文化財末吉宮及び登道の修理復旧工事を前年度に引続き日政技術援助による技術専門家の長期にわたる現地指導のもとに二ケ年計画で行う予定である。今年度は登道修理工事と社殿基礎工事に対する補助金である。

3．無形文化財補助　1,820ドル

重要無形文化財（組踊五番）の正しい伝統を保存することに必要な伝承者の養成並びに組踊及び民俗芸能の公開に対する補助金である。

4．無形文化財記録作成費　12,604ドル

重要無形文化財（組踊五番）の正しい伝統の技の保存資料として二童敵討、女物狂二番の映画による記録（１６ミリカラー）を作成する計画である。

5．文化財管理補助　1,728ドル

指定文化財の管理はその所有者又は管理者が行なうことになっており、その文化財が絶えず正常な状態に保存することである。その管理のために要する経費の補助金である。

今年度も前年度に引続き管理強化を図るため建造物、天然記念物の害虫防除、環境整備等の保存措置、動物の給餌施設、標識等の保存施設を設置する事業に対する補助である。

以上のほか、辺土宇佐浜貝塚の第二次発掘、金城町石畳道両側石垣の環境保全命令による修理、前年度実施した緊急民俗資料調査及び宇佐浜貝塚発掘調査の結果報告書の刊行、文化財保護強調週間行事（芸能の公開、講演会、写真展）等を計画している。

第12章　沖縄県史編集

1．沖縄史料編集所の設置

沖縄県史編集審議会は1967年２月22日「沖縄県史編集８か年計画（全24巻）」を答申し、主席の認めるところとなった。それに基づいて沖縄県史の編集発行（既刊10巻）がなされている。

昨年末に文教局の附属機関として「沖縄史料編集所」が設置され，県史編集業務が教育研究課から移された。そのために，1969年度から沖縄史料編集所の運営費として17,872ドルが計上されている。

2．本年度の事業計画

1969年度は資料編の「雑纂２」と「新聞集成　社会文化」の２冊の刊行を予定している。

また、1970年度には各論編の「政治編」・「戦争編通史」を発行する予定である。1970年度に予定通り２冊発行するためには本年度中に執筆を依頼し、1969年６月までに約2800枚の完全原稿を揃えておくことが必要である。

資料編の刊行準備と同時に1970年度以降の刊行予定の県史の編集を進めることになっている。

以上のような事業を推進するために次のような事業費がくまれている。

イ資料編の原稿作成のための筆耕要員の給与（非常勤職員給

与）として 1,267ドル

ロ2800枚の原稿料・執筆者の集まり等に支払うために

諸謝費　7,639ドル

ハ資料の複写費（撮影費）として　役務費　3,724ドル

ニ資料収集のための旅費（管内・管外・委員等旅費）として

1,283ドル

ホ編集審議会の委員手当として　576ドル

へその他　782ドル

計　15,271ドル

第13章　琉球大学の充実

1．予算編成の基本方針及び重点施策

琉珠大学における当面の課題は「国立大学への移管」に備えての準備態制である。本土において公立大学が国立大学に移管される場合、施設設備等の内容が国立大学設置基準に達している大学もしくは学部のみを国立へ移管することが通例である。かゝる観点から、本学では、少なくとも現在の組織又は規模以上で国立大学への移管を図るべきであるという基本的態度をきめ、１９６９年度予算においても、本土における国立大学の水準まで整備充実を期すため各面の較差を是正することを基本方針とし、これを達成するために、次の重点施策の推進を図ることを主眼として予算編成をおこなった。

1．大学の移転計画に基づく新敷地の購入
2．保健学部の設置
3．設備備品の整備充実
4．与那演習林の総合開発
5．教員の研究活動の充実強化
6．教育研究及び大学管理の充実強化

2．１９６９年度琉球大学の歳出予算

(1)　総括

１９６９年度琉球大学予算総額3, 513, 460, 00ドルであって、前年度予算額2, 433, 251, 00ドルに比べる1, 080, 209, 00

ドル約44.4%の増加となっている。

上記の予算を区分すると次のとおりである。

① 目的別区分

人件費	1,805,649 ドル
運営費	374,025
施設整備費	1,333,786
	3,513,460

② 運営費の事項別区分

大学管理費	171,928 ドル
教育及研究費	146,499
厚生補導費	30,836
特殊施設費	19,838
普及事業費	4,924
計	374,025

③ 施設整備費区分

設備備品費	358,001 ドル
施設関係経費	383,791
土地購入関係経費	591,994
計	1,333,786

④ 資金区分

琉　　政	3,169,822 ドル
日政援助	313,638
米政援助	30,000
計	3,513,460

(2) 重点施策の予算措置

① 大学の移転計画に基づく新敷地の購入

琉球大学の現在の敷地では現在の施設規模が限度であり、これ以上の施設は不可能である。従って将来の施設計画も実施できない状況である。このため、大学は移転計画を作成し、これに基づき1967年度から西原、中城の両村に 440,000余坪（有効面積 385,000坪）の土地購入をすすめており、現在までに私有地83,313坪が購入済である。この計画は1969年度が最終計画年度であるので、1969年度は歳出予算に438,240.00ドル、政府債務負担行為に443,000 00ドルが計上されており、1969年度中に購入業務を完了する計画である。

② 保健学部の設置

保健学部は1968年5月17日、琉球大学設置法の一部改正により設置され、学部開設事務が本格的にスタートした。保健学部は沖縄における医療及び公衆衛生の向上を図るため、その分野の指導者の養成を目的に医学教育の場として設置されたもので、1969年4月から学生60人を募集し、4カ年課程で1973年に第一期の卒業生を送りだす計画である。卒業生は保健学士号のほか、養護教諭、保健科教諭の教員免許、看護婦、公衆衛生看護婦、助産婦の免許、衛生検査技師の免許が得られることになっており、医療及び厚生行政の分野での人材不足をきたしている現在、これ等の卒業生の活躍が期待される。

保健学部を設置するため、本学では1969年度予算において保健学部専門教室 600坪（総計画 1,500坪の初年度計画）の建設費299,310.00ドル（233,639.00は日政援助）、同設計管理費23,638.00ドル、学部運営費2,719.00ドルが計上されている。

③ 設備備品の整備充実

ア、教員の研究用及び学生の実験実習用備品については、本土国立大学に比べ相当の較差があり、現在の本学の備品は文部省基準に対し35%程度の整備度である。この較差を是正するため、1969年度予算においては221,278.00ドルが計上されている。特に今年から較差是正のため、日本政府援助 60,000.00ドルが含まれている。

イ、図書については、国立大学の平均蔵書数の80% 350,000冊を整備目標にしているが、現在の蔵書数は 148,000冊であって達成率は42%である。この較差を是正するため、1969年度においては90,000ドル（ 20,000.00ドルは日政援助）が計上されている。

ウ、理学ビルの新築に伴う初年度備品費 30,000.00ドル（米政援助）のほか、一般庁用備品費として 14,283.00ドルが計上されている。

④ 与那演習林の総合開発

与那演習林は、林業試験場や学生の実習場として利用するだけでなく、果樹、パイン、牧場、山地開発等北部山村の第一次産業の総合試験地として活用する計画である。本学は3カ年計画による総合開発を計画し、1968年度において初年度計画として5,210.00ドルの予算を計上したが、執行の段階で全額示達保留となり、第一次計画は止むを得ず事業中止を余儀なくされた。従って、計画は順延され、1969年度においては 1,500ｍの車道新設費6,000.00ドル等 10,483.00ドルの予算が計上されている。

⑤ 教員の研究活動の充実強化

教員の研究活動を充実強化するため、学術研究助成費を

7,978,00ドル増額し、 72,000.00ドルが計上されている。前年度は教員1人当り平均 280.00ドル であったが1969年度は300.00ドルまで高めることができた。なお、学会出席費についても凡そ前年度並みの予算措置がなされている。

⑥ 教育研究及び大学管理の充実強化

本学の一般運営費は本土国立大学に比べ約60%の達成率であるが、人的、物的両面の整備と相まって運営費の較差を是正する必要がある。本土の類似する国立大学の一例をあげると学生1人当りの経費は274.00ドルであるが、本学の1969年度予算では166.00ドルであるので、 学生1 人当りの経費についても100.00ドルの較差がある。

本土国立大学の場合、職員及び学生増に伴って、あらかじめ定められた基準で予算が配分されるが、本学の場合、職員及び学生増がなされても、それには予算が伴なわないために、ますます較差を生ずるばかりである。なお、1969年度予算においては、教育研究及び大学管理の一般運営費として374,025.00ドルが計上されている。

第14章　私立学校教育の振興

沖縄の私立学校（幼、小、中を除く大学２、短大４、高校４）の学生生徒数は大学で43％、短大79％、高校12％の在籍率を示しており、このことだけでも私学が学校教育の上に占める地位と役割は大きく、その重要性は益々増大してきている。一方私学の経営は殆んど学生生徒の納付金と借入金に依存している現状で、教育条件の整備拡充は父兄負担や借入金の増大を招くことになり、沖縄の教育上切実な問題となっている。このような状況で公共性をもつ私学経営の安定と教育諸条件の向上、父兄負担の軽減、高利借入の減少を図るために、特に政府の私学に対する助成振興策の拡充強化を望む声が高まっている。

1．私立学校補助金

年次計画で私学の設備の充実整備費の一部を補助することにしているが、今年度も高校理科教育振興補助金として1,500ドルと、新しく高校産業教育振興補助金として 4,773ドルを計上した。

2．私立学校振興会出資金

去年度発足予定であった私立学校振興会は予算の補正減で今年度にもち越した。それで去年度の出資金額 150,000ドルも加えて 228,550ドルを出資することにしている。振興会は私学の銀行ともいわれ、その果たす役割は誠に大きい。政府としては振興会の育成発展に大きな関心を持っている。

参考資料

【1】 1969年度教育関係歳出予算の款項別一覧表

部　款　項	1969年度 予算額(ドル)	1968年度(最終) 予算額(ドル)	比較 増△減(ドル)
(文教局)	41,774,782	34,464,742	7,150,007
文教局費	2,447,228	2,496,483	△ 49,255
文教本局費	458,966	477,068	△ 18,102
学校給食費	118,462	105,668	12,794
教員養成費	9,600	16,906	△ 7,306
施設修繕費	75,326	65,840	9,486
実験学校指導費	1,318	1,226	92
各種奨励費	35,080	38,990	△ 3,910
学校安全会補助	11,490	12,090	△ 600
教員候補者選考試験費	1,585	1,508	77
学校教育放送費	55,398	54,830	568
学校図書館充実費	82,158	93,447	△ 11,289
学校備品充実費	1,103,667	1,103,258	409
教育研修センター費	39,330	10.524	28,806
教育施設用地費	2 280,240	120,315	159,925
教育研修センター事業費	21,687	18,730	2,957
教育研修センター建設費	135,049	216,050	△ 81,001
沖縄史料編集所費	17,872	0	17,872
中央教育委員会費	47,658	37,746	9,912
中央教育委員会費	47,658	37,746	9,912
教育調査研究費	28,504	16,481	12,023
教育調査研究費	13,233	4,813	8,420
琉球歴史資料編集費	15,271	11,668	3,603
教育関係職員等研修費			
教育関係職員等研修費	51,528	48,873	2,655
政府立学校費	7,107,218	5,531,878	1,575,340
政府立高等学校費	5,993,465	4,830,690	1,162,775
政府立特殊学校費	614,191	417,922	196,269
政府立中学校費	113,590	92,777	20,813
政府立各種学校費	385,972	190,489	195,483
産業教育振興会			
産業教育振興費	893,697	880,292	13,405
社会教育費	413,619	299,870	113,749
社会教育振興費	27,284	25,732	1,552
公民館振興費	1,222	1,415	△ 193
青年学級振興費	3,835	3,856	△ 21
博物館費	40,799	30,345	10,454
図書館費	43,464	37,177	6,287

部　款　項	1969年度予算額(ドル)	1968年度(最終)予算額(ドル)	比較増△減(ドル)
社会体育振興費	99,925	46,930	52,995
体育施設等管理費	9,537	8,791	746
英語教育普及費	25,135	25,119	16
青年の家建設費	72,035	14,963	57,072
博物館建設費	4,620	5,890	△ 1,270
少年会館運営補助	5,000	5,000	0
青年の家運営費	19,572	14,085	5,487
青少年浜松会館管理費	3,272	0	3,272
図書館建設費	57,919	59,286	1,367
青少年浜松会館建設費	0	21,281	△ 21,281
学校建設費			
学校建設費	6,228,014	4,511,449	1,716,565
学校教育補助			
学校教育補助	22,920,674	19,477,690	3,442,984
教育行政補助			
教育行政補助	426,919	360,015	66,904
学用品無償給与費			
学用品無償給与費	546,456	551,415	△ 4,959
育英事業費			
育英事業費	334,175	324,826	9,349
私大委員会費			
私大委員会費	7,191	7,088	103
私立学校助成費			
私立学校助成費	234,823	2,180	232,643
文化財保護費	87,078	78,489	8,589
文化財保護委員会費	33,650	23,671	9,979
文化財保護費	53,428	43,885	9,543
文化財保護委員会庁舎建設費	0	10,933	△ 10,933
(琉球大学)			
琉球大学費	3,513,460	2,433,251	1,080,209
琉球大学費	2,179,674	1,801,979	377,695
施設整備費	1,333,786	631,272	702,514

計　45,288,242　36,897,993　8,390,249

〔2〕 1969年度 文教局予算中の地方教育区への各種補助金、直接支出金および政府立学校費

A 地方教育区

1. 学校教育費

総額		28,771,698
内訳	補助金	27,721,714
	直接支出金	1,049,984

a 公立小・中学校

総額			28,437,282
内訳	補助金	小学校	15,905,794
		中学校	11,481,504
		計	27,387,298
	直接支出金	小学校	480,381
		中学校	569,603
		計	1,049,984

生徒1人当り政府支出金（推計）

小学校	116.30ドル	（前年度 95.46ドル）
中学校	155.99ドル	（前年度 118.73ドル）

(1)補助金の明細

予算項目	科目	1969年度 予算額(ドル)	1968年度 予算額(ドル)
学校給食費	学校給食補助	47,097	47,040
各種奨励費	研究奨励補助	3,140	3,140
学校図書館充実費	備品補助	75,658	84,742
学校備品充実費	備品補助	348,851	341,266
教育関係職員等研修費	旅費補助	17,385	17,385
	研究奨励補助	1,700	1,700
産業教育振興費	備品補助	0	38,500
学校建設費	施設補助	4,296,569	2,881,891
	修繕補助	10,440	10,440
学校教育補助	給料補助	15,121,075	12,686,573
	期末手当補助	5,517,569	3,960,825
	管理職手当補助	139.654	0
	超過勤務手当補助	10,677	0
	複式手当補助	3,279	3,216
	宿日直手当補助	117,760	114,787
	退職給与補助	292,251	292,259
	公務災害補償費補助	3,970	3,207
	学校運営補助	39,288	38,103
	へき地教育振興補助	55,192	48,664
	特殊教育補助	19,900	19,900
	保険料補助	968,827	1,055,760
	へき地手当補助	211,269	160,866
	旅費補助	85,750	82,360
計		27,387,298	21,892,624

(2)文教局直接支出金

予算項目	科目	1969年度 予算額(ドル)	1968年度 予算額(ドル)
学校備品充実費	事業用備品費	334,885	500,000
産業教育振興会	事業用備品費	180,600	108,900
学用品無償給与費	教科書購入費	534,499	550,719
計		1,049,984	1,159,619

(注) 公立小中学校児童生徒数		小学校
	1968年5月	141,768
	1969年5月 (推計)	138,262

比較増△減	1969年度校種別内訳		備考
	小学校	中学校	
57	31,347	15,750	給食費補助 38,097 給食設備備品補助 9,000
0	1,920	1,220	実験、研究学校奨励
△ 9,084	51,778	23,880	小校43,148冊 中校19,900冊
7,585	215,380	133,471	小学校 { 視聴覚 31,800 / 理科 58,536 / 一般教科 125,044 中学校 { 視聴覚 30,000 / 理科 57,036 / 一般教科 46,435
0	9,605	7,780	研究教員、校長研修、教員大学習学
0		1,700	生徒指導推進中心校
△ 38,500			廃目
1,414,678	1,853,318	2,443,251	
0	5,220	5,220	
2,434,499	9,239,694	5,881,378	
1,556,744	3,364,200	2,153,369	
139,654	76,800	62,854	
10,677	5,380	5,297	
63	1,911	1,368	
2,973	62,192	55,568	
△ 8	177,112	115,139	
763	2,406	1,564	
1,185	15,022	24,266	学校統合によるバス通学費 寄宿舎住居費等
6,528	25,064	30,128	
0	10,000	9,900	
△ 86,933	591,709	377,121	
50,403	115,539	95,730	
3,390	50,200	35,550	
5,494,674	15,905,794	11,481,504	

比較増△減	1969年度校種別内訳		備考
	小学校	中学校	
△ 165,115	188,945	145,940	小中校、机、腰掛
71,700	—	180,600	中学校技術家庭科用
△ 16,220	291,436	243,063	
△ 109,635	480,381	569,603	

中学校	計
77,756	219,524
75,755	214,017

b．公立幼稚園
　　総　額　334,416ドル
　　園　児　1人当り政府支出金（推計）26.86 ドル（前年度23.86ドル）
補助金の明細

予算項目	科目	1969年度予算額	1968年度予算額	比較増△減	備考
各種奨励費	研究奨励補助	200	200	0	実験学校
学校教育補助	幼稚園振興・補助	334,216	250,343	83,873	給料、施設、備品、旅費
計		**334,416**	**250,543**	**83,873**	

（注）公立幼稚園園児数　　1968年5月　　11,672人
　　　　　　　　　　　　　1969年5月（推計）　14,786

2．社会教育費

　　総　額　39,123ドル
　　人口1人当り政府支出金（推計）4.2セント（前年度 6.2セント）
補助金の明細

予算項目	科目	1969年度予算額	1968年度予算額	比較増△減	備考
社会教育振興費	燃料補助	0	624	△ 624	廃目
	講師手当補助	0	6,300	△ 6,300	運営補助の科目移動
	運営補助	7,740	—	7,740	社会学級　家庭学級
	研究奨励	6,933	7,182	△ 249	青年、婦人、PTA等本土研修、同研究指定補助
公民館振興費	研究奨励補助	868	868	0	公民館研究指定、本土派遣旅費
青年学級指興費	運営補助	3,400	3,400	0	一般学級36　職場学級7
	研究奨励補助	182	182	0	研究指定2学級
社会体育振興費	体育指導員設設補助	0	1,440	△ 1,440	廃目
	体育施設補助	20,000	36,000	△16,000	陸上競技場2か所
	管理委員費	0	1,881	△ 1,881	廃目
計		**39,123**	**57,877**	**△18,754**	

（注）　人口1965年10月1日現在　　934,176人

3. 教育行政費

総額　437,610ドル

人口1人当り政府支出金(推計) 46.8セント (前年度37.4

(前年度37.4セント)

補助金の明細

予算項目	科目	1969年度予算額	1968年度予算額	比較増△減	備考
学校給食費	学校給食補助	6,033	0	6,033	栄養職員設置補助10人
教育調査研究費	委員手当補助	2,858	0	2,858	全国学力調査 小・中学校
教育関係職員等研修費	旅費補助	1,800	1,800	0	指導主事研修
教育行政補助	行政補助	426,919	347,283	79,636	給与補助、旅費、中教委選挙費
計		437,610	349,083	88,527	

(注) 人口　1965年10月1日現在 934,176人

4. 地方教育区への文教局支出金合計

区分	1969年度	1968年度	比較増△減
補助金	28,198,447	22,550,127	5,648,320
直接支出金	1,049.984	1,159,619	△ 169,635
計	29,248,431	23,709,746	5,538,685

※注; 金額は1968, ‘69年とも当初予算による。

〔3〕１９６９年度教育区歳入歳出予算（当初）

(1)歳入

(単位ドル)

教育区	歳入総額	第一款	第2款	第3款	第4款	第5款	第6款	第7款
		市町村負担金	分担金及び負担金	政府支出金	使用料気び手数料	諸収入	繰越金	教育区費
全琉計	34,856,304	6672,092	739,769	26,240,075	205,075	108,795	204,139	686,359
国頭	503,393	94,600	5,882	402,825	—	84	2	—
大宜味	288,477	55,001	19,784	203,008	3	9,066	1,614	1
東	240,362	38,398	1,979	191,155	3	3,826	1	5,000
羽地	367,008	66,978	5,370	264,579	80	1	30,000	—
屋我地	145,885	27,651	1,865	116,308	—	60	1	—
今帰仁	543,484	91,656	42,769	406,056	—	503	2,500	—
上本部	231,160	40,000	2,795	184,237	262	229	137	3,500
本部	620,741	116,483	10,044	492,520	30	1,662	1	1
屋部	207,237	46,083	2,348	146,147	5	5,153	7,500	1
名護	656,327	122,870	10,926	520,656	1,573	300	1	1
久志	383,549	63,400	22,145	297,357	103	343	200	1
宜野座	211,557	43,702	13,134	153,687	5	184	845	—
金武	324,493	50,101	4,892	267,457	1,488	554	1	—
伊江	306,447	69,285	5,221	229,513	2,004	123	300	1
伊平屋	178,100	39,833	2,363	135,033	—	32	839	—
伊是名	179,579	35,451	3,158	140,966	1	2	1	—
小計	5,387,799	1,001,492	154,675	4,151,504	5,557	22,122	43,941	8,506

恩納	377, 466	70, 000	5, 507	295, 827	—	3	6, 128	1
石川	537, 757	95, 100	9, 276	429, 233	4, 047	1	100	—
美里	1, 009, 485	153, 150	16, 720	678, 334	1, 716	384	2, 180	157, 001
与那城	386, 426	91, 095	7, 547	285, 989	—	1, 794	1	—
勝連	388, 439	101, 196	6, 035	278, 859	2, 068	155	125	1
具志川	1, 243, 342	196, 100	70, 058	960, 529	2, 490	12, 563	1, 601	1
コザ	1, 665, 834	308, 830	26, 848	1, 280, 731	13, 377	8	21, 540	14, 500
読谷	725, 176	127, 331	13, 229	577, 317	6, 240	205	853	1
嘉手納	482, 266	88, 000	9, 753	375, 915	2, 922	800	4, 875	1
北谷	327, 512	61, 393	6, 643	247, 322	1, 828	730	9, 595	1
北中城	244, 441	51, 000	4, 228	182, 836	728	504	5, 145	—
中城	385, 645	64, 900	6, 239	314, 271	—	234	—	1
宜野湾	1, 055, 767	178, 662	19, 566	832, 595	4, 188	20, 756	—	—
西原	374, 662	61, 750	5, 902	261, 798	3	208	1	45, 500
小計	9, 204, 218	1, 648, 507	207, 551	7, 001, 556	39, 607	38, 345	52, 144	217, 008
浦添	937, 434	176, 321	19, 699	736, 163	4, 105	175	970	1
那覇	8, 140, 161	1, 901, 812	108, 792	5,597,084	120, 422	21, 851	51, 580	338, 620
(久)具志川	223, 760	41, 254	2, 760	174, 902	1, 144	200	—	3, 500
仲里	446, 422	74, 792	5, 452	344, 974	—	203	1	21, 000
北大東	78, 395	16, 800	1, 014	59, 899	318	362	1	1
南大東	103,851	25, 001	2,851	75, 927	—	71	1	—
小計	9,930,023	2,235,980	140,568	6,988,949	125,989	22, 862	52, 553	363,122
豊見城	501, 389	80, 506	7, 304	368, 785	4	248	22, 500	22, 042
糸満	1, 262, 574	200, 852	19, 928	1, 016, 569	3, 707	6, 837	8, 180	6, 500

東風平	349,680	77,220	31,040	240,451	3	262	701	3
具志頭	285,895	47,226	26,323	211,906	2	436	1	1
玉城	419,244	70,401	6,225	319,764	—	54	800	22,000
知念	239,140	42,585	3,373	189,141	2	38	4,000	1
佐敷	311,203	50,650	5,281	255,111	2	157	1	1
与那原	334,573	60,060	22,177	241,863	1,364	544	65	8,500
大里	285,167	54,951	25,716	204,032	2	464	1	1
南風原	398,026	78,605	6,262	293,189	2	297	501	19,170
渡嘉敷	76,177	22,589	1,213	52,255	—	120	—	—
座間味	126,190	28,001	841	97,334	3	10	1	—
粟国	102,963	29,944	1,293	71,664	3	57	1	1
渡名喜	67,290	15,000	2,013	50,133	88	—	56	—
小計	4,759,511	858,590	158,989	3,612,197	5,182	9,524	36,809	78,220
平良	1,226,068	201,000	19,734	972,573	5,460	200	7,101	20,000
城辺	680,749	100,000	10,383	552,306	2,552	7,508	8,000	—
下地	225,760	47,400	3,256	174,698	—	106	300	—
上野	280,448	40,000	2,809	233,852	—	3,050	737	—
伊良部	424,776	75,711	6,787	335,537	2,420	4,320	1	—
多良間	147,218	27,640	1,474	116,976	988	40	100	—
小計	2,985,019	491,751	44,443	2,385,942	11,420	15,224	16,239	20,000
石垣	1,708,828	285,872	25,722	1,381,008	15,757	467	1	1
竹富	655,298	111,000	4,257	540,033	1	5	1	1
与那国	225,608	38,900	3,564	178,886	1,562	246	2,449	1
小計	2,589,734	435,772	33,543	2,099,927	17,320	718	2,451	3

(2)歳出

(単位・ドル

教育区	歳出合計	第1款	第2款 学校教育費			第3款	第4款	第5款
		教育総務費	小学校	中学校	幼稚園	社会教育費	諸支出金	予備費
全琉計	34,856,304	981,990	19,245,840	12,871,749	830,050	181,202	662,468	83,005
国頭	503,393	12,105	286,824	198,458	—	1,863	3,415	728
大宜味	288,477	10,119	162,281	107,546	—	2,130	5,967	434
東	240,362	13,016	126,442	96,560	—	1,974	1,874	496
羽地	367,008	9,835	198,001	146,890	1	2,731	9,400	150
屋我地	145,885	6,376	69,179	66,529	—	1,007	2,544	250
今帰仁	543,484	10,968	305,589	211,429	—	3,747	3,722	8,029
上本部	231,160	9,293	119,381	96,075	1,923	1,065	2,886	537
本部	620,741	13,440	313,764	279,507	—	3,872	7,926	2,232
屋部	207,237	10,285	106,658	85,085	—	1,785	2,666	758
名護	656,327	20,248	386,772	218,154	6,922	7,696	13,785	2,750
久志	383,549	10,338	160,883	200,684	5	5,331	5,790	518
宜野座	211,557	11,443	112,660	82,261	1,539	1,359	2,112	183
金武	324,493	10,283	166,725	130,895	8,358	3,132	4,526	574
伊江	306,447	9,990	177,675	98,562	8,516	3,899	7,540	265
伊平屋	178,100	6,506	95,622	71,122	—	1,925	2,767	158
伊是名	179,579	6,884	87,246	81,262	—	2,354	1,654	179
小計	5,387,799	171,129	2,875,702	2,171,019	27,264	45,870	78,574	18,241

恩納	377,466	15,966	188,570	164,887	—	3,868	3,630	545
石川	537,757	15,900	302,694	194,286	14,208	3,866	5,298	1,505
美里	1,009,485	15,802	718,508	225,251	11,571	1,886	34,665	1,802
与那城	386,426	18,486	260,547	99,629	—	2,455	4,628	681
勝連	388,439	15,133	282,775	49,867	7,574	1,936	29,851	1,303
具志川	1,243,342	32,627	738,518	438,180	12,943	7,098	13,158	818
コザ	1,665,834	45,275	967,814	569,391	44,853	4,732	27,769	6,000
読谷	725,176	15,618	427,007	244,984	25,608	5,441	6,018	500
嘉手納	482,266	15,393	280,617	157,076	19,717	3,889	5,274	300
北谷	327,512	10,544	209,114	93,811	10,388	1,216	2,089	350
北中城	244,441	10,194	134,928	92,454	3,476	1,044	1,685	660
中城	385,645	11,090	224,254	140,679	—	1,586	2,077	5,959
宜野湾	1,055,767	21,528	635,947	346,745	40,084	3,669	5,694	2,100
西原	374,662	11,987	191,278	163,193	—	1,656	147,775	23,609
小計	9,204,218	255,543	5,562,571	2,980,433	190,422	44,342	147,775	23,132
浦添	937,434	22,000	513,323	369,569	12,098	3,852	15,844	748
那覇	8,140,161	220,911	4,435,132	2,860,066	447,274	18,322	152,456	6,000
(久)具志川	223,760	8,809	136,112	67,479	6,054	2,086	2,920	300
仲里	446,422	10,403	241,692	26,766	636	2,969	10,722	382
北大東	78,395	5,616	44,046	26,766	1,361	60	495	51
南大東	103,851		48,348	46,168	—	391	1,133	722
小計	9,930,023	274,824	5,418,653	3,549,666	467,423	27,680	183,570	8,203
豊見城	501,389	12,921	251,051	220,586	—	3,033	13,137	661
糸満	1,262,574	27,456	728,127	477,010	12,374	6,119	9,498	1,990

東風平	349, 680	7, 323	154, 407	121, 105	2, 606	2, 387	61, 252	600
具志頭	285, 895	7, 088	181, 956	92, 142	160	1, 895	2, 134	520
玉城	419, 244	7, 888	205, 025	189, 951	1, 000	3, 134	11, 732	514
知念	239, 140	9, 390	117, 130	108, 793	—	1, 582	2, 060	185
佐敷	311, 203	9, 416	125, 522	170, 228	—	2, 724	2, 813	500
与那原	334, 573	10, 778	171, 858	131, 792	3, 169	3, 030	13, 297	649
大里	285, 167	8, 103	136, 600	96, 210	—	2, 637	40, 728	889
南風原	398, 026	9, 481	220, 816	162, 091	—	2, 010	3, 228	400
渡嘉敷	76, 177	5, 787	36, 977	31, 420	—	843	1, 050	100
座間味	126, 190	6, 503	66, 495	50, 498	—	1, 116	1, 278	300
粟国	102,963	5,385	45, 916	41, 924	—	909	8,706	150
渡名喜	67, 290	6, 133	32, 788	26, 989	—	333	997	50
小計	4,759,511	133,625	2,474,668	1,920,739	19, 309	31, 752	171,910	7,508
平良	1, 226, 068	29, 379	699, 010	473, 537	22, 679	4, 470	17, 709	9, 284
城辺	680, 749	15, 699	332, 199	308, 052	10, 156	4, 369	9, 111	1, 163
下地	225, 760	12, 768	114, 927	90, 373	—	3, 118	3, 153	1, 421
上野	280, 448	11, 204	133, 771	129, 869	—	2, 242	2, 862	500
伊良部	424, 776	11, 504	186, 346	182, 332	30, 060	1, 426	12, 308	800
多良間	147, 218	8, 121	85, 388	46, 306	3, 775	1, 679	1, 749	200
小計	2, 985, 019	88, 675	1, 521, 641	1, 230, 469	66, 670	17, 304	46, 892	13, 368
石垣	1, 708, 828	29, 770	969, 756	616, 223	53, 277	8, 353	22, 922	8, 527
竹富	655, 298	16, 766	313, 764	311, 920	—	3, 588	6, 010	3, 250
与那国	255, 608	11, 654	109, 085	91, 280	5, 685	2, 313	4, 815	776
小計	2, 589, 734	58, 190	1, 392, 605	1, 019, 423	58, 962	14, 254	33, 747	12, 553

〔4〕 1969年度単位費用の積算基礎

(1) 琉政

1 小 学 校

A 標準施設

(1) 学 校 数……………1校
(2) 学 級 数……………18学級（1学級当り児童数45人）
(3) 児 童 数……………810人
(4) 教職員数 ……………24人
(5) 雇用人数 ……………6人
（事務補助員1人、用務員1人、給食従事員4人）
(6) 校舎延面積……………2,640 ㎡

C 経費明細

① 児童経費

経費区分	経費	積算内容
給与費	2,076	給食従事員2人 給料 期末手当 負担金{退職年金 医療保検 退職給与金
賃金	612	給食従事員非常勤
需用費	1,899	消耗品費 燃料費 印刷製本費 光熱水費 修繕費 医薬材料費
備品購入費	7	教材用図書及び備品
負担金補助及び交付金	750	要保護準要保護児童関係経費 学用品給与費 給食費 治療費 学校安全会共済掛金 要保護児童 準要保護児童 一般児童
歳出計a	5,344	

政府支出金	461	要保護準・要保護児童関係経費補助
雑収入	22	学校安全会共済掛金徴収金
歳入計b	483	
差引一般源充当額	(a −b) 4861	

B 単位費用

(1) 児 童 数…………… 6. 00
(2) 学 級 数………………242. 00
(3) 学 校 数……………1, 737. 00

積　算　内　容
給与　2, 104. 59
56 67 ×12月×2人=1, 360. 08
56. 67 ×$\frac{435}{100}$×2人=　493. 03
1, 360. 08×$\frac{42}{100}$=57. 12
(1, 360. 08+493. 03) ×$\frac{16}{100}$=29 65
1, 360. 06×$\frac{100}{1000}$=136. 01
2, 55×20日×12月=612. 00
4 3 8
3 2 0
4 0 0
3 3 8
1 9 5
2 0 8
7
703, 08
0. 32×12月×810 人×0. 07=217. 73
0. 041 ×810 人×0. 07×200 日=464. 94
1. 00×810 人×0. 07×0. 36=20. 41
47, 38
0. 01×810 人×0. 03=0. 24
0. 06×810 人×0. 07=3. 40
0. 06×810 人×0. 9 =4 . 74

217. 73+ (464. 94+20. 41) ×$\frac{1}{2}$+ (0. 42+3. 40) ×$\frac{1}{4}$=461. 32
43. 73 ×$\frac{1}{2}$=21. 87

② 学級経費

経費区分	経費	積算
給与費	2,176	給料 事務補助員 給食従業員 期末手当 負担金{退職金 医療保険
その他の 庁費	1,711	建物維持修繕費 運動場修理費
備品購入費	110	備品購入費
旅費	600	
歳入計a	4,599	

政府支出金b	240	旅費補助
差引一般財源充当額（a－b）		

③ 学校経費

経費区分	経費	積算内容
給与費	1,038	用務員給料 期末手当 負担金{退職年金 医療保険 退職給与金
報酬	150	内科医及び歯科手当 薬剤師手当
需要費	102	学校関係需要費
薬務費	216	通信運搬費等
備品購入費	404	放送設備 理科 〃 体育 〃 衛生 〃 給食 〃 その他の備品
歳出計a	1, 91 0	1,910

政府支出金b	173	理科設備備品補助金 給食 〃 〃 〃
差引一般財源充当額（a－b）		

内 容
1,427.28
62.27 ×12月×１人＝747.24
56.67 ×12月×１人＝680.04
(62.27 ＋56.67)×$\frac{435}{100}$＝517.39
1,427.28×$\frac{42}{1000}$＝59.94
(1,427.28＋517.39)×$\frac{16}{1000}$＝31.11
0.51×2,640 ㎡ ＝1,346.40
0.05×7,300 ㎡ ＝ 365.00
１１０
25.00 ×24人＝600.00
10.00 ×24人＝240.00
4,359

積 算 内 容
56.67 ×12月×１人＝680.04
56.67 ×$\frac{435}{100}$＝ ＝246.51
680.4 ×$\frac{42}{1000}$ ＝ 22.52 28.52
(680.04＋246.51)×$\frac{16}{1000}$＝14.82
680.04×$\frac{100}{1000}$＝68.00
60.00 ×２人＝120.00
30.00 ×１人＝ 30.00
102.00
18.00 ×12＝216.00
550.00 ＝ 49.50
1,900.00 ＝171.00
440.00×（１－0.1 ）×$\frac{1}{10}$年＝39.60
330.00 ＝ 29.70
1,000.00 ＝ 90.00
計397.80
267.00×（１－0.1 ）×$\frac{1}{10}$年＝24.00
171.00×$\frac{3}{4}$＝128.25
90.00×$\frac{1}{2}$＝ 45.00
1,737

2 中学校

A 標準施設

(1)学校数……………1校
(2)学級数……………15学級（1学級当り生徒数45人）
(3)教職員数…………25人
(4)生徒数……………675 人
(5)雇用人数………… 3人
(事務補助員1人用務員1人給食従事員1人)
(6)校舎延面積………2,986 ㎡

C 経費明細

①生徒経費

経費区分	経費	積算
給与費	1,038	給食従事員1人給与 給料 期末手当 負担金{退職年金 医療保険 (退職給与金)
需用費	2,464	消耗品費(事務用及び教材用) 燃料費 印刷製本費 光熱水費 修繕費 医薬材料費
備品購入費	28	教材用図書及び備品
負担金補助及び交付金	727	要保護準要保護生徒関係経費 学用品給与費 給食費 治療費 学校安全会共済掛金 要保護生徒 準要保護生徒 一般生徒
歳出計a	4,257	

政府支出金	486	要保護・準要保護生徒関係経費補助
雑収入	18	学校安全会共済掛金徴収金
歳入計b	504	
差引一般財源充当額（a－b）3,753		

B　単位費用

(1)生徒数……………………5.56

(2)学級数………………275.23

(3)学校数……………1,438.00

内　　容
$ 56.67 ×12月×1人=680.04 $ 56.67 ×$\frac{435}{100}$×1人=246.51 $ 680.04×$\frac{42}{1000}$×1人= 28.56 $ (680.04×$\frac{100}{1000}$×1人 = 68.00 $569 308.00 590.00 459.00 254 270 $0.50×12月×675人×0.07=283.50 $0.041×675人×0.07×200日=387.45 $1.00×675人×0.07×0.36= 17.01 $0.01×675人×0.03=0. 0 $0.06×675人×0.07=2.48 $0.06×675人×0.90=36.48

$283.50+($387.45+17.01)×$\frac{1}{2}$+($ 0.20+2.48)×$\frac{1}{4}$ =486.40 $36.48 ×$\frac{1}{2}$=18.24

② 学級経費

経費区分	経費	積算
給与費	1,141	給料（事務員１人） 期末手当 負担金｛退職年金 　　　　医療保険 退職給与金
賃金	306	給食従事員非常勤
その他の庁費	1,985	建築維持修繕費 運動場修理費
備品購入費	323	教材用図書及び備品費 その他の備品費
旅費	625	
歳出計 a	4,380	
政府支出金	250	旅費補助
歳入計b		
差引一般財源充当額（a－b）4,130		

③ 学校経費

経費区分	経費	積算
給与費	1,038	用務員給料 期末手当 負担金｛退職年金 　　　　医療保険 退職給与金
報酬	150	内科医歯科医手当 薬剤師
需要費	102	学校関係需要費
役務費	252	通信運搬等
備品購入費	689	放送設備 理科 〃 技術家庭設備 体育設備 衛生 〃 給食 〃 計 その他の備品
歳出計 a	2,231	
政府支出金	293	理科設備備品補助金 産業教育 〃 〃 給食 〃 〃
歳入計b	293	
差引一般財源充当額（a－b） 1,938		

内　　容
$62.27　×12月×1人＝747.27
$62.27　×$\frac{435}{100}$＝　　＝270.87
$747.24×$\frac{42}{1000}$＝　　31.38
$(747.24＋270.87)×$\frac{16}{1000}$＝16.29
$747.24×$\frac{100}{1000}$　　＝74.72
$2.55×120　＝　　306.00
$0.51×2,986 ㎡　＝1,522.86
$0.05×9,250 ㎡　＝　462.00
$185
$123
$25.00　×25人＝625.00

$10.00　×25人×250.00

内　　容
$56.67　×12月×1人＝680.04
$56.67　×$\frac{435}{100}$　　＝246.51
$680.04×$\frac{42}{1000}$28.56
$(680.04＋246.51)×$\frac{16}{1000}$＝14.82
$680.04×$\frac{100}{1000}$＝68.00
$60.00　×2人＝120.00
$30.00　×1人＝30.00
$102
$21.00　×12月＝252.00
$550 2,600 2,000 600　} $6,680　×(1－0.1)×$\frac{1}{10}$ 年＝601.20 330 600 6,680
$978　×(1－0.1)×$\frac{1}{10}$年＝88.02

$234　×$\frac{3}{4}$＝175.50
$180　×$\frac{1}{2}$＝90.00
$54　×$\frac{1}{2}$＝27.00

	書　記　2人
	書記補　1人
3．公民館数	20館
4．幼 稚 園	教員　8人　8学級　320人
B　単位費用	＄1,17
C　経費明細表	

積　算　内　容
＄45×12月×1人＝540
＄43×12月×4人＝2,064
＄ 3×25×2人＝150
＄5,534,88
＄131,28×12月×1人＝1,575,36
＄107,99×12月×1人＝1,295,64
＄82,66×12月×2人＝1,983,84
＄56.67×12月×1人＝　680.04
(131.28＋167.37＋82.66×2＋56.67）×$\frac{435}{100}$＝2,006
(0.86＋0.71＋0.54×2＋0.37）×60時＝181.20
(＄1,575.36＋1,295.64＋1,983.84＋680.04)×$\frac{42}{1,000}$＝232.46
(＄5,534.88＋2,006.39＋181.20)×$\frac{18}{1,000}$×123.56
5,534.88×$\frac{100}{1,000}$＝553.49
＄2×40日×5人＝400
＄5×6回＝30—
＄30—×5人＝150
450.00
550.00
165.00
50—
0.50×10日×10人＝50
＄0.27×30,000＝8,100
100—（学校環境衛生設備補助金等）

〔3〕その他の教育費

A 標準施設

1．人　口　30,000 人

2．教育委員会　教育委員数　5人

会計係　1人(1人社会教育)

主　任　2人(1人社会教育)

経費区分	経費	
報酬	2,754	委員長
		委員
		監査委員
給与費	8,632	給料
		会計係
		主任
		書記
		書記補
		期末手当
		超勤手当
		負担金{退職年金 医療保険
		退職給与金
人当庁費	150	$30×5＝150
賃金	135	$270×5＝135
旅費	580	費用弁償
		連合区会議
		職員旅費
報償費	200	謝礼、賞賜金
需用費	1,267	消耗品費
		印刷製本費
		光熱水費
		修繕費
		食料費
役務費	240	
委託料	400	入学児童健康診断薬品費等
使用料及賃借料	360	$30×12月＝360
備品購入費	200	事務局用備品
負担金補助及交付金	8,200	連合区分担金
		その他
歳出計	23,118	

2　社会教育費

経費区分	経費	積
給与費	2,021	給料
		期末手当
		超勤手当
		負担金 {退職年金 医療保険
		退職給与金
人当庁費	30	30.00×1＝30.00
賃金	162	人夫賃
報償費	300	各種行事講師謝礼　体育指導員
旅費	220	講師旅費　巡回指導員旅費
需用費	897	消耗品費
		光熱水費
		燃料費
		印刷製本費
		修繕費
		食料費
役務費	120	通信、運搬
用料及賃借料	240	$20×12月＝240
備品購入費	100	事務局用備品
負担金補助及び交付金	450	青年会、婦人会
公民館補助	1,000	$50×20館＝1,000
歳出計	5.540	

算　内　容
$107.97×12月×1人=1,295.64
$107.97×$\frac{435}{100}$=469.67
$0.71×60時=42.60
$1,295.64×$\frac{42}{1000}$=54.42
($1,295.64+469.67+42.60)×$\frac{16}{1000}$=28.93
$1,295.64+$\frac{100}{1000}$=129.56
$2.70×60人=162
謝礼
費用弁償　職員旅費
$ 200
95
50
377.00
100
0.50×10日×15人=75
$10×12月=120

3　幼稚園費

経費区分	経費	積
給与費	13,773	給料 期末手当 負担金 {退職年金 医療保険} 退職給与金
修繕費	530	建物維持修繕費 備品修繕
報酬	60	校医手当
旅費	200	$25×8人=200
需用費	635	消耗品費 光熱水費 燃料費 医薬材料費 印刷製本費
役務費	123	通信・運搬費
備品購入費	546	園児用図書 教師用図書 学校用備品 積木等教材備品
歳出計	15,867	

特定財源

経費区分	経費	積
政府支出金	4,912	給料補助 備品補助金
使用料及手数料	4,504	授業料 入園料
歳出計	9,416	

差引一般財源	$ 6,451

算　内　容
\$94×12月×8人=9,024
(\$94×8人) $\frac{43.5}{100}$=3,271.20
\$ 9,024×$\frac{42}{1000}$=379.00
(\$9,024 +3271.20) ×$\frac{16}{1000}$=196.72
\$9,024 ×$\frac{100}{1000}$=902.40
\$0.51× 920m² =469.20
\$61
\$60×1人=60
\$ 311.00
72
72
0.10× 320=32
148
\$10.25 ×12月= 123
\$0.25× 320人=80
10×8人=80
306
0.25× 320=80

算　内　容
\$ 9,024×$\frac{50}{100}$= 4,512
\$400
\$1.10×12月× 320人=4,224
\$1× 280人= 280

（2） 日 政

1．標準施設

区 分	児生徒数	学級数	学校数	教職員	雇用人	校舎延面積
小学校	810	18	1	24	6	2640
中学校	675	15	1	25		2986

2．単位費用

区 分	児童生徒経費	学級経費	学校経費
小 学 校	０．１４	８６．００	３１４．００
中 学 校	０．１６	１００．００	４５３．００

3．経費明細

小学校			中学校	
区分	経費	積算内容	経費	積算内容
児生徒経費 備品購入費	113.00	備品購入113.00	108.	備品購入108.
計	113.00		108.	
学級経費 備品購入費	1,548.	教材用図書及び備品650. その他の備品898.	1,500.	教材用図書及び備品950. その他の備品550.
計	1,548.		1,500.	
学校経費 備品購入費	314.	備品購入314.	備品購入費	備品購入453.
計	314.		453.	

〔5〕 教 育 関 係 日

項目		1968年度	1969年度	比較増 △減
琉政予算受入	義務教育諸学校教職員給与	8, 218, 667	9, 315, 128	1, 096, 461
	学校施設整備	1, 241, 428	2, 269, 539	1, 028, 111
	教科書無償給与	745, 667	528, 178	△ 217, 489
	学校備品購入	315, 681	373, 108	57, 427
	育英奨学事業	180, 556	194, 444	13, 888
	農業教育施設整備	—	107, 817	107, 817
	学用品贈与	72, 211	87, 750	15, 539
	青年の家付属体育館	—	50, 000	50, 000
	私立学校助成	—	22, 222	22, 222
	幼稚園施設整備	—	28, 969	28, 969
	青年婦人本土研修	2, 852	2, 852	0
	教育研修センター	104, 822	—	△ 104, 822
	青少年浜松会館	21, 281	—	△ 21, 281
	台風災害復旧	340, 703	—	△ 340, 703
	文教局関係 計	(11, 243, 868)	(12, 980, 007)	(1, 736, 139)
	琉球大学整備	20, 000	313, 639	293, 639
	小計	11, 263, 868	13, 293, 646	2, 029, 778
日政直接支出	国費学生招致	317, 642	361, 542	43, 900
	教育指導委員派遣	36, 100	47, 700	11, 600
	現職教員再教育講師派遣	25, 200	32, 219	7, 019
	琉球大学へ教授派遣	8, 083	19, 950	11, 867
	教員本土研修	51, 053	53, 008	1, 955
	琉大教員本土研修	11, 256	12, 717	1, 461
	農業教育近代化指導員派遣	4, 453	4, 600	147
	琉球大学保健学部設置調査費	27, 705	11, 111	△ 16, 594
	文化財技術援助	5, 555		△ (5, 555)
	小計	487, 047	542, 847	55, 800
南援支出	公民館図書	42, 200	42, 200	0
	体育関係全国大会参加	5, 556	5, 556	0
	遺児育英事業	1, 500	750	△ 750
	総合競技場水泳プール	64, 308		△ 64, 308
	学生文化センター	27, 778	48, 506	△ 27, 778
	小計	141, 342	48, 506	△ 92, 836
合計		11, 892, 257	13, 884, 999	1, 992, 742

本 政 府 援 助 （単位 ドル）

説　　　明
義務教育諸学校教職員 8,144人の給料、手当、旅費、退職年金掛金の12カ月分 普通教室(20)特別〃(190)管理〃(123)屋体(8)プール(8)教員住宅(14)の経費 小校1968学年度後期69年度前期用、中校69年度用、盲学校68年前期69年後期 公立小中校、政府立特殊学校の一般教科備品、視聴覚備品、学校図書の整備 高校(750人＝月＄8.33) 大学(自宅162人＝＄13.89, 自宅外378人＝＄22.22) 農林高校の実験、実習室、畜舎等の設置（1,910m² ） 準要保護家庭の小中学生に対し学用品を贈与(小　校＝9,871人、中　校＝5,448人) 名護青年の家の付属体育館建設費（823.2m² ） 琉球政府の私立学校振興会の出資金に対する援助 モデル幼稚園を1園新設（施設418m² ・備品） 青年10人×113.89引率1人×197.22 婦人10人×131.94引率1人×197.22 保健学部校舎1,980m²）の建設、学術研究用実験実習用設備図書3,631冊)
学部学生(690人) 大学院学生(56人) 医事修練生(24人) 1969年度より一般技術援助に変った
公民館・図書館の図書充実（570館の100冊） 全国高校体育大会、国民体育大会、全国青年体育大会への選手派遣費 今次大戦戦没者の遺児に対する奨学資金（大学生25人）

米 国 政 府 援 助

	項　　　目	1968年度	1969年度	比較増　△減
琉球政府予算繰入	教員給料	1,000,000	1,000,000	0
	学校建設費	1,900,000	1,975,000	75,000
	産業教育備品	450,000	490,000	40,000
	備　　品	700,000	700,000	0
	琉球大学	55,000	30,000	△　25,000
	英語教育	90,00000	145,000	55,000
		4,195,000	4,340,000	145,000

米国政府援助は以上のほかに米国留学生派遣、給食物資（現物）がある。

15 号

文教時報

113

3

琉球政府・文教局総務部調査計画課

中の神島の海鳥生息地

指定　天然記念物

指定年月日　　1967年4月11日

所　在　地　　竹富町字西表

中の神島（ナニワン）は古くから海鳥の繁殖地として知られている。この島は西表島の西南海上およそ16Kmに位置する無人島で西表島祖納から発動機船で約3時間の航程である。島の周囲はおよそ1.26Km、面積はおよそ0.15平方Km、島の形は東西に長くのびたほぼ長楕円形の島である。この島の地質は第3紀の砂岩からなり、西北岸の一部をのぞく他はほとんど珊瑚礁が見えない。ここに生えた植物も数が少なくその中、キスゲメイシバ、シロガジマル、ハマダイコン、ボタンニンジン、ハマナタマメ等がよく生育している。こういう環境にセグロアジサシ、クロアジサシ、オオミズナギドリ、カツオドリが生息し、4、5月頃産卵して繁殖する。以前はアホゥドリも生息していたが今は見当らない。こんな貴重な漁業上、学問上の資料が最近蛮的な行為により幼鳥や卵が乱獲され絶滅に瀕している状態は見るにしのびないものがある。何とか抜本的な方途を講じてこれが保護を計るべきであろう。

文教時報

No. 113　68／11

小学校の教育課程の改訂について

＝新しい小学校学習指導要領案＝

文部省初等教育課長　須　賀　　　淳

1．改訂の基方本針

(1) 改訂の経過

現行の小学校の教育課程は、昭和33年に定められたものであるが、その後における国民の生活や文化の向上、社会情勢の進展にはめざましいものがあり、また、わが国の国際的地位の向上とともにその果たすべき役割もますます大きくなりつつある。このような事態に対処するとともに、将来のわが国を背負う国民の教育をいっそう充実するため、小学校の教育課程の刷新、改善を図る必要が生じた。

このため、文部省においては、昭和40年６月、文部大臣の諮問機関である教育課程審議会に対し、「小学校・中学校の教育課程の改善について」諮問した。以来、同審議会においては、２年有半にわたり、各教科等の専門調査員約200名の協力のもとに、各界から寄せられた多くの意見をも参考として、慎重に審議を重ね、その過程においては、審議の「中間まとめ」を公表し、広く世論の動向をもみきわめたうえ、昨年10月「小学校の教育課程の改善について」答申した。

文部省においては、この答申をうけ、鋭意、学校教育法施行規則の一部改正および教育課程の基準である小学校学習指導要領の改訂の仕事を進めてきたが、このたびその改訂案がまとまったので、７月に予定される正式決定に先立ちその案を公表することとした。

この新しい小学校学習指導要領案においては、昭和33年の教育課程改善の趣旨（道徳教育の徹底、基礎学力の充実、科学技術教育の向上など）を基礎としつつも、時代の進展に応ずるとともに、実施の経験をも考慮して、その改善、充実を図っている。

(2) 改訂の基本方針

このたびの教育課程改訂の基本方針

は、次のとおりである。

① 小学校の教育は、人間形成における基礎的な能力の伸長を図り、国民育成の基礎を養うものであることを基本理念とすること。

② 望ましい人間形成のうえから調和と統一のある教育課程の実現を図ること、すなわち、基本的な知識や技能を習得させるとともに、健康や体力の増進を図り、正しい判断力や創造性、豊かな情操や強い意志の素地を養い、さらには、国家、社会についての正しい理解と愛情を育てる。

③ 指導内容は、義務教育9年間を見とおし、小学校段階として有効、適切な基本的事項を精選すること。この場合、とくに、時代の進展に応ずるとともに、児童の心身の発達段階に即するようにする。

(3) 全般的な改訂の要点

各教科等の改訂の要点は、後述するとおりであるが、全般にわたる改訂の要点は、次のとおりである。

① 教育課程の領域構成

現行の小学校の教育課程は、各教科ならびに道徳、特別教育活動および学校行事等によって編成することとなっているが、このたびの改訂案では、調和と統一のある教育課程の実現を図るという基本方針に沿って、各教科および道徳とあいまって人間形成のうえから重要な教育活動を総合して、新たに特別活動という領域を設け、小学校の教育課程は、国語、社会、算数、理科、音楽、図画工作、家庭および体育の各教科、道徳ならびに特別活動によって編成することとしている。

特別活動の内容としては、現行の特別教育活動（児童会、学級会、クラブ活動）と学校行事等の内容を精選して、これに位置づけている。現代の教育課程は、たんに狭い意味の教科からのみ成り立つものではなく、人間形成、全人教育という面から教育課程の領域構成が考えられ、教科以外の有効な教育活動も教育課程の一環としてとらえられているのである。

このようにして各学校においては、各教科、道徳および特別活動について、相互の関連を図り、全体として調和のとれた指導計画を作成することとなっている。

② 授業時数

各教科等の授業時数については、教育課程審議会の審議の過程においても多くの議論があったところであるが、人間形成のうえから調和と統一のある教育課程の実現を図るため、授業時数については児童が学校で過ごす適切な時間を基礎にして考えなければならないという観点から検討が加えられ、「年間標準授業時数」を示すという新しい考え方がとられている。

現行の学習指導要領による各教科、道徳の年間授業時数は、いわゆる最低時数であって、その表に示されている年間授業時数を下ってはならないこととされているが、この授業時数を確保するため、各学校においては相当の努力を要する実情にある。このような実施の経験も考慮し、登校から下校までの児童が学校において過ごす適切な時間のなかで、各教科、道徳教育および特別活動の授業時数が適切に確保されるようにするということと、地域や学校の実態に即して適切な授業時数が定められるようにするという2つの要請を満たすものとして、各教科と道徳の年間の標準授業時数（時数そのものは現行と同じ。）を示すとともに、授業は年間240日以上行なうように計画することとしている。

教育の成果は、それに要する時間数だけでなく、教師の指導の能力や指導の方法にもかなり左右されるものであるから、授業時数について最低時数を定めることは、教育の本質や学校の実態を考えるとき、必ずしも適切とはいえないものがある。したがって、「標準授業時数」という示し方をとることにより、授業時数の本質に立脚することになり、各学校に創意とくふうの余地が与えられることになるわけである。

なお、各教科および道徳の授業の1単位時間については、45分を常例とするが、40分とすることも考慮し、学校や児童の実態に即して適切に定めることとしている。

③　教育課程の研究のための特例

現在でも教育課程についての研究は盛んに行なわれており、国の定める教育課程の基準も、それらの研究成果等を基礎として定められている。このように、学習指導要領等の国の定める教育課程の基準は、じゅうぶんな基礎資料と教育関係者の叡智の結集に基づいて、国の法規として定められているものであるから、全国のすべての学校においてこれを遵守することとされているのであり、したがって、従来は、教育課程についての研究もこの基準の枠内で行なわれていたものである。通常はそれで必要かつじゅうぶんなのであるが、教育課程の基準について相当大幅な改訂を行なう等の場合を考えれば、その基準資料とするための教育課程についての研究も、現行の学習指導要領等の基準によらないような研究を認める必要もあると考えられる。このため、このたびの学校教育法施行規則の一部改正案においては、小学校の教育課程に関しその改善に資する研究を行なうため特に必要があり、かつ、児童の教育上適切な配慮がなされていると文部大臣が認める場合においては、文部大臣が別に定めるところにより、小学校学習指導要領等によらないことができることとしている。

2. 各教科等の改訂の要点

各教科においては、それぞれの目標を明確に定めて、その教科の基本的性格を明らかにするとともに、指導内容については、現行の学習指導要領の内容があまりに多岐にわたっているとの反省のうえに、②の教育課程の改訂の基本方針に基づき、すべての教科にわたって、小学校段階として有効、適切な基本的事項に精選、集約している。以下、各教科、道徳および特別活動について、その改訂の要点をのべることとする。

(1) 国　語

① 目標　国語科の目標については、「生活に必要な国語を正確に理解し表現する能力を養い、国語を尊重する態度を育てる」こととし、国語科教育の中核は、生活に必要な国語の能力を養うものであることを明確にしている。さらに、教育課程審議会の答申にもあるように、国語の教育が国民性を育成するうえで欠くことのできないものであることを考えて、話題、題材の選定の観点10項目を示したなかに、その(8)および(9)として、「(8)わが国の国土や文化、伝統について理解と愛情を育てるのに役だつもの」および「(9)日本人としての自覚を持って国を愛し、国家、社会の発展に尽そうとする態度を養うのに役だつもの」の２項目をあげている。国民性は、歴史と伝統の所産であり、国民文化の蓄積であるから、国語を読み、理解することによって、ことばのなかにこめられている

民族や国民の性格を理解することになるのである。

② 作文　戦後、児童の作文力の低下が問題となっているので、小学校における作文の指導については、文章を正確に書くという点にとくに力を注ぎ、文章表現力の基礎を確実に養うこととして、指導内容を系統的に配列している。また、作文の指導が計画的に行なわれるよう、授業時数についても、そのおおよその割合を示すこととし、各学年とも、国語の総授業時数のうちの$\frac{2}{10}$〜$\frac{3}{10}$程度を作文の指導に充てることとし、さらに、実際に文章を書く機会をなるべく多くするようにすることとしている。

③ 毛筆書写　毛筆を使用する書写の学習については、国語教育の一環として、第3学年からすべての児童に履習させることとし、その指導の主眼は、文字の筆順を正し、字形を正確に理解して、文字を正しく整えて書かせることとしている。このような書写のねらいは、硬筆でもある程度達成することができるが、元来、かなや漢字は毛筆を使用して書かれたものであり、また、その筆順なども毛筆を使用する際に考えられたものであるから、文字に対する意識を養い、正確に文字を書く能力をつけるためには、その基礎として、毛筆を使用して書かせることがもっとも効果的である。

なお、毛筆書写の指導にあてる授業時数については、国語科の各学年の授業時数全体のうえから調和のとれたものであるようにする必要があるので、その時数は、各学年ともそれぞれ年間20時間程度とすることとしている。

④ 漢字学習　児童の文字力の低下、語い力の不足の現状にかんがみ、漢字の読み書き能力を高めるため、低学年から無理のない程度で現行より多くの漢字にふれさせ、義務教育9年間を見とおして漢字力の向上を図ることとしている。このため、各学年とも、学年別漢字配当表（現行どおり。当用漢字別表の漢字、いわゆる教育漢字881字を各学年に配当している。）の漢字に加えて、直上学年配当の漢字についても、その若干字を繰り下げて指導することとし、第6学年では、教育漢字以外の当用漢字115字を学年別漢字配当表の備考として示して、小学校の6年間で合計約1,000字の漢字を学習させるようにしている。

⑤ ローマ字　ローマ字について

は、第4学年において、日常ふれる程度の簡単な単語の読み書きを指導することにとどめ、ローマ字に関する指導内容を縮減している。

(2) 社　会

① 目　標　社会科については、その総括的な目標を「社会生活についての正しい理解を深め、民主的な国家、社会の成員として必要な公民的資質の基礎を養う」こととして、この教科の基本的性格を明らかにするとともに、具体的な目標として、「家庭、社会および国家に対する愛情を育てるとともに、自他の人格の尊重が民主的な社会生活の基本であることを自覚させる」ことや「わが国の歴史や伝統に対する理解と愛情を深め、正しい国民的自覚をもって国家や社会の発展に尽そうとする態度を育てる」ことなどを掲げている。

この「公民的資質の基礎を養う」という意味は、各人がたんに自己の才能をのばし、個人の幸福を追求しようとするだけでなく、具体的な地域社会や国家の一員として、みずからに課された各種の義務や社会的責任があることを知り、またそのような理解に基づいて国家、社会の進展に寄与しようとする能力や態度を養うことをいうのである。

② 歴史学習の充実等　中学年から高学年にかけての地域社会や国家、世界に関連した内容については、それぞれの学年段階の児童の関心や能力からみて適切な内容を精選し、とくに第6学年においては、世界の国々の扱いを簡素化して、歴史に関する学習の充実を図っている。

歴史に関する学習については、国家、社会の発展に尽した先人の業績やすぐれた文化遺産などについて関心と理解を深め、わが国の歴史と伝統に対する理解と愛情や国民的心情の育成を図るため、歴史上の人物のはたらきや代表的な文化遺産などを中心にして、わが国の歴史を重点的に理解させるようにしている。小学校のこれまでの歴史学習の実態には、ともすれば表面的な史実の列挙に走ったり、やや抽象的なとりあげ方に流れる傾向があったので、このような傾向を是正するため、人物や神話、伝承のとりあげ方などにもくふうを加え、いっそう豊かな歴史の見方を育てようとするものである。

このような観点から、古代から中世

にかけての歴史に関する学習の指導にあたっては、日本の神話や伝承もとりあげ、わが国の神話はおよそ8世紀の初めごろまでに記紀を中心に集大成され、記録されて今日に伝えられたものであることを説明し、これらは古代の人々のものの見方や国の形成に関する考え方などを示す意味をもっていることを理解させることとしている。

また、わが国の歴史の全般的な指導については、わが国の歴史を通じてみられる皇室と国民との関係についても考えさせるよう配慮することとしており、さらに天皇については、国の政治のはたらきに関する学習において、日本国および日本国民統合の象徴としての天皇の地位について指導するとともに、憲法に定める天皇の国事に関する行為など児童に理解しやすい具体的な事項をとりあげて指導し、歴史に関する学習との関連を図りながら、天皇についての理解と敬愛の念を深めるようにすることとしている。

なお、第六学年において、現在の世界における国家間相互の密接な関係などを理解させるとともに、世界の平和に対する人々の強い願いやこれに努力しているわが国の立場について関心を深めさせることとしている。

(3) 算　数

算数については、現在諸外国で進められている数学教育の現代化の動向をも考慮し、数学的な考え方がいっそう育成されるよう配慮している。このため、数量や図形に関する基礎的な概念や原理の指導が徹底するようにすることに重点をおき、小学校の段階として無理のない程度で新しい概念を導入している。一方、けた数の多い数についての四則計算や帯分数をまじえた分数の計算など、複雑な計算技能の取り扱いの軽減を図っている。

なお、新しくとり入れられた集合、関数、確率などの概念の指導については、たんに形式的な指導を行なうことではなく、これらの観点に立った見方、考え方が児童のなかに漸次育成されるようにするとともに、教師がこれらの観点に立った指導をすることによって、算数で指導する各内容のもつ意味がより的確に児童には握されるようにすることを主要なねらいとしている。

(4) 理　科

理科においては、「自然に親しみ、

自然の事物・現象を観察、実験などによって、論理的、客観的にとらえ、自然の認識を深めるとともに、科学的な能力と態度を育てる」ことを目標としており、内容については、科学的なものの見方や考え方、さらに進んでは創造力の育成がじゅうぶんなされるように、児童の自然認識の基礎になる経験や自然科学的な事実や考え方を中軸にしてその精選、集約を図っている。そして児童の学習が自発的、系統的に行なわれるようにするとともに、児童が興味をもって学習できるよう配慮している。

なお、自然の対象を、A生物とその環境、B物質とエネルギー、C地球と宇宙の三つの区分（領域）に整理している。

(5) 音　楽

音楽においては、「音楽性をつちかい、情操を高めるとともに、豊かな創造性を養う」ことを目標としており、内容については、鑑賞、歌唱、楽器、創作の各領域ともそれぞれ精選を図っている。とくに楽器においては、各学年で主として扱う代表的な楽器を重点的に示し、第一、二学年では打楽器、オルガン、ハーモニカ、第三学年からはハーモニカに代わって笛を指導する程度としている。これは、現行のように数多くの楽器を経験させなくても、一つの楽器を扱うことによって、他の楽器を扱ったと同じ効果を望める場合もあるからである。

なお、これらの楽器については、学校の実情や児童の能力に応じて、他の同種の楽器に代替してもよいこととしている。

鑑賞および歌唱の共通教材については、多くの人々に長い間親しまれてきているもののなかから、国民性を育成するうえに適切なものを選定しているが、今回とくに大幅な曲目の入れ替えはなく、新たに入ったものとしては、鑑賞教材では、「滝廉太郎の歌曲」（第三学年）など、歌唱教材では、「村まつり」（第三学年）、「茶つみ」（第四学年）である。

(6) 図画工作

図画工作においては、「造形活動を通して、美的情操を養うとともに、創造的表現の能力をのばし、技術を尊重し、造形能力を生活に生かす態度を育てる」ことを目標としており、内容については、領域の整理、統合を行なうとともに、基本的事項を精選している。すなわち、領域は、各学年とも、絵画、彫塑、デザイン、工作、鑑賞の5つとし、また材料、用具、表現の技法などについては、多種類にわたることをさけ、各学年で扱う主なものを重点的に示している。

(7) 家　　庭

家庭科の目標については、「日常生活に必要な衣食住などに関する知識、技能を習得させ、それを通して家庭生活の意義を理解させ、家族の一員として家庭生活をよりよくしようとする実践的な態度を養う」こととし、家庭科教育のねらいが正しくは握されるよう基本的な目標を明確にしている。

内容については、男女の児童が家庭生活をよりよく営んでいくうえに必要な基本的事項を精選しており、また、児童の心身の発達段階と時代の進展による家庭生活の実態を考慮するとともに、義務教育9年間を通じての小学校、中学校の一貫性を図るため、基礎的、原理的なもののみを取り扱うこととしている。

(8) 体　　育

健康で安全な生活を営むに必要な習慣や態度を養い、心身の調和的発達を図るため、体育に関する指導については、学校の教育活動の全体を通じて適切に行なうものとするとともに、とくに、体力の向上については、体育科の時間はもちろん、特別活動においても、じゅうぶん指導することとしている。また、そのための授業時数については、標準授業時数および一単位時間の運用によってじゅうぶん確保するよう配慮することとしている。

内容については、各領域にわたって、体力の向上という観点から、運動教材の種類を整理して、代表的なものを選定しており、また、ボール運動については、サッカー、ソフトボールは必要に応じて他の種目に代えることなどができるようにしている。

(9) 道　　徳

学校における道徳教育の役割がいっそう明確になるように道徳教育の目標を定めるとともに、それとの関連において、いわばその中核としての「道徳」の時間の性格がいっそう明確になるように「道徳」の目標を定めている。

すなわち、「道徳」の時間においては、道徳性を養う道徳教育の目標に基づき、各教科および特別活動における道徳教育と密接な関連を保ちながら、計画的、発展的な指導を通して、これを補充し、深化し、統合して、児童の道徳的判断力を高め、道徳的心情を豊かにし、道徳的態度と実践意欲の向上を図るものとしている。

(10) 特別活動

各教科、道徳とあいまって人間形成のうえから重要な教育活動を総合して、新たに特別活動という領域を設けた。特別活動は、望ましい集団活動を通して、児童の心身の調和的な発達や個性の伸長、実践的態度の育成を図ることを目標としており、その内容は、「児童活動」、「学校行事」、「学級指導」から成っている。

児童活動においては、現行の特別教育活動の内容である児童会、学級会およびクラブ活動を行なうものとし、学校行事においては、その内容を儀式、学芸的行事、保健体育的行事、遠足的行事、安全指導的行事に限定している。また、学級指導は、学級における好ましい人間関係を育てるとともに、児童の心身の健康、安全の保持増進や健全な生活態度の育成を図ることをねらいとして、学校給食、保健指導、安全指導、学校図書館の利用指導その他学級を単位として指導する教育活動を適宜受けるものとしている。

なお、以上の児童活動、学校行事および学級指導は、それら相互の関連をじゅうぶんに図り、弾力的に運用することが大切である。

3 実施までの日程

文部省においては、以上の改訂案についての各方面の意見をも参考として、本年７月には、正式に学校教育法施行規則の一部改正および小学校学習指導要領の改正を行なう予定である。

これによる新しい小学校の教育課程については、昭和44年度および昭和45年度において必要な移行措置を講ずるとともに、教科書の編集（43年度）、検定（44年度）、採択（45年度）の過程を経て、昭和46年度から全面的に実施されることになる。

視察報告

アメリカの学校施設（第1回）

◇沖縄のそれと対比しつつ…◇

施設課長　武村朝伸

まえがき

この度国民指導員として渡米の機会を得、さる5月11日から丁度1か月間にわたり米国西部（カリフォルニア）南部（アリゾナ）中部（ミズリー、オクラホマ）北部（ウイスコンシン、ミネソタ）東部（ワシントンDC、ニューヨーク）など米国の代表的な州や街を歴訪し、教育視察をしたが、一行のメンバーは沖縄中学校長協会長を兼ねている上山中学校長大城真太郎（団長）氏と政府文教局大学連絡調整官の伊是名甚徳氏に、小生の三人と、通訳をつとめられた沖縄列島米国民政府教育局勤務の比屋根昇氏の四人、視察テーマは▲職業教育▲学校経営▲学校施設の3つ。政府文教局の施設課長として一行に加わった小生としては、以上3つのテーマのうち、職業柄「学校施設」を限られた期間内にできるだけ多方面に見てまわる努力をしたので、本報告書も、見たまま、聴いたまま、感じたままを、できるだけ多くの資料を添えてまとめたいと思う。

1. 日（沖）米、校舎等学校施設についての考え方の相違

沖縄や日本本土及びアメリカにおける学校の校舎等施設については、似ているものもあるが、中には考え方が根本的に異なるものもある。校舎施設等の種類には普通教室（クラスルーム）、特別教室（理科、家庭、音楽、

図工美術、技術など）便所、および体育館、水泳プール等があり、ほとんど共通のものを備えているが、管理室については、アメリカでは校長室、応接室、保健室、事務室等学校の玄関近くに小規模の構えでまとめてあり、

職員の テーブルは、 小学校では クラスルームに、中学校では、教科別の準備室におく建前をとって、沖縄のように２、３教室ぶち抜きの広いスペースをとるようなことはしてなく、50平方米ていどの部屋を教職員用のラウンジとして、応接セットやアームチェアなど

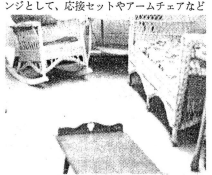

をおいて、喫煙（小中高校ともこの部屋以外での喫煙は禁物とされている）や休憩に供している。学校給食は完全給食にすべきであるということは、どちらも同じであるが、その施設については大分異なるものがある。沖縄（本土も）では、給食準備室を、外部からの物資運搬に便利で安全な場所を選び、ここで出来た食物をクラスルームに運んで給食をするが、米国ではキッチンと食堂を一つにしたキャフテリヤ方式（各自がほしい食物をカウンターで受けとり、適当な席に運んで食事をする）をとり入れている学校が多い。

屋内運動場や講堂は財政的な理由によると思うが、沖縄や本土では一つの建物で両方を兼ねるので、ステージ等も必ずつけてあるが、アメリカではこれを別々とし、講堂にはステージや固定椅子を取りつける場合が多く、体育館は中央部のアコーデオンドァーによってこれを二分し、男女別に同時に球技が出来るように工夫されているのが多い。

廊下や室内通路は普通3.5メートルから４メートルとり、また中廊下の両側に各種教室をとる例も多い。

日本や沖縄では上履、下履を使い分ける学校が多いが、米国では上履はなく、どの学校でも土足のまま出入するので、履物置きを備えるスペース（昇降口）はほとんど無用。図書館や低学年の教室には絨たんを敷きつめた学校もあるが、土足で踏みこんでも絨たんなど少しも汚れない。

以上述べた各種施設は、沖縄や本土の学校では、第１図、第２図のように別様に建て、これを渡り廊下でつないでいくのを普通とするが、アメリカの学校では第３図のように一つの大きなスペースの中に必要とするすべて

（第１図）　嘉数中学校配置図

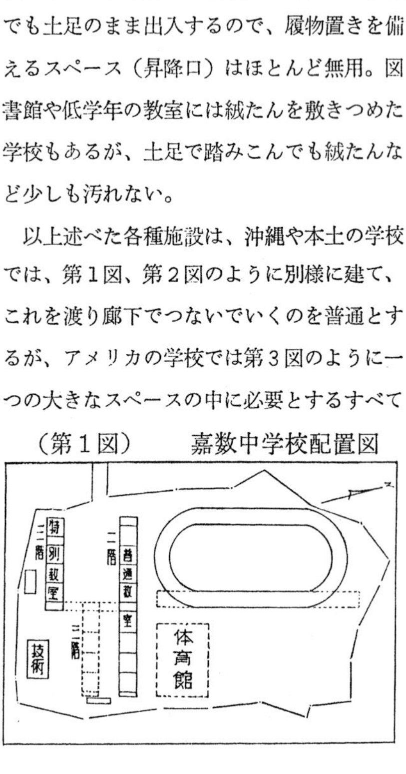

（第２図）　七戸町立城南小学校

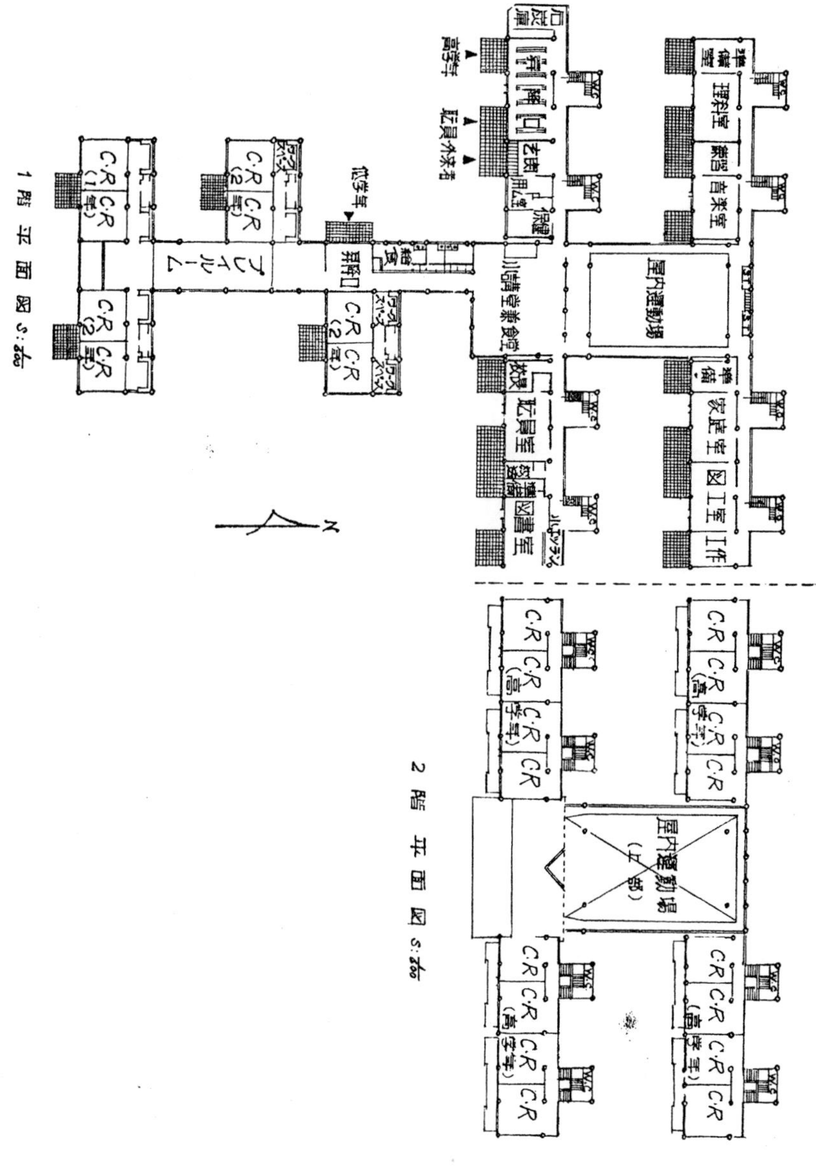

（第３図）　アメリカの学校

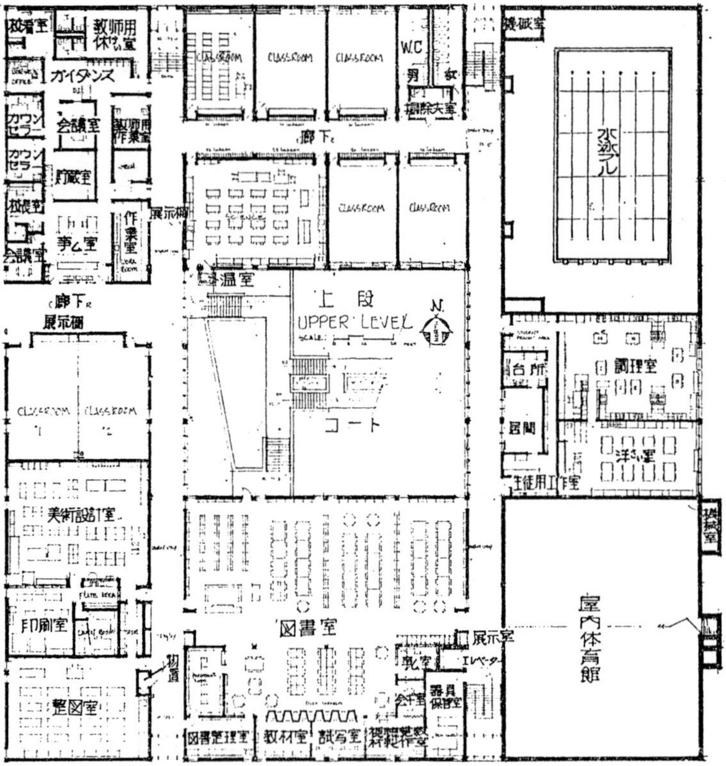

の施設をはめこんで配列していく建前をとっており、これなど双方の学校建築の根本的な相違とも言うべきものであると思う。

このように、校舎について根本的な相違の生ずる理由は、校舎に対する考え方の相違にあるようだ。すなわち、文部省では、校舎配置に当っては、教室の採光面はどうか、通風面はどうか、金のかからない自然力を最大限に利用して照度の高い明かるい、しかも風通しのよい教室になるよう建築の当初において建物の配置を工夫し、努力を重ねる。その結果は、東西の軸に平行に校舎を配置し、朝夕室内に太陽の光線は入らないよう（第１図参照）且つ涼しい南風はいつでも室内に一杯入るようにするのである。そのためには、教室や屋内運動場、給食準備室など別様の建物となり、これらを結ぶ渡り廊下が必要になってくるが、持てる国アメリカでは、金に糸目をつけないと言うか、教室、廊下、屋体、キッチン等には螢光灯か自然灯で照明し、全館一機による冷房装置を施すので、教室、便所だけでなく、一つの建物にプールまで織込んでしまう建築をすることとなる。（３図参照）

2.　構造上の相違

校舎等学校施設に対する考え方、構え方が

前記のように米琉（日）間に大きな相違があれば、構造面においても大きな開きをもつことは至極当然のこと。その第一にアメリカには窓の少ない校舎、あるいは窓の全くない校舎があることを挙げたい。第3図に示した校舎は、計画の当初から人工採光による建物内部の照明を意図しているだけに、普通教室、特別教室、便所、屋内運動場、プール、講堂、キャフテリヤ、管理室など、スペースを高度に利用して配列してあり、人工照明であるだけに窓は外側に並ぶ部屋にあるだけ、しかも採光面のごく小さい窓が申しわけについている有様。第4図はミズリー州ジョプリン市立の産業技術学校（校長の名をとってベーカスクールとも言う）の校舎だが、機械、熔接、木工、鋳物、自動車修理、看護、テレビ、電子等数十コースもあるこの学校では生徒を図のような1つの建物に収容して実習、学科等の学習をおこなわせているが、26,000平方呎（722坪）もあるこれだけの建物に出入口は玄関の3間（ガラスの二重ドァー）と、自動車修理実習場への東の出入りのための2間（いつもシャッターでとざしてある）の2か所だけ。煉瓦建て平屋造りのこの校舎には小窓一つさえない。それでいて中は螢光灯がふんだんに取付けられて昼をあざむく明るさで

（第5図）イレーネエリクスン小学校
（アリゾナ州トウサン市）

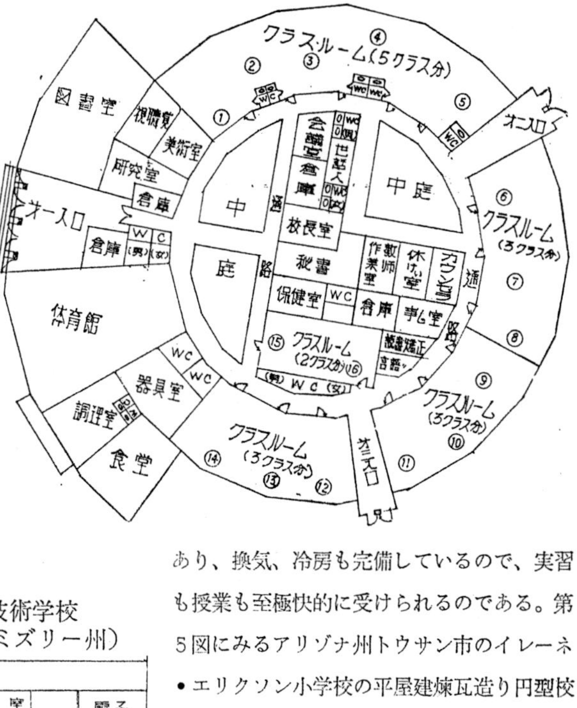

あり、換気、冷房も完備しているので、実習も授業も至極快的に受けられるのである。第5図にみるアリゾナ州トウサン市のイレーネ•エリクソン小学校の平屋建煉瓦造り円型校舎では、外周およそ20メートル毎に60×150センチの小窓があるだけだったし、ミネソタ州ミネアポリス市の高校でみた鉄筋コンクリート二階建円型校舎は、まったくの窓無し建

（第4図）　ジョプリン技術学校
（ミズリー州）

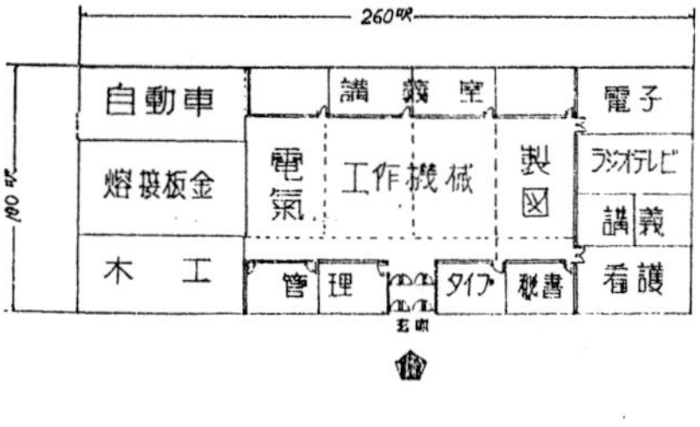

築であった。

窓なし教室（ベーカースクール）

暑苦しい、通風が悪い、採光がダメなどと日本本土で不評を買っている円型校舎も、立地条件の異なるアメリカでは▲どんな地形どんな方向にも建つ▲コスト低減に役立つ▲土地を高度に利用できるなど好評さくさくたるものがあり、学校建築に巾広く利用される傾向にある。ところ変れば、物の値打ちまで変るものである。

第2には通路の問題。日本本土の学校では、冬期教室にできるだけ日射を多く受けさせるために北側に廊下をとり、沖縄では夏の直射光線を避け、南風を多く室内に入れようと南側廊下を奨励しているが、アメリカでは北側でも南側でも必要に応じどちらにも廊下をとっているようである。また採光通風面から中廊下のある校舎をこちらでは余り歓迎していないが、アメリカの学校では3メートル巾から5メートルの中廊下をとるのが普通であり、このように広い廊下の両側には、生徒個人別のロッカーがあって、教科書、体育用具等の私物入れに役立てている。各ロッカーには鍵をつけたところもあり、校長の教育方針のもと「鍵の要らない学校を誇りとせよ」をモットーに生活指導面にも力をいたすなど、広い廊下の使い方も種々様々である。このように広い廊下をとる学校があるかと思うと、第4図ベイカースクールのように通路を全く欠いた学校もあり、「1つの教室を通り抜けて他の教室に行くなど不便であり、学習の邪魔にはならないか」と問えば「そんなことはない、他の邪魔にならないよう静かに通り抜ける努力をさせることも、他に邪魔されないよう心掛けることも、良き社会人育成に役立つことである。それに建築費も軽くなるし両得ですよ」との説明。広い通路、狭い通

（セントポールスクール）

路、あるいは全くの通路なし、どれもこれもそれだけの存在（非存在）理由があり、児童

生徒の教育に貢献しているようである。

第3は中仕切戸について。終戦このかた今日まで講堂や屋内運動場のなかった沖縄では卒業式や学習発表会に備えて、3ないし4教室ぶち抜きの会場(式場)教室が必要であるので、これらの教室の中仕切りは、取り外しできるように抜差しの板戸にしてあるが、これが板1重であるので隣室同志授業の声はつつ抜け、嘉手納3校の防音教室でさえ飛行機の爆音は教室から遠ざけることができたが、隣室の雑音は壁越しに入ってくる有様。これに対しアメリカの校舎はよくできている。教科によっては学年一斉におこなう場合の授業にそなえて質のよい防音材で施工したアコーデオンドアーで中仕切りをする。ミネアポリス

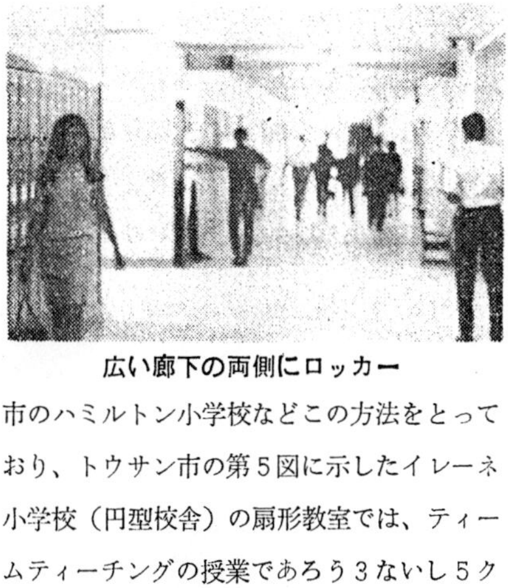

広い廊下の両側にロッカー

市のハミルトン小学校などこの方法をとっており、トウサン市の第5図に示したイレーネ小学校（円型校舎）の扇形教室では、ティームティーチングの授業であろう3ないし5クラスにわたって全くの仕切無しで授業をしている例もあった。

体育館の中央部を、ボタン1つで開閉できる防音アコーデオンドアーをとりつけて、男

アコーデオンドアー

女別々に体育の授業をおこなう学校もあった。

第4は、高層校舎か低層校舎か。土地の広いアリゾナ州あたりでは一階平屋校舎を普通として、ミネアポリス、ミルウォーキー、ジャプリンなどの中都市（人口60万ぐらい）でも3階以上の校舎はつくっていない。たまたま3階建て校舎にお目にかかることもあったが、それは歴史の古い学校の年を経た校舎であった。

アコーデオン防音ドアー

那覇のように2階完結の校舎にムリに3階をのせたり、中学校に4階建て校舎をつくる現状をみて、思い中ばにすぎるものがある。然し職業学校では4階建ての校舎をつくっている例外もあったことを附記しておく。

3. 設計の相違

沖縄においては、戦後の住宅や学校校舎等の復興は規格型建築に始まっている。1947年から始められた5坪の茅葺規格住宅は1950年ごろからは造られなくなり、既設の規格住宅も復金融資制度が始まってからは改築によってほとんどその姿を消してしまったが、1949年から1954年までにできた瓦葺20坪の至極お粗末な規格校舎、10数年を経過した今日まで改築もされずに使用されており、その後鉄筋ブロック校舎に移行したとは言え、いぜんとして標準設計による規格教室の大量生産がおこなわれている。標準設計による校舎は、量産やコスト減には役立つけれども、マッチ箱の積み重ねみたいな、味もそっけもうるおいもないとのそしりは免れないのである。

アメリカの場合はこれとは全く違う。学校ごとに独自の設計をする。傾斜地があればこ

鉄筋コンクリート平家スラブ校舎（小校）

れを活かして特色のある設計とし、校地内に起伏があればその特徴をとらえて設計に反映させるといったあんばい。だから出来上った校舎は周辺の地形にマッチし、デザインも、各種施設の配列も千差万別。独得の風格をかもし出すようになるのである。

標準設計による規格校舎の量産は、校舎建築の正常な姿ではない。戦乱によって烏有に帰した沖縄の学校施設の再建は、ゼロからの出発であったため、短期間に、しかも乏しい財政事情のもとで、ある程度まで達成率を高めなければならないという緊急且つ至上最大の課題があったために、やむを得ずとられた方法がこの標準設計による量産であった。恒久建築を始めてすでに15か年。特別教室や屋内運動場などこれからというところだが、達成率は1968年6月30日現在で小学校63.5%、中学校58.7%、高校60.9%となっている。この辺で方向をかえ、標準設計から離脱して、これから建設する小校36.5%中校41.3%、高校39.1%については、その大部分を、それぞれの学校にふさわしい独得の設計による校舎建築の正常化を期さなければいけないと考える。

4. 校舎建築の機構

アメリカでは沖縄同様、どの都市にも教育委員会があって一切の教育事務をおこなっている。そしてどの教育委員会にも校舎建築業務をおこなう部課を置き、校舎建築行政の万全を期している。部長、課長等の責任者は、学校現場における管理事務経験者を迎えるのが通例とされており、ミネアポリス市では学識深く、経営能力に長けた若さに溢れる活動

的なドクターを学校建築設計課長に据えてあったが、このドクター課長、管内各校の校舎状況を十二分に把握していて、まる１日がかりで、校舎建築のはなしや、現場廻りをして校舎施設の案内をたんねんにして貰えたのであった。

市によっては、事務職員や技術職員を相当数抱えているところもあり、また事務職員だけで技術職員を欠くところもある。技術職員のいない事務局では、校舎の基本計画だけをなし、設計監理は外注して街の設計事務所におこなわせるのである。

建築にとって設計図はもっとも大事なもの。建物の修繕とか、増築などの場合、古い設計図は大いに役立つ。そこで竣工後の設計図の保管であるが、部厚く大きくて重い設計図であるだけに、その整理保管はなかなか骨の折れる仕事である。トウサン市の教育委員会の建築課ではご用済の設計図を１枚々々マイクロ•フィルムに収め、図書館の図書カード式に整理しておき、必要に応じて幻灯で透視拡大したり、焼付けたりして数年後数10年後の使用に便じていた。

校舎建築に対する国(連邦政府)や州政府の構え方はどうであろうか。民主々義の徹底した国のことであるので、地方教育委員会の校舎建築に対し国としての規格、拘束は全然ない。公立学校の校舎建築は地域ベース（州•市）でおこない、連邦政府としてこれをコントロールしようとする意図は無く、建築関係の法規も国としては用意されてなく、学校校舎についての基準も持っておらず、指導助言などもやってなく、勿論補助金も交付しない。

ところが、州政府では、法律や規則により校舎建築についての規制、拘束の権限を掌握している。例えば学校の設立とか、校舎の増築など州政府の認可を必要とするのである。

次に沖縄の校舎建築機構について触れよう。まず文教時報第110号49頁の図を見ていただきたい。これは建築予算が決まってから、設計一入札一着工一竣工引継ぎまでの過程をまとめたものであるが、建設費中の日政援助資金は日米技術委員会によってその管理を米国民政府に委してあるので、米国援助資金とともに、設計、監理等ユースカーのチェックが必要である。そこで建築業務遂行上の事務処理面や、監理面など、同図のような複雑なものがあり、さらに、「校舎建築」という１つの事業を、２つの局で分担するなど行政機構上の無理もあり、その上、琉球政府予算年度（７月から翌年６月まで一米国予算年度に合せてある）と日本政府予算年度（４月から翌年３月まで）とのずれや学年度と予算年度のずれなどもからんで、校舎不足のこんにち、だいじな４月の新学年度に建築が間に合わず、教室不足さわぎを演ずるなど、校舎建築行政に対する批判の声もたびたびきかれるのである。　　　　（以下次号）

1968学年度・政府立高等学校入学者選抜

学力検査結果の分析

文教局指導課

総評

1968学年度の学力検査の大きな特色は、実施教科が従来の9教科から国語、社会、数学、理科、英語の5教科に縮少されたことと、はじめて記述式テストを各教科とも全問題の約⅓ていど出題したことである。（数学は従来からほとんど記述式テストであった。）このような改善のもとで実施された学力検査の結果、どのようなことが判明し、いかなる指導上の問題点が浮かびあがってきたかについて述べてみたい。

(1) 記述式テストについて

記述式テストの実施のねらいは、解答が偶然性に左右されたり、単なる記憶の検査に偏することなく、正確な知識、理解力、創造力、概括する力、作文力などが検査できることであったが、実施の結果から果してどのようなことが判明したであろうか。

表1　記述式、○×式の平均解答率　　全受検者より1/10抽出

	完全解		部分解		誤答		無答	
	記述式	○×式	記述式	○×式	記述式	○×式	記述式	○×式
国語	% 33.8	% 46.0	% 18.7	% 51.2	% 44.4	% 43.8	% 16.8	% 1.6
社会	39.7	45.6	20.2	45.7	44.3	43.8	12.7	0.9
理科	30.5	46.8	11.6	22.2	53.7	50.8	15.1	1.3
英語	30.7	41.2	／	58.4	57.6	53.6	11.7	1.4
計	33.3	44.5	18.1	47.2	50.3	48.4	14.2	1.3

（注）1. 数字は平均のパーセントを示す。
2. 数学はほとんどが記述式テストであるので、かかげなかった。
3. 完全解は問題が完全に解けたもの、部分解は完全ではないが部分的に解けたもの、誤答は、解いてはあるが答えが誤りであるもの、無答は全く反応してないものをいう。

表1を見ると、一見して、現在の中学生が記述式テストに弱いことがわかる。すなわち、完全解、部分解ともに○×式テストの解答率が高く、逆に誤答率、無答率は記述式テストのほうが高い。特に記述式テストの無答率にい

たっては、○×式テストの10倍以上になっている。記述式テストに弱いということは、正確な知識と理解力、創造力、概括する力、作文力などが劣るということになるので、この面の指導には特に力を入れる必要がある。

(2) 教科別得点分布

ア　各教科の得点分布は表3、図1の示すとおりである。

イ　国語は23点を頂点としてほぼ正規分布になっている。

ウ　社会、理科ともに18点を頂点として、正規分布よりはやや得点の低いほうへ傾いた形になっている。

エ　英語は13点を頂点として、得点の低いほうへかなり片よった形となっている。しかし上位得点者が多いのも1つの特徴である。

オ　数学は15点以下の得点者が全体の約52%も占めるという極端に得点が低いほうへ片よった分布をしている。このような結果になったのは、数学の出題形式が他の教科とちがい、ほとんど記述であることも1つの原因と思われるが、それにしても、この学力の低さはぜひとも改善しなければならない重要なことである。

カ　5教科のちらばりの度あいをみると、国語が一番まとまり、社会、理科、英語、数学の順にちらばりが大きくなっている。特に数学と英語は、高いほうも、低いほうもかなりの得点者がおって他の教科よりもちらばりが大きい。

(3) 総得点分布

250点満点で平均点が約105点となっている。分布は約88点を頂点として左に傾き、下位得点者が多くを占めている。

(4) 内申総得点分布

内申点の総得点は9教科で45点満点であるが、平均点は約30点となっている。約28点を頂点として、ほぼ正規分布をなしている。

(5) 学校間の得点のひらき

学校間の得点のひらきは表2のとおりである。

表2　合格者の学校別平均点の最高、最低の差

差＼教科		国語	社会	数学	理科	英語	総得点
最高、最低の差	全日普通	12点	16点	22点	20点	22点	85点
	〃 職業	12	12	18	14	16	70
	定時普通	5	5	6	6	7	30
	〃 職業	8	8	8	8	10	35

ア　合格者の教科別学校平均点をくらべると、全日制普通科が平均点の高い学校と低い学校の差が最も大きく、全日制職業、定時制職業、定時制普通科とその差はしだいに縮まっている。総得点

第1図　教科別得点分布（50点満点）全受検者より1/10抽出

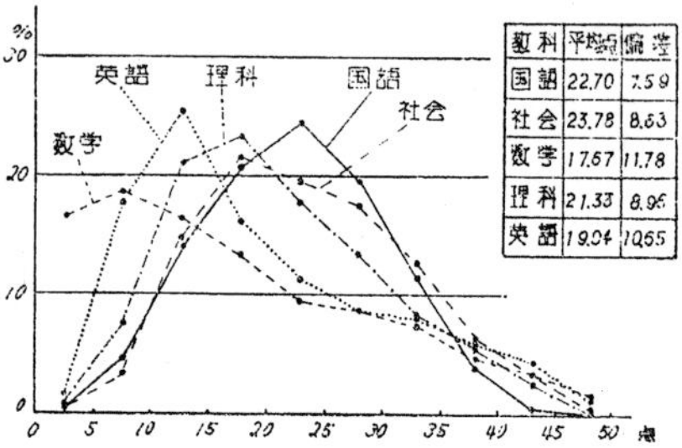

教科	平均点	偏差
国語	22.70	7.59
社会	23.78	8.63
数学	17.67	11.78
理科	21.33	8.96
英語	19.04	10.55

についても同様な傾向を示している。特に全日制普通科における、数学、理科、英語は20点から22点の学校差がみられる。

イ　上記の表には出てないが、合格者の学校別総得点の平均をみると、全日制普通科においては、都市地域が高く、その他の地域は低くなっている。しかし、都市地域ではあるが得点の低い学校もあれば、逆にその他の地域において得点の高い学校もいくつかはある。全日制職業の総得点平均が、他の高校の全日制普通科の総得点平均よりも上位にある学校も数校ある。

第2図　学力検査総得点度数分布（250点満点）全受検者

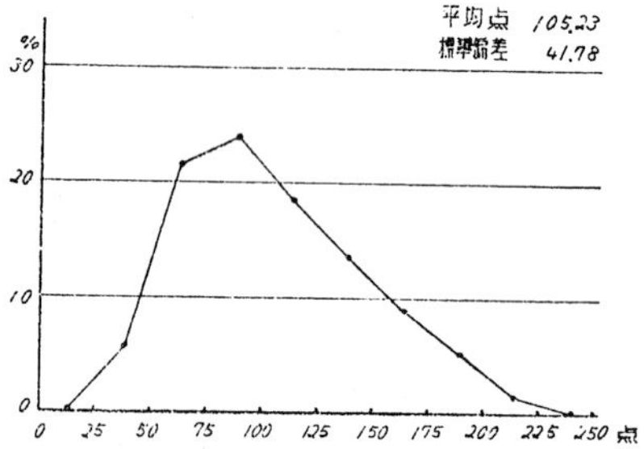

第3図　（中学3年）内申総得点分布（9教科・45点満点）全受検者

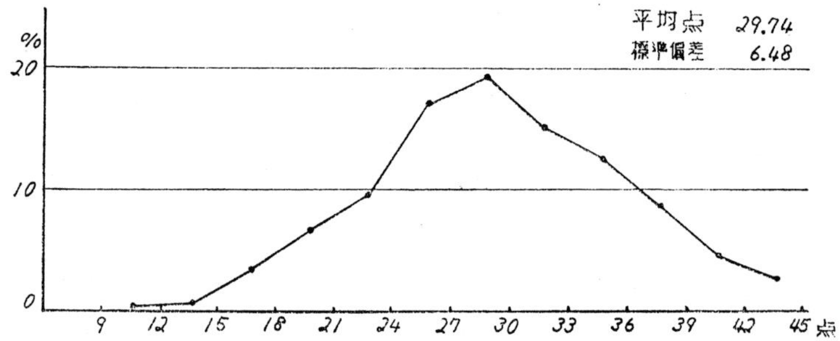

（表３）　教科別得点分布（50点満点）全受検者より1/10抽出

得点＼教科	国語	社会	数学	理科	英語
46 ～ 50	0%	0.3%	1.6%	0.2%	1.1%
41 ～ 45	0.5	3.2	3.2	2.7	4.3
36 ～ 40	4.0	6.6	4.9	5.5	5.9
31 ～ 35	11.6	12.9	7.1	8.1	8.0
26 ～ 30	19.8	17.4	8.9	13.3	8.8
21 ～ 25	24.6	19.5	9.5	17.6	11.3
16 ～ 20	20.9	21.8	13.2	23.2	16.0
11 ～ 15	14.0	14.8	16.3	21.0	25.2
6 ～ 10	4.3	3.4	18.8	7.5	17.9
1 ～ 5	0.3	0.1	15.1	0.9	1.5
0	0	0	1.4	0	0
計 (%)	100	100	100	100	100
平均点	22.70	23.78	17.67	21.33	19.94
標準偏差	7.59	8.63	11.78	8.96	10.65

（表４）　学力検査総得点度数分布（250点満点）全受検者

得点	0	1～25	26～50	51～75	76～100	101～125	126～150	151～175	176～200	201～225	226～250	計
実数(人)	0	18	1,263	4,855	5,318	4,108	3,054	1,981	1,139	381	13	22,135
パーセント	0	0.1	5.7	21.9	24.0	18.6	13.8	9.0	5.1	1.7	0.1	100%

平均点 105.23　標準偏差 41.78

（表５）　（中学3年）内申総得点分布（９教科で45点満点）全受検者

得点	10～12	13～15	16～18	19～21	22～24	25～27	28～30	31～33	34～36	37～39	40～42	43～45	計
実数(人)	44	145	630	1,504	2,134	3,760	4,228	3,319	2,770	1,945	1,043	570	22,142
パーセント	0.2	0.6	3.1	6.8	9.6	17.0	19.1	15.0	12.5	8.8	4.7	2.6	100%

平均点 29.74　標準偏差 6.48

問題のねらいと結果の分析　（全受検者より1/10抽出）

〔国　語〕

大問	小問		小(大)問のねらい	完全解(%)	部分解(%)	誤答(%)	無答(%)
(一)（説明的文章の読解力）	問1	①	当用漢字の書きとり	28.5		32.2	39.3
		③	〃	44.4		40.2	15.4
		⑥	〃	1.4		84.6	14.0
		②	当用漢字の読み	67.5		22.6	9.9
		④	〃	20.7		77.1	2.2
		⑤	〃	77.2		17.0	5.8
	問2	A	接続語のはたらきから文脈を読みとる	17.6		80.7	1.7
		B	〃	42.5		56.3	1.2
		C	〃	21.4		77.1	1.5
	問3		文脈の中の語句の用法と理解	34.6		50.5	14.9
	問4		指示語の用法と理解	3.6	3.4	86.5	6.5
	問5		〃	68.4		30.6	1.0
	問6		要旨の読みとり	61.5		37.3	1.2
	問7		〃	9.3	30.9	31.0	28.8
(二)（書く力）	問1		ことばのきまりの理解（地の文と会話文の区別）	61.0		33.3	5.7
	問2	Ⓐ	ことばのきまりの理解（送りがな）	37.8		41.9	20.3
		Ⓑ	〃（漢字の書きとり）	45.5		30.7	23.8
	問3		文や文章を組みたてる	38.9	42.3	15.6	3.2
(三)（小説の鑑賞）	問1		心情を読みとる	60.7		38.4	0.9
	問2		心のうつり変りを読みとる	67.0		32.4	0.6
	問3		心情を読みとる	33.8		65.7	0.5
	問4		ことばのきまりの理解	48.9		50.2	0.9
	問5		文学史の知識	29.2	48.7	18.2	3.9
(四)（詩の鑑賞）	問1		重要語句の読みとり	21.2		62.6	16.2
	問2		文脈の中の語句の用法と理解	49.9		49.0	1.1
	問3		心情の読みとり	45.2		53.2	1.6
	問4		主題の読みとり	11.2	21.7	33.7	33.4
(五)（聞くこと話すことの力）	問1		会議における発言のあり方の理解	60.6		38.5	0.9
	問2	A	〃	45.0		53.9	1.1
		B	〃	72.1		26.7	1.2
	問3		会議におけることばづかい	34.7		62.6	2.7
	問4		ことばのきまり（敬語の使用）	42.5	18.6	22.6	16.3
	問5		会議の四原則の理解	31.0	62.7	2.8	3.5

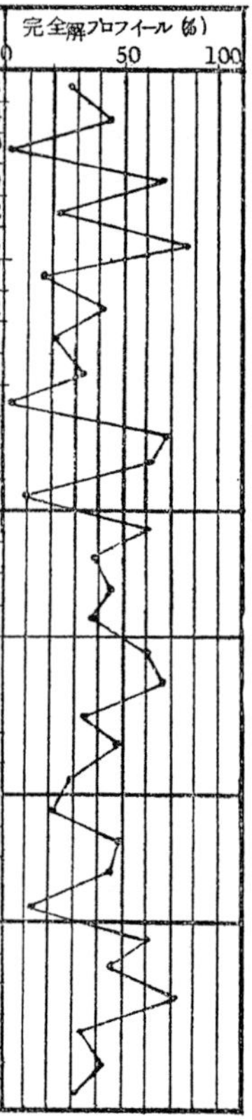

平均点　22・70　標準偏差　7・59

＜指導上の問題点と対策＞

1. プロフィールを一見して感じることは、やはり記述式のテストに弱いということである。大問(一)の問4「三十字以内でぬきだす」の正解者がわずかに3.6％、大問(一)の問7「六十字以内でまとめる」が9.3％、大問(四)の問4「五十字以内で答える」がこれまた11.2％と低調を極めている。○×式テストにたよりすぎた欠陥と言えようが、そうしたテストのあり方が国語科の指導法まで左右してしまった証左ともなろう。じっくりと考えさせ、文章を味わわせる場や方法を開拓することによってのみ、指導要領がねらう「心情」も豊かになろうし、「思考力」も伸ぶものであろう。そういう力なしには主題や要旨のはあくも無理であるし、主題や要旨について自分の意見をもったり、社会や人生の問題を考えていく態度も身につくものではない。単に五十字や六十字で記述するということに対する抵抗というより、もっとその底に「考える力」の低さがあるような気がする。

〔社会科〕

大問	小問		小(大)問のねらい	完全解 (%)	部分解 (%)	誤答 (%)	無答 (%)	完全解プロフィール (%) 0 50 100
(一)	問1		地形図の縮尺と記号についての知識	46.1	／	46.7	7.2	
	問2		扇状地の土地利用についての理解	65.1	／	28.5	6.4	
(二)	問1		日本の肉牛とりんごの分布の特色について	30.0	49.4	19.2	1.4	
	問2		オーストラリアの牧畜地域についての理解	33.9	／	65.7	0.4	
(三)	問1		日本と世界の工業都市についての知識	16.1	24.0	50.0	9.9	
	問2		問1の工業都市群の性格についての理解	15.5	27.8	52.9	3.8	
(四)	問1		日本の年降水量の分布についての理解	66.2	／	33.5	0.3	
	問2	A	世界のサバナ気候の分布についての知識	36.6	／	63.0	0.4	
		B	サバナ気候と農産物についての理解	61.8	／	38.1	0.1	
	問3		赤道についての知識	59.0	／	40.5	0.5	
	問4	A	日本とフイリピンとの貿易についての理解	29.9	／	69.2	0.9	
		B	日本と中華民国との貿易についての理解	45.6	／	53.8	0.6	
(五)	＼	A	沖縄の農産物にしめるかんしよ（さつまいも）の地位のはあく	59.2	／	40.4	0.4	
		B	沖縄の農産物にしめるさとうきびの地位	80.9	／	18.8	0.3	
(六)	＼		ヨーロッパ列強の中国進出の契機についての理解と欧米近代思想の日本への紹介についての理解	21.0	55.2	21.0	2.8	
(七)	問1		ポルトガル人のアジア進出についての理解	43.7	／	56.3	0	
	問2		三国干渉の国々の中国進出についての理解	4.2	39.9	53.0	2.9	
(八)	飛鳥		飛鳥時代の文化の特色についての理解	47.0	／	52.8	0.2	
	平安		平安時代の文化の特色についての理解	33.4	／	66.4	0.2	
(九)	1		江戸時代の蔵屋敷の役割についての理解	75.6	／	24.4	0	
	2		1925年の普通選挙法による選挙権の理解	59.0	／	41.0	0	
(十)	問1	A	寛政の改革の中心人物のはあく	42.1	／	31.7	26.2	
		B	水野忠邦の改革のはあく	58.5	／	22.2	19.3	
		C	日米和親条約のはあく	39.6	／	51.3	9.1	
	問2		日米和親条約の内容についての理解	10.7	16.4	58.3	14.6	
	問3		15−16世紀ころの沖縄代表的な文化の理解	13.3	62.4	23.3	1.0	
(十一)	問1		議院内閣制の理解	23.7	／	56.9	19.4	
	問2		議院内閣制の発達した国についての知識	50.6	／	48.0	1.4	
	問3		三権分立の思想家についての知識	46.9	／	45.5	7.6	
	問4		日本の三権分立についての理解	30.4	39.2	27.2	3.2	
(十二)	1		日本銀行の機能についての理解	48.0	／	51.7	0.3	
	2		租税についての理解	54.4	／	45.2	0.4	
	3		商品の価格形成についての理解	57.4	／	41.9	0.7	
(十三)	問1		産業の分類についての知識	47.7	／	51.1	1.2	
	問2		日本の産業構造の特色についての理解	85.3	／	14.4	0.3	
	問3		統計表の読みとその理解	53.7	／	45.6	0.7	
(十四)	問1		国際平和に貢献した思想家についての知識	52.6	／	47.1	0.3	
	問2		国連のＩＬＯの任務についての理解	64.8	／	34.7	0.5	
(十五)	1	A	新民法の特色についての理解	13.8	／	72.0	14.2	
		B	〃　〃	28.4	／	53.7	17.9	

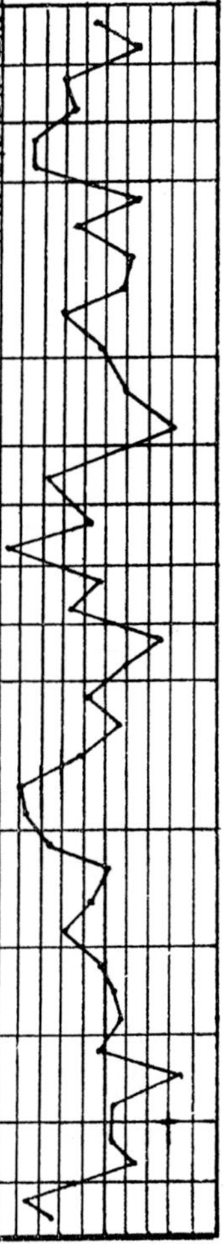

平均点　23・78　　標準偏差　8・63

2. 漢字力の低下は全国的な傾向であり、大きな問題としてクローズアップされてきた。しかし、漢字力はそれだけを切り離して考えてもあまり効果がないだろう。それは語彙との関連で考える必要がある。「無」、「上」、「分」、「別」といった漢字はごくありきたりの漢字で、さしてむずかしいものではないだろう。しかし、それが語句として「無上」「分別」と使われてくると、そのことばの理解がなければ読みもできないし、書きもできないのである。語彙を豊かにするための配慮を痛感するのである。

<指導上の問題点と対策>

1. 地理的分野について

① 大問〔二〕の問1・2は、日本の肉牛とりんご、オーストラリアの牧畜について、その分布の特色を問うているが、成績はあまりよくない。日本や世界の諸地域の学習の中で、しっかり理解させる必要がある。

② 大問〔三〕の問1・2は、日本と世界の鉄鋼業・造船業とその代表的な工業都市についての知識・理解をみる問題であるが、完全解は低率である。このような各地域の生産活動については、重点的にその特色をしっかり把握させたい。そして、生産活動との関連において代表的な工業都市も把握させる必要がある。

③ 大問〔四〕の問4のAは、日本とフィリピンとの貿易について問うているが、完全解は低率である。世界の諸地域の指導にあたっては、常にわが国と比較させ、わが国との関係について考えさせることに留意すべきである。

2. 歴史的分野について

① 大問〔七〕の問2は、ロシア、フランス、ドイツの中国進出を問うているが、完全解は低率である。これらの国々のアジア進出については、わが国との関連において、しっかり理解させておきたい。

② 大問〔十〕の問2の日米和親条約による開港についても、完全解は低率である。この程度の内容は、ペリー来航とその意義の学習の中でしっかり把握させたい。

③ 大問〔十〕の問3は、15～16世紀ごろの沖縄の代表的な文化について問うているが、完全解は低率である。歴史的分野における郷土教材を、各学校の年間指導計画の中に位置づけて、指導を強化する必要がある。

3. 政治・経済・社会的分野について

① 大問〔十一〕の問1は、議院内閣制についての問いで、完全解は低率である。これは、日本国憲法の基本的な原則の一つとして、はっきり認識させる必要がある。

② 大問〔十五〕の問1は、新民法の特色についての問題であるが、完全解は予想外に低率である。新民法による近代的家

族の特色をはっきり理解させたい。

4. その他

① 各分野とも、記述式の問題についての完全解は、きわめて低率であり、しかも、無答率が高いことに注目したい。

② 全体として、平均正答率47.6%は予想平均正答率50%を下まわる成績である。

〔数 学〕

大問	小問	小伏問のねらい	完全解 (%)	部分解 (%)	誤答 (%)	無答 (%)
(一)	問1	符号のついた数の計算技能	47.4		51.1	1.5
	問2	( )、{ }のついた式の計算技能	56.5		38.5	5.0
	問3	根号のついた式の計算技能	45.1		46.3	8.6
	問4	累乗の式の計算技能	49.4		43.7	6.9
	問5	分数式の計算技能	13.4		62.7	23.9
(二)	問1	連立二元一次方程式の解法技能	50.8		32.6	16.6
	問2	分配法則を利用しての手ぎわよい計算力	34.2		50.1	15.7
	問3	かんたんな因数分解の能力	49.5		33.5	17.0
	問4	文字式を簡単にしてからその値を求める能力	27.7		53.7	18.6
(三)	問1	正四角すいの投影図からもとの正四角すいの高さを求める能力	47.2		45.1	7.7
	問2	〃 〃 体積を求める能力	20.8		62.5	16.7
(四)		式の意味と計算法則の基礎事項の理解	19.4		79.7	0.9
(五)		相似条件を使って2つの三角形が相似であることを証明するときの論証力	5.4	34.0	58.5	2.1
(六)	問1	かんたんな数値のとき比例式を解く能力	48.9		45.3	5.8
	問2	上の問を一般化する能力	34.8		45.3	19.9
(七)	問1	1次関数のグラフを見て直線の式を求める	23.7		72.2	4.1
	問2	1次関数のグラフまたはその式においてyの値を知ってxの値を求める能力	18.7		76.2	5.1
	問3	1次関数のグラフまたはその式においてyxを変化させたときのyの値の変化の理解	53.2		38.9	7.9
(八)	問1 A	具体的問題から1元1次方程式を立式する	48.1		48.1	3.8
	問2 B	〃 〃	34.4		61.5	4.1
(九)	問1	2次関数のグラフとX軸の交点の座標を求る	29.1		68.6	2.3
	問2	2次関数のグラフからyの最少値とそのときのXの値を求める能力	37.6	16.7	36.3	9.4
	問3	2次関数のグラフの平行移動対称移動と式の関係の理解	8.7		71.7	19.6
(十)		2つの条件に従って動く(弦の中点)のかく図を実際に作図する能力	14.3		66.5	19.2
		立体図形において面と線の垂直であること等を知って三角形の面積を求める能力	38.0		46.6	15.4
		実際問題の解決にあたって三角比を適用する	16.0		58.4	25.6

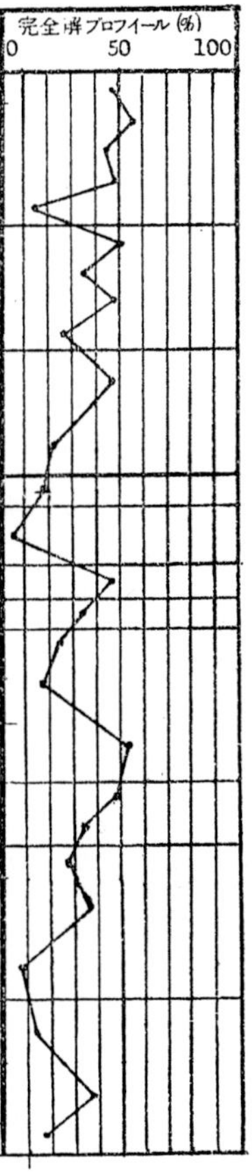

平均点 17・67 標準偏差 11・78

<指導上の問題点と対策>

1．概　評

(1) 予想平均正答率50％に対して平均正答35％、得点平均 17.67 は予想以上に悪く、５教科中でも最低の成績である。しかし、２～３の高校のみについてみると、50点満点で平均点が41.1点とか37点という予想以上の成績もあって他教科よりも高い得点平均を示している。

(2) 得点分布図をみると、０点～５点が 16.5％、６点～10点 18.8％で、10点以下が35.3％もしめ、他教科のグラフが概ね正規分布曲線に近いのに対し、数学科は頂点が極端に左よりで急傾斜で右に下って「へ」の字型をなしている。

しかし、右にいくにしたがって（上位部分）曲線は他教科に近づき、最上位部分ではむしろ他教科の上をはしっている。

(3) 大問〔一〕の問５（正答率13.4％)、大問〔九〕の問３（8.7％）大問〔十〕（14.3％）はいずれも正答率は低いが、これは問題作成時のねらいが上位の生徒（4.5の評価段階の生徒）を想定したもので、満足すべきものではないが予想に近い成績である。

(4) 大問〔五〕相似条件を使っての論証の問題で正答率 5.4 ％、部分解34％、誤答58.5％は予想以上に悪い。部分解が34％もあって正答率 5.4 ％ということは、一応問題の把握はできていてある程度はわかっているが、確かな根拠に基づいて順序よく論証していく力に欠けている。それは、正確な知識や理解が足らないことに基因すると思われる。

(5) 大問〔四〕、大問〔七〕の問１、問２は、いずれも正答率65％～80％を予想した基礎事項である。これらが25％以下の成績にすぎないということが他教科の成績に比べて数学が不振となっている主な要因と思われる。

2．問題点の考察

(1) 数学は他教科に比して生徒の能力の個人差が著しく大きく、10点以下の生徒が全体の約⅓以上もあるということは学習指導上の大きな問題点であり、今後、特に中位の生徒かそれ以下の生徒をいかにその能力に応じていくかということに指導の視点をむけていかなければならない。

(2) 数学的な考え方や見方、処理のし方を育てるとか、思考力をつけるとか、いつでもそのようなことの足場になり、手がかりとなる基礎的な概念や原理・法則および基礎的な知識・技能がじゅうぶん身についていなければどうにもならないであろう。したがって、上記概評の４、５のように基本的事項の知識および理解の徹底を期すことが現在の沖縄数学教育の最重要事だといえる。

以上のことについて具体的に対処するためには、1時間の授業の中で基本的な事項の指導に多くの時間をかけ、徹底した定着をはかるようにしなければならない。

〔理　科〕

大問	小問	大(小)問のねらい	完全解 (%)	部分解 (%)	誤答 (%)	無答 (%)	完全解プロフィール(%) 0 50 100
(一)	問1	被子植物と裸子植物の分類についての知識	75.8		23.0	0.3	
	問3	胞子でふえる植物の種類についての知識	64.7		28.6	6.7	
(二)	問1	光熱したコークスに水を通したときの水成ガス	33.7		65.8	0.5	
	問2	溶液の濃度についての理解	43.6		55.7	0.7	
	問3	実験をとおしての硫酸の性質についての理解	42.0		57.7	0.3	
	問4	中和により生成した塩とその化学式について	63.3		36.3	0.4	
(三)	問1	斜面上で物体に働く力について知識理解	39.1		52.1	8.8	
	問2	力と運動についての理解	10.1		81.8	8.1	
	問3	物体に作用する重力についての理解	19.1		74.3	6.6	
	問4	放物運動についての理解	19.7		78.6	1.7	
(四)	問1	地層の重なり方についての知識・理解	53.2		46.5	0.3	
	問2	代表的な示準化石についての知識	51.9		39.9	8.2	
	問3	造岩鉱物から火成岩を分類する（安山岩）	58.0		41.3	0.7	
(五)	問1	栄養の循環系統についての知識・理解	41.4		50.5	8.1	
	問2	グリコーゲンの貯蔵についての知識	53.7	22.2	19.8	4.3	
	問3	小腸の構造・機能についての知識	29.8		38.2	32.0	
(六)	問1	回路中の抵抗の直列連結についての知識	65.6		31.4	3.0	
	問2	電圧・抵抗・電流についての知識（電圧・抵抗から電流を求める）	31.3		63.9	4.8	
	問3	同上（抵抗の両端の電圧を求める）	23.0		70.3	6.7	
	問4	主回路を流れる電流についての理解	22.2		66.7	11.1	
	問5	電流計のターミナルについての知識	49.9		48.1	2.0	
(七)	問1	酸素を生成する際の器具の装置について	70.2		26.8	3.0	
	問2	化学反応式と二原子分子についての理解	18.3		57.2	24.5	
	問3	触媒についての知識	22.1		39.4	38.5	
	問4	Mgの燃焼による生成物とその化学式	21.7		43.4	34.9	
(八)	問1	熱量についての数量的取扱いと熱量保存則	11.5		71.3	17.2	
	問2	温度のちがう水を混合したときの温度変化についての数量的な取扱い	22.4		61.1	16.5	
	問3	比熱、熱量、温度変化についての理解	14.8		81.3	3.9	
(九)	問1	夏至についての理解	47.4		52.0	0.6	
	問2	秋分の時の太陽と地球の位置関係	47.7		51.3	1.0	
(十)		気圧配置と天気の特徴についての理解	41.4		57.7	0.9	
(十一)	問1	塩素の製法（物質の組合せ）	26.8		71.0	2.2	
	問2	捕集法とその理由	32.0		67.3	0.7	
	問3	塩素の検出の際のイオン反応についての理解	23.6	11.6	43.5	21.3	
(十二)	問1	細胞分裂の過程についての理解	35.7		63.6	0.7	
	問2	染色体とそめるときの薬品についての知識	53.7		45.9	0.4	
	問3	細胞分裂のときの染色体についての知識（模式図から）	73.3		26.2	0.5	

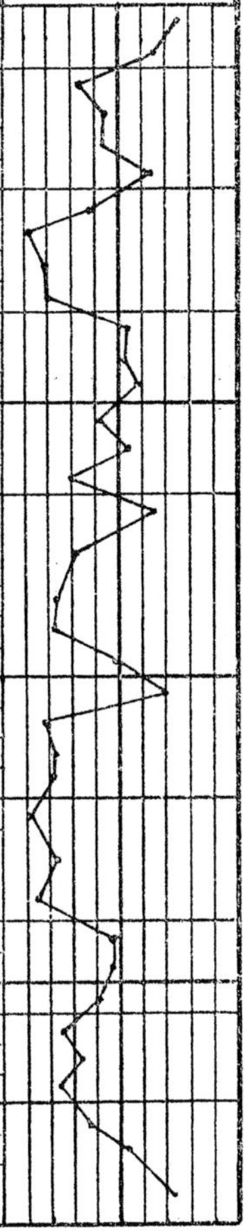

平均点　21・33　標準偏差　8・96

＜指導上の問題点と対策＞

完全正解率（正答率とほとんど同じとみてよい）は40％で期待度よりもかなり低い。領域別には物理27.3％（前年度53％）、化学36.1％（52％）生物53.5％（49％）、地学49.9％（49％）で、領域別の比較においては前年とは逆の結果になっている。これは、物理・化学について問題の程度が高くなったのではなく、設問の形式を変えたためではないかと考えられる。

○断片的な知識の再生という形での設問に対しては正答率が高く、（〔一〕、〔二〕の4、〔六〕の1等）、理解の過程において相当の思考を要する事項に対しては極端に低い（〔三〕、〔八〕の3等）

○数量的な取扱いを必要とするものについては予想していたとおり正答は低い。基本的な事柄については、数量的に処理する能力を身につけなければならない。〔八〕の1と3では1より3の方が内容は高度であるにもかかわらず、数量的処理を必要としない3の方が正答率は高い。

○化学反応式については全般的に理解が不充分である。

○記述式設問については、記述の方法について、例を示してあるのに、それでも記述による表現はまだまだである。これは表現力の問題というより、理解が不充分で、定着していない証拠である。

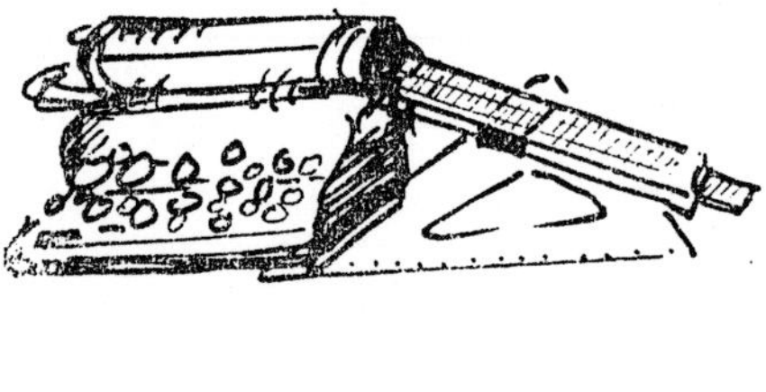

〔英　語〕

大問	小問	小(大)問の ねらい	完全解 (%)	部分解 (%)	誤答 (%)	無答 (%)	完全解プロフィール (%) 0 50 100
(一)		英語特有の音と綴りの不一致の基礎的な読み方	4.8	41.9	52.7	0.6	
(二)		分節、音節技音の見分け方やアクセントの基礎	11.0	74.9	13.3	0.8	
(三)	1	疑問文を理解し、それに対する答えとして相手がはっきり理解できる語を強くいう基礎的な知識	65.3		34.2	0.5	
	2		52.1		47.5	0.4	
	3		37.8		61.5	0.7	
(四)	1	内容語、機能語を如何に配列して、文としての構造ができあがるかの基本的な構造の知識	13.5		84.2	2.3	
	2		37.5		61.0	1.5	
(五)	1	休止で区切られた抑揚の主型線と意味上重要な内容語と機能語の理解	49.9		49.7	0.4	
	2		80.6		19.1	0.3	
	3		23.7		76.0	0.3	
(六)	1	文脈を理解し、それを簡略して具体物で理解の程度を表示する技能	47.4		50.7	1.9	
	2		30.7		67.9	1.4	
(七)	1	文中に於いて語形変化の理解	35.5		51.2	13.3	
	2	意味上の時制の一致と文の理解	57.5		35.0	7.5	
	3	文の理解と語形変化の一致	48.3		42.1	9.6	
	4	進行形の型と未来型を区別出来る型	42.7		48.8	8.5	
	5	願望をのべる語形変化	40.3		49.2	10.5	
(八)	1	機能語、内容語のいれかえによる文構造の文化とその意味の理解	57.7		40.1	2.2	
	2		67.1		31.2	1.7	
(九)	1	答えの文、疑問文のどちらかを理解し、そのいずれかを補充することによって文を完成する技能	31.8		59.5	8.7	
	2		20.3		70.7	9.0	
	3		22.3		63.8	13.9	
(十)	1	機能語、内容語を変えてある一つの表現する技能（態の変化　内容語を熟語、話法、接続詞）	11.8		67.5	20.7	
	2		22.0		60.2	17.8	
	3		25.0		61.8	13.2	
	4		32.6		51.5	15.9	
(十一)	1	文を理解しその語の配列の理解	46.7		51.7	1.6	
	2		41.7		56.3	2.0	
	3		32.1		66.2	1.7	
	4		36.7		60.8	2.5	
(十二)	1	文の理解と重要単語の綴りの理解	17.9		81.4	0.7	
	2		30.3		68.8	0.9	
(十三)	1	対話に於ける疑問文をよく理解し、それにたいする適確な答えの文の理解	43.1		56.2	0.7	
	2		30.6		68.6	0.8	
	3		45.1		54.0	0.9	
	4		51.8		47.4	0.8	
(十四)	1	短い単文を接続詞によって結んで複文にする	17.5		74.5	8.0	
	2	短い単文を関係代詞で結んで一つの文にする	22.3		70.8	6.9	
(十五)	問1	文段落の理解とその要約	57.7		36.9	5.4	
	問2	文を理解し、その重要文型の型の発見	69.1		29.2	1.7	
	問3	英文と日本文の類似	47.3		51.5	1.2	
	問4	文をまとめる技能	36.7		61.2	2.1	
(十六)	問1 A	文段落の理解とその要約	36.2		62.2	1.6	
	問1 B	文脈を理解し、その要約	44.9		52.8	2.3	
	問2	内容把握とその文型の構造	30.0		67.3	2.7	

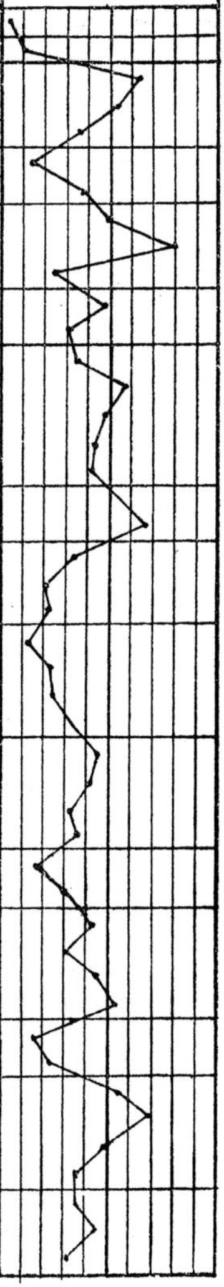

平均点　19・94　　標準偏差　10・65

＜指導上の問題点と対策＞

〔一〕は英語の音と綴りの不一致である点、外国人が英語を学習するとき困難点の一つである。音声の学習を終った後に視覚に訴えて学習することによって、音と綴りの特徴を理解することが出来、英語的云い方が上手になり、ローマ字式読み方から脱却することができる。

〔二〕は強さのことである。音声には強さ、高さ、長さの三種類がある。この強さの位置が移転することによって意味が変る。例外もあるが、強さは母音の上にある。そのマスターについては分節のし方を学習することからはじめるとよい。

〔三〕は相手の疑問文を理解し、そして何を問うているかを理解し、その部分に答えるのを答えの文中で強く言うことを強調するためのカタログで練習すると効果があがる。特にこの場合は理解だけに終らず運用の面まで高めるように日常の会話練習が必要である。

〔四〕は語順のことである。英語学習の最も困難の一つである。変らず存続する文の型を承知理解の段階で充分理解した上で、変え得る単語の配列によって意味の伸縮があることを例をもって学習するとよい。認知理解の場面をぬいて練習することはあまり効果がない。

〔五〕意味の単位と、その休止の理解であるが、その主型練は何処にあるかを文全体のなかから理解し、それを習慣化する学習法が効果がある。語学は唯々単に覚えれば充分だという考えでは、効果の面からあまり期待できないので、理解しながら読む努力を高く評価したい。

〔六〕ACTION ENGLISHの一例であるが、この場合は解説してある英文を充分理解し、動作、物で答える方式である。英語だけで答えるだけでは相手が英語をどの程度知っているかをテストしたり、判断することは不可能である。従って英文によって解説文をつくり、答えは絵で答えさせようと企みた。これは練習以外によい方法はないと思う。

〔七〕機能、内容語の配列のし方によって

〔八〕その文の構造は異なるが、意味上は一致すると言ういいかえの学習法なので、特に高学年では語彙も増しているので、いいかえの練習が必要である。

〔九〕会話のカタログの中で、質問、答えの文の何れかが理解できて、その一方から類推して全文を完結する方法である。学習の中で劇化、会話の実際化によって定着率も高まる。

〔十〕話法、態、フレーズ、機能語と内容語の配列をかえることによっていろいろの表現ができる。基礎的なものを充分学習した後にこの様な応用的なものを学習するとよい。

〔土〕構文と意味の一致をねらったものであるから、文法を学習する際は語順とその意味を学習することをねらって学習すると効果がある。

〔三〕は音声と文字をいかに一致させるかは英語学習の最も困難点である。綴りの英語的配列はどうなっているかを焦点にして学習するとよい。

〔古〕会話体の中で、その答えはどれかということであるが、相手の質問の要旨は先づ何かと考えるのが思考過程であるが、学習の場では答えの肯定文をはじめに学習し、後に疑問文の学習をするとよい。

〔古〕は語順を意味の Sequence である。土の問題と同様な学習法を強調したい。

〔去　夫〕は読解力のテストである。問1は文の段落の理解とその要約であるが、初歩では文単位にして理解を深め、次第に段落を単位として認知理解から読み方の練習に進んでいくことが効果がある。問2は文の構造であるが、語順とその意味を焦点として変らず存続する型をしっかり把握するとよい。読み方に意味の理解のない読みは学習効果があがらない。

全般的に言えることは、発音、構文、語彙、読み方等の練習にとらわれすぎて、認知理解の段階で洞察的 SKEITON を把握していない点に問題がある気がする。ある一つを学習すると次のステップでどのように役立つかを理解し INTEGRATION のある学習に配慮するとよい。技能は教えられるものではなく、学びとるものである。聞く、話す、読む、書くことは技能であるので生徒に学びとらせる努力が必要である。

社会主事ノート　＜1＞

冠婚葬祭と新生活運動

社会教育課主事　下　地　恵　一

南海の島沖縄では、11月になれば涼風が吹きすさぶ秋で、結婚シーズンとして若い男女にとって喜びの月である。それをよそに毎年華美に行なわれる披露宴に対する批判の声が高まって不必要な記念品が戸棚や床下までゴロゴロしている。日頃おつきあいのない方から招待状が舞いこんできてこまる。結婚披露宴がともすれば営利的な面にはしる傾向にあって「ある新郎新婦」はお祝儀の利益で自家用車まで買ったという話までとんだ。金融関係のAさんは沖縄の経済を分析して、冠婚葬祭を合理化して、無駄な消費をはぶくことができるなら、その金額ではもう一つの銀行をたてることは可能だと強調していたとのことである。新生活運動の指導を担当するものとして、この冠婚葬祭だけでも何らかの方法で改善できないだろうかと苦慮し、関係機関団体と話し合いを重ねてきた。その結果例年のこころみとちがって、諸行事の中でも特に冠婚葬祭の合理化を重点に月間運動として全琉的に運動を展開した。実施要項ポスターの配布、説明会、街頭宣伝と忙しい毎日が続いた。街頭宣伝のある日、T村の役所前を通ったらO主事が手をあげて宣伝車に近づいてご苦労さんと声をかけ、一休みするようにすすめてくれた。暖かい思いやりに胸をうたれ、車をとめて事務所にはいった。

冷たいコーラーでのどをうるおしながらT村の冠婚葬祭の合理化運動に対する計画についてのO主事の熱のこもった話を聞かされて感動をおぼえた。共に手をにぎり合い協力し合うことを約束してこの計画がみのることを祈りつつ別れをつげた。O主事の話していたことは、実行にうつされていったがその一つの婦人会と青年会の懇談会に要請によって参加してもらいました。話題の中心はこれまでの冠婚に対する反省のうえにたって今後は結婚後の新しい生活設計に重点をおいて冠婚の合理化を村ぐるみ運動にすべきであり、そのためには村の指導者と話し合う機会を持つことを決めた。次の集会にも要請を受けて出席した。新生活運動実践協議会長（村長）をはじめ約100人の村の幹部の方々が集まって冠婚の合理化についての話し合いがなされた。本土の結婚式や沖縄の結婚式の事例をあげて比較しての意見も発表された。このままではいけないからどうにかしなければならない。その実践方法について 話し合いが なされ、 おみやげ廃止、お祝儀一弗以内、招待客小範囲でやることが確認され、ポスター、チラシ、お祝儀袋の費用も村の予算から補助することと各部落での懇談会を持つことを決めて、村ぐるみ運動の第一歩が踏み出された。このほほえましいふん囲気をあじわいつつ、村の指導者の新生活運動に対するかまえが大切であることを痛感した。予想どおりT村では冠婚合理化の運動は全琉に先がけて盛りあがりを見せ、やればできるよい例として自信を強めさせてくれた。各市町村でも話し合いがもたれ、43か市町村では冠婚葬祭について取り決めがなされとっくんでおり、全琉市町村会でも正式の議題としてとりあげられて全琉の解決すべき課題になっている。一方立法院議会を傍聴したが、〇〇議員のおっしやるには新生活運動推進協議会は結婚祝いでお土産でさえ廃止できないのではないか、お土産をぶらさげて招待客は帰っていると、ゼスチュアーたくみに意見をぶちまけた。これはごもっともなことをおっしゃってくれたが、新生活運動のこれまでのすすめ方や実績に対する批判も必要なことである。新生活運動では住民ひとりびとりの運動として意識を高め主体性を確立していくことが大切である。特に冠婚葬祭の合理化運動は古い慣習と結びついているために、そのからを破って運動をすすめるために、勇気と根気のいる仕事である。運動をすすめてすぐ効果があらわれるという性格でないのに、むずかしさが感ずる。だからといって放り出しておくことも問題である。

立法院議員の諸氏よ、住民と共に運動に参加して、住民の生活にとけこむことによって正しい批判は生れると思うがどうでしょうか。冠婚葬祭の合理化は沖 縄の健 全な経済樹立の一環 として世論の支持を受けて盛り上がりつつある。全沖縄の市町村長の中には陣頭に立って率先して運動をしている方もいるので、これから立法院議員の中からも、この運動の実践活動家が続出することを願いたいものである。

＜教育関係法令用語シリーズ＞　（7）

政府立各種学校

総務課法規係長　祖 慶 良 得

1　沿　革

1966年4月1日から政府立の商業実務専門学校1校と産業技術学校1校が開校されたが、その後産業技術学校設置の要望が強く、中部に1校、宮古に1校が1968年4月から開校され、さらに1969年4月開校の予定で北部と南部に各1校設置するよう計画されている。

1965年といえば求人難の時で、その頃、米人商社など技術労働者が不足し、その養成が叫ばれていたが、1969年度予算計画に米国政府援助によってトレイド・スクールとコマーシャル・イングリッシュ学校なるものを設置するように計画されているといわれていた。

このような学校の新設については、いろいろの要因がからんでいたと思われるのであるが、主として産業技術学校について、1966年度予算を審議した立法院連合審査会の会議録から当時の経緯をさぐってみよう。それによれば、後期中等教育の拡充に即応して、新にいままでやってない、高等学校に行かない人たちの教育も、技術教育も取りあげていく。現在工業高等学校では主として工業技術をやっているが、そこに進まない子供たちの技能的な面について、従来労働局でもやっているが、もう少し期間を長くして、技術というよりも技能の方面に重点をおいて産業技術学校をつくりたい。工業は技手養成と考えるならば、その一段手前の技能者、工業卒ほどの教養はいらない技能教育をする。教育課程は半年、1年、2年の3種類とし、従来労働局の行なっている技能者訓練と比べると、もう少し一般教養もやる。一つの教科をきめて永久的にするのではなく、産業界の需要に応じて他の技術に切りかえることができるように校舎をつくる。教員は2種類とし、教育計画、一般教養を担当する者については終身雇用制にし、直接的な技能の養成を行なう者については契約制にする。

以上が産技についてで、商業実務専門学校については商高卒を対象とするだけに違った根拠が必要であったと思われるのであるが、残念なことにこれについては議事録にみつけることができなかった。しかし、これについても、学科が秘書、経営管理、販売、事務の4科からなっているので、考え方は大体同一だと思われる。

2　法的性格

1966年度予算書にはじめて政府立各種学校という用語が使用され、その後、政府立各種学校設置規則（1965年中教委規則第９号）や政府立各種学校教職員の確保等に関する臨時措置法（1966年立法第18号）の制定があり、政府立各種学校という呼び方が固定してきた。設置規則では、政府立各種学校とは学校教育法第85条第１項に定める各種学校で政府が設置するものをいう、と定義し、臨時措置法では、政府立各種学校とは政府立産業技術学校及び政府立産業実務専門学校をいう、と定義している。

各種学校というのは、学校教育法第１条の学校以外で、学校教育に類する教育を行なうものであって、他の立法に特別の規定のないものである。他の法令に当該教育施設の規模、教育内容、教育期間、被教育者の資格等について規定のあるもの、例えば、公共職業補導所（職業安定法）、保育所（児童福祉法等）などは、各種学校ではない。産業技術学校や商業実務専門学校についても、充分に検討する時間的余裕があれば、施設その他教育に必要な基本事項を立法で定めたかもしれない。また、学校教育法を改正して同法第１条の学校とすることも検討されたかもしれない。ともかくも結果的には、中教委に大幅に委任されている行政組織法上の権限を利用して、文教局の附属機関として扱える各種学校として設置されている。

3　若干の問題

①　学校教育法における各種学校に関する規定は簡単なものしかなく、各種学校設置規則（1958年中教委規則第29号）でそれを補っている。しかし、この規則も少しふるくなり、現状にそぐわない点が多くなっている。文部省においては、すでに各種学校制度について学校教育法に１章を設けて整備すべく国会に改正案を提出したが、審議未了となり、再度教育３法として提出する意向だと伝えられている。その改正案では、各種学校の修業年限は１年以上とし、設置者、基準、校長、教員、保健などに係る規定も整備することになっている。沖縄の学校教育法でも各種学校については監督に必要な若干の規定を有するだけで、政府立各種学校については、ほとんど法的保障を欠き、行政措置により運営されているのである。

②　文教局の所管に属しない各種学校であっても、政府が設置したものであれば政府立各種学校ということになるので、特に産業技術学校と商業実務専門学校を指して政府立各

種学校と呼称することも妥当ではないのである。

③　政府立各種学校には、校長、教頭、教員、助手及び事務職員を置くものとし、さらに養護教員、技術職員、講師その他必要な職員を置くことができる。これらの職員は政府公務員として適用される一般法の適用を受けるのは当然のことだが、教育職員として適用されるべき特別法上の取扱いはどうなるか。たとえば教育職員免許法は、これらの職員に免許状を要求する規定がない。実際には校長、教頭、教員等について高等学校の免許状を有する者を育て（商業実務専門学校の校長、教頭及び教員については設置要項で要求している）、高等学校との配転交流を行なっている。そして免許法上はこれらの教職員が各種学校に在職した年数を、高等学校に勤務した年数とみなされるのである。すなわち、教職員免許法第3条の免許を要しない職でありながら、その在職期間だけは、高等学校の勤務年数として免許法上加算するという変則的な措置がなされている。その他給与の特別調整関係については高等学校のための特別法に各種学校を加えて同時に適用されるようにしているものがあるが、教職員に適用されるべき法規について、各種学校はとり残されている面が少なくない。

④　産業技術学校及び商業実務専門学校が実際の技能労務（事務）に従事するための技能者養成を目指しているとしても、現にその入学競争率が高まり、将来半年課程は廃止することが予想され、後期中等教育に占める比重はますます大きくなりつつある。かかる観点からみれば、政府立各種学校の教職員、教育内容、修業年限その他の基本的事項についていつまでも行政的措置に委せておくのは無理ではないか。すでに学校教育法第1条の学校としてくれという要望は現場からあがっていると思われるが、教職員や生徒卒業生に社会的不安を残さないような立法上の保障を考えなければならない。

進路指導講座　◁第二話▷

観察指導課程について

沖縄教育センター全景

教育研修センター主事　上　原　敏　夫

Ⅲ　観察指導課程のいきさつ

1　観察指導課程のいきさつ

観察指導課程は1960年以降フランスにおいて実施されております。これまで８年間にわたる実績をつんできております。今ではもう試行の段階をとおりこしており、期待されたとおりの成果を上げ、それが結果として日本を含む諸外国から注目されるにいたりました。わが国の場合たまたま高校の多様化を中心にした後期中等教育の拡充整備が話題になり、そして教育課程改定へ一歩ふみ出したところでありましたのでフランスの観察指導課程が急速に世間の関心を集めるようになり紹介されるにいたったのであります。

観察指導課程はまた観察指導期ともよばれたりします。しかし日本語としては前者が一般的に使われ、後者は用語としてはあまり使われておりません。したがいまして、この第２話では一般に使われております観察指導課程という用語を使うことにします。なお、厳密にいえば違いますが、ここでは観察課程を観察指導課程という場合と同じように使っておりますので予めことわっておきたいと思います。

さて、観察課程を前期中等教育の段階に是非とも設けなくてはならないという必要性を痛感させたものの一つに大学に入学するのに受けねばならない資格試験（バカロレア試験）にまつわる問題があります。この試験に合格することを唯一の目標に７カ年制の中学校リセに通学する生徒がすべてこの試験に合格するとは限りません。ここ数年不合格するのが過半数に達するありさまであります。ちなみに一昨年（1966年）のバカロレア試験を受験したもののうち、受験科目によって多少幅がありますが、平均して51.9%が不合格になっております。このことは別の意味で深刻な問題をひきおこします。７カ年間大学受験のために勉強しておりながら、なおかつ合格できずしかも就職するのに必要な技能を身につけておらず失意のまま実社会へ放り出されます。こういう青少年が年々増加するということは個人的にも社会的にも大きな損失であるばかりではありません。社会不安の遠因にもなります。こういうことを未然に防ぎつつ各生徒の能力の開発を促すためにも中学校の在学中に適性を観察しそれにふさわしい進路を勧告しようということで観察課程が設けられたのであります。

観察課程が設けられるまでのいきさつとしてもう一つ見落とすことのできないのは技術関係分野における極端な人的資源（マンパワー）の不足であります。これはフランスに限らず先進諸国とよばれているところはどこでもみられる共通の傾向であり現象であります。これは大学を中心にした高等教育機関における人材養成計画と社会的要請との調和をめぐっていろいろと話題になります。

科学技術の分野におけるマンパワーの極度の不足は宇宙電子工学の長足の進歩を促した技術、もっとはっきりいいますとコンピューターの技術が最近とみに産業経済界の各分野に応用されめざましい成果を上げつつある米ソ両国の動向とのかねあいもあって、深刻な悩みになっているのであります。

２　学制の上からみた観察指導課程

観察指導課程は小学校５カ年の基礎課程に続く前期中等教育の４カ年間の課程であります。第一図でもわかりますが、フランスは複線型の学校制度をとっております。小学校終了時点11才で前期中等教育のどの学校に進むかきめることになります。

第１図　フランスにおける学校制度

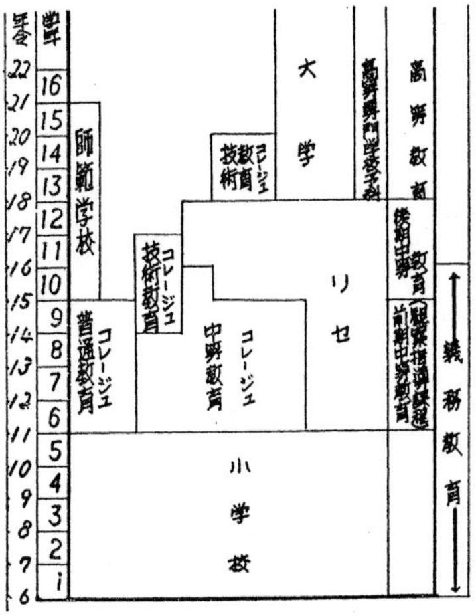

（「フランスの観察指導期」～文部省＝昭和42年）

第５学年（小学校最終学年）から第６学年（中等学校の第１学年で４カ年の観察指導課程の最初の年次）へ進級するために1956年までは「第６級入学試験」が行なわれておりました。

しかしこれは満11才で進路を決定してしまう試験の在り方としてはいろいろと改善の余地があるという批判がでてきたため、関係書類の審査を中心とする方法へかわってきました。今では県単位に設けられている「進路選考会」がその任にあたっております。もっともこの下にある小委員会ごとに実務的な作業はすすめられておりますが。この小委員会が書類審査の上で観察指導課程への進学者を事実上きめております。

書類審査の際、遅進児およびただちに中等教育の第一学年の教育を受けるのに適しないと判定された生徒はひとまず推移学級へ進みます。第二図のようにこの学級は普通教育コレージュならびに中等教育コレージュに付設されております。

第２図　中等学校の種類とコースの類型

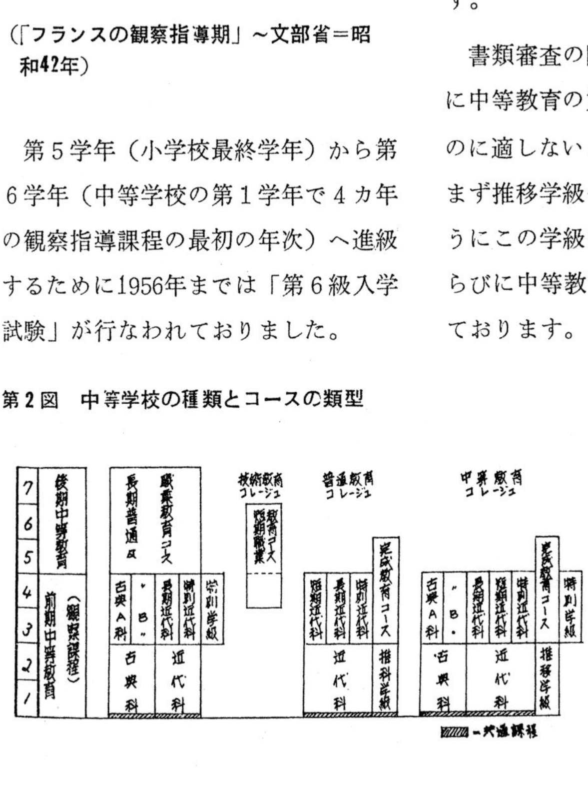

この学級の一部はのちに特別学級に移って後期中等教育のいずれかに進学しますが、大部分はそのまま完成教育コースへと進み卒業します。

観察課程は国公立の学校にのみありますので私立学校出身者などはひとまず特別学級へ進みます。それから観察課程に在学中に進路の変更をした生徒などもすべて特別学級へ配置される仕組みになっております。

以上きわめて大ざっぱに述べましたように観察指導課程は５カ年の小学校の教育課程に続く４カ年間の前期中等教育の課程のことであります。その課程を通して生徒ひとりびとりの学業の健全な発展を促進させつつ生徒の適性等を組織的に観察し、発見するとともにその結果にもとづいて適切な進路の指導を行なうことを目的としております。

3　観察指導課程を支えているもの

観察指導課程を支えているものにはいろいろあります。学校をとりまく諸条件が他の国にはみられないフランス独自の特質をもっているのもその一つであります。由来フランスという国は教育に関する限り主知主義の風土をもつ社会であります。こういう社会における学校の役割は明確であります。すなわち、学校は知識を教授するところであり、したがってその職員（教師）の資質あるいは資格はきわめて重要視されます。こういう風土の中から生徒に対する要求も自らきびしくなってきます。一定の年数さえ終了すれば半ば自動的に卒業させる年数主義ではなく、予め設けられた目標水準に到着したかどうかということが重視されます。この水準に達したか否か具体的に資格試験で判断されることになります。

このようなわけで、生徒にとってどの学校を出たかというより、どういう資格を取得したかが何よりの話題になります。進路の計画も当然のことながら、この資格試験に合格し希望する資格を取得することを前提にして検討されます。こういう資格試験と水準到着主義がごく当然のこととして受け入れられている社会風土そのものが観察指導課程の屋台骨をかたちつくっているといっても言いすぎではありません。

こういう資格試験が社会的にも高く評価されていることも見逃すことはできません。社会的に高く評価されているということは別の言葉でいいますと権威があるということであります。このことと関連して、かつてわが国で実施された大学進学適性検査ならびに最近の能研テストに対する一般の反応にはきわめて興味深いものがあります。沖縄ではこの能研テストが国（自）費試験になっておりますので、国費あるいは自費留学生として大学に入学するための資格試験だといえないことはありません。

しかしながら、この能研テストとフランスで実施されておりますバカロレア試験などのような資格試験と同一に論ずることはもちろんできません。東大など国立第一期校はこの能研テストを大学入学試験におきかえることについて今のところ消極的であります。言葉をかえていいますと、大学入学資格試験としての能研テストに関する評価は今のところ流動的であります。近い将来これが資格試験としての評価を確立し一般に採用されることが期待されております。期待通り実現されますと現行の大学入学者選抜方法も大幅に改善されます。しかし現実にはまだそこまでいたっておりません。

能研テストひとつ例にとってみてもわかりますようにフランスで確立されております資格試験の制度は、国情が違うといってしまえばそれまでですが日本ではなかなか思うようにうまくいかないのが実情であります。

さて、進路を決定し勧告する委員会の構成員に対しては、その専門的知識と体験のゆえに深い尊敬の念をもっております。したがいまして勧告された進路の計画について一部の例外はありますが、たいていの生徒およびその保護者は勧告通り受け入れてきております。このような専門家に対する信頼感は一朝一夕に培い得るものではありません。多少理くつっぽく申しますと、その道の専門の人に任せれば心配はいらないという、いわば専門性への信頼がきわめて強いことがうかがえます。フランスの観察指導課程を支えているものの一つにこの専門性への信頼が社会のすみずみまでゆきわたっている事情を見落すことはできません。

なお、前回に述べました中に誤りがございましたので下記のように訂正します。

頁	行	誤	正
20	左下 2	能力テスト	能研テスト
	左上 5	小　緑	小　禄
30	左上13	て	る
	〃 14	人口	人工
	右上 1	読	語
	〃 3	国語	用語
31	左下14	方行	方向
	右下 4	解察	観察
	〃	このにと	このこと

基地街

B52とジュークの不協和音
横文字の巷にカスリの嬌声が
外貨を獲得する
繁栄（?）と不安の交錯
怪奇漫画をむさぼる
子供の未来にあるものは
何だろうか

1968年11月5日印刷
1968年11月8日発行

文教時報（113）
非売品

発行所　琉球政府文教局総務部調査計画課
印刷所　大同印刷工業株式会社　電話 2—7890

文教時報

114

114

琉球政府・文教局総務部調査計画課

1968年度
教育関係
10大ニュース

▲ 主席就任式で行政府職員に挨拶をする屋良新主席。

▲ 興南高校の街頭パレード

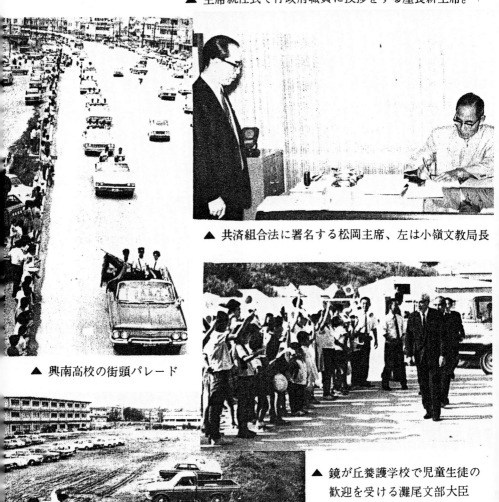

▲ 共済組合法に署名する松岡主席、左は小嶺文教局長

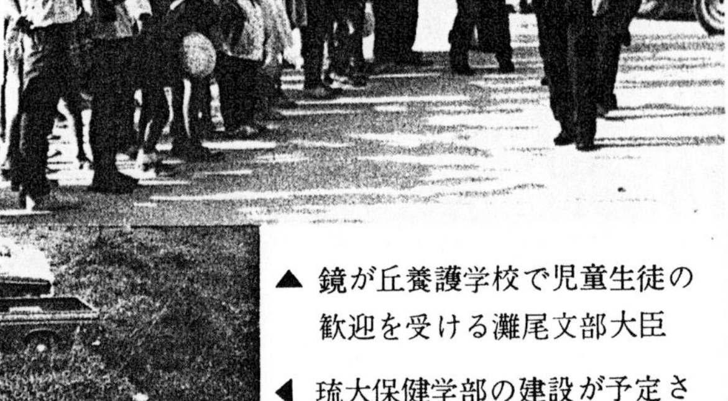

▲ 鏡が丘養護学校で児童生徒の歓迎を受ける灘尾文部大臣

◀ 琉大保健学部の建設が予定されている那覇市内与儀の用地

▲ 原因不明の皮フ炎症で臨海学校の楽しみを奪われたが明るさを取りもどした開南小学校のこどもたち

▲ 滝潭池畔に偉容を誇る沖縄教育研修センター

▲ 文教審議会の開会であいさつする赤嶺文教局長

▲ すし詰めから開放されるのも近い高等学校の授業風景。

▼ 教員人事問題や学校分離で紛争をひきおこした八重山の小中学校。

写真特集

農　業　祭

北部農林高校

▲ 秋晴れの農業祭

◀ 近郷近在からつめかけた参観者―地域社会との結びつきもつよくなった。

◣ 盆栽の入賞作品

▼ 果樹栽培への意欲―スイカみたいな文旦

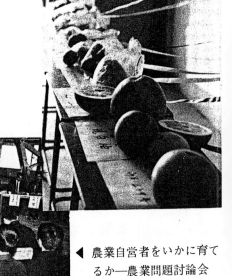

◀ 農業自営者をいかに育てるか―農業問題討論会

中部農林高校

5,000ドル農家を
めざして……▶

◀ 畜産および
その加工は
▼ 中農の特色
になっている。

純情そうなトン公…きっとお ▼
いしいハムになるでしょう。

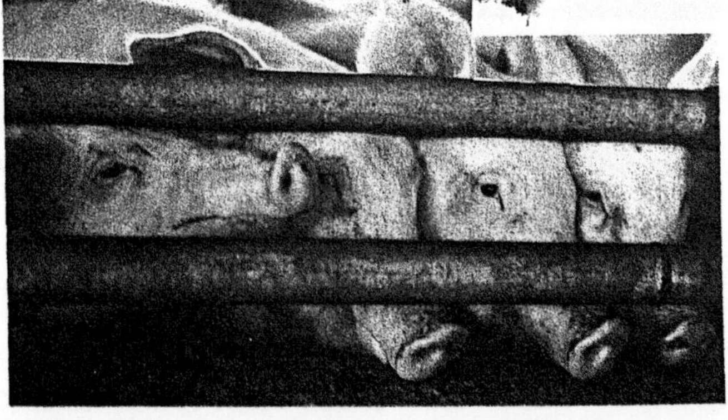

南部農林高校

黄金丸のけん崖…
手入に余念のない女生徒 ▶

「非売品」の札に
作品への愛着と自信が… ▼

▶観葉植物も多種多様…

▲ 農産加工のドーナツあげ

農産物の即売風景 ▶

文教時報

No. 114　68／12

変革～1968年に寄せて

島に生活する人を「島民」という。沖縄の島々で生きている私たちは他から「島民」と呼ばれるとき、その語のもつニュアンスにある種の嫌悪感を抱いてこのことばに反発した。相手を「島民」と呼ぶときのこのことばには、民度の低さを嘲笑する蔑視の語感がまつわりついていた。だから、沖縄の心を察知できる人は決して「島民」とは使わなかった。下手な通訳が「島民」と訳して教養のなさを暴露した。

「住民」というあたらずさわらずのことばが長い年月私たちを包んでいた。自他ともにこの「住民」を口にしたしこれは戦後の沖縄を象徴することばであった。

「県民」の威勢のよい響きは、これも長い年月のあいだ一部の人たちの口から出るに過ぎなかったが、最近になってせきを切って落としたように氾濫しはじめた。これまで意識的にこのことばを避けてきた人々もこれまた意識的に口の端にのぼせ文書にあらわしてきている。

島民―住民―県民、時の流れにそったことばの変遷である が、それを使う人の心の奥底を覗きみるようで興味深い。やがて「国民」が日常用語となる日も近かろう。

先日、八重山で沖縄小中学校長大会が開催された。新聞に小さく記事がのっていた。その中に「国歌斉唱」のあと討議に移ったとある。これまでそういう会合で国家斉唱をしたという例をきかないので、2、3の先輩にも確かめてみた。たしかに「国歌君が代」は教育課程の中に位置づけられてはいるが、本土のある県教育委員会の通達によると「教えることはさしつかえないが、国歌として取り扱う必要はない。」とある。沖縄の置かれている特殊事情から国家意識を強調しなければならないが「根本的なことを解明してはじめてその方法も生まれるべきであるとの理屈からすると、」あいまいなままに心情にだけ訴えるやり方は疑問であろう。これも小さな変革であるが、かならず大きな潮流となる。

昭和43年（あえて日本年号を使おう）をふりかえってみるとき、まことに多事多難な年であり、沖縄の歴史に画然とした一線を引いた年であった。あと幾日も経ずして、新しい年を迎える。ますます激動化する国際社会の一員としての自覚のもとに足許をみつめて対処できるようつとめたい。

（上間正恒）

教育振興総合計画について

文　教　局

現在教育関係振興法は、理科教育・へき地教育・幼稚園教育・学校図書館・スポーツ・高等学校の定時制教育および通信教育等が立法されており、各関係部課によって振興策が講じられてきた。しかしこれらの教育分野における振興策は実施段階では各部課に任せられるとしても、文教施策としての統一調和を保った総合計画に基づくべきであり、また各振興法でも総合計画の樹立を中央教育委員会の任務としてうたっている。文教局では1967年5月以来この教育振興総合計画の策定について関係部課による打ち合わせ、原案作成、原案の局内審議をかさね、去る11月20日の中央教育委員会で最終的に教育振興総合計画が策定された。その内容はそれぞれの振興計画に述べられているが、1974年度を目標達成年度とし、最も重要かつ緊急な課題に的をしぼって年次的に振興策を実現しようというものである。

幼稚園教育振興総合計画

趣　旨

この総合計画は幼稚園教育振興法（1967年度立法第49号）の精神に則り、1974年度を目標とする幼稚園教育の振興促進に要する緊急且つ重要な諸施策をとりあげ、もって当該教育における諸条件の拡充整備を図るためのものである。

1　基本方針

(1)　幼稚園の設置を促進するとともに、その施設設備の充実を図る。

(2)　幼稚園の教育内容の充実を図る。

(3)　幼稚園教員の現職教育及び養成のための措置を講ずるとともに、幼稚園教員の待遇の改善を図る。

2　具体的施策

(1)　幼稚園の設置促進と施設設備の整備充実

ア　全小学校区に幼稚園を設置することを目標とし、計画年度間に 148園を増設し、就園率を約80％に引きあげる。

イ　地域の就園率を考慮し、全琉的な設置促進を図るため当分の間５才児教育に重点をおく。

ウ　施設設備の整備充実のための補助率を⅔まで引き上げるとともに既設幼稚園の老朽園舎の改築及び新設園の施設設備の整備充実を図る。

エ　私立幼稚園の振興のために助成の強化を図る。

(2)　幼稚園の教育内容の充実

ア　幼稚園の教育内容の改善を図る。

イ　研究校及びモデル校を指定し、教育内容の研究充実を図る。

ウ　専任指導主事を局内に配置し、指導の強化を図る。

(3)　教員の現職教育及び養成措置

ア　教員の需給関係が十分なされるよう養成機関と密接な連繫を図る。

イ　教員の現職教育のための講習会等を開催しその資質の向上を図る。

(4)　教員の待遇改善

ア　教員の給料、期末手当等の補助率を80％まで引き上げる。

イ　教員の給与の改善を図る。

◁参　考▷

幼稚園の現況

(1)　1968年10月１日現在で公立84園、私立12園計96園で就園率は42.8％である。その幼児数は13,253人、教員数は公立320人、私立55人、計375人でそのうち有資格者は280人（73.6％）である。

(2)　幼稚園の設施、設備の整備充実のため本年度は48教室の園舎とモデル幼稚園１園の建築を予定している。

(3)　幼稚園教育の振興のため、教育区に対し教員給料の50％補助、園舎建築費の50％補助及び備品購入のための経費の一部を補助している。

(4) 幼稚園教員の現職教育のために夏季認定講習に保育内容の科目をおいた。なお教員養成においては、琉球大学の初等教育科の学生に幼一普の免許状がとれるよう科目の増設がなされ、又沖縄キリスト教短大でも幼二普が取得できるよう課程認定がなされた。

学校図書館教育振興計画

趣　旨

この総合計画は、学校図書館法（1965年立法第5号）の精神に則り、1974年度を目標とする学校図書館の整備に要する緊急且つ重要な諸施策をとりあげその健全な発達を推進し、もって学校教育の充実を図るためのものである。

1　基本方針

(1) 学校図書館の施設設備及び図書館資料を整備し、司書教諭の養成及び配置を図る。

(2) 学校図書館の管理運用を強化し、学校教育の充実を図る。

2　具体的施策

(1) 学校図書館の施設設備及び図書館資料の充実

ア　学校図書館（室）の施設を拡充整備する。

イ　図書及び視聴覚資料を拡充整備する。

ウ　書架及びカードケース等設備を拡充整備する。

(2) 司書教諭（司書も含む）の養成及び配置

ア　司書教諭資格取得のための講習会を開設し、司書教諭の養成の促進を図る。

イ　司書教諭を児童生徒 450人以上の学校に配置できるような定数の確保を図る。

ウ　学校図書館事務職員（司書）の配置を図る。

(3) 学校図書館運営の強化及び学校教育の充実

ア　学校図書館基準を設定し、学校図書館の管理運用の円滑を図る。

イ　学校図書館利用の手びきを作成し、教師の教育課程の展開並びに児童生徒の自主的学習に寄与する。

ウ　専任指導主事を局内に配置し、指導の強化を図る。

エ　学校図書館職員（校長、司書教諭又は図書館主任、司書）の研究会等を開催し、その資質向上を図る。

オ　モデル学校図書館の育成、実験学校、研究校の指定、学校図書館研究団体への助成、他関係機関との緊密な連繋により、学校図書館の機能の充実強化を図る。

◁参　考▷

学校図書館の現況

1　施設、設備及び図書の保有状況について

1968年度末の保有状況は、下記の通りで保有率はかなり低い。

区　分	基準数量又は基準額	保有数量又は保有額					保有率
		小学校	中学校	高　校	特　殊	合　計	
施　設	校 351	校 48	校 35	校 19	校 0	校 102	% 29.1
設　備	1,133,056	100,105	42,726	98,705	0	241,536	21.32
図　書	2,215.75	518,990	73,335	287,960	5,320	1,085,605	49.00

2　司書教諭の養成及び配置について

学校図書館法では、司書教諭は学校図書館への配置が義務づけられているが、司書教諭の養成と財政上の理由（立法当時）で、緩和規定が設けられている。

現在全琉で司書教諭に必要な科目単位を取得した者が50名おり、琉大で同様の科目単位を取得する者が、来年３月から30名程卒業する。さらに現職者で司書教諭の資格を与える措置を取らなければならない。

司書教諭については、現在、文教局指定のモデル学校図書館（20）18校に18名配置してある。

3　学校図書館教育内容整備について

学校図書館の管理運用の基本となる学校図書館基準及び学校図書館利用の手びきの作成を含めて、具体的施策であげた事項について予算の裏付けがなされなければならない。

へき地教育振興総合計画

趣　旨

この総合計画は、へき地教育振興法（1958年立法第63号）の精神に則り、1974年度を目標とするへき地教育振興促進に要する緊急且つ重要な諸施策をとりあげ、もって当該教育における諸条件の拡充整備を図るためのものである。

1　基本方針

(1)　へき地教職員に研修の機会を与え、学習指導内容及び指導方針の改善を図る。

(2)　へき地級地の指定を改善し、施設設備の充実を図る。

(3)　へき教員を確保し、円滑な人事交流を図る。

(4)　へき地教職員の福利厚生に努めるとともに教職員及び児童生徒の健康管理について配慮する。

(5)　へき地性を解消するために学校統合を促進する。

(6)　通学困難な児童生徒への就学奨励の強化を図る。

2　具体的施策

(1)　教育指導の強化

ア　へき地における教育課程を改善し、学習指導並びに生徒指導の強化を図る。

イ　視聴覚教材、教具、資料の活用により指導技術の近代化を図る。

ウ　へき地教職員の管内外研修を推進する。

エ　へき地における社会教育の強化を図る。

オ　へき地専任指導主事を局内に配置して指導の強化を図る。

(2)　施設設備の充実

ア　教員宿舎、学校風呂、図書館、特別教室、給食室、給水施設、寄宿舎、へき地集会所等の施設の充実を図る。

イ　スクールバス、ボート等の購入費の補助により通学の便を図るとどもに、視聴覚教材等のへき地文化備品の充実を図る。

(3) へき地教員の確保と人事交流

ア　小規模学校の教員定数を改善し、教員の負担の軽減を図る。

イ　へき地教員志望奨学生の増員を図り、へき地教員を確保する。

ウ　養護教諭の配置に努める。

エ　へき地派遣教員等により、人事交流の円滑化を図る。

(4) へき地教職員の待遇改善及び福利厚生

ア　特別昇給及び昇給期間の短縮に努め待遇の改善を図る。

イ　住宅料や諸手当の増額を図る。

ウ　巡回診療や成人の病検診等を実施し、教職員の健康管理を図る。

(5) 児童生徒の福利厚生

ア　寄宿舎居住費、下宿料の補助の増額を図る。

イ　高度へき地児童生徒の給食費を補助する。

ウ　へき地学校保健管理費を補助し、児童生徒の健康管理を図る。

◁参　考▷

へき地教育の現況

1　教育指導について

○　へき地教育研究校を毎年指定し（4、5校程度）学習指導の研究を推進している。

○　へき地教育研究大会は、今年からはじめて開催されるもので北部（名護、高江、古宇利）を予定している。

○　計画訪問指導は、毎年一回以上行なうようにしている。都市地区よりへき地を優先している。

○　研究教員の選抜もへき地教員は、特別に配慮している。

○　松島中への管内研修教員は、へき地から選抜し現在へき地教員の6名が研修中である。

○　本土におけるへき地教育研究大会や講習会にも毎年二、三名がへき地から派遣されている。

2 施設、設備について

○ 教員宿舎

級地	学校数	必要数	保有数			不足数	不足比率 %	備考
			既設	69予定	計			
5	8	44	33	2	35	13	30	
4	19	96	34	12	46	53	55	
3	14	92	18	10	28	64	70	
2	21	185	16	17	33	152	82	
1	20	176	6	7	13	163	93	
計	82	593	107	48	155	445	75	

(1) 分校、併置校は一校として数える。

(2) へき地校勤務教員数２人に一棟として必要数を算出。

○ スクールバスは、竹富（船浦～上原）と石垣（伊原間）にそれぞれ１台、計２台を補助、ボートは竹富（白浜～船浮～網取）に２隻補助されている。

○ へき地文化備品は⅓は区教育委員会負担で発電機やシート式、草刈機等が購入されている。

3 へき地教員の確保について

○ 率先赴任教員や要請による教員などでへき地教員の獲得に努めている。

○ へき地教員志望奨学生については毎年40名が琉大で養成されているが今年度は、男21名女19名である。なお今年度までに361名が養成された。

4 待遇改善と福利厚生

○ 率先赴任をする教員、要請赴任による教員は１号俸を昇給している。

○ へき地に優秀な成績で３年勤務した者にも１号俸昇給している。

○ 複式手当及び単級手当は、本土と月額３＄以上の差がある。

○ へき地住宅料は現在３＄を支給しているが殆んどのへき地教員が５＄の間借りをしている。

○ へき地手当は給料月額の25％（５級地）、20％（４級地）、16％（３級地）、12％（２級地）、８％（１級地）の割合で支給している。

5 児童生徒の福利厚生

○ 学校統合に伴なって通学困難になった児童生徒には、通学費を実費支給、下宿料は月に8.00ドル、寄宿舎、居住費は月に6.00ドルを支給している。

なお寄宿舎の用人給与は、月に40ドルで竹富（大原）に二人勤務している。

高等学校の定時制教育及び通信教育振興総合計画

趣　旨

この計画は、高等学校の定時制教育及び通信教育振興法（1966年立法第22号）の精神に則り、1974年を目標とする定時制教育及び通信教育の振興促進に要する緊急且つ重要な諸施策をとりあげ、もって当該教育における諸条件の拡充整備を図るためのものである。

1 基本方針

(1) 勤労青少年教育の特殊性を考慮して、定時制教育及び通信教育の内容及び方法の改善をはかる。

(2) 定時制教育及び通信教育に関する施設及び設備の整備充実を図る。

(3) 定時制教育及び通信教育に従事する教職員の確保と福祉の増進を図る。

2 具体的施策

(1) 定時制教育及び通信教育の内容及び方法の改善

① 教育課程の改善とそれに伴なう指導計画の樹立

ア 研究・実験学校の指定、教育指導員の導入及び研究教員の派遣を実施する。

イ カウンセラーを設置して生活指導の充実をはかる。

ウ 担当指導主事を局内に必置して指導行政を拡充する。

エ 通信教育における学校放送を計画する。

② 修学奨励の措置と定通制生徒の負担軽減

ア 奨学制度を拡充強化する。

イ　定通併修の計画実施を促進する。

ウ　E・T・A組織を拡充強化し、その助成をはかる。

エ　通信制課程の生徒の教科書・学習書購入費及び定時制課程の生徒の夜間給食費の負担を軽減する。

(2)　定時制教育及び通信教育に関する施設等の充実

ア　定時制教育及び通信教育における専用の施設・設備及び備品を充実整備する。

イ　定時制教育における照明施設・設備を拡充する。

ウ　定時制教育における給食施設・設備を拡充する。

(3)　定時制教育及び通信教育に従事する教職員の確保と福祉の増進

ア　教職員の適正な配置をはかるとともに教職員の負担を軽減する。

イ　全定交流の円滑化のための指導を強化する。

ウ　教職員の待遇改善をはかる。

◁参　考▷

高等学校の定時制教育及び通信教育の現況

1　教育内容及び方法の改善

勤労青少年教育の特殊性を考慮して、生徒の適性、進路、能力に則する教育課程及び指導計画が樹立されなければならない。現行の教育課程は、画一的で地域性の配慮に乏しく、単位数配分の点でも指導上の欠陥を有している。また編成上においても、時数の制約を受け、生徒の生活指導、特別教育活動、学校行事等、特に個別指導に支障を来たしている。

2　奨学制度の拡充強化等

定通制生徒の大部分は、学校での学習のほかに、家庭や職場での困難に直面している。定通制生徒の有業者数は、全体の70%、通信制生徒の場合は90%で、収入現況は、平均月額男子38ドル、女子27ドル、なお家族構成で両親のない者、片親のない者、別居の者いわゆる欠損家庭の者が全体の88%、なお、家族数７人～10人の者が55%に及んでいる。彼らは自ら働かなければ修学できない家庭環境にあるばかりでなく、生徒の過半数は家庭に送金または納金しており、その金額も収入の半額を超える者が多い。勤労と勉学の両立に悩む生徒の数は、全体の64%であり、なお全退学者の中で、経済的理由で脱落する者は約30%を占めている。これからみても、定通制生徒がいかに苦難に抗して学業を続けているかがうかがえる。今後、奨学制度を拡充強化し、かれらの負担軽減策を講じて、かれらの修学を容易にする必要がある。

3　定通併修の計画実施の必要性

定時制通信教育は、境遇に恵まれない者に広く高等学校教育を解放するためのものであり、各種の勤労青少年教育機関のうちで正規の高等学校として位置づけられ、その存在意義は大なるものがある。従って、後期中等教育の拡充整備策の一環として、当該教育の拡充整備は緊急かつ大なる比重がかけられなければならないと目されている。しかしながら、沖縄においては、定通制生徒は家庭的、社会的に学習条件を制約され、卒業するまでの間に脱落する生徒が28%を占めている現状にある。定通併修の道を開くことにより、これら生徒の学習における負担を軽減し、学習意欲を高め、学習能率を促進する必要がある。

4　社会の理解と協力体制の確立

生徒と職場の関係についてみると、勤務先の理解度は次第に好転しつつあるが、通学について理解している者が40.4%、通学を好まない者が 6.2%、普通すなわち消極的に通学を認めている者が53.4%である。勤務時間は1日平均8時間以上の者がもっとも多く、しかも肉体労働に服する者が51%を占めている。こうして貧困の故に自ら働かなければならない上に更にきびしい職場生活の制約は、必然的に学習過程に制約を伴ない、生徒の出席状況においても、無欠席の者は僅かに27.3%、残りの72.7%は、10日～30日以上の欠席日数を示している。職場や家庭における学習時間は、1月平均30分～1時間以内の者51.1%で、皆無の者が27.8%を占めている。今後、かれらに対し、できるだけ通学しやすい諸条件を作り出すことが緊急な問題である。一般的には、労働条件の改善、労働時間の短縮あわせて雇用主の勤労学徒への理解と協力の啓発等が講ぜられなければならないであろう。そのためには先づ各学校ごとの雇用主協議会（E・T・A）の結成、強化が強く望まれる。

5　施設、設備、備品の拡充整備

定通制課程の使用する校舎、運動場、体育施設、保健室、図書室、特別教室等は、その一部を除き殆んどが共用であるが、管理室、保健室、更衣室等は専用のものの設置が望まれる。共用できる施設については、定通制の使用にも見合うような整備統合が必要である。定時制教育における照明施設としての水銀燈の保有達成率は約20%である。照度は教室内において100ルックス～250ルックス、屋外運動場において3～10ルックスが現状で、教室は照度基準の 200ルックスに近く、屋外運動場は基準の15～30ルックスにはるかに及ばない状態である。それに農場実習場の照明施設は極めて不備であり、特に屋外照明施設については、今後大巾に拡充しなければならないと考える。

一般教科備品、理科備品、事務用備品等も年々拡充されているが、殆んどが共用で給食関係備品も不備の状態にある。こうした不備は、学習活動のみならず、校内外の諸活動を制約し、その能率を低下させる要因となっている。

6 教職員の適正配置と負担軽減策

定時制通信教育に従事する教員及びその他の職員は、全日制と比較するとき、種々のハンディキャップを負わされている。その勤務の特殊性に一層の考慮を払い、長期的な展望の下に、優遇策を講じていかなければ、定時制通信教育の振興は片手落になる恐れがある。教員の週1人担当時数は、平均 14.17時間、教員1人当り生徒数は、29.95人（全日制23.37人）となっている。更に、担当科目数1人平均3科目、免許外教科担当者1校平均2.87人、兼任教員1校 7.5人である。実習助手の配置も僅か4人である。こうした担当時間数、専門外教科担当、専任の教員・実習助手の不足による負担過重は、教科指導のみならずその他の活動に大きく影響している。人事構成においても、主事を除き、教育経験年数は、平均約5年、平均年令は約29才で経験の浅い若年層が定通制教育の中核となっているといえる。当該教育に従事する教職員の負担軽減や教職員配置の適正化のための各種の措置を講ずることによって円滑な全定交流をはかり当該教職員の資質を向上させる必要がある。

スポーツ振興総合計画

趣　旨

この総合計画はスポーツ振興法（1963年立法第27号）の精神に則り、1974年度を目標とするスポーツ振興促進に要する緊急且つ重要な諸施策をとりあげ、もってスポーツ振興における諸条件の拡充整備を図るためのものである。

1 基本方針

(1) 学校体育の適正な指導と管理につとめ、児童・生徒の体位体力の向上と社会的態度の育成をはかる。

(2) スポーツを普及奨励し健康で明るい県民の育成につとめる。

(3) 体育、スポーツ関係指導者の育成充実をはかり、スポーツ精神の高揚とスポーツ水準の向上につとめる。

(4) 体育、スポーツ施設、設備の整備充実をはかる。

2 具体的施策

（学校体育）

(1) 児童・生徒の基礎体力の向上

ア スポーツテストの実施、奨励につとめる。

イ 学校の教育活動全体を通じて体力つくりの奨励につとめる。

(2) 指導者の資質向上

ア 指導者講習会、研修会の強化をはかる。

イ 学校体育研究会の育成と研究意欲の高揚をはかる。

ウ 研究指定校における研究の充実につとめる。

エ 指導者の本土研修の強化をはかる。

(3) 学校体育団体の育成とスポーツ競技の向上

ア 高体連、高野連、女体連、中体連等の育成強化につとめる。

イ 各種スポーツ大会の合理的運営をはかる。

ウ 本土大会への派遣とスポーツ技術の向上につとめる。

(4) 学校体育施設設備の整備充実

ア 運動場、屋内運動場、水泳プール、武道場等の整備充実をはかる。

イ 体育施設用具の本土並水準の整備充実をはかる。

（社会体育）

(1) 県民体力つくりとスポーツの生活化

ア 体力つくり県民協議会を結成し、活動を促進する。

イ ひろく県民に「スポーツの日」の周知徹底をはかる。

ウ　各種スポーツ行事を充実するようにつとめる。

エ　社会体育研究市町村を指定して地方スポーツの振興をはかる。

オ　スポーツテストを奨励し、体力の向上を促進する。

カ　トレーニングセンターを開設して健康の増進をはかる。

キ　全国的スポーツ行事の誘致を促進する。

(2)　指導者の養成と資質の向上

ア　体育指導委員を増員し活動の充実をはかる。

イ　指導者を招へいして各種スポーツ指導者研修の強化をはかる。

ウ　指導者の本土研修の強化をはかる。

(3)　青少年スポーツの振興と職場スポーツの奨励

ア　スポーツ少年団を育成し活動を促進する。

イ　職場スポーツ組織の強化をはかり、活動を促進する。

ウ　スポーツ教室を開設し勤労青年のスポーツの生活化をはかる。

エ　学校のスポーツ施設を青少年のスポーツ振興のために解放できるようにつとめる。

(4)　競技力の向上

ア　各種目別強化合宿トレーニングの強化をはかる。

イ　スポーツの交流を促進する。

(5)　スポーツ団体の育成強化

ア　各種競技団体、野外活動団体等の育成強化をはかる。

イ　新種目スポーツ団体の結成を促進する。

(6)　指導組織の強化

ア　文教局保健体育課の社会体育指導主事を増員する。

イ　連合区教育委員会に社会体育担当指導主事を設置するようつとめる。

ウ　地方教育委員会にスポーツ振興審議会を設置するように促進する。

(7)　スポーツ施設の整備充実

ア　奥武山総合競技場施設の早期完成をはかる。

イ　羽地青少年野外活動センターの整備につとめる。

ウ　地方スポーツセンターの建設を促進する。

◁参　考▷

スポーツの現況

1　県民体力つくりとスポーツの生活化

(1)　本土においては、日本政府の国民の健康、体力増強対策に基づき、都道府県ごとに3年前から県民体力つくりを推進する組織ができ活動を開始しているが沖縄ではいまその結成準備中である。

(2)　「スポーツの日」は1961年から住民の祝祭日になっているが、その日にスポーツ活動を行なっているのは青少年の一部に限られている。

(3)　各種スポーツ行事について

スポーツ行事は沖縄体育協会を中心に21競技団体、3大学体育団体、2高校体育団体、1中学校団体、6地方体育団体、これに市町村の体育協会の事業により盛んに行なわれているが、その内容については、いっそう充実する必要がある。

(4)　社会体育研究市町村の指定

本土の各都道府県は文部省から補助金の交付を受けて、社会体育研究市町村が指定されているが沖縄においては、まだ指定されていない。

2　指導者の養成と資質の向上

(1)　沖縄における社会体育の指導者はほとんど教育職員に依存し、市町村におけるスポーツ振興の推進にあたる体育指導委員の数が少ない。

本土と沖縄との比較

	沖　縄	本　土
委員数	81人	29,101人
人口比	11,533人に1人	都市 4,284人に1人 町村 2,234人に1人

(2)　指導養成研究会は、体育指導委員研修会と野外活動指導者研修会を行なっているので各種の指導者研修会を行ない内容の充実をはかる必要がある。

3　青少年スポーツの振興と職場スポーツの現況

(1)　スポーツを通して青少年を健全育成するねらいに4年前からスポーツ少年団が結成されているが、だんだんこれに対する関心が高まっている。（85団体、1,800人）

(2)　職場におけるスポーツ活動は比較的おおきな企業体だけにスポーツグループが結成されて行なっているが、組織の拡大強化や施設の整備等の措置を講じなければならない。

4　スポーツ団体の育成強化

(1)　スポーツ団体は沖縄体育協会を中心として、各種の団体があるが、その組織強化に必要な運営費補助がない。

(2)　ユースホステル協会をはじめ、サイクリング協会や体育指導委員協議会等は結成してまだ日が浅い。

(3)　本土の各府県には県レクレーション協会が組織されているが沖縄にはまだ結成されていない。

5　指導組織の強化

(1)　スポーツ振興の三要素は、組織、指導者、施設であるが、沖縄においては指導機構がまだつくられていない。

(2)　また本土の各都道府県においては、地方の教育庁に社会体育専任指導者を置いているが沖縄では社会体育専任指導者が置かれていない。

(3)　地方のスポーツ振興のための施策をたてるスポーツ振興審議会がまだ設置されてない。

6　スポーツ施設

(1)　奥武山総合競技場は1959年から建設をはじめ10年目を迎えるが、いまやっと施設の半分ができたばかりであるので早急に完成しなければならない。

(2)　羽地野外活動センターは1964年旧真喜屋小学校の校舎跡を改修して青少年の野外活動の拠点として使用している。宿泊所は80人の収容能力をもっているが、夏季の臨海学校はじめ選手強化合宿、ユースホステルや各種研修会場として利用され収容できない状況である。

(3)　地方スポーツ施設は下記のとおりでたいへん少ない。地方スポーツの振興をはかるためにその整備を急がねばならない。

施設種別	施設数
陸上競技場	5
野球場	2
水泳プール	9
弓道場	1
相撲場	1
学校運動場（兼用）	7
計	25

奥武山総合競技場建設状況

	完成年月日	規模
野球場	1960. 11. 30	本塁・センター間22m スタンド収容人員20,000人
陸上競技場	1965. 8. 31	第1種公認競技場 スタンド収容人員25,000人
同補助競技場	1968. 7. 31	250mトラック
庭球場	1964. 11. 20	4面
水泳競技場 (50米競泳プール)	建設中	A級公認プール
敷地造成	1966～1967	10,019.13坪
備考	1969年度予算＄59,546で飛込プール、練習プールを施工する予定	

理科教育振興総合計画

趣　旨

この総合計画は、理科教育振興法（1960年立法第62号）の精神に則り、1974年度を目標とする理科教育の振興促進に要する緊急且つ重要な諸施策をとりあげ当該教育における諸条件の拡充整備を図るためのものである。

1　基本方針

(1)　近代科学の進展に即応するよう理科教育の内容及び方法を改善する。

(2)　現職教育を強化充実し、指導力の向上を図る。

(3)　理科教育のための施設設備の充実を図る。

(4)　教員の養成計画を樹立し、その実施を図る。

2　具体的施策

(1)　施設設備の整備

ア　理科教室の必要数の完全充実を図る。

イ　理科教室の内部施設の改善充実を図る。

ウ　理科設備及び備品の本土並み整備充実を図る。

エ　教育研修センターにおける理科設備及び備品の拡充整備を図る。

(2)　教育内容及び方法の改善

ア　理科教育に関する調査研究を促進する。

イ　実験・研究校を指定し、その研究成果の活用を図る。

ウ　理科モデル校を各地区に指定し、設備及び備品を早急に充実させ、共通テーマについて調査研究し、学習指導の改善を図る。

(3)　各種研修会の開催による指導力の強化

ア　教育研修センターの活用による長期研修制度の拡充を図る。

イ　全琉理科指導主事の研究協議会を開催し、理科教育の研究及び資料の作成を行なう。

ウ　小・中学校指導者研修会、理科モデル校主任研修会を開催し、地区における指導者の養成を図る。

エ　高等学校理科研修会、女教師研修会、理科モデル校による研修会、へき地教師のための研修会、理科実験講習会、実験器具取扱い講習会、複式教科書取扱い講習会等を開催し、理科担当教師の資質の向上を図る。

(4)　学習指導の充実改善

ア　指導主事の学校訪問による指導を行ない、指導技術の向上を図る。

イ　教材研究会、授業研究会、視聴覚教材を取り入れた学習指導の講習会を開催し学習指導の充実改善を図る。

ウ　本土よりの派遣指導主事を教育研修センターに配置し、理科教育の指導強化を図る。

エ　理科関係教育研究会に対する助成を強化する。

(5)　教員の確保と適正配置

ア　教員の需給が円滑になされるよう、養成機関との密接な連繋を図る。

イ　理科担当教師の負担時数の軽減、理科助手の配置、小学校高学年における理科専任教師の適正な配置により学習指導の効率化を図る。

◁資　　料▷

現　　況

1　理科施設設備備品の充実

1966年11月理振法の理科教育のための設備備品の基準が改訂され基準総額が従来の約 2.1倍になり小学校約89万弗、中学校約 101万弗、高等学校64万弗となった。新基準での充実率は69年度末で小学校39%、中学校34%、高等学校34%である。

68年度予算は小中高校それぞれ58,000弗、57,000弗、3,000弗である。これは基準総額の5～6%相当額の収入であり、この現状では基準額に達するのに10年以上もかかる状態である。実験観察を主とする理科教育を考えると予算の増額が必要である。理科特別教室の設置状況も高等学校で68%、小中学校ではそれぞれ20%、55%で実験器具を各教室に持ち込んでの実験が多く、充分な成果は望めない。

2　理科教育のための諸調査研究の推進

科学技術の急速な進歩に伴ない、理科教育が重視され、その内容及び方法を改善するための研究は各国で盛んに行なわれており、沖縄においても実態に応じた理科教育の内容・方法を改善するための調査研究は1日もゆるがせにできない。

現在実験学校に小学校1校、研究校に小学校1校を指定して、テーマを設定して研究を続けている。

各地区に理科教育地区モデル校を下記のとおり指定し、全琉共通テーマで研究にあたり、中央発表大会をもってその成果を発表研究討議している。

北部地区小中各2校、中部地区小中各2校、那覇地区小中各2校、南部地区小1中2校、宮古八重山両地区は小中校各1校、計小学校9・中学校10校であり、また全琉理科指導者研究協議会（指導主事、琉大関係者）においても毎月1回例会をもち沖縄における理科教育について検討すると共に生物、地学に関する郷土教材の研究及び資料の作成を進めている。

3 指導力を向上させるための各種研修会の開催

理科教育の方法が次々と検討改善され、教育工学が広範にわたって理科教育に取り入れられつつある現在、現職教育は最優先されるべきことがらの一つである。

現状は指導者層を養成するための研修会として、長期研修講座（6か月の5人）小学校理科指導者研修会（10日30人）中学校理科指導者研修会（10日30人）理科モデル校主任研修会（1日2回、4日1回19人）その他の研修会として、下記の研修会を開催している。

高等学校理科研修会、女教師研修会（10日30人）理科モデル校をとおしての研修会、へき地教師のための研修会、理科実験講習会、理科器具取り扱い講習会

4 学習指導の充実、改善のための指導

学校を訪問して、直接授業をとおしての指導も必要欠くことのできないもので、年間計画に位置づけて実施している。又教育区単位の教材研究会、授業研究会の一連の行事をとおして学習指導の充実、改善をはかっており、69年度で全琉各教育地区を終了することになり、今後も引き続き実施する。

ここ、23年視聴覚教材が理科教育にふんだんに取り入れられ特に放送教育の利用が盛んになりつつあるが、現場ではその取り扱い利用法が不充分であり、そのための研修会も連合区毎に継続して実施している。

5 各種研究会（同好会）の育成

現場教師の自主的研究活動は、もっとも望ましいことで、これの育成は当局の指導行政の一つとして推進しなければならないことがらである。

現在補助金を出している団体は沖縄小中学校理科教育研究会、沖縄気象教育研究会、沖縄高等学校理科教育研究協議会の3団体である。

6 教員の担当教科と免許状

中学校理科担任教師が全琉で 446人で、そのうち免許所持者は 305人で全体の68.6%、臨免、教科臨免143人で約32%。高等学校においては、理科担任 247人中免許所持者214人で約87%。臨免、教科臨免33人で約13%である。

< 農業祭について >

北農、中農、南農の三高校で日頃の学習活動、クラブ活動、ホームプロゼクト等の成果を展示公開する農業祭が去る11月開かれた。

沖縄の農業は亜熱帯という恵まれた点もあるが、毎年やってくる台風、零細な耕地、第二、第三次産業との著じるしい所得較差、農業政策の不備など悪条件のもとで若い人々からソッポを向かれ、農業人口の老令化、更には減少傾向をたどっている。このような事情を反映して農林学校の卒業生のうち農村に帰るものは極めて少なく、ために教育関係者は「如何にして本来の農林学校の使命たる農業自営者の育成をはかるか」に日夜努力を続けてきた。そしてその努力は徐々にではあるが実りつゝある。

この展示が決して一夜づけのものでないことを思う時、新しい科学知識と技術を身につけ意欲的に沖縄農業の発展に取り組もうとする明日の農業自営者の姿をそこに見るのである。

視察報告

アメリカの学校施設（第2回）

◇沖縄のそれと対比しつつ…◇

施設課長　武 村 朝 伸

5. 校舎建築の資金

沖縄における校舎建築資金は、大部分日米両政府から支出される援助資金によってまかなわれている。ここ数年間の推移をみると次表の通りである。

	1966年度	1967年度	1968年度	1969年度
	$	$	$	$
米国援助資金	794,906	1,798,242	2,000,000	1,975,000
日政 〃 〃	117,919	1,231,000	1,582,131	2,377,356
琉球政府資金	1,169,967	1,580,598	1,640,965	1,722,219
合　計	2,082,792	4,609,840	5,223,096	6,074,575

これだけの資金で、公立学校318校、政府立学校43校、計361校の校舎を造ったり維持管理をしたりするわけで、高校や特殊学校などは政府立であるので、この分の校舎建築は勿論政府の直営事業で全額政府支出であるが、地方教育区の設立する公立学校校舎の建築などは補助事業でありながら、教育委員会法第136条の規定によって全額を右の資金の中から補助金として支出している。

本土においては、義務教育諸学校施設費国庫負担法により、小学校の校舎や屋内運動場は3分の1の国庫負担、中学校のそれは経費の2分の1が国庫負担となり、他は地方（県・市町村）の負担となる。

アメリカの校舎建築資金は、以上のような沖縄や本土とは大部おもむきを異にしている。

(A) 補助金

アメリカでは義務教育諸学校の校舎施設等

に対する建築費の援助はない。しかし州としては補助するところもあり、そうでない州もありまちまちである。ニューヨーク州、インディアナ州、カリフォルニア州などは、建築にある種の規制を加えて補助金を出しているという。

連邦政府としては、職業学校に対しては、法律により州を通じて市の教育委員会に50%の補助金を交付し、他の50%は地方に負担させる仕組みになっている。この場合、教育委員会からの申請は州を通じておこなわれ、国はこれをチェックして補助を決定し、州を通じて補助金を交付する。工事の監理や会計検査などは州政府の責任においておこない、連邦政府はこれをおこなわない。

(B) 公　　債

会員168万人を擁する全米教育協会の事務局次長リチャード・チャイルド氏は「子供の教育は父母の責任においておこなわなければならないとする考え方が徹底している。つまり教育は税金でやるべきものである。」と語っていたが、このような考え方から出発して校舎建築費の捻出に公債発行という画期的方法を米国の諸都市では打ち出している。学校の新設、移転、増築の場合、学校建設計画担当部局では、学校用地の購入、設計、整地、土質調査、施工等の建設計画を立案し、その財源を債券に求めようと、計画書を市民に配り、その発行の可否を決するため一般投票に付し、結果を待って事業を進める仕組みで、この種の計画は大方5カ年間の継続実施によって解決する場合が多いようである。これまでのところ投票によって否決されたことはないとのことであった。

職　業　学　校

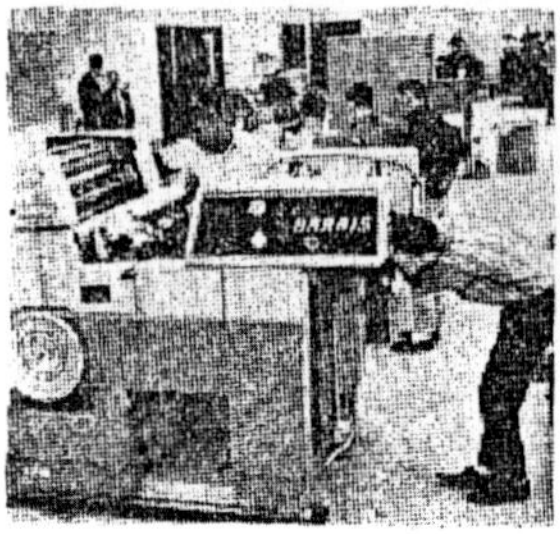

印刷実習

自動車修理

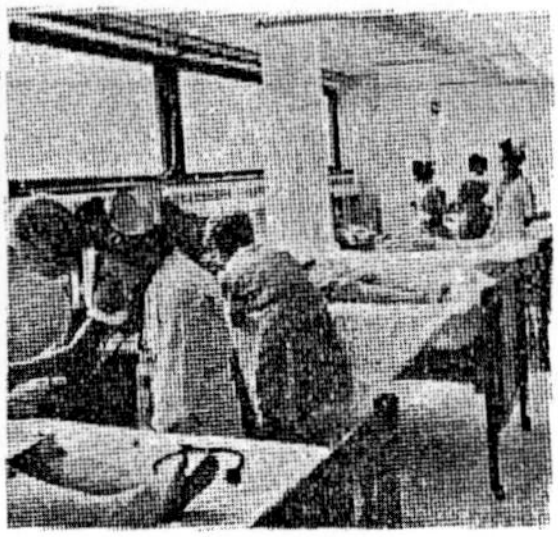

看護実習

投票によらないで債券を発行する場合もある。これは教育委員会の責任のもとに、法規に認められた範囲内において毎年債券を発行して校舎建築費集めをするもので、たとえばミネソタ州ミネアポリス市では200万ドル、その隣接都市のセントポール市では110万ドルと決められており、この場合には、一般投票に付することなく、教育委員会は限られた金額の債券を発行して、建築及び建物の維持管理に当らせるのである。

公債発行によりできた校舎

ミネアポリス　サウスウェスト高校

発行した債券の消化は、その都市や他の大都市にある証券会社が扱うが、地方の諸都市からシカゴとかニューヨーク市あたりに持ち込まれた証券などが消化不良を起こすことはまずないということであった。

売り込んだ債券の償還であるが、これは発行の翌月から市民の固定資産税に組み入れて徴収し、10カ年ないし30カ年計画で支払うのが普通である。

6. 学校新設は長期年次計画で

沖縄でも、アメリカでも、在籍の伸びていく地域があるが、そんなところでは学校を新設し、あるいは在籍の消長によっては分離統合により移転したり新設したりする。こんなときアメリカでは、実に長い時間をかけ、予算の工面、土地の購入、設計、入札、工事、竣工、そして開校という順序になるが、どの都市でも、整えられた新設計画の第一歩から開校までには５年間の日時をたっぷりととっており、中には７年がかりのところもあるほどだ。これについて沖縄の現状をみなれている読者には理解しにくい点もあると思うので、事例を挙げて説明することにしたい。

（その１）　ウイスコンシン州の首都ミルウォキー市の場合

５カ年で完遂する学校新設計画を樹立し、これに要する経費を市民の一般投票によって起債するかどうかを決定し、その結果によって起債、学校の新設をする。私たちが訪れたとき2,900万ドル（年平均580万ドル）の計画実施中であったが、丁度その日の土地の新聞に「２小学校の統合により、小校１つ新設さる」と写真入りの紹介記事が掲載されていた。その内容は次の通り。

写真のアレン・フィールド小学校は、1875年に創立され93年の歴史をもつウォターアレン小学校と、1893年に発足したユージン・フィールドスクール両校を統合してできる学校で、15か月後の1969学年度の新学年に開校する予定で、工事費139万ドル。中庭のあるこの学校では柔軟性のある授業ができるように幾つかのクラスルームのほかに、折たたみ式間仕切装置の教室も用意されている。（後略）

学校統合でできた新設小学校

なおこの計画が実現するまでには、次のような経過をたどってきたのである。

イ　学校新設委員会の結成

この委員会は土地購入折衝、新設計画、設計などにたずさわる。

ロ　土地購入に2か年（地主との購入費、補償費等の折衝）

ハ　設計、デザイン

教委事務局建築課が基本計画はなし、建設委員会の了解を得て設計事務所と契約。設計完了後再び委員会にかけ、承認を得る。これに1年6か月。

ニ　入　札

業者への指名通知、現場説明、業者の設計図研究、見積り検討等もあり、およそ6週間かかる。

ホ　建築工事

着工から竣工までに1年5か月かかる。

◎結局、計画段階から竣工まで5か年もかかるわけ。

（その2）　ミネソタ州セントポール市の場合

セントポール市のテクニカル・ボケイショナル・インステテュドは1966年4月に開校した同市では一番新しい学校であるが、債券発行によって建設することを1959年に市民の投票で決定し、敷地の購入、設計、入札、着工、竣工と計画通り進め、7年目に開校の運びとなったものである。

a　計　画

昼間生徒数	1,800人
夜間〃〃〃	6,500人

車収用能力	1,200台
水泳プールシート数	414
食堂椅子数	600

b 土地、建物

以上aの計画にもとずき、これらを収用できる敷地の広さと建物の大きさを決める。

土地	21エーカー
建物床面積	391,600 スクェアフィート

e 経費

土地購入費	355,000ドル
建築費	6,600,000ドル
調査測量	400,000ドル
設計費	850,000ドル
合計	8,205,000ドル

◎右総額のうち50万ドルは職業教育に対する連邦政府補助、残り770万ドルは債券で処理する。

セントポール職業技術学校

なお同市では、次の5か年間に、小校500万ドル、中校200万ドル、高校、特殊校各100万ドル、合計900万ドルで、学校施設の増改築を計画、近く一般投票に附すとのことであった。

（沖縄の場合）

以上のようなアメリカの学校新設等の説明をきくたびに思いやられるのが、沖縄の学校新設のことである。学校の設置計画、敷地の準備、設計、土質調査、施工等のすべてを開校の前年1か年間でやってしまうので、前記のようなアメリカのやり方とは月とスッポンの相違！でアメリカで5年ないし7年間という長時間と思い切った予算措置によって一歩々々確実な歩調で進めていく事業を沖縄ではたった1か年間で、しかもお粗末な予算で片附けていくのであるから

△建築工事が雨続きの天候にわざわいされると工期が遅れ、開校に間に合わなくなる（豊見城高校の場合）

△土地購入のための地主との折衝が長引き、あるいは設計図の調整に時間がかかったりしたため、学校発足当初の大事な時期によその建物を借りるなどの大騒ぎを演ずる（真和志高校の場合）

△地盤が弱いことがわかり土質調査後ふたたび、3度敷地変更をした結果校舎の3月完結ができず、他校の施設を借り受け間仕切りを施し、照明強化をはかり、高圧線引入れなど本来なら不必要なよけいな出費する。（中部産業技術学校の場合）

などの事態が発生して、世の非難を浴びた例も幾たびかあるが、これなど学校開設に必要なすべての業務をたった1か年でやってのけようとする無理な計画から生じた失敗であったと言えるであろう。

アメリカのように5、6か年などという十分な時間的余裕はとらないにしても、学校の新設や移転の場合には、開校予定の1か年前には、新敷地の整地を完了しておけば、前記のような非難は受けなくてもすむのではないだろうか。

7. 校舎の営繕

住宅でも公共建築でもそうであるが、建物の維持保繕には手がかかり、金がかかるものである。学校の施設も時が経てば、破損もするだろうし、設備、機械等の故障も起こるであろう。そんなとき関係者は時をおかず、手早く修理を施し、教育の機能低下にならないようにすべきものであることはいうまでもない。

さすがに持てる国アメリカのこと。デラックスな校舎をつくる努力をするだけでなく、既設校舎及び設備等の維持保繕にも万全の態勢を整えている。トウサン市（アリゾナ州）や、ミネアポリス市（ミネソタ州）、ミルウォキー市（ウィスコンシン州）あるいはその他の市の教育委員会も同じであるが、校舎建築を司っている建築計画課や施設課などとは別個の課を特設して（営繕課とか保繕課など）修繕や塗装などをおこなわせている。セントポールに例をとって、今少し具体的にその状況をみると、

セントポール市の校舎営繕状況

費目	予算額	生徒1人当り	1校当り	備考
営繕費	250万＄	53.2＄	26,600＄	学校専属掃除夫325人
光熱費	41万＄	8.8＄	4,358＄	小中高校94校分
修繕費	75万＄	16.0＄	7,979＄	カーペンター15人、機械工、シートメタル工含む修理工100人
消耗品費	7.6万＄	1.6＄	809＄	上記修理工の使う資材費
大修繕	25万＄	5.3＄	2,700＄	柱、屋根、梁等の修繕

註、人口40万人、小学校66校、中校13校、高校10校、職業学校5校で、総在籍47,000人

△専任の掃除夫や大工、修理工を常置

大工、機械工、ペンキ工、熔接工などを営繕課に抱えているので、破損、故障があれば直ちにこれらの職員を学校現場に派遣して修理にあたらせる。これに必要な資材もつねに準備されている。

こんな調子であるので、アメリカの学校を数多く廻ってみたけれど、校舎など古い時代の建物でありながら、定期的な塗装のおかげで古臭さがなく、1枚のガラス破損さえみたことがなく、校舎内外に紙くず1枚も落ちてなくその上校地内は手入れの行届いた芝生で飾られ、植込みのある校庭には星条旗もへんぽんとひるがえるなど人間教育の場にふさわしい環境づくりに徹している姿を読みとることができるのである。

△屋根、柱、梁などの大修繕は、児童生徒のいない夏の休業時にやっている。これなど修理工事で学習の邪魔をするおそれもなく、何の気がねも要らず安全に工事を展開できて結構なことである。これについて、沖縄でも8月の休暇期間を利用して修理工事や諸施設の工事を実施すべく計画し推進したがついに失敗に帰した苦い経験を思い出す。と言うのは沖縄は予算成立が6月、しかも大ていの年は暫定予算が組まれ7月は事業費なしの場合が多い。たとえ予算が7月から使えるにしても8月の工事実施に備えての設計図の作成が不可能なため、みすみす8月の休暇も工事見送りの余儀ない状態に追い込まれてしまうわけ。

歴史は古いが常に装いを新たにする校舎（ジョプリン市の中校）

最後に学校施設設備の安全について触れよう。これにはビルディングコードと言うのがあるが、これは完成した建物が、地震、火災等不慮の災害に見舞われても、中に居る児童生徒の安全確保ができるようにとの配慮によってつくられたもので、パシフィックコード、サウザンコード、セントラルコードなどがあり、例えば太平洋岸など地震のある地帯では耐震建築を意図してパシフィックコードをつくるなど、地域の特性を考慮しての安全対策がおこなわれている。

なお設備の安全についても例えばボイラー

など定期検査での安全性を確認していたのは沖縄と同様であった。

あとがき

以上、沖縄の校舎施設等と対比しながら、アメリカの学校施設の状況をみてきたわけだが、桁はずれに大きいアメリカと針先程度の沖縄とでは比較にならないほどのものもあって、アメリカの校舎事情の優れた点のすべてをそのまま取り入れるわけにはいかないが、出来る範囲内において、あるいは少々の無理を押し切ってでも、その良さを消化し吸収して、他山の石として大事に扱いたいのである。

今、われわれが直面している「緊急にして、もっとも重要な課題」は学校施設等についての「本土との較差是正」である。個々の学校施設の保有状況は次表のように余りにも

施設別保有率

1968.6.30現在

施設名	保有率
普通教室	97.3%
管理室	28.9
特別教室	23.1
便所	14.4
屋内運動場	2.5
水泳プール	2.2
給食準備室	36.1
図書館	26.1
へき地住宅	17.6
へき地集会所	0
へき地学校風呂	0
へき地寄宿舎	20.0

お粗末である。できるだけ早く量の拡充をはかるとともに「学習のしよい校舎、効果的な授業のできる教室」をモットーとしての質の改善もはかって、この面における較差を取り除くようにしなければならないし、さらにてんでんばらばらに校地内に分散配置されている既設校舎を渡り廊下で連結したり内部充実をはかったりなど、やるべきことが山積している。

このように「緊急にして最重要な課題」を解決するために「他山の石」の良さを大いに活用して問題解決にあたりたいと考えるのであるが、それにはまず次の6点に焦点をしぼっておきたいと思う。

△校舎等学校施設の問題点

本土との較差是正

- Ⅰ 量の拡充
- Ⅱ 質の改善
- Ⅲ 既設校舎の整備

1 設計の問題
- a 外註費の確保・増額
- b 標準設計からの離脱

2 構造上の問題
- a 建物の分散配置を改め同一棟内に集中する
- b 不適格校舎の整理
- c 老朽校舎の解消

3 校舎建築機構上の問題
- a 建築機構の簡素化
- b 事務手続きの迅速化

4 建築資金について
- a 援助資金（日・米）の増額
- b 自個資金の増額

5 学校の新設移転について
- a 時間をたっぷりとって確実な仕事を！

6 校舎施設の維持、管理
- a 思い切った予算措置

進路指導講座＜第三話＞

能力・適性のはあくとカウンセリング

教育研修センター主事　上　原　敏　夫

Ⅳ　観察指導課程をめぐって

1　ヨーロッパ共通学校卒業資格

観察指導課程（フランス）がわが国には従来から行なわれていたかのような印象をことさらに強調する観察指導というキャッチフレーズで紹介されるようになったのはなぜでしょうか。この疑問に対しては多少まわりくどいのですが、ＥＥＣ（欧州共同体）のヨーロッパ共通学校卒業資格について述べることが先決のように思われます。ご承知のとおり、ルクセンブルク、ベルギー、フランス、西ドイツ、イタリヤおよびオランダの六カ国で構成するＥＥＣはその教育政策でも世界各国から注目されております。15年前（1953）に結成されて以来さまざまな障害―たとえば農産物の価格の取り扱いについての不一致から大きな政治問題にまで発展し内部分裂の一歩手前までいったことなど、をのりこえてそれぞれの国家主権を保有したままでの欧州統合を着実におしすすめてきています。その歩みに即した教育政策も当然生まれてくるわけであります。その教育政策をもっとも端的に示すのはヨーロッパ共通学校卒業資格であります。この資格はヨーロッパ学校法（1957）にもとづく所定の学校を卒業することによって与えられます。この資格をもちますとヨーロッパのどの国の大学へも入学する資格が与えられます。この学校へ入学する前後が観察指導課程の素地をなしております。

要するに、観察指導課程の導入をめぐってあえて課程をとり観察指導としたのもひとつにはそれを生み育てる社会風土にあまりにも相違があるからにほかなりません。

2　観察指導の前提になる能力・適性のはあく

「この50年間にソ連の大学生は30倍、日本の学生は60倍」（朝日新聞昭和43・7・17付）になりました。こういう〃大学大衆化〃時代になりますと大学卒業者も現場従業員になれという声が出てくるのも当然のことでありましょう。現実に大学卒を現場従業員に採用する企業（東京）があらわれ関係者に大きな反響をよびました。これが突破口になって、今後こういう傾向がどんどんふえていくことが予想されます。といいますのも数年とまたず中卒より高卒が多くなり、さらに数十年後には大卒が中卒より多くなることが統計上はっきりしているからであります。

いずれにしても学歴より実力本位にならざるを得ないのが大学大衆化時代のおもむくところです。こういう潮流を背に適性をより一層のばす方向で進路の指導を考えようという雰囲気ができつつあるところへ観察指導課程がはなばなしく登場し、それが日本へは観察指導—能力・適性にかなった指導というふうに直線的に考えられるようになりました。

要するに観察指導という場合能力・適性のはあくが前提になっているということです。

そこでこの項では問題提起のみにとどめますが、生徒の適性をはあくするのに㋑教師は十分な体勢をととのえているか㋺適性を評価する方法に習熟し満足すべき状態にあるかということです。

第三話では教師は生徒の適性をはあくする方法に満足してよいほど習熟しているという仮定にたって以下観察指導の成果を左右するカウンセリングについて述べましょう。

V　積極的なカウンセリング

1　能力の適性のはあく—積極的なカウンセリングへ

非行対策の一環としての消極的（治療的）なカウンセリングに対して、生徒の能力・適性をはあくし、それにもとづいて明るい将来の生活設計をするための相談活動を積極的なカウンセリングとして考えることができます。明るい将来の生活設計の骨組みの青写真をカウンセリングにたとえることができれば、はあくされた能力・適性はその骨組みの素材にたとえることができます。

同じ青写真であっても生徒自身がえがくのと教師がえがくのと同じとは限りません。むしろ同じでない場合が多いといえます。青写真をえがくのに必要ないろいろな条件をよくととのえて持っている教師と、もってはいてもよくととのえてはいない生徒とでは出発点からすでにギャップがでてくることは当然であります。

このギャップを生じせしめる理由のひとつは価値の意識の違いであります。価値意識はそのまま職業の社会的位置と深いかかわりあいを持ちます。職業によって日常生活の様式あるいは価値の体系化に相違がでてくることはこれまで数多くの研究で明らかにされています。生活様式をどのようにするかということは同時に生活様式を左右する職業の価値の体系化をどう受入れるかということになります。

それを受入れる態度は適性のはあく（教師の立場）あるいは自己理解（生徒の立場）の程度によって影響されます。時計の振り子のように左（適性の過少評価）と右（適性の過大評価）をたえずゆれ動いているのが多くの生徒の自己理解の実情でしょう。左右の振幅が大きい生徒ほど動揺も大きいといえます。左右の振幅の程度をよく見きわめた上で教師の立場からはあくした能力・適性等を加味したものを中軸に生徒自身の明るい将来の生活設計の青写真作りをする過程が積極的なカウンセリングだといえます。

このように能力・適性のはあくはそのまま積極的なカウンセリングへ必然的、発展的に考えられてきます。

2　カウンセリングにおける能力・適性に関する資料

能力・適性に関する資料には次回にふれる検査結果を含めていろいろあります。少なくともここでは、はあくする方法について述べることより、はあくされた資料をカウンセリングを通してどう解説し、自己概念の確立に、あるいは自己理解の促進に寄与できるかということに焦点をしぼって考えてみたいと思います。なぜかと申しますと、それが観察指導の大きなチェック・ポイントになるからであります。

ところでソビエトの学校に配置されておりますクラス・アドバイザー（担

任とは別）は担当したクラスを卒業するまで学年持ち上りで世話し、長期にわたって同一生徒のカウンセリングを引受けております。ピオネールやコモソールなどの学外の組織活動のプログラムの立案を含む広範囲の職務を遂行しております。保護者の勤務地における生活様式から生徒の能力の適性を評価した資料にいたるさまざまな情報を整理し縦横に駆使してカウンセリングを展開しています。

このクラス・アドバイザーのような役割を観察指導の担当者すべてに期待するのはもちろん無理な注文といえます。しかし少なくとも観察指導を身をもって実践しようという場合、能力の適性について整理された資料を駆使したカウンセリングの進め方に習熟しておくべきだと思われます。

3　資料に関する無関心と否定的態度をさけること

積極的なカウンセリングでもっとも重視されなくてはならないのはカウンセリング関係内にある生徒と教師、とくに前者が能力・適性の資料に無関心であったりあるいは否定的態度を示すことです。これは積極的なカウンセリングを進めていくために第一に考えなくてはなりません。生徒自身が自己の能力・適性に無関心であるときこのカウンセリングの成立はおぼつかないものです。ですから積極的に関心をもたせ肯定的な態度をもたせる工夫が大切でありましょう。

ところでどういう場合にカウンセリングの場において無関心あるいは否定的態度を示すのでしょうか。これにはいくつかの理由が考えられます。これには次の二つが考えられます。一つには生徒自身が考えていることとあまりにもへだたりがあり信頼する気になれない、黙殺しても一向にさしつかえないという感じを生徒がもつ場合です。二つには予想だにしなかったことが資料に出ていて不安な気持を強くもちすぎる場合です。

このようなことから積極的なカウンセリングをすすめていく場合にはことのほか能力の適性に関する資料の取り扱い方に細心の注意を必要とします。無関心をなくし肯定的な態度へ方向づけるにはカウンセリングを担当する教師の側にこういう前提が必要になります。すなわち教師がもつ整理資料は妥当なものでしかも信頼できるということ教師自身この資料について専門的な訓練と体験をもち絶対的な信頼を受けているということであります。

観察指導の強化ということは当然のことながらこの前提にたっているものでなくてはその成果は期待できません。なぜならこの前提にたってのみ積極的なカウンセリングは効果的にすすめられる性質をもつものだからであります。

観察指導は文字通り解釈しますと、観察し指導することですが、この観察には能力・適性というきわめてあいまいな抽象的概念がつきまとっています。いきおい音楽の才能などという比較的客観的に観察できるのは別ですが、多くの場合教科その他諸検査の結果にたよらざるを得ません。観察には評価がともなうことは以上のことからみましても否定できません。観察がいうほど簡単なものでないゆえんであります。

適性の概念について比較的注目される〃状態概念〃（豊原恒男氏）という考え方は興味があります。企業でそのポストにうまく適応しているものを適性があるといいます。これをさらに三つに分けます。すなわち職務適応、職場適応および自己適応であります。これを学校における生徒にあてはめて、学業適応～教科をこなす知的能力、学校適応～学友関係の円滑さ、自己適応～あるがままの自己を受け入れる、というふうに適性を観察することができます。

一方指導という場合観察された結果が生徒ひとりひとり違いますので原則として個別指導ということになります。教師の労力的、時間的限界などのため必ずしもこの原則どおりにはもちろんまいりません。しかしたてまえとしてはそういうことになります。個別指導即カウンセリングと言うといいすぎになりますが、少なくともカウンセリングは個別指導のひとつの態様をなしております。

1968年度教育関係 10大ニュース

調査計画課選定

1. 沖縄で初の主席公選行なわれる

1968年2月1日第36回定例立法院本会議におけるゼネラルメッセージでアンガー高等弁務官は沖縄の行政主席を住民の直接選挙によって選出できること、その時期は11月になること、そのための行政命令の改正にはすでにジョンソン大統領の署名ずみであることを明らかにした。7月12日には行政主席選挙法が可決され、10月21日には選挙告示が出されたが選挙戦はすでに終盤に入ったといわれるくらいはげしいものであった。11月11日開票結果は革新共斗会議推薦の屋良朝苗氏が初の公選主席となった。

2. 共済組合法の立法により 教職員の共済制度は本土なみに

教育界多年の悲願であった教職員共済制度の改善は「公立学校教職員共済組合法」及び同法施行法の署名公布（8月29日）により1969年7月1日から本土なみに実施されることになった。この共済制度の確立は沖縄の教職員の福祉の大幅な向上だけでなく、安んじて教育に専念できる上で大きな意義があるといえよう。

3. 甲子園で興南高校の球児健斗

第50回全国高校野球選手権大会が今年も8月9日から甲子園で開幕、熱戦をくりひろげた。郷土の与望をになって出場した沖縄代表の興南高校チームはその「魂、知、和」のファイトで、第1回戦に岡谷工高（長野）を打ち下し、第2回戦では岐阜南高に逆転勝ち、第3回戦には甲子園7回出場の伝統をもつ海星高（長崎）を、第4回戦は東北旋風をまきおこし優勝候補の津久見高を破った盛岡一高（岩手）に打ち勝って準決勝へ進出した。結局決勝進出はならなかったが興南高校には勿論沖縄の球史上はじめての快挙となった。

4. 灘尾文部大臣教育視察のため来沖

9月25日～28日までの4日間灘尾弘吉文部大臣が沖縄の教育事情視察のため来島した。戦後文部大臣の沖縄訪問は63年の荒木大臣、65年の中村大臣についで3度目である。視察は沖縄本島から先島まで広く行なわれ、台風災害の見舞として平良第一小学校（宮古）や比屋定小学校（久米島）へ図書の寄贈も行なわれた。

5. 琉大に保健学部発足

1965年8月沖縄を訪問した佐藤首相の「琉大に医学部を設置したい」とい

う公約は3年間の準備期間をへていよいよ1969年4月から学生を募集することになったが、それに先だって6月1日池原貞雄琉大学長は新垣義一保健学部長事務取扱いほか学部スタッフを任命して保健学部事務室を発足させた。

6. 開南小学校、臨海学校（具志川海岸）で皮膚炎を起こす

7月21日、那覇市の開南小学校六年生 237人が具志川市の具志川小学校で臨海学校を開校し同日午後4時ごろ具志川海岸で海水浴したところ、生徒全員が目、口、からだに原因不明の皮膚炎を起こした。夏休み初日のこのような事故は他の学校にも大きなショックを与えた。この事故の原因をめぐって、基地公害か工場の廃液か微生物によるものかなど、いろいろ論議がなされた。

7. 沖縄教育研修センター庁舎落成

1968年度本土政府援助（10万ドル）を得て工費32万ドルで建築がすすめられていた沖縄教育研修センター（那覇市首里）は12月に完成した。同センターは教職員の資質向上のための入所研修を含む長期及び短期の研修活動など総合的な教職員研修活動の拠点になることになっている。

8. 沖縄教育水準の向上をめざして文教審議会開催さる

行政主席の諮問機関である文教審議会が2月1日に開催され、委員19名（委員長安里源秀氏）が任命された。諮問事項は「沖縄の教育水準を本土なみに引き上げるための、教育の一体化などのようにすすめるべきか」であり、そのうち教職員の福祉について（3月14日）、教育施設設備の整備充実について（8月26日）が答申された。

9. 政府立高校の教職員定数に関する標準法（略称）の制定

先に義務教育諸学校の学級編制及び教職員定数の基準に関する立法の制定によって公立小中学校における教職員定数は1968年4月に本土並みに確保されたが、去る8月に「政府立高等学校の適正配置及び教職員定数の標準等に関する立法」が署名公布され、高校及び特殊教育諸学校高等部の教職員定数も3カ年計画で1971年4月に本土並み水準に達する目途がついた。

10. 八重山の教員人事で紛争

石垣区から竹富区への教員人事異動（14人）をめぐって連合区と八重山教職員会との間に紛争が起こった。始業式をひかえその早期解決が望まれたが、ついに裁判所への仮処分申請にまで発展し、中教委・文教局・沖縄教職員会の調停によって57日間にわたる紛争も終結した。同じ頃、登野城小学校から平真小学校への一部分離をめぐって父兄との間で紛争がおこった。

社教主事ノート　＜2＞

社会学級指導者研修会に参加して

社会教育課主事
半　嶺　当　吉

去る十月上旬中部社会学級指導者研修会が開催され、私も参加する機会を得た。初めに「魅力ある学級にするための学習の方法はどうあればよいか」という共通テーマについて、四分科に分れて分科討議を行なったあと、全体討議でそのまとめを発表し、次に「子どものしつけ」と題する映画についてフイルムフォーラムが実施され、フォーラムはバズセッションの形で行なわれた。

討議の後学習の形式が変わり、映写の時間に入ると、会員は新たな気分と期待をもってスクリーンに向い、しかも家庭教育の中心ともいうべき「子どものしつけ」という映画なので、みんながそれぞれわが身に引きあてて真剣に鑑賞しているようだった。また分科討議等で発言する会員は指折り数える程度であるが、バズセッションでは、ほとんど全員が発言しているようで、この研修会では、学習の方法でフイルムフォーラムという形式を示し、参加会員の100%発言ができたとあとの反省会で主事一同が話し合ったことである。

社会教育における学習の方法がとかく千編一律に流れて、参加者の学習意欲をそぐようなことがないだろうか、どうしたらみんなを喜んで学習に参加させることができるだろうか、と私たちは常に魅力ある学習の方法を求めてやまない。現在世界各国で行なわれている社会教育の方法を調べてみると、30から40もの方法が活用されているとのことで、私たちが現在とっている方法は、10から15ぐらいのものであり、今後この方面は大いに開拓しなければならない分野である。それにはいつも単一な教育の方法にばかりよることなく、あらゆる教育技術や方法を駆使して全体としての教育計画に変化を持たせ、そのために視聴覚教材等を十二分に活用することが必要である。そういう意味で前記のフイルムフォーラムは効果的であり、更にスライドフォーラムやテープフォーラム等もどしどし活用すべきであろう。そのための施設として、私たちはかねてから予算部局に視聴覚ライブラリーの設置を要望しているのである。

討議法、話し合いの参加者や学習内容や、時と所に応ずる適切な活用、小集団学習との結びつき等によって、前述のような参加者の100％発言をみることもできると思う。

また学習内容に適合する図書や新聞、自作教材、その他の資料等をテキストとして活用することによって、参加者の学習意欲を高めることもできよう。私が学校現場にいたころ、毎月ＰＴＡ広報部で教育に関する連載ものを載せた「ＰＴＡ新聞」を発行して各部落教育隣組定例会の際組員に配布し、それをもとにして話し合いを進めたところ、話し合いがいつも活発に行なわれ、教育隣組の話題がなくなるということはなかった。

さらに各種集会や学習活動の中に適宜レクリエーションを取り入れることによって、それらを一段と魅力あるものにすることができると思う。時期、場所、対象に即応し、地域性を生かし、みんなが喜んで気軽にできるようなレクリエーションの研究が望ましい。それには指導者がじゅうぶんその実技を体得していること、資料を数多く提供することが必要である。私が以前に婦人学級を担当していたころ、講座のあとには必ずレクリエーションの時間をとり、歌謡民謡等の歌詞のプリントを学級生に配布し、それを三味線伴奏で指導したり、室内ゲームやダンス等を実施したり、いろいろとくふうしてやったところ、みんなからとても喜ばれたものである。

今でもあのころの学級生や父兄らに会うと、「校長先生、あのときの婦人学級や隣組常会はほんとに有益で楽しかったですね。」と言われる。その一言を聞いただけで、今まで苦労したかいがあった、という満足感で胸は一ぱいになる。最近学習活動のための各種資料が、社教団体や当局によって続々と発行されつつあることは、ほんとに喜ばしいことである。こうした資料や施設を整え、教育の方法にふだんのくふうを加えていけば、参加者もまた学習することに心からの喜びを見いだすようになると思うのである。

<教育関係法令用語シリーズ> (8)

教育の中立

総務課法規係長　祖　慶　良　得

はじめに

行政主席と立法院議員の選挙をふり返ってみて、その争点の一つに教育の中立性についての論争があったことは未だに記憶に新しいところである。

教員の政治活動の是非をめぐって連日紙上を賑わし、保守・革新両勢力とも、それぞれの理論斗争をくりひろげていた。なかでも教育の中立を推進するという名目でいくつかの団体が結成されたりしたことは、特異の事例として注目される。かかる経緯にかんがみて、ここで教育の中立について考察してみることも有意義なことではないかと思い、あえてこの問題をとりあげた。

1　意　　義

教育行政の一般行政からの独立のことを指して教育の中立と混同されることもあるが、ここにいう教育の中立とは、教育の政治的中立性のことである。近代国家における教育は、国の一つの機能としてとりあげられ、国家の教育政策のもとに国政全般、特に立法による影響を受けて、行政作用として行なわれることから、政治的に中立でなければならないとされるのである。国家が教育を自分の一つの機能としてとりあげ、教育政策を立て、教育に関する立法を行ない、それによって教育行政を行なっているが、このように国家が教育に関与することは極めて当然のこととされている。しかしながら、教育は人間形成の作用であって、本来政治とは異質のものなのであり、また教育の効果は測定することが困難な無形のものである。従って、国家は眼前の功を目当に現実的な権力を教育に及ぼすべきでなく、一党一派の影響や支配が及ばないようにしなければならない。政治のような現実的な権力作用を排除することによって、将来にその成果が期待されるのである。このような理由から教育の中立性が要請されるのである。

2　現行法における措置

沖縄の教育行政は、四権分立といわれるくらいに一般行政からの独立性が強い。一般行政からの独立そのものが教育の中立ではないが、これが中立性を確保するための強力な措置であることは論ずるまでもない。

現行の教育委員会法は、教育が不当な支配に服することなく、住民全体に対して直接に責任を負って行なわれるべきであるという理念のもとに、政府には中央教育委員会を設置し、地方には一般行政とは別に、地方分権化された教育区（及び連合教育区）を設置し、その最高機関として教育委員会を置いてある。

中教委は、政府の教育政策を設定し、執行する独立行政委員会であり（1966年7月以降大学行政は琉大委員会と私大委員会の設置により分離）、その事務局長であり、かつ主席の補佐機関でもある文教局長の任免について主席に推薦又は勧告する。これは、本土において文部大臣が政党員であり、政党内閣の建前から政治と教育の分離が現実的に行なわれていないのとは、大きな差異がある。そして地方においては、教育税が廃され、予算の議決権が市町村議会に移されはしたが、なお教育区は法人格を有し、本土の行政委員会に比した場合、人事権の強力さや準立法機関ともいうべき機能等において独立性が非常に強いものとなっている。このような教育行政機関はまたその合議体委員の選任について、中央においては教育区の委員による間接選挙を、教育区の委員は住民の直接公選を行なうことによって、一層強化されている。さらに財政面における二重予算の制度の採用等がある。

教育の中立性は、教育行政にたずさわる職員に対しても要求される。本土の場合公務員法や教育公務員特例法によって政治的行為が制限されているが、沖縄においては、政府公務員たる職員についてのみ公務員法の制限があるだけで、地方教育区の職員については身分法がない。なお本土の場合、「義務教育諸学校における教育の政治的中立の確保に関する臨時措置法」によって、いわゆる政治教育を禁ずる旨の規定があるが、この規定によっては逆に不当な介入をまねく恐れがあるとの批判もある。

さらに教育施設における措置としては、学校や公民館における政治的活動を禁ずる旨の規定がある。

3　中立の理念と実際の運用

教育委員会法は、教育行政が住民の意思を反映し、しかもそれが不当な支配に服しないようにという基本理念にもとづき、合議体の独立行政機関として教育委員会を設置し、これによって個々人の恣意や独断を排除するとともに、不当な支配力に対する抵抗力を強めることを意図したものであり、本土においては、旧教育委員会法から「地方教育行政の組織及び運営に関する法律」にかわっても、教育委員会制度は踏襲されている。しかし、旧法が委員を住民の直接公選によって選出したのを、議会の同意の下に地方公共団体の長が任命することにし、過半数が同一政党に所属しないようにする制度に改められた。旧法は公選首長による不当な支配を排除する点に重きを置いたものであったが、これは、委員の直接公選にともなう政治的対立の教育行政への介入をさけ、かつ、委員構成の政党的片寄りをさけようとする趣旨によるものだとされている。

沖縄においては、1964年12月の中教委の委員の通常選挙に際し八重山地区で、現行の委員会法の不備をついて、小数派が集会をボイコットし、それによって選挙を不成立に終らせた例があり、さらに都市地区における1966年の選挙に際しては、選挙人の色分けが選挙前から明らかになり、勢力は半々ずつ対立していたのでクジで決するという例があった。地方では、極度に教育に無関心な教育区が多く、無投票で委員を選出してきたが、選挙の行なわれる教育区では、委員会運営について組織的対立をみることがある。たとえば那覇その他の教育区において委員の同数ずつの対立をまねき、委員会法第20条による補充委員の選任ができなかったような例もある。将来においては、教育委員の報酬や期末手当の増額傾向などにかんがみ、地方でも激しい選挙戦となることが予想されている。そして組織を背景に教育委員の地位が党利党略の手段として争われることになれば、これが選挙後の委員会運営に持ち込まれ、現行の制度が一般行政の面からの政治的介入を排除し、教育の民主化を図ろうとしたのに対し、教育行政そのものが権力化し、あるいは体制化する恐れが生じてくる。さらに現行の教育行政制度は、その細分化した独立性から人事の広域交流の欠如、人件費のぼう大化等の難点があり、独立のカベの中なるがゆえに世論の厳しさをのがれ、ぬるま湯にひたるということが最高の責任者に対する解職請求の権利が明定されていないことによって暗示されている。教育委員会法における理念と現実のギャップは、年とともに大きくなってきたようであり、再検討のせまられている問題である。

1968年度学校基本調査　小中学校の学校数、学級数、児童生徒数

教育区	小学校			中学校		
	学校数	学級数	児童数	学校数	学級数	生徒数
全琉計	241	3,861	141,989	155	1,949	795,756
公立	237	3,851	141,768	151	1,930	77,038
国頭	9	55	1,516	7	30	902
大宜味	4	28	795	4	17	524
東	3	18	517	3	11	294
羽地	4	40	1,283	2	20	784
屋我地	1	13	432	1	7	262
今帰仁	5	60	2,057	4	31	1,187
上本部	3	25	671	1	11	444
本部	8	71	2,457	7	42	1,436
屋部	3	20	642	1	9	303
名護	4	78	2,981	2	37	1,575
久志	5	38	1,004	5	18	500
宜野座	3	20	579	1	10	352
金武	3	39	1,244	1	17	703
伊江	2	37	1,398	1	17	742
伊平屋	4	21	588	2	10	309
伊是名	2	24	886	1	11	469
計	63	587	19,050	43	298	10,846
恩納	5	42	1,304	5	24	761
石川	3	61	2,249	1	34	1,369
美里	4	86	3,310	2	42	1,773
与那城	5	75	2,584	3	17	582
勝連	5	67	2,300	3	48	2,058
具志川	7	148	5,492	3	72	3,072
コザ	6	195	7,860	3	102	4,248
読谷	4	89	3,356	2	43	1,842
嘉手納	2	56	2,302	1	27	1,171
北谷	2	48	1,773	1	20	745
北中城	1	28	1,104	1	14	573
中城	4	44	1,651	1	23	972
宜野湾	4	128	5,173	2	64	2,737
西原	2	40	1,532	1	22	901
計	54	1,107	41,990	29	552	22,804
浦添	4	125	5,101	2	59	2,432
那覇	22	826	33,659	11	403	17,639

教育区	小学校			中学校		
	学校数	学級数	児童数	学校数	学級数	生徒数
(久) 具志川	2	25	840	1	12	461
仲里	5	46	1,569	3	22	875
北大東	1	6	173	1	3	78
南大東	1	13	516	1	8	249
計	35	1,041	41,858	19	507	21,734
豊見城	3	50	1,876	1	22	971
糸満	7	149	5,492	4	75	3,053
東風平	1	37	1,523	1	22	853
具志頭	2	34	1,179	1	15	625
玉城	3	45	1,574	1	21	887
知念	2	30	984	2	16	567
佐敷	1	33	1,255	1	18	713
与那原	1	32	1,278	1	20	802
大里	2	33	1,127	1	15	602
南風原	1	39	1,556	1	21	861
渡嘉敷	2	8	193	2	4	99
座間味	3	14	249	3	8	173
粟国	1	12	349	1	6	180
渡名喜	1	7	225	1	3	126
計	30	523	18,860	21	266	10,512
平良	10	138	5,089	7	74	2,881
城辺	4	73	2,607	4	38	1,489
下地	2	25	827	2	15	485
上野	1	21	758	1	12	419
伊良部	2	51	2,091	2	25	996
多良間	2	15	470	1	7	220
計	21	323	11,842	17	171	6,490
石垣	17	191	6,279	9	96	3,657
{旧石垣	7	120	4,339	6	65	2,502
旧大浜	10	71	1,940	3	31	1,155
竹富	14	56	1,142	11	30	635
与那国	3	23	747	2	10	360
計	34	270	8,168	22	136	4,652
松島	—	—	—	1	12	671
澄井・稲沖	2	2	8	2	4	28
私立	2	8	213	1	3	19

(注) 与勝中学校 (学級数39、生徒数1,780人) は勝連区教委に含めた。

◁学校めぐり▷ (4)

高離（たかはなり）の子どもたち

――宮城小中学校――

（渡嘉敷兼保校長）

1. 宮城島へ

屋慶名の桟橋を12時に出港する連絡船明星丸（7～8t）は籔地、浜比嘉、平安座の間をぬうように進みおよそ1時間半程で宮城島の池味桟橋についた。といえば楽しい遊覧船の道行きに感じられるが、干潮時や風の強い日の航海は困難で時には池味への便船がとだえることもあるという。船上、話し好きな老人が話題になった石油コンビナート用地をめぐる島人のようすを話してくれたが、海岸一帯に白く塗られた測量のためのあざやかなペンキが何かしら心残りの気持をあらわしているように思えた。

池味の桟橋からかなりの坂道をあがること約20分、宮城部落の南のはずれ更に一段と高い「赤土森」の上に訪問校宮城小中学校はそびえ立っていた。

2. 教育環境

本島からみる宮城島はまわりを急な海崖にかこまれ、およそ120 mのテーブル状の段丘面がまわりの島よりひときわ高く俗に高離とも呼ばれている。島の人達は愛想よく親切だ。道でゆき交えば必ずえしゃくして挨拶をかわし、道をきけばていねいに教えてくれる。古きよき時代の沖縄がここにある。

人々の生業は主として農業であり、その他水産、大工、軍作業、渡船業などもある。耕地に恵まれているわけでもなし、都市との所得や文化の較差はご多分にもれず挙家離村あるいは出稼ぎを多く出し、年令別人口構成はいちじるしく生産年令層の欠如をあらわしている。中学校卒業者のうち島に残るものは殆んどいないという。このような状態は何も離島に限られることではないが、ともかく学校教育への関心を高めるため先生方は母親学級や教育隣組の育成強化に力を注いでいる。

3. 学校の現況

宮城小中学校は明治23年宮城簡易小学校として発足し、やがて80年になろうとする。現在教員は小学校15人（男6、女9）、中学校13人(男10、女3)、児童生徒数は小学校360人、中学校261人の小規模校である。しかも在籍数は幾分減少傾向にありいわゆる過疎の悩みがきざしている。

学校の施設設備の面では何といっても離島故に電気設備の不備が痛い。視聴覚教材が十分利用できるよう電気設備の整備に力を注ぎたいという校長先生の話の中に児童生徒への無限の愛が燃えていた。

4. 先生方のこと

日々進みつゝあるもののみが教える資格があるという。宮城小中学校の教育方針の中の教師像の一つに「日々進み、きびしさのある教師」というのも校長先生をはじめ先生方のこのような心構えを示したものであろう。それだけに校内研修、校外研修には意欲的にとっくんでいる。どの学校でも年間の研修計画があるが問題はその計画をどの程度実践しているかということであろう。宮城小中学校の場合はチームワークのよさもあってほとんどの研修計画を消化している。

学校をはなれての生活には不便や苦労が多い。教員住宅もなく下宿の引き受け手もないので、間借りの自炊生活を余儀なくされる。安んじて教育に専念するには関係機関の強力な対策が切望されている。

5. 子どもたち

島を訪れた日の夜11時頃原因不明の山火事が発生した。小さい島のことゆえ村中、老若男女総出で防火に努めた。

島では子どもも大人達と同じように働らく。この日学校は日課を1時間おくらせたが、早く登校できた子ども達は校庭で元気いっぱい遊んでいた。見た感じでは都会の子どもに見られる或る種のいびつさもなくまことにのびやかであった。

宮城小中学校には輝かしい伝統がある。昭和のはじめ頃からこの学校の女子バスケットチームは中部地区の代表として度々全島大会に出場し優秀な成績をおさめてきた。高嶺バンタの壁にいどむようなはげしい練習が一握りの島の子どもたちに全島征覇の夢と力を与えたのであろうか。狭い校長室の天井にくっつくようにかけられた数々の表彰状を見ているうちに希望にみちた子どもたちの顔がダブルイメージで追ってきた。

宮城小中学校全景

池味の桟橋と部落

命の泉「万川」

◀ 登校する中学生

朝の自習時間 ▶
小学３年生

▼ 活気に充ちた小学１年生の授業…担任座間味文子先生

児童会長選挙 ▶
の立合演舌会

◀ 動物飼育舎

▼ 高嶺バンタを仰ぐ
グラウンド

▼ 元気に遊ぶ子どもたち

今は無用となった土地
を守る見張りの小屋 ▶

▼ 表土浅く
石の多い耕地

空屋敷におき忘られたようなつぼ ▶

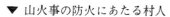

▼ 山火事の防火にあたる村人

沖縄の命運をはこんで
民族のエネルギーが燃えさかった
一九六八年が
はげしい残照に映えて
静かに去って行きます
やがて……
あやぐもを真紅に染めて
大日輪が昇ります
東かい飛びつけ
太陽ばかめ舞いつけ
ばしぬ鳥ように
皆様の御健斗を
お祈り申し上げます
（調査計画課一同）

1968年12月10日印刷
1968年12月17日発行

文教時報（114）
非売品

発行所　琉球政府文教局総務部調査計画課
印刷所　大同印刷工業株式会社　電話 2—7890

回覧							

文教時報

115

第十八巻（第三号）

115

琉球政府・文教局総務部調査計画課

フォトニュース

▲中山興真・新文教局長の辞令交付式（2月10日）

▲教育研修センター落成式（1月18日）テープカットをする屋良主席

▲新しい委員もまじえて初会合を開く中教委（1月21日）

▲職員は少ないが教職員の福祉にはげむ新設福利課の職員（68年12月23日）

▶毎年好評をはくしている首里高校そめおり展

西表の学校をたづねて

◀白浜

▼訪問校所在地

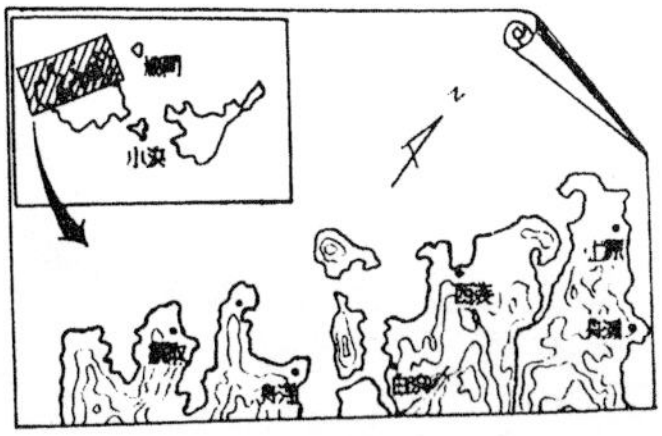

▲職員室で家庭科の授業（網取小中校）

◀七〇周年記念事業の池（網取小中校）

▶普通教室兼理科教室兼家庭科教室（船浮小中校）

毎週月曜日生徒会の自主活動による校内美化作業
（船浮小中校）▶

植物の観察をする児童
（白浜小中校）▼

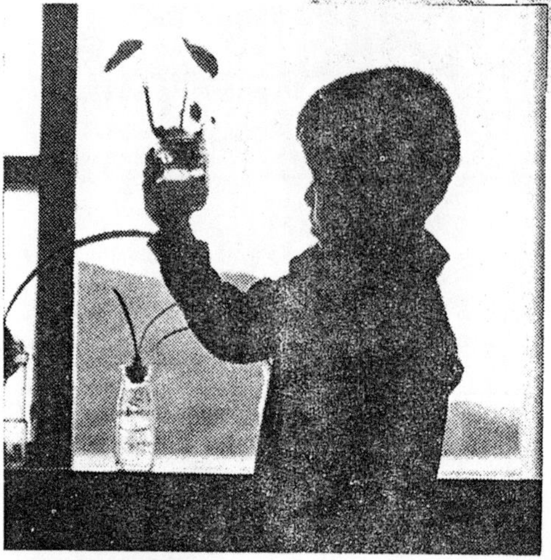

▶白浜小中学校全景

◀ ▲ 西表小中校・新しい意味を与えられて立つ二宮金次郎の像

完成が待望される浦内橋 ▶

▼ スクールバス(上原小)

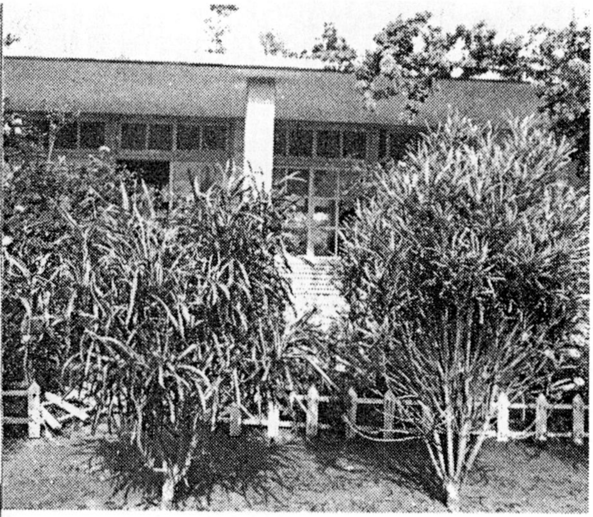

花いっぱいで明るい感じの上原小学校 ▲

生徒会の菜園―給食用として学校に売る（船浦中）▼

▼ 海を見おろす台地に百葉箱の白が印象的（船浦中）

水道がなく全用水をもっぱら天水にたよる
（鳩間小中校）▶

▼ 図書室でテレビによる授業（鳩間小中校）

まだある馬小屋教室
（小浜小中校）▶

▼ 創立70周年記念事業で
できた図書館（小浜
小中校）

◀ モダンなへき地の教員住宅

文教時報

No.　115　69/3

ユ ダ ヤ 人 気 風

Jewという英語は「ユダヤ人」の意味であるが、一方アメリカでは「ケチンボー」の代名詞としても使われる。留学中の寮友に愛称マイクで呼んでいたニューヨーク出のユダヤ人がいた。一年先に習い始めたという彼の日本語はたどたどしいものではあったが、その習得の早さに我々は感心したものである。

一年が終って、我々のアパート生活は始まった。電化されているので自炊はさして苦にはならなかったが、ミソ汁、ソバ等がほしくてたまらなかった。

こんな時、たまたま遊びにやってきた彼は里帰りで持ってきたという「キッコーマン」の話をしだした。国の味を忘れつつあった我々は、のどから手の出る程にそれがほしかった。それを譲ってほしいというと、「夕食を一緒にさせてくれるなら」と言う。あっちが取引きとくるならこっちもということで、少量の醤油を貰い受け、二、三日夕食を無料で提供してやった。「おいしいだなあ」という彼の日本語を聞いて「おもしろいだなあ」「おもしろいだなあ」と言い返えしたり、なごやかなものであった。残り少ない醤油を大事にそして、長持ちさせようと考えた。我々はまもなく落担するはめに合った。貰ったはずの醤油はやがて彼に持って行かれてしまったのである。彼も矢張り風評通りの「ユダヤ人」だったのである。しかし考えてみると、彼は合理的な行為をしているに過ぎない。シャイロックにもこのマイクにも、みられる合理的過ぎる合理主義が、あるいはJewという言葉に「ケチン坊」の意味を与えたのではなかろうかと考えた次第なのである。とにかく、このような合理性は学ばないまでも、「神の選民」とされるユダヤ人の教育熱心さと、しいたげられたなかに培ってきた彼等の忍耐強さとは学びたいものである。

（東　江　優）

沖縄の義務・中等・高等教育について　(1)

義務教育課長　　前　田　功

はじめに

沖縄では、終戦間もない昭和23年に6・3・3の新学制が実施されて以来、本土と全く同じ教育制度がとられている。教育内容についても本土との相違はほとんどなく、沖縄の教育基本法の前文に明示されているように常に「日本国民としての」教育の推進を目標に、20余年の間、教育関係者のひたむきな努力に支えられて今日に至っている。

しかしながら、教育をすすめるための諸条件は、いまだに本土の各府県に比べて遙かな立遅れをみせており、この面でも実質的な戦後は終っていない。これら教育諸条件の較差は児童生徒の学力向上への大きな阻害となって現われてきており、また、沖縄の置かれている特異な地位の反映もあってか、青少年の非行化問題への対処も、前・後期中等教育の上で真剣に検討を迫られている大きな課題となっている。このようなことから、初等、中等教育については、児童生徒の学力向上と青少年の健全育成を二大教育目標として、その目標に向い、直接には学校現場の教師が、また、教育行政の側では、そのためのよりよい環境への改善整備のため、それぞれにたゆまぬ努力が続けられている。大学教育についても、量的には近年著しく拡充されてはきたが、質的な面の整備充実については一層の努力が必要とされている。

ここでは、沖縄における義務、中等、高等教育の概況を紹介し、あわせて当面する行政上の課題をとり上げ、皆様の沖縄教育に対するご理解と今後の沖縄教育振興に対するご協力をお願いしたい。

1　義務教育

(一)　義務教育の概況

沖縄の義務教育諸学校の就学者総数は表一に示すごとく約22万人を数えている。小・中学校は本土同様にその大

第1表　義務教育諸学校の学校数・児童生徒数・教員数

	学校数				児童生徒数	教員数
	計	政府立	公立	私立		
小学校	(12) 241	2	(12) 237	2	141,939	4,795
中学校	(1) 155	3	(1) 151	1	77,756	3,450
特殊学校	(2) 6	(2) 6			721	136

（注）　1.　昭和43年5月現在
　　　（　）内は分校数で内数

部分が教育区立（沖縄では市町村の区域を区域とする市町村と別個の法人格をもつ教育区というものが設定されている）となっている。小、中学校では併置校が73校もあり、これは沖縄の学校形態の一つの特色となっている。特殊教育学校は全部政府立で、盲学校1校、聾学校1校、養護学校4校（うち1校は精薄児、2校は肢体不自由児、1校は病弱児対象の学校）が設置されている。公立学校に設置されている特殊学級は、小学校146学級、中学校25学級、いずれも主として精薄児対象となっている。

教員数は義務教育諸学校合せて約8千4百人で、小学校では70％が女子、中学校では逆に70％が男子、従って全体では約55％が女子教員によって占められている。年令構成では約35％が30歳未満となっており、一方、60才以上の教員も全体の約3％を占めている。

学級編成及び教職員の配置状況については表2に示すように、近年著しく改善され、ほとんど本土との開きはなくなってきた。これは、本土の義務教育諸学校の学級編制、教職員定数に関する基準法と同じ内容の立法が、本土の5年計画の最終年次である昭和43年において、その基準が一致するよう、昭和41年から3年計画で実施に移された結果によるものである。

第2表　1学級及び教員1人当り平均児童生徒数の推移

		昭39	昭40	昭41	昭42	昭43	（参考）本土昭43
小学校	1学級当り	43.2	41.6	40.1	33.5	36.8	33.4
	教員1人当り	37.8	36.4	34.0	31.7	29.6	26.4
中学校	1学級当り	46.8	46.6	44.6	42.0	39.9	37.9
	教員1人当り	29.4	29.1	26.8	24.3	22.5	21.9

(二)　当面する課題

①旺盛なる教育財政需要への対処

概況で述べてあるように、沖縄の義務教育人口は約22万人で、本土でこれとほぼ同数の在籍を有している府県をみると、三重、秋田、山口、愛媛の各県がこれに該当する。ところで沖縄の全人口は約94万人（昭和40年の国勢調査による）、上記4県の同時点での平均人口は約145万人であり、この両者の数字比較は沖縄が人口の割りに義務教育就学者数が如何に多いかを端的に示している。このような現象は必然的に多数の教育財政需要を要求し、さらには今日までの本土との較差を是正するための経費を加えた旺盛な教育財政需要は、琉球政府財政への大きな圧迫となり、これらの需要を当然には満たし得ないという結果としてはね返って来ているのは表3の公教育費生徒1人当り額本土比較の数字が示すとおりとなっている。幸いにして、義務教育人口もピークを過ぎ、漸減の方向にあり、さらには近年本土政府による教育援助も大幅に増加されてきたなど、明かるい方向に進みつつ

第3表　公教育費生徒1人当り額本土比較
（昭41年）

	沖縄A	本土B	A/B×100
小学校	34.2	56.9	60.1
中学校	42.5	59.6	71.1

（注）本土は文部省の文部統計要らん（昭43）より

はあるが、教育の振興は究極においては、これに必要な財政的裏付けの確保如何に帰着することであることから、今後とも、どのようにこれに対処していくかが、義務教育を含めて沖縄教育全般における当面の最重要課題となっている。

② 教職員の待遇改善と広域人事交流

公立義務教育諸学校教職員の給与は教育委員会法により全額政府の負担となっており、給与の内容については政府公務員に準ずることとされている。基本給は近年の引続く給与改善により、ほぼ本土水準に到達しているとみてよい。昭和43年10月現在の公立小、中学校平均給料月額は小学校で約5万6千円、中学校で約4万7千円となっており、5、6年前の倍近くまで改善されてきた。しかしながら、給料以外の諸手当は、通勤、扶養、勤勉手当など本土で支給されている諸手当が未だ制度化されておらず、制度はあるが支給率の低いものもかなりある。これらの諸手当を含めて教職員の給与の改善については可及的すみやかに本土と同じ体系、給付率にもっていく必要がある。なお、待望の公立学校教職員共済組合制度が昭和44年7月から実施に移されることとなり、教職員の福祉については1段と飛躍するものと期待されている。これら義務教育諸学校教職員の給与費については、昭和41年から半額の本土政府援助をいただいている。

次に、沖縄では教職員の任命権はすべて設置者（公立小中学校では区教委）にあるためこれが円滑な、しかも広域に亘る人事の交流に大きな障害となっていることは否めない事実である。実際には、区教委の事務を共同処理するために設けられた連合区の教育長（構成教育区の教育長を兼任）が連合区内の人事交流について教育区間の調整事務を行なっており、中央教育委員会（本土の県教委に相当）でも地方教委に対しては、へき地と平地との交換教員制度の実施など教職員人事の円滑化広域化に対し絶えず指導助言並びに行政上の措置（特別昇給）等を講じてはいるが、全県的人事交流については、殆んど実現をみていないというのが実情となっている。沖縄本島、宮古島、石垣島の三島を除いても、小、中学校のある島嶼が実に41もあり、しかもそれが南北約600粁にも亘って点在している沖縄の地理的特殊条件を考えても、更には教育の機会均等、特に、へき地教育の振興の上でも人事の広域交流については何らかの抜本的改善策が講ぜられるよう要求されているところである。

③　教育施設、設備の充実

戦禍により、全く無と化した校舎等の教育施設の再建整備は、政府の直接責任をもってこれに当たるべきであるとの考え方に基づき、義務教育諸学校の校舎建築費は全額これを政府が負担するよう法で定められ現在にいたっているが、戦後の児童生徒数の増加や政府財政の制約等もあって、校舎の基準達成率はまだ60％台であり、屋内運動場、水泳プールなどは皆無といってよい程低い設置率に止っている。教科用備品や図書などの整備状況についても本土との開きは大きい。

琉球政府は行政上、本土でいえば国・県という二つの立場を兼ねているので特に義務教育諸学校の施設、設備の充実については、設置者である教育区と共同でこれを推進していかなければならない義務と責任を有している。

幸い、学校施設、設備の整備については、本土政府の理解により近年大幅な財政援助をいただいているので、今後とも、援助の拡充を期待することにより、教育環境の整備を促進し、学校教育の一層の充実をはかっていきたい。

以上、主として義務教育における行政上の懸案事項を３項目だけ取り上げてきたが、このほかにも、学校規模の適正化、へき地教育特殊教育の振興、義務教育就学前教育としての幼稚園教育の振興、就学奨励の拡充など、重要な問題が山積されているが紙面の都合でこれを割愛したい。

さいごに、沖縄が本土の施政権から分離され、異国の行政下にあり、幾多の苦難の道を歩みながらも孜々として日本国民の教育に精励している現状を十分ご賢察の上、一日も早く晴れて本土の一県としての地位が与えられるように、また、それまでの間に沖縄の教育が本土水準まで引上げられるよう、本土政府をはじめ教育関係の皆様の物心両面にわたる一層のご指導、ご援助を重ねてお願いしたい。

沖縄教育研修センターの落成に際して

沖縄教育界長年の懸案であった沖縄教育研修センター建設は去年1月に着工して11か月の月日を要し12月23日に竣工した。年末には文教局内にあった庶務課と教科・経営研修課、工業高校内にあった理科研修課が新庁舎へ移転し、新春あけの18日、文部大臣代理の井内慶次郎審議官、行政主席、立法院議長、高等弁務官他多数の来賓、教育関係者が出席して落成式、祝賀式が行なわれた。沖縄教育発展に大きな役割を果す研修センターの落成を機に、これまでの経過やセンターの新しい事業について集録してみた。

1. 沖縄教育研修センターの落成にあたって

沖縄教育研修センター所長　知　念　繁

沖縄教育界多年の懸案でありました教育研修センターがおかげをもちましてここに設立をみることができました。

設立までの経過と事業のあらまし等についてご報告申しあげたいと思います。

ご承知のように、戦後急激に進展する科学技術や、社会、経済の発展に教育が欠くことのできない要素であることが再認識され、世界の各国は競って教育に力を入れ、今や教育の競争時代から爆発時代まで現出いたしました。

このような教育に対する社会的要請の高まりは、教育に対する科学的、専門的な研究を促進し、研究機関の設置を強力に推し進めて参りました。

本土におきましては、国立、都道府県立はもとより市や町立それに法人立の教育研究所ないし教育センターが数多く設置され、日本教育推進の大きな役割を果しております。

わが沖縄におきましては、十数年前から政府立の教育研究所の設置が要望されながら、財政上なかなかその実現をみませんでしたが、1960年2月、科学教育の振興という立場から科学教育センターの仮研究所を上ノ山中学校の1室を借りて係職員2名という小規模で発足し、62年に沖縄工業高校に移転し、65年に理科教育センターと改称して、理科教育の研究と研修を行なってきました。

一方、将来独立の総合教育研究所の設置を前提にして1962年に文教局に教育研究課を設け、教育研究の業務を所掌させました。

次に教職員の資質の面からみますと、戦後の沖縄の教員構成は年令、教職経験、学歴等から甚しく適正を欠いておりまして、こういう点本土の他府県にみられない切実な問題であり、その資質の向上をはかる現職教育は教育行政の大きな課題であります。

文部省のご協力によって十年来実施しております夏季認定講習や教育指導員による現職教育は、こうした施策の一つで、その成果は実に大きく一般に高く評価されているところであります。

しかしながら、いつまでもこのような方法に甘んずべきでなく、沖縄自体の主体的方策を確立すべきであるとの要請は強く、中央教育委員会は、教職員の資質の向上をはかるための教育研修センターの設置を1965年度の文教施策の重点目標にかかげて、以来その実現を期して本土政府をはじめ関係方面に強力な折衝をつづけて参りました。

幸いにして、1967年日琉両政府の予算にセンターの建設費が認められ、設立が確定的となりました。

そこで、さきに申し述べました理科教育センターと教育研究課を統合して昨1968年4月1日、政府立沖縄教育研修センターを一応発足させ、庁舎の建設業務を進めてきました。

建設に関する総経費は、32万7千200弗で、そのうち日政援助額が10万4千822弗となっています。

本施設の構想は、文部省が示された都道府県立教育研修センター設置要領を基に、既設の他府県立のセンターを参考にしています。そしてその設計は、我那覇設計事務所が行ない、建築工事は嘉数組、水道工事は工友社、電気工事を金城電気商会が、それぞれ担当して、1968年1月25日着工以来11ヶ月の工期を以て12月23日に無事竣工いたしました。

今回は、全規模のうちの第一期工事でありまして、地下一階、地上三階で坪数が延864坪となっています。

各階、各室の機能につきましては、お手もとの案内図や直接ご覧になっていただくことにして説明を省略いたしますが、ここで、特に申しあげたいことは、今回できた三階までは、管理関係と理科関係の諸室が主で、他の教科の研修室が少ないこと、又離島へき地の多い沖縄ではどうしても宿泊施設が必要であること、更に宇宙時代の今日、宇宙科学に対する興味と関心を深めるために天体観測施設が必要であること、これらを整備することであります。

因みに、この敷地は、旧藩時代国学館のあった所とか申されます。戦前は沖縄師範学校の敷地で、教学的に由緒のある所であります。

それでは、このセンターは、どういう事業をするか、まずその設置の目的は「教育研修センターは、教職員の現職教育の中心施設として、教職員の研修、教育に関する調査研究および教育研究団体の教育研究を振興し、教職員の資質の向上を図り、もって沖縄教育の進展に寄与する。」となっています。

事業の内容につきましては、総括的に申しますと、校長、教頭や中堅教師等の指導者養成と、一般教師の指導力を高め、児童生徒の学力の向上に寄与するということであります。

学力の向上という点からみますと、理科の成績が他の教科に比べて良い、これは理科教育センターでの研修効果の表われでありまして、この実績を他の教科に拡大しなければなりません。

なお、さきに申述べました文部省派遣の教育指導員は、センターを拠点としてここの研修計画に従って指導に当ってもらうことになります。

機構につきましては、現在三課で職員23名ですが、将来教育相談課を設けて四課にし職員51名の予定であります。

又、運営につきましては、センター運営委員会を設けて現場の意見等を広く反映させ、民主的、合理的な運営ができるようにしたいと思っています。

戦後24年にして名実共に待望の教育センターができました。職員一同本センターの使命を自覚し、じゅうぶんなる機能の発揮につとめ、ご期待に沿うよう固く決意いたしております。今後のご指導ご支援を切にお願いいたします。

最後に、本センターの建設に当り、多大のご援助ご協力をいただいた本土政府をはじめ関係の皆様に厚く御礼を申しあげます。

1969年1月18日

行政主席あいさつ

琉球政府行政主席　屋良朝苗

本日ここに文部大臣代理井内審議官並びに米民政府代表をはじめ来賓皆様のご臨席のもとに、教育界多年の懸案でありました政府立沖縄教育研修センターの落成式を挙行することのできますことはこの上もない喜びであります。

申しあげるまでもなく、教育の振興は、施設、設備等の物的条件もさることながら、直接教育の任に当る教師にその人を得て、絶えずその資質の向上につとめることは最も重要な条件であります。

このことは、また教育行政の大きな課題であり、その適切な施策が強く望まれるわけであります。それと共に、新しい時代に即応する科学的な教育研究の重要性が強調され、研究と研修の機能をもつ専門の研究機関の設置は、多年にわたる強い要請として続けられてきたのであります。

幸い、このたび本土政府のご援助と関係各位のご尽力により、ゆかりの深いこの地に新装なった教育研修センターの設置をみることができましたことは沖縄教育振興の上から極めて意義深く喜びにたえない次第であります。

戦後の沖縄教育は、幾多の困難を克服して県民各位のたゆまざる努力によって漸く今日あるを得ましたが、教育水準、特に児童生徒の学力において本土と大きな格差のある現状であります。学力はあらゆる条件の総合的、集約的に表現されたものではありますが、とりわけ直接の担当者である教師の指導力は直接的な要素であるといえます。

この意味において、児童生徒の学力の向上をはかるために教師の研修がいかに必要であるか、そしてその研修の場としての本教育センターの使命がいかに重大であるかを痛感するものであります。

この施設は、今回は第一期工事でありまして、離島へき地を多くかかえている沖縄の立地条件では、研修生や講師のための宿泊施設は不可欠な施設でありますので、これらを第二期工事で整備したいと考えています。

ただ今は、設立したばかりで、いろいろと不備の点もありますが、逐次、施設、設備の整備とともに、内容の充実強化をはかり、教育センターとしての機能を十分に発揮させて、沖縄教育の向上発展に資したいと思っております。どうか今後ともご援助ご協力をお願いいたします。

最後に、この教育センターを建設するに当り、本土政府のご援助ならびに関係各位のご尽力に対し衷心より感謝の意を表するとともに、直接工事を担当された関係各位のご協力に対し厚く御礼申しあげまして私のあいさつといたします。

1969年1月18日

2．図書・資料室、教科書の活用

1　施設の趣旨

このたび、教育センターの普及事業の一施設として、図書・資料室と教科書センターが設けられた。広さ、196.85平方メートルの、かなりの広さを持ったへやである。内部の備品も、しだいに整ってきており、整備を待って、利用に供せられることになっている。

これは、教育関係の全領域にわたる図書や資料、および、すべての教科書を備えて、教職員の研修活動に役だてようという趣旨のもとに設置されたもので、教職員はだれでも入室閲覧や借用ができる。

資料は、各県の研究所や委員会、実験学校等の紀要や研究集録、報告等、それに、大学の研究集録や個人の研究報告書等を、できるだけ多く集めることになっている。利用者は、これによって、各分野における研究の動向や研究の水準、あるいは、研修活動のあり方等を知ることができるわけで、個人の研究や学校現場における共同研究、教育実践等に資するところがあると思われる。

教科用図書は、小、中、高校の全教科にわたって、全種類の教科書や指導書、学習事典や学習図鑑等を備えることになっているが、これは、教材研究や教科書研究に役立つであろう。

2　蔵書数

現在の蔵書数は、基本図書が 1,300余冊、研究資料が約1,200部、教科用図書が約1,500冊である。これは、全琉の教師を対象として、その機能を果たすには不十分なもので、今後、整備充実されなければならない。さしあたり、図書10,900冊、研究資料3,700部を目標に、五年計画で、順次整備していくことになっている。教科書は、1970年度に、全種類収集する計画である。

3　利用規定

図書資料室、教科書センターは、教育センターの研修生と一般の教職員、その他の教育関係者だけが利用できる。利用時間は午前9時から午後4時30分まで（土曜日は午前11時30分まで。日曜日と公休日は閉館）。貸出しは、ひとり2冊までで、期間は15日間、期限を延ばすときは、もう一度だけ、貸出しの手続きをとることができることになっている。

今、図書・資料の分類整理や館内の諸整備をしているところで、貸出しは、四月ごろから行なう予定である。

4　今後の計画

この施設を、多くの教育関係者に活用してもらい、その機能を十分に発揮するためには、内部の充実整備や、その効果的運営がなされなければならない。

必要な図書や研究資料を多く集めることが先決問題であるが、図書目録、研究資料目録の作成配布、教育研究活動の情報収集等も必要であろう。さらに、郵便予約貸出しや学校単位の集団貸出しも行なって、普及につとめなければならない。

利用者の希望を調べて、今後、さらに整備拡充していく計画である。

3．教育相談室の運営について

(1) 相談室の機能

相談室の活動内容を次の三つに大別する。

（ア）研究—カウンセリングに関する研究

（イ）研修—教育相談研修会、生徒指導長期研修、教育相談入所研修

（ウ）臨床—教育相談の実施

（ア）（イ）についての詳しい説明は折をみて紹介することにして今回は（ウ）の臨床についての紹介にとどめたい。

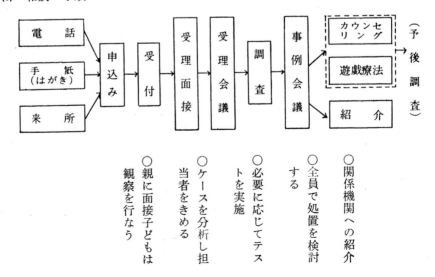

(2) 教育相談のための施設

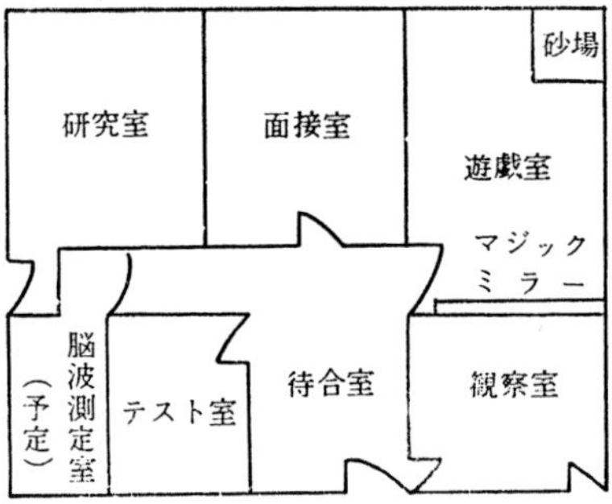

(3) 相談の手順

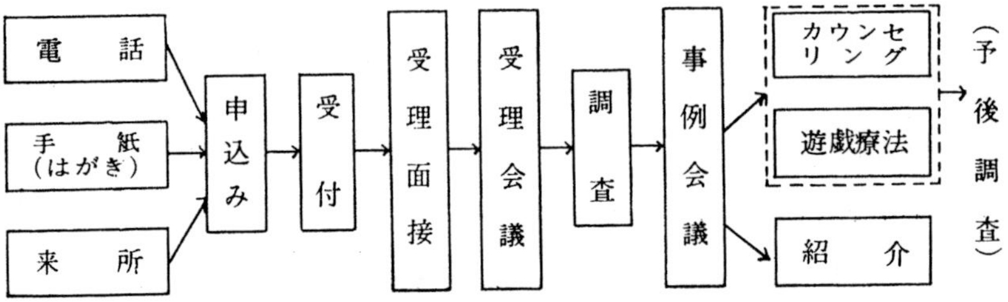

○関係機関への紹介

○全員で処置を検討する

○必要に応じてテストを実施

○ケースを分析し担当者をきめる

○親に面接子どもは観察を行なう

（ア）相談の受理

a　受理面接（インテーク）

初期の面接（インテーク）の目的は

(1)来談ケースを受理するか否かを決定するための情報を適切に収集する。つまりそのケースを責任をもって引き受けることが可能か否か、他の医療、諸機関、施設に依頼した方がよいかどうかを決めるための情報を集めることである。

(2)来談者（クライエント）の問題点を明確にする。

情報の主要なポイントは、まず本人の氏名、年令、性、生年月日、保護者の氏名、住所や連絡先、本人との関係、職業等。次に来談に来た経路、親の訴える問題点、およびその問題がいつごろから発生してどんな経過をたどってきたか。それにつづいて、生育史、生活歴、家族構成、家族関係等である。また学校における態度や学校の教師の意見も大切である。

b　受理会議

初期の面接によって得られた資料にもとずき、その来談ケースを分析し担当者をきめる。

（イ）相談の方法

a　相談面接法

カウンセリングは、カウンセラーとクライエント（来談者）との間にもたれる人間関係であり、この人間関係でクライエント自身のもつ問題に対処するのに援助を与えるのがカウンセリングである。クライエントが自立的に自分の問題にとりくんでいけるためにはこの二人の人間の間にある一定の雰囲気が必要である。それは受容的、共感的な関係である。クライエントがどのようなことがら、どのような感情をもっていても、それを自由に表現されることが許され、しかもその表現された感情がクライエントの立場から理解されるということである。このようにクライエントの立場にたって考え協力するようにつとめる。

b　遊戯療法

遊戯療法も本質的には前述の相談と同じ立場に立つ。

つまり子ども自身の感情や立場

を、相手の身に即して、評価ぬきにリアルに感知しようと努める。ただ子どもの自己表現は大人とちがって、言語のみを媒介とするのでなく、主として運動的、非言語的な表現法を通して行なわれるので、必然的にこちらの働きかけ方、受けとめ方はちがってくる。治療場面においては子どもが自己の行動を洞察できるように、その感情や態度を反射応答してやる。そうすることにより、子どもは徐々に自己を統制し検討することを学び、よりよい人格が形成される。

c　紹　介

来談ケースを受理できない場合、他の適切な機関を紹介する。

文部大臣の祝辞

文部大臣　坂田道太

本日琉球政府立沖縄教育研修センターの開所式が盛大に挙行されるにあたり一言お祝いのことばを申し述べます。

新しい年を迎えわが国は明治改元百年を経てさらに力強く第一歩を踏み出したところであり、前途には輝かしい未来がひらけております。この輝かしい未来のにない手は健全な青少年であり、この健全な青少年を育成する教育の仕事は国家隆盛の基本であると考え、文部省としては教育の充実改善に日夜努力を重ねてきた次第であります。

しかしながらなんといっても教育の成果は個々の教育者に負うところがきわめて大であります。直接教育にたずさわる教職員および教育関係者がその責務の重大さを認識して誇りと情熱をもって職務に精励するとともに、職務を遂行するため絶えず研究と修養に努める必要があります。

このため文部省としてはかねてから教職員の資質向上を重要な施策の一つとして推進しその一環として都道府県の教育研修センターの設置を助成してまいりました。この教育研修センターは小学校中学校および高等学校の教職員の現職教育を中心とした各分野の研修研究等を行なう施設でありまして、現在までに国の補助金によって設置されたセンターはいずれも活発な活動によりきわめて大きな効果をあげております。

沖縄においては本土と同じく日本国民としての教育を実施するため、これまで多大の努力を払われ最近の教育の進展は著しく面目を一新しつゝある感じがいたします。

このことはまことに喜ばしいことであり、わたくしは琉球政府をはじめ沖縄教育関係者の努力に対して深甚の敬意を表するものであります。文部省といたしましても本土と沖縄の教育の一体化を図るため人的物的諸条件を整備することにできる限りの協力をいたしてまいりましたが、沖縄における教育の現状にかんがみ、今後一層の力を尽したい所存であります。

沖縄においても本土にありますような教育研修センターを設置することは琉球政府および沖縄教育関係者において早くから要望されてきたところでありますが、各位の御努力が実を結び本日こゝに開所式を迎えるにいたりましたことは沖縄の教育にとってまことに重要な意義をもつものであります。ひとり沖縄の教育界のみならず沖縄全島が当センターに寄せる期待はきわめて大きいものがあると思われます。わたくしもまた当センターによって沖縄の教育水準の向上ひいては沖縄の発展に多大の貢献がなされることを心から期待するとともに今後一層の発展を遂げられるようにお祈りして祝辞といたします。

昭和44年1月18日　　　　（カットは井内慶次郎審議官）

立法院議長祝辞

立法院議長　星　克

この度、教職関係者はもとより全住民が久しく待ち望んでおりました琉球政府立教育研修センターの新庁舎が、日本政府の多大の御援助により希望を抱かせるこの年の始めに目出たく完成をみ、落成式が開催される運びとなりましたことは誠に喜びに堪えません。ここに改めて関係各位の御熱意と御努力に対し深く敬意を表する次第であります。

23年前の終戦間もない廃虚の中での明日をも計り知れない社会不安と貧しい経済事情の下の馬小舎校舎を思い浮べますとき、今日、この由緒ある竜潭池のほとり偉容を誇る研修センターのモダンな庁舎は正に隔世の感があり感概深いものがございます。

終戦後23年を経た今日、復興から繁栄の段階を迎え、日に日に発展を続ける社会の中でひとり、公共施設の整備の立ち遅れが目立ち、とりわけ教育設備の不備は著しく未来の教育設計にも重大な影響を及ぼすものとして、その整備拡充は大きな懸案事項となってきたものですが本土政府の援助により逐次解決の方向に向いつつありますことは大変喜ばしいことであり、当センターの完成も援助計画の一環として計画完成されたものであり、又一歩本土並水準へ近づくものとして非常に意義深いものと思います。

終りに当センターが適切な管理の下に運営され教職員の現場教育の中心施設として沖縄教育の進展に100%の効果を発揮するよう祈念いたします。

1969年1月18日　　　　（カットは比嘉松栄立法院議員）

進路指導講座（4）

能力・適正のはあくの方法としての検査

教育研修センター主事　上　原　敏　夫

Ⅵ　さまざまな検査

1　さまざまな検査の背後にあるもの

検査にはさまざまな種類があります。知能検査、適性検査、学力検査、性格検査などのような分類のしかたは先刻ご承知のことでしょう。それぞれの検査には個人用と集団用があります。個人・集団用とも対象によって幼児から成人にいたるものまで作成されております。

同じ種類で同一の年令層を対象にした検査でも、知能検査の例でいいますと、知能に対する構成概念の相違によって異質の検査が考案されています。そういった検査が次から次へと作成されておりまして実に多種多様な検査の洪水の中に私たちは置かれております。ですからよほどしっかりしませんと、この洪水に足をすくわれてしまいます。

能力・適性をはあくする方法としてはいろいろあるのですが、そのうちでも検査が次から次へと無数に作成され考案されるのは一体どういうことを意味するのでしょうか。これは少なくとも次の二つのことに根ざすものと考えることができます。第一に生徒のもつ能力・適性が複雑すぎて単一の検査のみではとてもまにあわないことです。このことをさらに発展的にいいますと、ある特定の検査のみでは生徒のもつ能力・適性について十分に判断をくだすことは不可能であるということです。確かに検査はある側面を評価することに相違ありませんが、それはあくまで一部であって全部ではないということです。第二に前述の裏がえしになりますが、各々の検査は長所も多いが、それと同じくらい限界も多いということを問わず語らずのうちに表わしたものといえます。検査の洪水は生徒の能力・適性は必ずしもそのすべてがすべて検査によってはあくされるものではないということの何よりもの証左にもなります。

この二つの意義を再確認することは観察指導を進める上で不可欠のことであります。検査が生徒の適性等を必ずしも完ぺきに評価してくれるわけでもないゆえに、日常の教科の授業における観察とその記録を大事にするというのが観察指導のよいところであります。

次に月世界征服への一番のりをめざして、しのぎをけずっている両国（米ソ）における適性等の評価の方法としての検査に対する姿勢をかいまみてみましょう。

2　適性等の評価の方法としての検査に消極的なソビエト

能力・適性の評価の方法としての検査は絶対に必要なものかどうかを考える際にソビエトの例がヒントになることは確かでしょう。理想的な共産主義国家の建設を究極の国家的目標として国民ひとりびとりが共通にもつことを期待されていることは容易に想像されます。いわゆる平等主義の哲学で支えられているこの種の体制内では、いきなり適性の検査をやることよりも、大学への入学を許可する前に一定期間工場や農場で生産に参加するように指導し、それに参加して生産の経験をもつものを優先的に希望する大学の専門分野に進学させるように工夫をこらすのも当然の帰着でありましょう。

こういう風土をもつところでは能力適性を評価する方法としての検査の影がうすれてくるのはある程度やむを得ないことであります。せっかちに検査によって評価することより、じっくり生産活動、進路指導の用語でいえば啓発的経験を通して自己の適性を見きわめていこうということになります。そのことをしいていえば、適性等の評価の方法としての検査に消極的といえないことはありません。

3　適性等の評価の方法としての検査に積極的な米国

一方、他の国に先がけて知能検査を組織的にそして大規模に実施した米国ではその後テスト作成技術が急速に進み、テスト万能の時代を迎えたのではないかと思われるくらい、テストが社会のすみずみまで浸透してきております。こういったテスト万能のいき方に批判も当然のことながら生まれてきます。成績（検査の）すなわち実力として社会的地位と直線的に結びつけられるようになったデモクラシイをもじったメリットクラシイという造語が皮肉たっぷりに使われるようになったのもこういうテスト万能に対する痛切な批判の表われといえます。

こういう批判は洋の東西をとわずいずこでも早晩表面化することが予想されます。といいますのは、昨年末のアポロ８号による月周回旅行の成功、次いで今年１月のソユーズ４・５号のドッキング（事実上の宇宙ステーション）成功に象徴されますように、すでに月世界への第一歩を踏み出した文字通り宇宙開発時代になっております。

１９５７年のスプートニク第１号からわずか１２年でここまで開発された技術の進歩にはただ驚くばかりですがこの技術が他の分野に波及していくことは当然でありましょう。各国ともバスに乗り遅れないように技術革新のためのキップを急ぎ手に入れるため特定のずばぬけた才能の持主を探すのに懸命にならざるを得ません。これはつまるところ検査に集約されます。

適性等の検査に積極的な米国における典型的な例を「全国メリット（実力）スカラシップ協会」の活動に見出すことができます。この協会は毎年ある第一学年の学生（８０万人前後）を対象にテスト（全国メリット・スカラシップ資格テスト　ＮＭＳＱＴ）を実施し、その0.2%（1,600）の学生を奨学資金受賞者として選び出し積極的に表彰しています。

この動機は知的業績、能力・適性を意識的に高く評価することによって、一般の人々に知的特性・才能へ目をむけさせるということにあります。こういう動機を理解するにはもちろん米国のプラグマティズムに集約されている実利的な傾向性を知ることだといえます。伝統的に知的業績をあまり高く評価する傾向にはありません。この協会はそういう社会の伝統的ないき方に対して能力・適性を評価する検査を実施することによって積極的に働きかけているわけであります。スプートニク第１号の打ち上げでソビエトに先をこされた１９５０年代の後半から特にこの働きかけは活発におこなわれてきております。

この協会の年間の活動計画が発展的に推進されてきている背景にはその検査を支持し受け入れている人々がいるということを忘れることはできません。活動計画にしろ事業計画にしろ一般の支持があれば発展するものであります。一般の人々の支持を得られない事業は遠からず忘れられてしまいます。

このように積極的になるもうひとつの理由もしくは動機は公開競争という米国の社会を組織する原則的な事柄があります。この公開競争と関連して教育の次元でもっとも端的に集約されているのが能力・適性を評価する検査であります。米国が積極的になるのもゆえなしとしません。

能力・適性を評価する検査について両体制間に前述のように微妙な相違がみられますが、それと同時に共通点もあるということを忘れることはできません。すなわち個性の十分な発揮ということを慎重に配慮する余地を残しているということであります。米国では学校カウンセラー、ソビエトでは前回に述べたクラス・アドバイザーという職制をもつ職員の存在がそのことを何より雄弁に物語っております。

VII　検査のよしあし

1　検査を選ぶのは誰？

多様な検査が次から次へと作成されしかも作成技術に問題になるほどの差異が見出しにくいとなりますと、観察指導に直接役立つ検査を誰が選択し決定するかということが、検査のよしあしと密接に関係してきます。

何回もくり返し申しますように、同一年令層を対象に同じ名称の検査であっても考案者自身の構成概念の違いによって下位検査に相違がでてくるのが通例であります。ですから観察指導に最も役立つ検査を選ぶにはやはり観察指導を現実に行ない、かつ適性の評価方法としての検査の構成に造けいが深い職員が担当することが是非とも必要になってまいります。

観察指導は各教科・領域においてなされることをたてまえとするので、各々の教科・領域において観察記録を補足するのにどういった検査を選べばよいかということは観察指導の担当者すなわち授業を担当している教師がもっともよく知っております。その担当者はまた検査が生徒を客観的に理解する一方法でしかないということをよく承知しています。観察と違い紙と鉛筆による多くの検査は生徒を理解する上でひややかで時としてつきはなすような結果を示すことがあります。

そういう検査の結果に対しても観察指導の担当者はあわてません。例えばロールシャッハ・テストを実施した結果M反応が全くないので独創性に欠けるとか、あるいはFM反応その他からおして精神分裂症の徴候を示すのだとかいうことを早まって不用意に口にすることはありません。そのような見方をする前に代替検査、あるいは絵画統覚検査などを重ねて実施したり、実施条件をよく再検討したりすることにより今一度 結果の 再確認を 急ぎます。その手順を踏んだ上で観察記録その他生徒を理解するのに必要な資料を教育的な観点から総括的に検討をします。そして全体としての生徒像の理解に努めます。

要するに、検査のよしあしは前述のように生徒理解の一方法であるということを観察指導担当者の立場からどう評価するかということによってきまります。さらにいいますと、観察指導において能力・適性を評価する方法としての検査は使う人によって良くも悪くもなるという可能性を潜在的にもっております。

要　　約

観察指導において適性等を評価する方法としての検査はあくまで生徒理解のための一つの接近法であり、それは比較的客観的な資料を提供するものであります。提供された資料をさらに客観的に、積極的に評価し、個性の発揮を十分に行なえるように、検査以外の情報も加味していくところに観察指導の使命があるといえます。

1970年度文教局予算概算要求額

「沖縄における教育諸条件を整備することにより本土との較差を是正すること」を目標に1970年度文教局主要施策（９重点事項）が中教委で協議決定されこの主要施策に基づいて1970年度の文教局予算概算要求書 が 作 成された。それによると1970年度の概算要求額は78,614千ドルで前年度概算要求額に対しては24.9%の増となっている。 内訳は事業費 63,929千ドル、 運営費14,685千ドルとなっている。

社教主事ノート <3>

社　教　主　事　雑　感

義務教育課　主事
照　屋　寛　吉

社会教育主事10年選手は、そうざらには見当らないが、私もそろそろ10年選手の仲間入りをする年になってしまった。私は人一倍社会教育を愛し、社会教育で一生を終える覚悟までしていたが、はからずも、この一月から義務教育課へ配置換えされることになった。新しい気持で、義務教育課に就任したが社会教育に対する惜別の念にかられて社教主事メモを拝借することにした。

○青年団運動と社会教育主事

私は社教主事に就任する前に約10年間、青年会の役員として青年運動を実践してきたが、当時の社会教育主事と言えば、文教局に数人、各教育長事務所に1人程度しか配置されてなく、しかも、ほとんどが、校長先生クラスの高齢者(失礼、少なくともその当時はそのように見えたものです。)で何だか監督されているような感じを抱いて、真の青年の悩みを打ちあけることができなかったことを覚えている。しかしだんだんなれるにつれて、先生方の真意も分かるようになり、いろいろ相談しながら指導助言を受けるようになったのであるが、やはり若い主事には話しやすかった。

私も主事に発令されてからは絶えずこの当時のことを思い出して仲間のつもりで、青年会の中に入りこんで行ったのであるが、これが10年もたつと、やはり指導意識が先走って、青年仲間としての主事でなくなったのではないかと反省する。これは私達の青年時代と現在では青年運動のあり方も大きく変ってきたこと、文教局に居るために市町村や部落青年会の活動に直接入りこむ機会が少なくなってきたことで青年達の悩みや、考え方を十分把握できなかったことにあると思われるが、一番大きいのはやはり、自分は若いんだと思っても、青年から見れば、若くない年齢になったことだと思われる。やはり青年指導を担当する主事は、年齢的な若さが要求されるのではなかろうか。

○社会教育主事と選挙運動

去る三大選挙の折、或地区の社教主事が、全員で本土研修へ出かけた。沖縄で始めて行なわれる主席公選、祖国復帰への悲願をかけた選挙に主事たる者が逃げるとは何ごとかと、教職員の一部から非難の声があったと聞いている。又他の主事からも今度の選挙に主事としてどのような態度で望めばよいかと悩みを打ちあけられたことがある。又或主事は、私は両方から×をつけられて非常に困っていますと言う。

選挙は社会教育の分野から考えると、政治教育の最もよい機会である。私どもがどんなに声をからして、民衆を集めて、社会教育を行なうとしても、ごく少数の人々に限られているが、選挙の時は、それこそ全住民が関心を持ち、政治のあり方、経済の動向、自分達の幸せのために、両者の政策を検討し、勉強していく。とかく選挙のたびごとに、一人々々の意識は高まり、新しい知識を吸収していくのである。日頃社会教育の分野で成し得なかったことが選挙になると一挙に解決されるような気になる。ところで社会教育主事にとっては、組織的な社会教育活動ができないので、開店休業だと言って最も暇な時期であり、苦しい時期でもある。

沖縄の選挙が感情を抜きにして、割切っておれば、苦しいことなどあろうはずがないが、残念ながら地方へ行けば行くほど、感情が先走るので、社教主事のように、誰にでも、どの団体でも指導する立場にある者は選挙後の社会教育活動への支障を考えて、選挙運動ができなく、両方から×をつけられるようになる。現在の多くの主事たちが私と同じような考え方だと思うが、アメリカのように選挙は選挙、仕事は仕事で割切れるような社会に一日も早くもっていきたいものであり、又これは社会教育の振興によってしか解決できないと信ずるものである。

○これからの社会教育

これまでの社会教育は、義務教育が全然受けられなかったか、または不充分であった人にその補充をするものであったり、義務教育は受けたが社会生活または国際生活をやるのには不充分であると考えられる場合に、それを見てやるのが、主たる目標であった。し

かし現在は これと よほど 様子がちがってきている。もちろんいまでも補充教育、継続教育をする人は多いので社会教育のこの機能は全然なくなることはないであろうが、いまはそれよりももっとたいせつな社会教育の目標ができてきている。この目標が「社会教育の現代化」または「生涯教育」と言うことである。ここで言う生涯教育の対象が全人類を指しており、すべての人に生涯教育をと言われておるが、これに注目すべきである。

生涯教育の必要性について、ポール・ラングランは、(1) 人口の増大、(特に老齢人口の増大、女性の権利の増大) (2) 技術の進歩 (3) 社会構造の変化 (4) 新しい責任(デモクラシーは形だけのものであっては、非デモクラシーより悪くなる。社会の成員がすべてデモクラシーの原理に従って行動し、この制度を生かすくふうをしなくてはならない。そうしてそのためにはひとりひとりに十分な教育が与えられなければならない。)

(5) 文化のデモクラシー(本の革命)

(6) 余暇の問題、(余暇と労働とのバランスの問題、余暇産業の増大) (7) 生活と行動の模範の消失(昔は人間の外に規範があったが、今ではその規範が個人の内側にはいってきたのである。)以上紙面の都合でラングランの言ったことが十分表現できなくて舌たらずの感を受けるが、このような時代をむかえた私達は、新しい社会教育の方向を見つけ、巾広い教育活動を展開しなければ、学校教育の進展もはばみ、青少年問題等の解決も日の目を見ることはできないような気がする。

最後に、今後の沖縄の社会教育に望みたいことは、社会教育主事を増員すること。公民館がすべての人に教育できる機能と施設を整備すること。魅力と成果のあがる教育活動を推進するために視聴覚ライブラリーを各連合区に設置すること。大学及び各学校を社会教育のために開放すること。各種団体の育成強化をはかる。余暇を過すための公立レクリエーション施設を計画すること。これらはすべて莫大な予算を伴うものであるが、社会が混乱してからでは間に合わない。早急に改善すべきではないでしょうか。

<教育関係法令用語シリーズ> (9)

学習指導要領の拘束力

総務課法規係長 祖 慶 良 得

1 序

小学校学習指導要領の改正については、その移行措置とともに1968年11月の第182回定例中央教育委員会に提案されたが、会期中に処理できず、この稿の執筆時の第184回定例中教委（1969年1月）まで継続審議に付されており、なおいつまで審議されるのか予想もつかない状態にある。審議の過程において明らかにされた論議の焦点は、学習指導要領の法的拘束性ということにしぼられる。すなわち、指導要領を教育過程編成の基準として法的拘束力をもたせるべきか、或いは参考程度の手引書とすることができるかということであった。

2 学習指導要領の法的根拠

学校教育法第22条は、「小学校の教科に関する基本的な事項は、第18条及び第19条の規定に従い、中央委員会が、これを定める。」とし、教育課程と同義のものとして「教科」という語句で定めている。ここに第18条及び第19条というのは、小学校の目的及び目標に関し定めた抽象的な規定である。さらに同法施行規則は、小学校の教科について1節を設け、その第2章第2節において、教育課程の編成(18条)、授業時数（18条の2）等について定めるとともに、その第19条において「小学校の教育過程については、この節に定めるもののほか、教育課程の基準として中央委員会が別に公示する小学校学習指導要領による。」と定めている。これを受けて、現在の小学校学習指導要領（1960年中教委告示第5号）が定められているのである。このように、法や施行規則においては、教科目、授業時数等教育課程編成についての基本的な規定がわずかに定められているだけで、具体的な教育課程の編成及び実施の基準については、学習指導要領によって別に定められているのである。

3 告示の法的拘束力

学習指導要領は、このように中教委の告示として定められているが、告示というのは、行政機関が法令の規定により、又はその権限に基づいてする指定、決定等の処分その他の事項を必要により又は法令の定めに従って広く一般に知らせる行為をいうのであって、この行為を一定の文書にあらわしたものがこの告げ示す行為の形式の一種としての告示であり、公報に登載される。学習指導要領を定めた告示は、学習指導要領を別冊のとおり定めるとして、別冊は公報登載を省略しているので、このようなものが告示といえるかどうか疑問があるが、それについてはここにとりあげるのが目的ではないので、告示の法規としての拘束力についてだけ述べることにする。

告示は本来、行政機関の行為を国民に知らせるためのものであるから法規命令とはいえない。しかしながら、法令の規定にもとづいて一定の基準を定めることが行政機関に委任されている場合、その決定が告示されるとこれは法規的性質を有する。すなわち、法令の規定それ自体完全なものではなく、それを補完しなければ執行できないとき、それを補う役割を果たしているのである。換言すれば、法令の補完的な性格が付与されているので、法規命令としての性質を有する場合があるということである。

4　「基準として」ということについて

施行規則19条の規定に従い、教育課程については、基準としての学習指導要領による。基準ということは、全く同一であるというのではなく、それを中心として考えられ一定の幅をはずれてはならないことを意味している。建築基準や労働基準のようなある一線を画する基準と同一には考えられないもので、学習指導要領の内容には、準則として基準性のかなり強い部分と弾力性の余地の多い部分がある。基準性の強弱を示す表現として「…する。」、「…しなければならない。」「…必要がある。」等のように強行規定と思われるものや、「…を原則とする」、「…が望ましい」、「…することができる」等訓示規定に近いものなどがある。したがって、論議されているように学習指導要領を参考程度の手引書とするためには、改正案に含まれるこれら強弱のある表現をすべて修正するとともに、施行規則19条にある「基準として」という語句も削る必要があるのではないかと思われ、そのためには、政府は教育の内容には関与しないという大前提にまで戻らなければならないのではないか。これはまた、政府が教育の内容に全然関与すべきでないとした場合に義務教育が成立するかということにも関連する。これは論理の飛躍のようだが、法的拘束力について考察するとき、違反に対する効果について述べる必要があるが、紙数の都合でふれられないので別の参考書で研究されたい。

◁学校めぐり▷　（5）

西　表　西　部　地　区

（ヤシとシャコ貝がエキゾチックなムードをかもし出す•鳩間小中校）

あるへき地校の校長先生が嘆息していうのに「へき地はやっぱり住めば田舎なりで、若い教師の奮闘を称え、3年たてばへき地から抜け出させるのに苦慮する」と。西表西部地区の小中校に勤務する先生方について現任校における勤務年数を1968学年度の学校要覧でみると1年未満が50％を占めている。（ちなみに那覇市内の小学校では25.1％である）優先移動の対象となる3年の勤務年限を超えるものはわずかに9.2％しかおらずへき地における校長の最大の悩みが教員の確保なのである。また教員としての経験年数も5年未満の教職経験者が61.1％を占め、いわゆる中堅教員の欠如が目立っている。（那覇市内の小学校は11.1％）

近年ブーム的に使われている「開発」という言葉は繁栄への夢を人々に与える。西部の玄関にあたる白浜はそういうイメージをかきたてるかのように今埋立と築港の真最中で、粗末なワラ屋根と原始林を背景に重機類が並んでいて、道路にはダンプのわだちが深い溝をきざんでいる。本土の製紙会社の事業所や寮もあり白浜、舟浮の人達は森林伐採と植林の労働でかなり景気がよいようだ。そういう事情を反映してか白浜小中学校は子供郵便局の成績が優秀で郵政大臣の表彰を受けたこともある。またこの学校はへき地教育研究の気運が高く、特に1967年琉大を卒業して赴任してきた西江先生は熱心な研究活動を続けていて、へき地教育発展への希望にみちている。

内離島をはさんで白浜と向き合う舟浮はリヤス式の深い入江が台風時の避難港として適しており、人々は祖国復帰のあかつき、南進漁業基地としての発展に大きな夢を託している。しかし夢が大きいということはきびしい現実のうら返しでもある。交通の不便さ、経済基盤の弱さ、過疎現象等に由来する文化的、経済的、社会的貧困が学校教育に陰に陽に影響してくる。

網取小中校は戸数11戸の網取部落にある西表西端の学校であり、この部落がこの学校の唯一の校区である。電話もなく陸路もなく、渺茫たる東支那海、一たび北風が吹けば咆哮するサバ崎と向きあう全く孤立したさい果ての地である。郵便局のある租内との距離は海路わずか10㎞、しかし電報が配達されるのに一週間かかることもまれではないという。白浜・租内への船便はないので必要に応じて傭船するが、傭船料が高い。一昨年スクールボートが米国民政府と教育委員会の協力で贈られたが、0.7t程度のボートで夜間や時化の際は危険であり、ほんとに必要な時役に立たないことが起こる。手のとどくところにいて手のとれないいらだたしさ、目に見えない壁にさえぎられた絶望感がしばしば人々の胸をよぎる。

中央教育委員会は例年教育主要施策を樹て沖縄教育の振興発展を図っているが、その中にへき地教育施設の拡充やへき地教育の振興もとりあげられ、とくに予算措置も講じている（不充分ではあるが)。したがってへき地校においても備品等の充足状況は他の地域と比べて特に悪くはない。しかし備品や教材等を効果的に利用するための施設設備がどうしても不充分である。発電施設を例にとってみると、現在一般的に施設されている発電機は2.5K～3.5Kであるが色々な視聴覚教材や理科の授業等をやるにはまだ不充分である。管理室・特別教室・技術家庭の教室等は全琉的に達成率の低い施設であるが、特にへき地においては皆無に近い。学校統合によって施設設備の充実、複式学級の解消をはかり、教育の効果をあげ、あわせて政府としても予算の効率的運用をはかろうという考え方はこのような背景のもとで生

段丘上に開拓地がひらけ、学校ができた（船浦中学校）

れたが、今のところ学校統合はあまり行なわれていない。しかしへき地教育の振興という観点からもっと考えられてよいのではなかろうか。

3日に1度宿直に当る（鳩間小中学校）

へき地の教育を考える場合どうしても教員の生活から目をそらすわけにはいかない。教育に専念する前に煩雑な生活上の諸問題に悩まされる。

赴任して最初にまず住む家をみつけねばならない。校長も一緒になって部屋さがしをするが、適当なところがなかなかない。あっても遠慮して貸したがらない。ある部落ではタタミがない。部屋はみつかっても食事が大変だ。下宿の引き受け手がないし、自炊しようにも野菜がない。ないないずくしである。そういう場合たいていＰＴＡ会長さんに頼みこんで食事の世話をしてもらう。一時が万事この調子で、ＰＴＡ会長さんもやっかいだが、意気込んできた新任教師の挫折感は大きい。不便で単調な生活の中でただ自分のうちなる教育への情熱のみを唯一の支えとして教育に打ち込まねばならないのである。

「教職員の待遇・学校の施設設備をよくしたらへき地教育の振興は可能であるか」という問がある。この問は現在のところ仮定にすぎない。しかしこの問が現実のものとなった時沖縄の教育界がどういう答を出すのか。へき地教育振興の鍵はそのへんにあるような気がする。

干潮時の渡し（大原）

箱にはいった名教師

── シンクロ・ファクス ──

白浜小学校　西　江　重　勝

(1)　はじめに

へき地教育全般にわたる問題は多岐にわたっており、誰しもが論じつくすことはできないであろう。それほど、ぼう大なものであり、根の広い問題である。しかし、少なくともその主要な問題として登場するものに、いわゆる複式学級の中の教育のあり方があげられるであろう。

複式学級とは、言うまでもなく、一つの教室の中に二箇学年を収容する学級のことである。三箇学年収容するものを三箇学年複式、小学一年から六年まで収容する学級を単級学級と称しているわけである。

このような学級における指導は、おのずから、単式学級と異なる特殊性を形づくっている。その原因は、一人の教師が二箇学年を受けもつのであるから、たとい1時間の授業においても、一箇学年あたりに直接指導するのは、半々と見ても30分程度となる。こういう現実の中で、複式学級におけるカリキュラム編成の研究や指導法の研究、器械の導入等が必然的に登場して来たのである。

ここでは器械の導入を中心に書いてみたい。特にシンクロ・ファクスのことについて、私の貧しい少しばかりの経験からのものと、将来こう使ってみたい、という雑感めいたものを書き綴ることにする。

ところで、シンクロ・ファクスのシンクロ (Synchro) とは「同調する」、ファクス (facsinile) とは「複写する」という意味なのだが、この器械は、シートに音声を録音し、それを再生することができるとともに、シートの表面になんでも書けるし、絵や写真を貼りつけることもできる。いってみれば≪視聴覚同時性≫が、この器械の特徴である。

このシンクロ・ファクスが、複式の学習指導に相当な威力を発揮しうるということが、おそまきながら、沖縄でも認められ、というよりは、へき地教育の重大性が認識されたのであろうか、今年、私の学校にも一台送られてきた。

そこで、複式学級の学習指導を中心に、このシンクロ・ファクスの活動を考えてみることにする。

(2) シンクロ・ファクスを使って

ところで、プログラム学習の提唱者であるスキンナーは、現在行なわれている普通の一斉指導の方法は、原則的に百年前と少しも変わっていないこと、学習の能率が非常に低いことなどにおどろいている。たしかに、筆者自身の子どものころをふりかえってみても、また各学校の授業を参観しても、一般には、子どもの学習参加率は低いように思っていた。

ところが、算数の授業でシンクロ授業をしてみると、まず子どもの学習参加率が普通の授業とはガラリとちがうという感じをうける。イヤホーンから流れる教師の具体的説明や指導に、子どもたちは、直接の話しかけ以上に耳を傾け、作業に熱中するようすは、予想をはるかに上まわるものがある。

直接授業学年とシンクロ学年は、一日おきに交替する。西表西部はまだ昼間発電がないので、学校の発電機をおこさないとならないのだが、それも子供たち自身で喜んで発電している。いそいそとシンクロにむかう学年、直接授業を受ける学年それぞれに、活動様式が一変したリズムにのって、注意と作業がピチピチしている。

シンクロ学年のほうは、パイナー（医者の聴診器のような形のもの、これをイヤホーンにつけると、両耳で録音を聞くことができる）を耳にはめ、グループの用意のできるのをまって、係がボタンを押す。その瞬間、教師の解説や指導が聞こえてくる。この箱に入った教師を、自分から積極的に駆使する主体的な姿勢に、直接授業とはちがった気魄がみえる。

このような直接と間接の変化のリズムとインター・パーソナルな活動と器械操作形態との交替変化、また器械そのものに対する子どもの興味、シート方式による調和のとれた視聴覚同時性、プログラミングの加味等、これらのいろいろな要素が、いわゆる≪全身全霊≫を打ちこんだ目的的活動に、子どもたちをひきいれる契機となって、一時間の授業の流れをきわだってひきしめ、充実させているというのが実感である。

西江教師のシンクロ・ファクス利用による複式授業風景

(3) これからの使用法

(イ) 滑車とバー方式

これは本土の台場小学校の利用形態であるが、二箇学年複式で、教室の天井につりあげられる横木（バー）を、それぞれの学年の机の上に設ける。滑車とひもの操作で、そのバーが、ちょうど子どもの頭の上におりるしかけになっている。

そのバーには、ジャック・ボックスがとりつけられ、イヤホーンとコード、それからパイナーがかけられている。小集団学習の形に机がくみあわされた一グループ（6名）ごとに、シンクロが一台ずつおかれている。

シンクロ学習に移るというときに、その付属品のセットしてあるバーは、いとも簡単に子どもの目の前におろされて、かれらは難なくシンクロ学習形態にはいることができる。

(ロ) シンクロ・セクション

緑郷小学校の場合は、図のように、（次ページ）教室の窓に適当に机を並べ、その上に器械をおく方法である。つまり、シンクロ専用の場所を特設しておくやり方である。

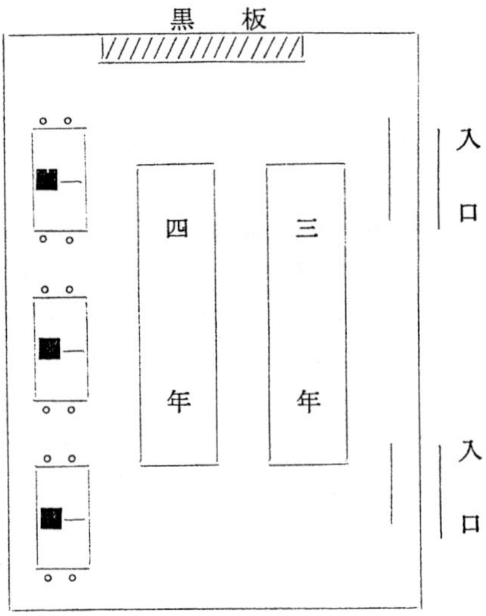

(ハ)　図書室利用

シート教材と器械を、各学年や教室で管理するのでなく、図書室に一括してセットしておき、子どもが、学習や研究のために、図書を利用するのとまったく同じ利用法で、シート学習をさせるのである。

この方法は、もちろん授業中の利用もできるが、放課後に、学校をすんでわからないところ、忘れたところ、あるいは授業外の分野について、自由に個別学習をするのに好都合である。

こう書いてくると、どうも理想論のような感じがしないでもない。なぜなら、本校ではまだ、まともに図書室すらないのであるから。そして、全校で一台しかないのである。

だが、忘れてはならないのは、どんな施設があっても、それを効果的に使えるようにするのは教師であることだ。いい設備があり、意欲のある教師をかかえている学校からは意欲のある子どもが育つのではないだろうか。当然ながら、子どもたちをとりまく環境を度外視してのことではない。そういう改革も強力におし進められなければならない。

だが、しょせん、教育は理想を追うものではないか。理想を追いつつ、現実のたとい小さな改革でも実行したい。こういう謙虚な改革者、日のさし込まない所に身を置いて日常の害悪と闘う改革者、こういう人間がどしどしへき地教育にとり組んでほしいし、そうさせる教育行政を期待したいのである。「大極着眼、小極着手」である。

天然記念物

「佐敷村富祖崎海岸のハマジンチョウ群落」

指定年月日　1961年6月15日
所　在　地　佐敷村字富祖崎

ハマジンチョウの群落は、佐敷村富祖崎海岸真謝川から富祖崎川に至る東西2125mの範囲内に生育している。この一帯は、2つの川のはけ口にもなっている関係から、湿地帯をつくっているので、ヒルギ類が生ずる等生育地としては理想的なところである。ハマジンチョウのなかまはオーストラリヤ、ニュージーランド、支那、日本、太平洋諸島にもあるが、その中のハマジンチョウは、九州の西海岸、種子島、琉球、台湾、南支那の海岸にだけ分布している珍種である。この植物は、普通防潮林内に点々とあるだけで、富祖崎のように大群落をなして見られるのは、ごくまれである。

文化財保護委員会
調査官　多和田　真　淳

1969年3月15日印刷
1969年3月18日発行

文　教　時　報　(115)
非　売　品

発行所　琉球政府文教局総務部調査計画課
印刷所　大同印刷工業株式会社　電話2－7890

回 覧							